TRAVESSIAS PARA
A LIBERDADE

ORLANDO MILAN

TRAVESSIAS PARA A LIBERDADE

EDITORA
Labrador

Copyright © 2019 de Orlando Milan
Todos os direitos desta edição reservados à Editora Labrador.

Coordenação editorial
Patricia Quero

Projeto gráfico, diagramação e capa
Felipe Rosa

Revisão
Frederico Hartje
Vitória Lima

Dados Internacionais de Catalogação na Publicação (CIP)
Angelica Ilacqua CRB-8/7057

Milan, Orlando
   Travessias para a liberdade / Orlando Milan, 1ª reimpressão. -- São Paulo : Labrador, 2019.
   552 p.

ISBN 978-85-87740-70-0

1. Ficção brasileira I. Título.

19-0375   CDD B869.3

Índice para catálogo sistemático:
1. Ficção brasileira

EDITORA Labrador

Editora Labrador
Diretor editorial: Daniel Pinsky
Rua Dr. José Elias, 520 - Alto da Lapa
05083-030 - São Paulo - SP
+55 (11) 3641-7446
contato@editoralabrador.com.br
www.editoralabrador.com.br

A reprodução de qualquer parte desta obra é ilegal e configura uma apropriação indevida dos direitos intelectuais e patrimoniais do autor.

A Editora não é responsável pelo conteúdo deste livro. O autor conhece os fatos narrados, pelos quais é responsável, assim como se responsabiliza pelos juízos emitidos.

Às minhas irmãs, Maria e Eva,
pela dedicação com nossa mãe, Ana Luiza.

RENASCENÇA, A CIDADE

Na Floresta Amazônica, em sua porção mais remota, uma cidade vazia recebe um grupo de pessoas para a inauguração simbólica. Um silêncio de admiração envolve os homens nas vans que percorrem as ruas pavimentadas, limpas e ladeadas por prédios coloridos. A nova cidade é rica em praças e bosques com vegetação nativa, mas, ao longo de todas as ruas, as árvores ainda estão pequenas, plantadas recentemente. Em alguns espaços, as plantas de jardinagens se mesclam à vegetação, sobressaindo frondosas árvores. Fora das áreas sombreadas, o sol é forte e o calor, abrasador. Os olhares percorrem cada detalhe enquanto os veículos avançam. O som marcante e compassado do relógio no alto da torre registra as dez badaladas da manhã.

Cercada pela grande mata, uma cidade inteira cheirando a tinta fresca, pronta para ser habitada. Os veículos elétricos rodando serenos no bom pavimento parecem flutuar. Sob a luz equatorial, placas, painéis solares e filamentos para a captação de energia se espalham pelos prédios e por toda a alta muralha que circunda aquelas construções. Impressiona os visitantes as altas torres para captação dos raios de tempestades, ampliando a geração de energia.

Há poucas e altas nuvens, que parecem veludos brancos brilhando intensamente no fundo azul amazônico, num lindo capricho constante no céu. A luminosidade do dia realça o colorido dos prédios, com todas as cores possíveis, criando uma sequência bonita de olhar. Os pequenos ônibus continuam a rodar, e do rádio sintonizado na emissora local vem uma música tranquilizante de Yanni, o grego.

Os homens observam cada detalhe nas quadras percorridas, os prédios enumerados e as placas nas esquinas com os nomes das ruas: Amazonas, Vitória-régia, Floresta, Rio Negro, Solimões, do Boto, Pirarucu, Piraíba, Sucuri, Onça-preta, Mogno, das Borboletas, dos Vaga-lumes, das Orquídeas, Arara-azul, Uirapuru, Candiru.

Os veículos circulam por entre os prédios de um lado ao outro da muralha. Se dirigem até o extremo da cidade onde está o setor das fábricas, em seguida conhecem o espaço agrário tradicional e visitam a área de agricultura moderna com grandes prédios para a produção hidropônica e de cogumelos. Ao voltarem, margeiam uma das laterais, observando os vários campos de futebol, alguns com pistas de atletismo. Seguem e veem quadras poliesportivas, academia de ginástica, piscinas, quadras de bocha, salões de sinuca, concha acústica e ginásios equipados para vários tipos de lutas.

No trecho que acompanham a muralha, observam as torres de vigilância distribuídas no entorno da cidade. Os homens analisam a obra realizada e comentam sobre os desafios e as dificuldades que tiveram de ser superados para agora começarem a nova etapa e alcançarem o objetivo final. É perceptível, entre os responsáveis pela grande obra, a satisfação pelo feito, mas também a expectativa quando conversam a respeito de tudo aquilo e do que viria depois, haja vista que no dia seguinte começariam a chegar os prisioneiros que habitariam a cidade, vindos de todo o país.

Do outro lado das muralhas, a imensa Floresta Amazônica; dentro, a prisão seria um paraíso para aqueles que tinham fobia de celas apertadas, úmidas e imundas. Teriam agora outro tipo de sofrimento, mas com esperança de uma vida melhor. A distância e o isolamento seriam a fonte de descontentamentos.

Continuam o giro, e o silêncio é quebrado de vez em quando pelos ruídos alegres das araras que, em algazarras aéreas, passam em bandos, ora amarelas, ora vermelhas, ora azuis. Os visitantes comentam a obra que descortina um novo tempo do regime prisional. O país tem passado por uma grande transformação, buscando se adequar e atender ao povo nas urgentes necessidades. Constantes reformas têm acontecido em todos os setores após a violenta guerra civil pela qual passou.

Os visitantes conhecem a Oficina de Artes, o Centro de Educação, Palestras e Treinamentos. Enfim, tudo preparado para o convívio confortável e estimulante dos moradores, propiciando diversidades de ocupação produtiva, cultura e lazer.

Na confluência das ruas Rio Negro e Rio Solimões, deixam os veículos e entram na praça Manaus. Ficam encantados com as árvores majestosas que proporcionam sombra e um frescor agradável na manhã quente. Ao saírem da praça, atravessam a rua e chegam a um enorme prédio no qual conhecem o salão de recepção aos presidiários. Em seguida, os visitantes contornam a praça e, no extremo oposto, deparam-se com um amplo pátio que é o espaço das religiões, circundado por diferentes ambientes que abrigarão vários templos.

Seguindo, então, à parte central da cidade, caminham sob as sombras das marquises, visitam um prédio de apartamentos e, novamente nos ônibus, chegam ao centro geográfico: a praça Ovo de Colombo, onde se admiram com o ambiente florido e belas árvores, se destacando um colossal mogno. Do outro lado da rua está a Torre do Mirante, um majestoso prédio que abriga no térreo um amplo *hall*, tendo do lado direito o museu; do lado oposto, uma grande biblioteca; e, um pouco mais ao fundo, o agradável espaço do Café Encantado, com mesas e algumas poltronas, que está funcionando para atendimento aos visitantes.

Após um rápido café, eles sobem pelos dois elevadores, até o alto da torre de 60 metros, de onde se podem ver, em 360 graus, protegidos por vidros, a floresta e a cidade circundada pela muralha, os fossos com os animais ferozes e toda a infraestrutura de apoio do lado de fora. Um cheiro morno de mato verde sobe da mata, penetrando o ambiente pelos orifícios nas partes superiores da parede de vidro.

Durante a permanência no mirante, ouve-se o badalar dos sinos nas quatro pequenas torres em pontos diferentes da cidade. Um barulho alegre de araras vermelhas chama a atenção para um dos lados da cidade, onde os pássaros passam voando baixo. É espantoso para os visitantes ver o contraste entre a floresta e o colorido dos prédios. No sistema de som, que se espalha por toda a área urbana, inclusive no mirante, escutam-se os primeiros acordes de *O guarani*, de Carlos Gomes.

Observam a mata grande, um verde longo que se mistura no azul distante do outro lado do horizonte, as nuvens que agora marcham velozmente, o céu se movimentando. A grande torre abriga ainda, no piso anterior ao mirante, um espaço para meditações e orações silenciosas. Na parte superior, tem instalado o enorme relógio que marca o tempo a cada quinze minutos, aumentando as batidas à medida que se aproxima das horas cheias, quando então soam as badaladas completas. No térreo, os visitantes conhecem a biblioteca com grande acervo e o museu, no qual se encantam com as obras em gesso de figuras do folclore e o belo painel mostrando as Lendas da Campina do Encantado.

Olhando as obras, doutor Nicanor comentou:

— Como disse Kant, "o belo é um objeto do prazer necessário".

Alguém próximo retrucou:

— Mas os moradores que virão não saberão apreciar.

— Engano seu — rebateu Nicanor. — Muitos sabem, sim, e arrastarão outros para cultivar o espírito. Como dizia um filósofo, "a arte cultiva o espírito". E, para ajudar, a biblioteca está ao lado.

Quando saíram para a rua, um dos visitantes, diante da diferença de temperatura, comentou:

— O problema maior aqui é esse calor equatorial.

— As pessoas logo se acostumam — disse doutor Alberto, um dos dirigentes e grande entusiasta do projeto, homem sempre animado com o trabalho e com uma vontade de ferro de ver a cidade funcionando.

— Só o tempo dirá como vai ser tudo isso — falou Almeida, um dos mais próximos colaboradores de Nicanor.

— Acredito que aqui será possível ter um amanhã no horizonte dos presos que virão — opinou doutor Alberto, futuro diretor responsável pelo funcionamento da cidade e que atuará na administração na parte externa da muralha.

Após conhecerem a cidade, os visitantes se dirigem para a saída e, ao chegarem ao portão, descem dos ônibus atravessando os fossos pela passarela de vidro. Através do piso transparente, veem leões de um lado e pit bulls de outro, feras que caminham lentamente lá embaixo. A sensação não é agradável.

Doutor Nicanor seguiu explicando:

— Os dois fossos circundam toda a muralha. Um deles é para cobras venenosas, como cascavel, jararaca, jaracuçu, coral, urutu e outras, e no outro estão enormes jacarés, com seus arrepiantes rugidos e sempre com forte apetite. A cada cem metros, uma divisória ajuda a manter os animais de forma bem distribuída ao longo da muralha, de maneira que é possível ouvir, de vez em quando, os barulhos de cães, leões e jacarés em todo o entorno da cidade. As serpentes reforçam no psicológico a sensação de segurança, e a manutenção delas se dá por conta de uma instituição de pesquisa que periodicamente recolherá venenos. Após a ponte, chega-se ao grande pátio externo, também com uma muralha, em que cinco torres de segurança circundam a área dos caminhões de suprimentos que ali pararão, vindo dos aviões. Depois que descarregarem, os funcionários sairão, e só então virão os trabalhadores da cidade e transportarão as mercadorias para o interior.

— Agora, vamos ao escritório da direção, ao centro de apoio e orientação na comunicação com o núcleo urbano, ao alojamento para todos que trabalharão na parte externa — explicou Nicanor aos visitantes. — Depois, seguiremos aos pavilhões de carga e descarga, ao hospital, ao necrotério, ao crematório, enfim, a todos os esquemas de abastecimento, alimentos, energia, água e tratamento de esgoto. Tudo preparado para a recuperação e a regeneração dos detentos, mas com toda a liberdade dentro da cidade, com amplas possibilidades para trabalhos, estudos, formações profissionais, muitas atividades culturais, esportivas e religiosas. Internamente, a cidade será administrada pelos presos. Nela, os homens serão livres e deverão seguir regras para conviverem e fazer tudo funcionar.

O almoço para a comitiva é no restaurante do hospital, já pronto para atender normalmente a todo o pessoal de apoio.

O grupo de visitantes é composto por autoridades administrativas, carcerárias, políticos, religiosos, engenheiros, arquitetos, jornalistas e pela equipe que documenta este momento, pois, simbolicamente, se trata da inauguração da cidade Renascença, que precisa ser registrada para a devida divulgação.

Foram homenageadas algumas pessoas que trabalharam no início da obra, representadas na fala do piloto que fez a primeira viagem de ação, dando início à construção da cidade. Também estava presente Inácio Madeira, o primeiro trabalhador a descer de helicóptero, por um cabo, para dentro da mata. Durante o almoço, eles comentavam sobre a epopeia. Albuquerque, o piloto do helicóptero, relembra as ações iniciais.

— No primeiro voo de trabalho, procurei, na área determinada pelos instrumentos de localização, uma pequena brecha possível para descer por cabo os homens e os equipamentos. Estabilizei o aparelho pairando no ar e se iniciou a operação. Os homens foram descendo, seguidos por mochilas, armas, motosserras, foices, comidas, água e barracas. Nesta imagem — continuou o piloto, mostrando a todos uma foto do lugar por onde desceram —, dá para ver que era só mato. É o retrato de como era o planeta antes de o homem começar a agir. A primeira ferramenta que usaram foi o facão, depois a foice. Em seguida, a motosserra, então as árvores começaram a tombar. Três dias depois, quando voltei com mais homens e equipamentos, já havia um buraco na mata, onde pousei a aeronave normalmente. Durante vários dias foram chegando homens, e logo o espaço aberto permitiu que helicópteros maiores pousassem trazendo partes de uma máquina esteira que os mecânicos montaram. À medida que passavam os dias, mais peças desciam e máquinas eram montadas. Um retângulo foi se abrindo na mata. As árvores eram desmembradas e as toras iam sendo separadas para serem utilizadas mais tarde, assim como as galhadas leiradas seriam queimadas quando estivessem secas. A madeira aproveitável era toda selecionada e depositada de forma organizada, até o que fosse para a lenha.

"A agitação era grande, com muitas barracas, que foram sendo substituídas por ranchos de madeira. Foram instaladas serras movidas a diesel para beneficiar as toras, fazendo tábuas, vigas e caibros. Uma grandeza, tudo aquilo. Uns traziam toras, outros serravam, outros transportavam e outros construíam galpões, casas e barracos. Um dos primeiros galpões foi o refeitório. Aquilo era bonito de ver, um verdadeiro formigueiro."

O piloto falava e seus olhos cintilavam, parecendo reviver aqueles dias de uma fantástica epopeia, num lugar tão distante de tudo e com tão difícil empreitada, além das chuvas que travavam os trabalhos, mas que estavam dentro do cronograma.

— Teve vez de a gente ficar dez, quinze dias sem trabalhar por causa da chuva — disse Inácio Madeira.

— E o grande retângulo foi crescendo — continuou o piloto. — Era preciso preparar primeiro um campo de pouso de terra para os aviões trazerem os engenheiros, os materiais e os equipamentos que pavimentariam um lado da pista e depois o outro, permitindo, a seguir, que viessem os aviões maiores até estar preparada a infraestrutura básica para iniciar as obras da cidade. Tinha que ser tudo por avião, pois nesta cidade não poderia chegar estrada, nem rede elétrica, nem rede de nada. O isolamento tinha que ser completo, afinal seria uma prisão de supersegurança.

— Por favor! — interrompeu uma jornalista, levantando o braço. — Tudo isso foi muito difícil, levando em conta o dinheiro gasto. Na sua opinião, acha que vai dar o resultado esperado?

— Não cabe a mim especular sobre essa parte. Só digo que foram superados todos os obstáculos e que a cidade está pronta. Os homens que se propuseram a esse desafio saberão conduzir o necessário para que seja bom a todos. Acredito nisso, pois o país amadureceu muito nos últimos tempos, acompanhando o que acontece no mundo, o que é ótimo para nossa população.

"A solidão daqueles homens de vanguarda foi ficando para trás — continuou o piloto. — Com a grande pista pronta, os aviões de carga não paravam de chegar, e foi assim por anos de obras. Agradeço o convite que recebi para estar aqui hoje, com o senhor Inácio Madeira, falando dos momentos iniciais, representando todos os que batalharam naqueles primeiros dias, e tenho orgulho de ver a cidade pronta pelas mãos dos que continuaram, aqui representados pelos engenheiros."

Os religiosos fizeram orações, dessa vez no hospital, como já haviam feito na administração, no mirante e no espaço religioso. Os engenheiros presentes ao almoço relataram alguns dos muitos casos ocorridos na grande obra, histórias que continuaram a relatar mais tarde durante o longo voo de volta. Todos os envolvidos responderam às perguntas dos jornalistas. Terminada a visita, eles se prepararam para a volta. Lá fora o calor era escaldante, e no meio da tarde caminham para o avião. A claridade do dia era áspera, os raios de sol aqueciam como brasa o pavimento, parecendo fazer subir labaredas entre os pés.

Pelas janelas do avião, que taxiava, podia-se ver a estátua das Amazonas, belamente situada no florido jardim das proximidades do portão da cidade — uma delas de braços abertos. Trovões longínquos martelavam o céu, e o avião deu uma volta sobre a obra dos homens que olhavam satisfeitos o colorido dos prédios na imensidão verde forte da Floresta Amazônica. A cidade foi ficando lá embaixo, no torpor do silêncio quente da tarde. Era de encher os olhos. Renascença era o resultado de uma força de vontade que mostra o querer de um povo em busca de melhor qualidade de vida para todos, até para quem isso pareceria impossível. O trabalho daí em diante precisava continuar a dar certo.

A máquina aérea aprumou o rumo a seguir. No lado oposto, o trovão, em meio a relâmpagos contínuos, anunciava que nuvens escuras e inchadas logo desabariam, e os raios fugidios do sol já declinavam no fundo da floresta. Renascença receberia os primeiros moradores no dia seguinte. A cidade seria habitada somente por prisioneiros, que chegariam de todo o país. Acabariam com quase todos os presídios, com exceção de alguns, em razão da logística, e dos femininos, mesmo assim em números reduzidos, graças às mudanças ocorridas.

Durante a viagem, Nicanor explicava os planos para o futuro prisional no país:

— Nas cidades, as cadeias públicas farão a triagem e os condenados seguirão para o presídio de sua região, de onde virão para Renascença. No país, só restarão cinco presídios, um em cada região. Penitenciária, só nesta cidade especial. A segurança do Estado só acontecerá no entorno, para dar suporte a seu funcionamento e evitar fugas. Tudo vai ser facilitado, como abastecimento, saúde, cursos a distância, treinamentos, palestras, lazer e o que for necessário para o funcionamento de um núcleo urbano.

O doutor Alberto também falou:

— O local para a instalação da cidade foi escolhido depois de minucioso estudo, como a distância para outras cidades e um sítio geográfico, cujo espaço coberto de floresta tem seu rio navegável a grande distância. A cidade mais próxima fica muito longe, é um verdadeiro esconderijo. Grandes aviões farão, a partir de amanhã, a transferência dos presos. Longo foi o caminho para chegarmos a este momento. O plano começou após a guerra civil, que levou o pacato povo a experimentar dificuldades que só conhecia por livros, filmes e noticiários. O horror da guerra chegou até nós naqueles dias, que vão ficando para trás.

— Após uma tragédia bélica, o comportamento de um povo deixa de ser o mesmo — afirmou Nicanor. — A complacência com os desmandos das autoridades, de qualquer nível, não é mais tolerada. O país mudou, e agora esta cidade dos homens presos é um dos marcos dos novos tempos. Mas, para chegarmos a isso e trazer os prisioneiros, os trabalhos foram extenuantes. É preciso agora chegar aos resultados, que é o viver melhor. Isso vale para os presidiários e toda a população. Infelizmente, tortos e penosos são os caminhos. É imperioso ter um objetivo. É preciso acreditar, caminhar. Esse é o lema dos criadores de Renascença, a cidade-prisão, que abrirá para grande parte de sua população travessias para a liberdade.

— EMÍLIO —

Meses antes, numa grande capital, o carro seguia pelas ruas movimentadas com três passageiros. Um deles, Emílio, olhava cada detalhe nas calçadas apinhadas de gente, no corre-corre da vida. Carros, ruas, motos, prédios, uma agitação. Tudo aquilo entrava por seus olhos e ouvidos como um filme bonito e antigo. Aqueles barulhos misturados não seriam saudade dos tempos de homem livre? Em sua memória vieram lembranças dos dias felizes, e aquelas cenas lhe provocaram um princípio de nostalgia, uma tristeza chegando de longe.

O carro parou na entrada de um bonito hotel, com vistosa entrada, onde foram recebidos pelo impecável capitão-porteiro, com vestimenta da cabeça aos pés, o que fez Emílio lembrar alguns de seus algozes. Os três homens cruzaram o elegante *hall* rumo aos elevadores. Estavam muito bem-vestidos, todos de terno e gravata. Emílio caminhava entre os outros dois, olhando curioso aquele ambiente muito limpo, luminoso, bem-decorado, com carpetes e tapetes, vasos com flores, grandes quadros nas paredes, pessoas elegantemente trajadas. Alguém dedilhava um piano na penumbra do recanto.

Pararam um instante, e, enquanto um dos homens foi até a recepção, Emílio pôde identificar a música: "Golpe de mestre". Aquele cenário era um conforto para seus olhos, que viam pessoas puxando bonitas malas, a rolar silenciosas por sobre o carpete macio. Reparou num canto a escadaria curva, coberta pelo tapete azul-marinho fixado por barras douradas e corrimão no mesmo tom. Notou as pessoas falando baixo e de forma educada. Olhou para o grande relógio na parede atrás da bela recepcionista: três horas da tarde. Após aguardarem alguns segundos o elevador, entraram só os três engravatados, que em silêncio subiram até o décimo quinto andar, chegando a um salão de reuniões. Não havia ninguém esperando. Um deles foi ao banheiro, o outro ficou a olhar o celular, e Emílio foi até a janela, observando os prédios em volta, as ruas lá embaixo naquela agitação sem fim, e pensou: "Aqui fora a vida não parou."

Emílio era um homem alto, magro, bigode preto, cabelos negros escorridos, de voz mansa, olhar penetrante e jeito tranquilo. Absorto em suas observações, não percebeu que outras pessoas haviam entrado na sala e, ao se voltar, ouviu uma voz:

— Senhor Emílio, nossos dois agentes foram boas companhias durante a viagem de vinda? — perguntou Nicanor, o delegado-chefe da equipe, cumprimentando-o com um aperto de mão.

— Sim, doutor — respondeu o prisioneiro. — Mas me deixaram muito curioso.

— Quero que conheça os doutores Alberto, Vasco e Almeida. Nossa missão é apresentar ao senhor um plano de trabalho muito importante. Importantíssimo — reforçou Nicanor, convidando todos a sentarem.

— Estou achando tudo muito estranho. Vocês me tiram do presídio, onde tenho longa pena a cumprir, me colocam um terno, me enfiam num avião e me trazem para uma reunião aqui neste hotel chique. Não estou compreendendo aonde querem chegar, ou melhor, aonde eu vou chegar.

— Entendemos seu espanto, e o senhor é um homem de ponderação — disse o delegado. — Por isso foi escolhido para participar de nosso programa. Será um desafio para nós e para o senhor. É normal sua estranheza, mas logo vai entender. Após nossa explicação, o senhor fará suas perguntas e chegaremos a algum resultado. Temos um grande plano de trabalho. Cada um de nós falará uma parte, para que o senhor tenha um quadro completo e entenda o motivo de sua vinda.

"Primeiro, queremos cumprimentá-lo por estar aqui, pois foi escolhido entre todos os milhares de prisioneiros para uma missão muito importante."

Os quatro homens começaram a explicar:

— Como o senhor sabe, estão acontecendo grandes mudanças em nosso país. Já deve ter percebido que o número de encarcerados em todos os presídios tem diminuído — continuou Nicanor. — É de se ressaltar que em todas as áreas existe uma revolução nos costumes, uma vontade grande de mudar as coisas para melhorar a vida de toda a população. Mas isso exige ações em múltiplos setores, como fazer coisas antes inaceitáveis. Isso vai levá-lo a compreender por que um prisioneiro está aqui, num lugar destes. No que diz respeito a nós, enquanto muito trabalho estava sendo feito numa frente, em outra, durante dois anos, analisamos, por meio de pesquisas, toda a nossa população carcerária. Para nossos objetivos, selecionamos dez homens e os colocamos numa classificação, sendo o senhor o primeiro deles. Vamos lhe apresentar nosso plano e proposta. Se o senhor não aceitar, chamaremos o segundo, e assim sucessivamente, até encontrar alguém que aceite.

Emílio escutava, mas parecia não acreditar. Ele perguntava a si mesmo como poderia passar de preso a engravatado. E num lugar daqueles. "Que caroço tem debaixo desse angu?" Naquela situação, Emílio parecia estar suspenso no ar. Por sua cabeça, passou um filme muito rápido, e se lembrou do que Maria dissera uns dias antes: "Você estará sempre ao alcance do destino." O que será que o destino lhe reservava?

Depois de um tempo, uma voz quebrou o silêncio.

— O senhor aceita uma água? — perguntou Nicanor.

— Sim, aceito.

— Com gás ou natural?

— Já que estou aqui, com gás.

— O assunto é o seguinte, senhor Emílio: a mudança que está acontecendo no setor carcerário vai se aprofundar. O senhor e todos os presidiários certamente têm ouvido falar de alterações no sistema, que muitos presídios vão ser fechados e os presos serão enviados para uma grande prisão. Na verdade, uma cidade com prédios de apartamentos, em que vão estar cercados, mas livres, sem apertos, sem as imundícies dos presídios. Tudo vai melhorar: as condições de moradia, higiene, saúde, ocupação, cursos, esportes, lazer, valorização da vida. Tudo, tudo, tudo, menos as visitas, que não serão permitidas. Será lá no meio da selva, muito longe, sem contato com o mundo exterior. Visita e telefone vão acabar, mas o presidiário terá a chance de reduzir a pena pela metade e ainda outros benefícios de soltura. Serão criadas chances muito grandes de se inserir de novo na sociedade. Sabemos de presos que não tem jeito. Bem, quem não tem jeito, não tem jeito, então que se foda! Vão ter que aguentar a barra com a pena toda, na solidão que merecer.

— Tem mais — emendou doutor Vasco. — O sistema judiciário evoluiu muito e já não existem presos sem julgamento como antes, quando havia gente que ficava anos presa indevidamente.

— Como também havia gente que ficava livre indevidamente — afirmou Emílio.

— Sim, claro, todos sabemos disso — concordou doutor Alberto. — Mas tudo está mudado: muitos pobres que ficavam presos não ficam mais e muitos ricos que não ficavam agora ficam. O Judiciário, hoje em dia, está colocando muitos presos com penas leves no sistema de monitoramento com chip, ou tornozeleira, o que reduziu o número de detentos, diminuindo o trabalho carcerário, as despesas com alimentações e outras muitas. Você já percebeu isso, não é verdade?

— Percebi, sim, mas estou meio zonzo com essa história de levar todo mundo para um lugar só, bem longe. Vai haver muita revolta dos presos, os grupos organizados vão resistir, se rebelar, fazer o diabo.

— Conhecemos a clientela — prosseguiu Alberto. — Por isso, ninguém ficou sabendo do destino da obra na floresta. O mundo carcerário estava com os olhos voltados para as reformas e a soltura de muita gente com novas sistemáticas de controle e penas alternativas. Para os de regime fechado, foi planejado algo revolucionário, pois todo mundo sabe que esse sistema prisional arcaico não regenera ninguém e que não se consegue controlá-los nem trancados. Então, nasceu o projeto da cidade isolada na floresta. Sabemos que vai haver algumas resistências, mas enfrentaremos e explicaremos minuciosamente que as vantagens serão enormes. Os que aceitarem de bom grado terão privilégios iniciais. Os resistentes ficarão para trás e, no momento certo, se preciso, o jogo será duro. Conversaremos na linguagem de cada um, conforme eles preferirem.

Por um longo tempo, os quatro homens explicaram com detalhes todo o plano que tinham a apresentar ao prisioneiro e, por fim, qual seria o papel dele na nova cidade-prisão.

— Veja bem, Emílio: as autoridades vão estar do lado de fora da muralha, para dar todo o suporte ao funcionamento. Lá dentro, tudo vai estar sob a responsabilidade dos presos — completou Nicanor.

— Muito bem, agora você sabe de quase todo o trabalho que está se desenvolvendo. Vamos ao motivo principal de sua vinda, ou seja, qual seu papel nisso tudo — disse Vasco. — Nossa proposta é montar uma rede confiável dentro da cidade, com doze setores de administração, e você seria o responsável pela coordenação.

— Emílio, sabemos tudo sobre você: seu jeito, seu caráter, sua conduta, sua liderança, seu equilíbrio, apesar do que o levou a ser condenado a uma pena tão pesada — garantiu Alberto. — Você é um homem que controla a harmonia que o rege. Temos certeza de que é a pessoa certa para esse importante papel. Você ainda tem que cumprir vinte anos, mas poderá sair com dez. Ficará menos ainda se, no decorrer dos trabalhos, comprovar bom comportamento. Isso sem falar numa remuneração, para você e sua família, já a partir do mês que vem.

— É uma oferta tentadora — admitiu o detento. — Fico feliz por ter sido escolhido.

— Sim. Se você não quiser, outro vai aceitar, alguém vai querer — acrescentou Alberto. — Mas gostaríamos que fosse você, assessorado por outros, de modo a formarem uma rede eficiente para o benefício de todos, pois a vida dos presidiários vai melhorar aqui fora também, já que temos uma polícia mais científica, um judiciário ágil, que faz uma rápida triagem sobre quem deve ser acompanhado por chip. Os que insistirem no crime, irão direto para a selva. Corruptos, médicos charlatões, ladrões do INSS e de qualquer dinheiro público também vão conhecer o que é conviver com a nata do crime. E não haverá essa de diploma. Quer ser ladrão, então frequente sua turma. É um momento importante, pois aquilo de a elite não ter medo de ser presa acabou, assim como também acabará o hábito de tratar prisioneiros como lixo. Todos, ricos e pobres, terão outra chance, de maneira igual. Quem souber aproveitar, que aproveite! Quem não souber, que aguente as consequências!

Emílio ficou absorto um tempo, com olhar perdido. Todos ficaram mudos, criando um silêncio de expectativa, até que ele perguntou:

— Quando tenho que dar minha resposta?

— Quanto tempo você quer? Só não pode ser muito — reiterou Nicanor.

— Uma semana. Pode ser?

— Quatro dias. Para você pensar. Mas precisa resolver sozinho, sem falar com ninguém do presídio. É um compromisso. Ninguém vai poder opinar, pois só você sabe todo o projeto. Está em suas mãos. Outra coisa: dos doze escolhidos, se você tiver algum chegado, pode indicá-lo para a ouvidoria a fim de auxiliá-lo. Será seu braço direito.

— Segunda-feira, dois de nós iremos encontrá-lo para conversar. Esperamos muito que aceite para começarmos outra etapa do plano, da qual você participará. Vamos escolher os outros líderes e seus respectivos papéis. Já temos os homens mapeados, mas deveremos decidir juntos.

Todos deixaram o hotel. No carro rumo ao aeroporto, Emílio tinha a cabeça a mil, com pensamentos desencontrados, num emaranhado de alegria, receio, perplexidade e estupefação diante do que o destino agora lhe colocara. Tinha tudo para ser uma experiência boa. Mas seria? Como dizia o ditado, às vezes Deus dá a farinha e o Diabo fura o saco. Mas onde estava o lado ruim daquela proposta? Sua vida já estava arruinada. Aquela poderia ser uma oportunidade para ele e muitos outros.

Tantas coisas na cabeça. Era preciso deitar, dormir e ver como iria acordar no dia seguinte, caso conseguisse conciliar o sono. Sentia, porém, que deveria aceitar a proposta. "Como seria? Aqui estou novamente enredado nas teias do destino, não posso escapar do meu caminho, mas como me virar no que será um antro de víboras?", Emílio refletia.

Assim que encontrou Felício, comunicou:

— Cara, aqueles rumores de que haveria uma grande mudança no sistema é verdade.

— Mas vai melhorar ou piorar para os presos?

— Os dois, acho. Não sei direito, não tenho certeza, pois é tudo muito diferente. Sei que vamos ser mandados para longe.

— Mas aí o povo vai se revoltar.

— Não adianta revolta. O plano está traçado, e qualquer movimento contra será reprimido.

— Entendi. Por isso aconteceram aqueles dois massacres. Já eram um aviso para a dominação.

— Sim, tudo está programado. A ideia surgiu após a guerra civil, que mudou a vida do país.

— E chamaram você lá pra falar sobre isso? O que querem de você?

— Exatamente — respondeu Emílio após contar a proposta recebida. — Vou indicar seu nome para ser um dos dirigentes. Espero que aceite.

— Você sabe que sempre fomos parceiros. O que tiver que ser, estaremos juntos.

— Mas, para qualquer efeito, não lhe falei nada. Eles pediram e prometi.

Emílio pediu autorização para que Maria o visitasse no dia seguinte e foi atendido. Conversaram longamente, e ela ficou chocada com a possibilidade de uma mudança para tão longe. Era uma mulher alta, bonita, de cabelos pretos soltos nos ombros, dona de um jeito amigável e tranquilo.

— Tenho tido uns pressentimentos ruins — disse ela, olhando fixamente para o chão. — Todos estes dias me peguei navegando em tristes pensamentos. Acho que estava prevendo isso. Te levaram pra passear e fizeram esta proposta. Você vai aceitar?

— Vai ser ruim ir para aquela lonjura — respondeu Emílio. — Mas é melhor ir como encarregado do que como preso. Pois que vamos, isso é certeza. A gente nunca escapa das garras do destino. Lembra o que me disse outro dia?

— Deus colocou uma missão em sua vida — falou a mulher, com o rosto abatido e sombrio.

— A gente está ali, achando que o destino está traçado de um jeito, e de repente aparece a oportunidade para a vida modificar, talvez para melhor. É a história do cavalo arreado: se passar perto de nós, temos que montar.

— Não posso discordar — corroborou a mulher, mordendo o lábio inferior.

— Vou tentar achar a felicidade na expectativa de um mundo novo. Isso vai ajudar — consolou-a Emílio, passando a mão nos longos cabelos negros de Maria.

— Estou vendo que está gostando. Assim é melhor para suportar esse castigo. Faça o que sempre falamos: não negue nada ao coração.

— A parte pior é ficar longe de você.

— Isso vai ser ruim demais! A gente não vai se ver por quanto tempo?

— Já pensei nisso. Mas, estando eu na administração, creio que será possível nos encontrarmos. Não no começo, pois preciso mostrar serviço, mas depois de um tempo vai dar, sim. Como um preso comum, não teremos essa chance.

— Concordo. Onde vai ser exatamente essa prisão?

— No fundo da Floresta Amazônica.

— Credo em cruz! — exclamou Maria, arregalando os olhos.

— Mas de avião não é longe.

— E vão deixar você vir?

— Não. Mas, pelo que me falaram como vai ser lá, farei o possível para você ir. A administração tem um setor fora das muralhas, com todo o sistema de apoio para a cidade funcionar: aeroporto, hospital, alojamento para o pessoal externo. Estando eu no comando, não vão negar essa regalia. Vai dar certo, confio no rumo das coisas.

— E você acha que vai funcionar essa prisão no fim do mundo? Os prisioneiros vão se rebelar.

— Foi o que pensei quando me falaram, mas as mudanças estão aceleradas. Uma grande quantidade de presos saiu para o regime de controle de chip ou tornozeleira eletrônica. Com a maior agilidade da Justiça, muitos que nem deveriam estar presos já ganharam a liberdade. É lógico que isso de ficar longe de todos, sem visitas, muito isolado, não vai ser nada bom. Mas, nessa prisão nova, os presos terão muitas outras vantagens, pelo menos é o que estão falando. O sistema prisional há muito tempo está saturado, era lógico que teria que acontecer uma mudança radical. Os próprios presos pediam mudanças. Taí o resultado. A população carcerária foi atendida: as prisões lotadas vão acabar.

— Que vantagens são essas para estar longe de casa e ainda ficar isolado no meio do mato, com mosquitos, cobras, doenças e o calor medonho que falam que faz lá, sem contar os índios armados?

— Quase tudo que você falou tem por aqui também, só que em gaiolas apertadas de gente. Lá, em cada apartamento, só vai haver oito pessoas, cada um na sua cama, quatro beliches por quarto. Não vamos morar em cela, e sim como se mora por aqui. Seremos livres para andar pelas ruas, teremos um salário igual para todos, e quem quiser poderá trabalhar para ganhar mais algum dinheiro, o que contará pontos para reduzir a pena. Haverá um bom atendimento na saúde e esquemas para quem quiser estudar e se profissionalizar.

— Fora o isolamento, o resto parece ser bom — admitiu Maria.

— Vamos ver se não é uma fria. Dá para confiar?

— Nosso país mudou bastante. Se fosse antes, seria difícil acreditar. Mas agora, além de mais dinheiro, há uma melhor gestão e mais seriedade nas fiscalizações. Muitos dos que faziam mutretas estarão lá em Renascença ou pianinho com o chip no couro, controlados aqui fora.

— Vixe... E a cidade já tem nome? Como é? Renascença? Por que esse nome?

— Pense — respondeu Emílio, segurando as mãos de Maria, que tinha um semblante triste. — Bem, o esquema está todo armado. Estou triste por nem saber quando voltarei a vê-la. Por outro lado, cheio de expectativa pelo que está se apresentando de novo. Isso estimula o viver.

— Eu entendo. Sair desta prisão nojenta, fedida e apinhada de gente já é um começo de libertação.

Ficaram um tempo em silêncio.

— Sabe, Maria, com o trabalho que vou fazer, ganharei bem. E lá vou gastar pouco. Minha pena vai reduzir mais da metade. Quando eu sair, vamos ter uma boa grana para a gente tocar a vida.

— Vai ser muito ruim ficar tão longe de você!

— Não vamos sofrer por antecipação. Ainda demora para a partida.

— Demora quando é espera para um encontro, mas para separação é sempre rápido. Quando notarmos, estaremos nos despedindo. Acho que nossos dias felizes não voltarão mais.

— Não fale assim. É a travessia da vida. Quando se perde o paraíso, é necessário saber superar o inferno. Logo nos veremos, acredite nisso.

— De que paraíso você está falando?

— Dos dias felizes que tivemos lá fora — disse o homem, baixando o tom da voz.

— Sempre guardarei comigo as lembranças dos tempos lindos que tivemos — falou Maria, já chorando. — Meu coração está triste num peito triste.

Aquilo durou apenas um momento e Maria já sorria o sorriso das mulheres fortes. Em seu rosto se estabelecera a tristeza antecipada do que viria.

Emílio a beijou na face e sentiu uma lágrima doce em seus lábios, o sabor da mulher que amava. Um nó no peito o deixou em silêncio. E assim ficaram, calados, até que ela manifestou:

— Na vida é preciso fazer coisas para alegrar o coração. Você está sem saída, e o melhor é aceitar a oportunidade.

Depois de um silêncio demorado, ele, segurando as mãos da amada, disse:

— A vida é feita de escolhas, e nem sempre é possível ter opções que gostaríamos. Quando só resta o sim ou o não, é pegar ou largar, então vou aceitar. Assim que eu chegar lá, vou lhe escrever como é tudo, principalmente o hospital. Espero que, como enfermeira, você aprove.

Ela sorriu e os dois se abraçaram longamente.

— OS DIRIGENTES —

No velho presídio com jeito de abandono, paredes sujas e manchadas, a sala no quinto andar parecia triste, a julgar pelos móveis desgastados. Os treze homens aguardavam a chegada dos diretores.

Alguns falavam em voz baixa, demonstrando ansiedade diante daquela situação tão diversa. Muitos não se conheciam antes e estavam juntos havia apenas dez dias quando se reuniram para estudar o Projeto Renascença. Essa seria mais uma reunião, dessa vez com o doutor Nicanor. Numa sala grande, o ar-condicionado não era uma maravilha, mas ainda funcionava, enquanto as janelas fechadas escureciam o ambiente com cortinas de um verde desbotado. Rapazes da área técnica acertavam os últimos detalhes para fazer uma projeção. Uma mulher robusta e bem-arrumada colocara a bandeja com bolachas, café, chá e água. Na hora marcada, os quatro diretores entraram e os trabalhos começaram.

Homem grande, quase obeso, com aspecto grave, olhos ligeiros, sem repouso e com o habitual bom humor e voz rouca, Nicanor deu início à reunião. O telão estava na posição frontal aos prisioneiros sentados, e a mesa dos diretores, um pouco na lateral, possibilitando a visualização da tela.

— Bom dia, senhores — saudou Nicanor, com o polegar direito no suspensório e o olhar firme encarando a todos. — Agradecemos muito a presença de vocês e vamos prosseguir neste trabalho que vem se desenvolvendo há bastante tempo. É chegada a hora de habitarem Renascença. Como ninguém foi incorporado desde a reunião passada, quando nos conhecemos, não há necessidade de novas apresentações.

"Como é do conhecimento dos senhores, depois de muitos estudos, pesquisas, planejamentos, concordâncias e discordâncias, chegou a fase de colocar em prática a ocupação da cidade. Vocês estão aqui porque serão os primeiros a chegar e terão a responsabilidade de comandar a cidade. Foi um trabalho com toda a população carcerária, visando a um completo e detalhado entendimento de qualificações. Apesar de grande parte da massa carcerária estar completamente despreparada e desmotivada, muitos têm habilidades que serão úteis — profissões, conhecimentos, estudos, experiências, ambições — e podem ser recuperados trazendo consigo um bom contingente de interessados. A vida das pessoas quase sempre é norteada pela influência, para o mal ou para o bem. Em Renascença, estamos apostando na influência do bem, pois, segundo a literatura científica, há cinco tipos de criminosos, sendo dois deles os mais difíceis de lidar: os natos e os loucos. Os outros três são mais fáceis de trabalhar: os de paixão, os habituais e os de ocasião. Como temos o levantamento completo de nossos presidiários, para Renascença esses três tipos irão primeiro."

Nicanor fez um breve silêncio, deu alguns passos à frente dos homens e continuou:

— A pesquisa trouxe um perfil detalhado da massa carcerária, o que facilitou a ação do Judiciário na triagem para o esquema de tornozeleira e chip, aos que podem cumprir aqui fora, e a seleção dos que poderiam iniciar o povoamento do novo presídio, que é uma cidade inteira só para detentos, com capacidade para duzentos mil habitantes."

"Explanações estão sendo feitas a todos para explicar os esquemas da nova prisão e as vantagens de quem chegar primeiro, ocupando os postos de trabalhos, as casas comerciais e de todas as atividades que serão assumidas pelos moradores. Pela pesquisa, as vagas serão preenchidas conforme qualificações e habilidades dos presos. Muitos estão optando por se inscrever como voluntários imediatamente, ao passo que outros virão na sequência, sabendo que, quanto mais demorarem, mais perderão oportunidades e tempo, uma vez que todos, em algum momento, terão que ir. Só não mudarão para a nova prisão aqueles com menos de três anos a cumprir, que concluirão suas penas aqui mesmo, nos velhos presídios, que serão desativados gradativamente e realocados para outros fins."

Após uma pequena pausa, Nicanor prosseguiu, com ar meditativo:

— O cadastramento já tem as primeiras viagens selecionadas. Inicia-se agora a logística para embarcar, em todo o país, os prisioneiros trabalhadores que irão primeiro. Como está chegando o momento, foi elaborado todo o roteiro para conhecimento da cidade, treinamento, distribuição dos postos de trabalho e residências. Sabemos que há certa e compreensível resistência, pois é evidente que não se aceitaria facilmente o afastamento para um lugar tão distante. Houve, como vocês sabem, princípios de revoltas dentro dos presídios e também fora, por parte dos familiares. Tudo em vão, porque as feridas provocadas pela guerra civil ainda não estão plenamente cicatrizadas e as forças de segurança têm logo colocado ordem em qualquer distúrbio. Diante das dificuldades, chegou-se à conclusão de que, para levar a bom termo a administração de um país com a dimensão do nosso, é preciso firmeza. A bandidagem está percebendo isso, o que facilita o trabalho. A população carcerária não tem mais as organizações criminosas no comando das ações, haja vista que tudo se alterou com a liberação e a regulamentação do comércio das drogas. Outro fator que levou muitos a aceitarem mais tranquilamente a mudança foi, como vocês já sabem, o conhecimento de que quem chegar primeiro terá vantagens atraentes, como redução de pena, participação na economia e na implantação do funcionamento da cidade."

Nicanor fez nova pausa, passou o lenço na testa e concluiu:

— Portanto, todo o pessoal necessário inicialmente para fazer a cidade começar a funcionar já está selecionado e consciente do seu papel. Os senhores serão os pilares que sustentarão o sistema, coordenarão tudo internamente. No apoio externo, a equipe será coordenada pelo doutor Alberto, que está aqui e falará agora.

Alberto era um tipo alto, claro, de olhar firme, gestos largos e um aspecto bondoso que passava confiança.

— Um bom dia a todos — começou Alberto, com um leve sorriso. — Estou muito orgulhoso de coordenar este trabalho com a participação dos senhores e sei que colheremos bons frutos. Antes, vou pedir que seja feita uma projeção sobre a cidade.

Com uma suave música de fundo, imagens da floresta foram projetadas na tela e o narrador passou a falar sobre Renascença. À medida que o avião se aproximava, sobrevoava a cidade. Apareceram os detalhes de fora das muralhas e o que compunha o núcleo urbano: bosques, praças, prédios e todos os equipamentos para convivência e trabalho. Por último, surgiu o interior de um apartamento composto por quarto com beliches, sala e cozinha com uma geladeira aberta, repleta de alimentos e bebidas. Os treze homens se entreolharam, alguns sorrindo, e o vozerio demonstrava alegria com a moradia e picardia com a geladeira. Um mundo novo e distante se abria em suas vidas.

— Alguém quer fazer uma pergunta? — indagou doutor Alberto.

— Eu quero — levantou o braço Cláudio. — Aquelas placas sobre os prédios e a muralha não foram explicadas.

— Ah, sim. Foi bom ter mencionado isso. O fornecimento de energia vem de várias fontes. Essas às quais falou são placas de captação de energia solar. Há também os equipamentos em formato de cones, com grande quantidade de miúdas placas em forma de folhas de laranjeiras, que captam energia solar, além dos filamentos captadores de energia cósmica, e ainda muitas torres que cruzam a cidade nos dois sentidos, norte-sul e leste-oeste, que são de captação de raios de tempestades, cuja energia é conduzida para grandes baterias que estão no subsolo, bem abaixo da floresta, no lado de fora.

"Os prédios foram feitos com materiais à prova de fogo, e a cidade é muito prazerosa, bem-preparada para viver de maneira confortável, como vocês viram nas cenas apresentadas e vão constatar assim que chegarem lá. O hospital é altamente preparado para todos os atendimentos necessários à população e à recuperação de viciados por meio de um sistema revolucionário, que é o Programa Reversão pela Droga, o qual vai ajudar muita gente.

"A cidade conta com rede de água e esgoto, cujos dejetos seguem para a lagoa de tratamento fora da muralha. A coleta do lixo será bastante prática, e a usina de reciclagem está pronta para funcionar. Renascença é fortemente vigiada por um complexo sistema de câmeras: nas ruas, nos logradouros públicos, nos estabelecimentos de convivência pública — diversão e comércio —, bem como em volta dos prédios e em todas as guaritas da muralha. Há também uma esquadrilha de drones e artilharia antiaérea."

— Mas não é exagerado tudo isso de vigilância em cima dos presos? — perguntou Felício.

— É para a segurança de todos — declarou Alberto, coçando a cabeça. — Vocês, mais do que ninguém, sabem o tipo de gente que vai ali conviver, portanto cada passo estará sendo observado. Fora da cidade, após a alta muralha, estão os cinturões antifugas, que são os fossos com os animais ferozes.

"Na parte interna, num dos lados da cidade, da entrada até o fundão, há uma segunda muralha, a chamada Muralha da Pista Interna, e, entre as duas, um acesso para chegar de automóvel à área de isolamento, que é um setor de confinamento para os rebeldes. Ninguém irá para lá inicialmente, apenas se e quando aprontarem. O Conselho de Convivência é que definirá quem deve ir e por quanto tempo. Estando lá, vocês vão entender como funcionará na prática a sistemática. O Raimundo, da área de segurança, é quem vai pilotar o Conselho. Depois ele explicará como será.

"Este primeiro voo levará vocês, que cuidarão do funcionamento da cidade. Ao chegarem lá, conhecerão o hospital em funcionamento e terão acesso aos remédios na farmácia, que fica num prédio ao lado da administração e cujo acesso será feito através de uma grade, pois os funcionários não são detentos. Os bares e os mercados estão abastecidos, as lanchonetes estão prontas para abrir, as piscinas estão cheias, os elevadores já estão funcionando nos prédios que serão ocupados... Enfim, é só chegar, morar e aprender a fazer funcionar a cidade.

"Cada um dos senhores, que serão responsáveis pelos diversos setores, está consciente do papel a desempenhar. Todos os que serão comerciantes e prestadores de serviços também estão selecionados e, em dois dias, estarão embarcando para esta nova etapa na vida de cada um de vocês, de nós e do nosso povo. Na cidade, haverá treinamentos antes de começar a chegar a massa de encarcerados. Uma página importante da história de nossa nação está sendo construída em Renascença, um projeto que precisou de muito dinheiro, inicialmente, mas que será muito menos dispendioso, a longo prazo, do que o sistema antigo, pois reduz muito o custeio. O que demanda de mão de obra será recompensado com a ampliação no campo da Justiça, com um trabalho mais ágil e humano. As instalações prisionais que não puderem ser utilizadas pelo Estado irão à leilão.

"No planejamento, programaram-se os embarques dos que assumirão os postos de serviços conforme as necessidades iniciais de cada setor. As falhas que, por certo, ocorrerão, deverão ser contornadas pelas chefias responsáveis, juntamente com o coordenador Emílio, na parte interna, e eu, na externa."

A reunião continuou ainda por algum tempo, com perguntas e explicações. Após os diversos detalhes tratados, o coordenador e os doze encarregados foram levados ao pavilhão no qual ficariam recolhidos até o embarque, juntamente com todos que partiriam nessa primeira viagem, pois muitos haviam vindo de outras partes do país para os treinamentos. No primeiro voo, mais de trezentos viajariam. Haveria um voo diário até que se completassem os quadros para fazer Renascença funcionar. Depois, seriam dois voos por dia até a mudança total.

Encerrada a reunião, os diretores se dirigiram até a copa para tomar um café e tentar relaxar da tensão do encontro e da expectativa pelos dias que viriam, pois fazer o projeto, e tudo o mais que envolveu tanta gente e dinheiro, foi fácil perto do que seria dali em diante, chegada a hora de deslocar e adaptar a grande massa de prisioneiros.

— E aí, Nicanor, como está se sentindo com tudo isso acontecendo? — perguntou doutor Vasco.

— Eu me sinto vacilar ao apertar aquelas mãos criminosas.

— Não se preocupe com as mãos, o problema está nas mentes.

— Nas deles e na sua, pois mão é mão e mente é mente — disse Alberto. — Acho preferível o contato das mãos, embora, quando há aquelas gripes, não sei, não. Melhor deixar para lá. O japonês está certo — falou, sorrindo.

—— A CIDADE COLORIDA ——

Chegado o dia da partida, depois de um café da manhã reforçado e de cada um receber um kit com lanches e refrigerantes, às oito horas os prisioneiros estavam na aeronave. Antes da decolagem, nos aparelhos de TV, foram dadas as orientações de praxe para o caso de necessidades durante o voo. Vinte minutos após o avião decolar, a descontração soltou o verbo sobre o desconhecido. Os homens estavam satisfeitos pelo privilégio de ocupar os principais postos na direção, no comércio, nos postos de serviços, na condução da cidade. As responsabilidades a que estavam sendo confiados fazia bem ao ego, valorizava-os, e isso era bom. Sentiam-se como numa aventura ao sair do regime fechado e quase sempre promíscuo em que viviam.

O avião avançava para o novo tempo. Alguns dormiam; outros, em silêncio, não tiravam os olhos das janelinhas; haviam também os que conversavam.

— Emílio, como chegamos a isso de os caras inventarem de fazer uma cidade assim, tão longe? — perguntou Felício, que era responsável pela ouvidoria e o mais próximo a Emílio, que tinha nele total confiança, visto que se conheciam havia muito tempo.

Era um homem de coração simples, até um pouco ingênuo, mas firme em seguir o combinado. Tinha a pele clara, estatura mediana, magro e ágil. Um bom sujeito.

— Sabe, Felício, a caminhada da humanidade é de uma vida contínua, vem lá do fundo dos tempos, e a engenhosidade dos homens é cada vez mais veloz, assim como o crescimento da população do planeta — explicou Emílio, apertando a ponta da orelha direita. — Tem de tudo, para o bem e para o mal. A forma de tratar os presidiários foi se alterando. Nas conversas que tive outro dia com os dirigentes, fiquei sabendo que, na América do Norte, há um presídio no formato desse, e outro igual na Ásia, lá na Sibéria. E, pior, há um no Polo Sul, menor, apenas para receber os presos que não se enquadrarem nesses três, conforme um tratado internacional assinado há alguns anos. O nosso é o mais quentinho. Nesses outros três, só gelo. Em nosso país, foi criado porque a situação política, administrativa, econômica e social vinha se degringolando havia tempos, até que estourou a rebelião do povo, e a guerra civil provocou mudanças inimagináveis em períodos anteriores. A desordem foi se instalando e minguando a paz. A experiência de sofrimento por que vinha passando a população despertou um sentimento de temor, que levou a uma grande alteração na maneira de encarar a vida. O clamor por mudanças chegou a tal ponto que a situação ficou insustentável. A democracia de elite estava com os dias contados. O esgarçamento do tecido social apontava para reformas fundamentais ou para a revolução. Tudo estava ficando ruim havia muito tempo, e a insegurança das famílias estava se tornando insuportável. A falta de oportunidades levou jovens a procurarem construir a vida em terras distantes. Muitos ricos estavam indo morar em outros países. Grandes empresas se transferiram para onde fosse possível trabalhar em paz, tanto em relação à segurança pessoal quanto com relação à carga tributária, que aqui era um absurdo. Sem falar da burocracia kafkiana e da corrupção em todos os níveis.

— Kaf... o quê? — assustou-se Felício.

— Esqueça o nome. Eu só quis dizer que a burocracia era infernal. Quando um país tem muita corrupção, todo o desarranjo tende a aparecer e crescer, pois o povo vai percebendo, o "jeitinho" cresce e tudo vai se avolumando e intensificando. O respeito e a honestidade perdem valores, a roubalheira aumenta, a qualidade dos serviços vai piorando e o solapamento das estruturas aumenta de tal forma que se reflete na educação, na saúde, na segurança, em estradas ruins, na deterioração do meio ambiente, na má gestão generalizada, no descaso com a manutenção da infraestrutura. Mas o que o povo mais sente é a falta de segurança. Eram bandidos espalhados e dando tiros a esmo, tomando conta. Aí foi o fim. O povo estava desesperançado. A quantidade de assassinatos era enorme: oitenta, cem mil mortes por ano, coisa de guerra acontecendo, infelicitando inúmeras famílias. Massacre diário e também muitos suicídios.

"Vivia-se uma guerra que as autoridades não queriam admitir, e tudo só piorava com o aumento da roubalheira por toda parte. Chegou-se à explosão quando grupos políticos deixaram de querer continuar com o processo democrático do pluralismo partidário. Os governantes não conseguiram segurar mais ou não estavam interessados, cegos pelo poder a qualquer custo. A maioria das autoridades constituídas de todos os poderes não passava para o povo o exemplo de retidão, honestidade, patriotismo. Pelo contrário, o que transparecia era o sentimento de engodo, privilégios, debuches, escárnios, desvios de condutas, tudo que não era condizente com a democracia apregoada, que, na verdade, servia como véu para os privilegiados. Resultado: o fundo do poço, de onde só se pode chegar à superfície em águas limpas depois de uma revolta e muito sofrimento. E foi o que aconteceu. Então, os que mais sentiram foram os que roubavam, pois não tinham o calo do sofrer.

"Quando as classes dirigentes de um país não se mostram à altura da gestão necessária e se comportam em detrimento do povo humilde, cresce o crime, que passa a atingir a classe média e chega aos dirigentes por meio de revoltas que podem descambar para a guerra civil, como aconteceu. Como disse um estudioso, 'uma transformação forte na vida de um povo leva a mudanças enormes, inclusive no comportamento das pessoas.'"

— É, lembro-me bem de minha cidade — disse Timóteo, o futuro responsável pelo setor da saúde de Renascença. — O povo, revoltado, começou a sair às ruas em passeatas pedindo segurança e se armando.

Nisso um rapaz alto e magro, que estava escutando a conversa, um pouco afastado, chegou mais perto e perguntou:

— Que história é essa de prisão internacional no Polo Sul?

Emílio explicou:

— O mundo ficou pequeno, as nações se relacionam melhor e muito mais coisas estão sendo feitas em conjunto entre os países. Como em toda parte há gente que não se enquadra de jeito nenhum e é violenta demais, para evitar a pena de morte, criaram-se essas três grandes cidades prisões, e, para aqueles com quem nem os próprios presos suportam conviver, foi criada a prisão do Polo Sul, que é feita de puro gelo, solidão e ventos terríveis. Quem se aventurar a fugir, logo morrerá congelado. A prisão é murada e só tem guardas nas torres de vigilância no período de sol. Na noite de seis meses, ficam todos dentro dos edifícios. Do lado de fora, só o rugido do vento espalhando a neve. As celas são individuais, pois só há presos perigosos, inclusive canibais. Quem tenta fugir, os guardas nem vão atrás.

— Acho que até deixam a porta aberta, para se livrar dos tipos — falou um baixinho ali perto.

— Você que está falando — disse Emílio. — Não acredito que façam isso.

— A maldade existe até em quem é bom — concluiu o Baixinho.

— E há chance de alguém daqui ir para lá? — perguntou o rapaz magro.

— Total! Em Renascença, o cara que não se enquadrar será mandado para o isolamento. Se não se enquadrar lá também, o Conselho o manda para o sul do mundo, tudo dentro da lei.

— Caraca, meu! — espantou-se o magrelo, abanando a cabeça. — Não há pena de morte, mas o carinha é enterrado vivo, no gelo, com um colega canibal. Misericórdia! Onde chegamos!

— Para mim, a guerra civil aconteceu pela desorganização que foi se instalando na administração pública — opinou Alair, encarregado da área de comércio. — Todos os setores se esfacelaram e a corrupção cresceu feito uma sombra enorme e assustadora. Havia roubalheira geral e desavergonhada; gastança descontrolada com o dinheiro público, em todos os níveis de administração; roubos nos sistemas de previdência e nos fundos de pensão; desvios de todos os lados; muita gente querendo entrar na farra, aproveitando-se do dinheiro público; propinas desviando recursos; muita gente fazendo gatos em energia, água, IPVA... Onde houvesse um descuido, havia gente agindo indevidamente. Roubavam até a merenda das crianças. Os honestos só carregavam o piano para os larápios tocarem no baile em que todo mundo dançou. Quando a "mamação" é demais, o leite logo acaba —falou o Baixinho.

— É verdade — disse Cláudio, responsável pelo sistema de circulação dentro da cidade. — Conheço vários presos que irão para essa prisão por causa dessas falcatruas. Estavam entre as pessoas que mamavam mais que os outras e planejaram assumir o poder definitivamente e de forma exclusiva. Aí estourou a revolta. O estrago foi grande: matança, quebradeira do empresariado, desemprego. O inferno se instalou. A pacificação veio com todos esgotados e derrotados. E, então, a recuperação, com outro nível de entendimento cívico. Do caos, surgiu a possibilidade de reorganizar.

— Concordo — corroborou Emílio. — O bom é que não foi um processo demorado e nenhum Estado saiu da federação. Mas o medo, o bom senso entre os novos líderes e a pressão do povo fez as coisas entrarem rapidamente nos eixos. Infelizmente, nos meses de conflito, muitas pessoas morreram. Aliás, já vinha morrendo muita gente havia tempo, com a bandidagem agindo de forma intensa e o índice de latrocínio crescendo em escala veloz e assustadora. Matava-se por quase nada. A polícia e a Justiça, sobrecarregadas, foram ficando cansadas, desmotivadas e ineficientes. Aumentava a cada dia o roubo de cargas, carros fortes, caixas eletrônicos, casas comerciais, depósitos de todos os tipos, residências e pessoas nas ruas. Só podia desembocar na guerra que se deu. O índice de matança de antes da guerra caiu drasticamente.

— Por onde começaram as mudanças? — perguntou Rafael, encarregado da área de empregos, ao que Emílio respondeu:

— Surgiram novos líderes, que agiram para acabar com o conflito. As reformas, há tanto cantadas e não realizadas, começaram pra valer. A política se transformou pelo medo. Implantou-se um novo regime, o número de partidos foi reduzido e se contemplaram diversos setores visando à funcionalidade e à verdadeira caça ao desperdício do dinheiro público. O corte foi profundo: seriedade e redução da gastança pública, respeito aos contribuintes, reforma tributária para facilitar vida de todos, diminuição da sonegação, reforma fiscal e administrativa, menos burocracia. Enfim, seriedade.

— A corrupção passou a ser crime inafiançável — disse Leonardo, responsável pelo abastecimento. — Assim, muitos políticos, empresários e dirigentes de esportes foram para a cadeia ou ficaram sob o controle de chip ajeitadinho, debaixo da pele, conforme o envolvimento. A reforma judiciária abrangeu a segurança e fez uma verdadeira revolução. Foi aí que nasceu o plano de construir uma cidade isolada para presidiários de todo o país, visando fechar uma grande quantidade de presídios pavorosos. Na prisão nacional, busca-se o cumprimento de uma pena em condições dignas, humanas e são criadas todas as possibilidades para a ressocialização. Os presídios femininos também diminuíram, pois, com a liberação do comércio de drogas, muito menos mulheres estão sendo presas, e as envolvidas só nesse problema já foram soltas. Essas mudanças no sistema, em longo prazo, trarão muita economia ao país, quando estiverem amortizados os gastos com a construção de Renascença.

— Ah! Era isto que eu queria saber: como havia nascido a ideia de fazer essa cidade — comentou Felício.

— Então, Felício, nada acontece por acaso, sempre há um motivo — explicou Emílio, olhando pela janelinha.

— Mas isso de liberar e regulamentar o comércio das drogas causou muita confusão e debates, né?

— Nem me fale, Felício! Foi se criando uma situação de descontrole cada vez maior, envolvendo um número crescente de pessoas. Eram milhares de agricultores plantando, uma multidão querendo comprar, uma grande quantidade de gente na distribuição e os batalhões envolvidos na repressão. Pior que, em volta desse vulcão de atividades, as famílias de todos os lados sofriam e choravam seus mortos, pois os envolvidos se armavam cada vez mais. Foi, então, que entrou na história o comércio de armas pelo contrabando. Para piorar, os distribuidores de drogas guerreavam por espaços, e havia ainda atuação ilícita de muitos policiais.

— Num quadro desses, é muito difícil as autoridades terem controle.

— Sim. Se existe o cliente querendo comprar e alguém querendo vender, quem segura? Nesse momento é que se percebeu que o caminho seria a sociedade organizada em todos os setores chamar para si a responsabilidade de orientação sobre os malefícios das drogas. Houve um amplo trabalho de educação e conscientização, o que acabou com o tráfico, a guerra entre facções e o envolvimento nocivo de muitos policiais. O Estado regulamentou o comércio e fez despencar o índice de mortalidade, que causou mal a tantas famílias.

A conversa corria tranquila entre os encarregados. Por toda a aeronave, os homens andavam, conversavam, debruçavam-se na poltrona para falar com alguém atrás. Estavam tranquilos com relação ao voo, que seguia normal, até que a voz do piloto comunicou:

— Atenção, senhores passageiros, apertem os cintos porque vamos passar por uma zona de turbulência.

Os homens assobiaram, gritaram, xingaram o piloto, falaram um monte de bobagens, e poucos fizeram o que foi solicitado. Não demorou nadica de nada o avião entrou num vácuo e foi aquela desgraceira de gente grudada no teto e chinelos voando. Uns chamando a mãe, outros xingando mais ainda o piloto, alguns gritavam pelo Diabo e outros, ainda, chamando todos os santos. Era gente caindo, outros dizendo que estavam morrendo. Teve um que gritou desesperado:

— Esta merda está caindo, tamo fudido!

O alvoroço foi grande. Muitos gemiam, alguns estavam deitados no corredor, com o coração disparado e o cabelo alvoroçado. Um dos presos desmaiou e, quando acordou, estava no colo de um desconhecido e ficou bravo, já querendo matar, mas estava sem arma, só depois as coisas clarearam em sua cabeça, que tinha um galo. Tudo foi se normalizando e entre todos os comentários o que mais tinha eram xingos, palavrões e risadas. O avião seguiu calmo.

A conversa foi retomada entre os coordenadores, e Mauro, responsável pela manutenção das residências, falou:

— A coisa melhorou muito na esfera judiciária, que, com todas as mudanças, passou a ter uma agilidade enorme. Com mais recursos, tecnologia, aumento do quadro de funcionários, melhor remuneração e férias de apenas trinta dias por ano, passou a apresentar um rendimento espantoso e benéfico para todos, principalmente para os mais pobres, que ficavam prejudicados. Medidas como o chip colocaram muita gente na rua, para ir cuidar da vida, trabalhar, estudar e viver do próprio suor. Os que estão deixando os presídios dispõem de programas de apoio ao emprego. O Estado, hoje, trabalha na reintegração do ex-detento, com apoio de entidades que atuam no seio da sociedade, além das igrejas e das famílias, todos imbuídos na missão, inclusive o empresariado, com cotas de reintegração de ex-detentos. Cristalizou-se a consciência de que, ao diminuir a criminalidade, o ganho é geral.

— Mas o fechamento de tantos presídios vai desempregar muita gente, não? — indagou Felício.

— Com o fechamento dos presídios, muitos carcereiros e outros funcionários serão realocados para trabalhar em ambientes mais saudáveis e menos perigosos — explicou Emílio. — Aos que faltam menos de dois anos para se aposentar, estão sendo dadas diversas oportunidades, conforme pesquisa feita em todos os estados, para o adequado aproveitamento, com melhoria administrativa e financeira da federação. Para os que têm ainda uma longa carreira pela frente, está sendo feito um estudo de remanejamento e treinamentos para que se preparem em busca de novos espaços dentro da administração. Muitos trabalharão em Renascença, atraídos pela facilidade do avião e pelo sistema de plantão. Há também estímulos para muitos voltarem a estudar, com o objetivo principal de ocupar cargos nas áreas de segurança e justiça.

— Está havendo um sentimento maior de responsabilidade nas áreas de cultura, esportes e lazer, mais respeito às leis e melhor compreensão da vida em comunidade, da sociedade e do comportamento que cada um deve ter para a convivência — disse Renato. — Da mesma forma, mais seriedade com relação ao meio ambiente, tanto em relação à natureza quanto à rede de esgoto, a jogar o lixo no lugar certo.

— Sim — concordou Emílio. — Surgiu no país uma preocupação maior com o coletivo. A guerra é algo terrível e abominável, mas traz a pedagogia do medo, pois o sofrimento penetrado na mente e no bolso das pessoas possibilita uma conscientização para um tempo melhor. Surgiu, assim, um valor mais forte e responsável entre as pessoas, seja pelo respeito, seja pelo receio de que a violência da guerra voltasse, ou que as coisas voltassem a ser como era antes da guerra — disse Emílio, levantando a sobrancelha direita, e continuou: — Quando se instala o caos, chega-se a uma encruzilhada escura, e a revolta é uma claridade tremeluzindo na escuridão.

Sempre foi assim na história humana e sempre será. Mas, passada a turbulência, os dias tristes se distanciam para o fundo do passado e a vida sempre continua. Mas isso foi só o começo. Nas regiões de civilizações antigas, as guerras eram constantes. Não tenhamos ilusões: se o homem não tiver compreensão do coletivo, quando essas terras americanas forem se enchendo de gente e discordâncias, muitas guerras poderão acontecer.

O avião já voava tranquilo. Passado um tempo, o piloto começou a falar e todos prestaram atenção. Em meio ao silêncio, ouviram:

— Senhores passageiros, apertem os cintos.

Nem terminou de falar, todos correram a seus lugares e se amarraram direitinho. A aeronave estremeceu, chacoalhou, empinou, rabiou e as máscaras caíram. Foi um Deus nos acuda, e um gritou:

— Misericórdia! Que que é isso? Vamos morrer de novo! Minha mãe! Jesus Cristim!

E foi um "puta que pariu" para lá e para cá e quase ninguém sabia o que fazer com as máscaras. Alguns a arrancavam e a olhavam fixamente aquilo nas mãos. Mas não demorou para tudo voltar ao normal, só restando o susto e o aprendizado.

— Maenga, quase me borro! — falou o Baixinho, sentado no meio, querendo olhar pela janelinha e falou para o colega ao lado: — E agora, essas coisas penduradas aí, quem vai arrumar?

— Sei lá — respondeu o magro alto já reclamando que a máscara estava batendo em sua cabeça e falou injuriado — Vou arrancar esta merda — e puxou quebrando a peça. Nesse momento, ouviu a voz do piloto:

— Senhores passageiros, estamos registrando pelas câmeras as pessoas que estão danificando as máscaras. Pedimos que todos que fizeram isso permaneçam nos assentos quando os outros estiverem desembarcando.

— Puta que pariu! Só me fodo! — esbravejou o magrelo. — Só falta eu perder o direito à bicicletaria.

As horas passavam e o avião já voava sobre a grande floresta quando Mauro se aproximou e perguntou:

— E aí, Emílio? Está quieto. É medo do avião ou preocupação com o trabalho?

— Os dois e mais alguma coisa. Estou pensando nas mudanças que estão acontecendo em nosso país.

— Verdade. Não é só na Justiça, não. Depois da guerra, tudo se alterou, até o jeito do povo. Ficou diferente.

— Quando a água bate na bunda, o cara fica esperto — disse Valdomiro, do setor de hortas e jardinagens.

— Depois da tragédia, ficou mais apropriado implantar as mudanças, pois quando se está doente é mais fácil engolir remédio ruim — retomou Emílio.

— Por falar em remédio, na saúde vai melhorar mais ainda — opinou Timóteo. — Estão com um plano de ter o país com cem por cento de rede de esgoto e lagoas de tratamento.

— E como vão conseguir dinheiro para tudo isso? — perguntou Gabriel, o responsável pelo departamento de energia, que estava em pé ouvindo a conversa.

— É prioridade do governo, que tem conseguido muitos recursos por causa da proteção da Amazônia — redarguiu Emílio. — Há tempos, ficou muito claro que, se o desmatamento não for contido, provocará a desertificação de grande parte do continente e influenciará negativamente o clima de todo o planeta. A ONU criou o Movimento Salvação da Mãe Terra e todas as nações participam do Conselho Planetário, cujos objetivos maiores são o meio ambiente e o bem-estar da população do globo. Onde houver qualquer problema nesses dois setores, há uma ação internacional. É claro que, para mantê-los, é preciso investir muito em educação e saúde, assim como para tudo funcionar é necessário segurança e paz.

"Após reuniões e acordos, todos os países passaram a pagar taxa de conservação aos que têm grandes florestas, como as do sudeste asiático, as da África e a Amazônia. Assim, estabeleceu-se a guerra contra os desmatadores. Acabou conversa e moleza. É guerra mesmo, linguagem clara para o entendimento. Toda evidência de derrubada, transporte ou beneficiamento clandestino é bombardeado, por terra, água ou ar. Além de sistemas de satélites, milhares de drones vigiam a floresta, os municípios e suas estradas. A qualquer movimento suspeito, as centrais de controle enviam patrulhas aéreas e aí é fogo brabo. Se for barco com toras, é afundado. Se for caminhão carregado, é explodido. Se for deslocamento de madeira pelas trilhas da floresta, é bombardeado, inclusive à noite, com avançado sistema de visão noturna. Quem não quiser morrer ou ser preso, tem que evitar derrubar ou transportar. Para Renascença está vindo uma pá de gente condenada por desmatamento. Não é trabalhador do mato, não. Esses ficam com as tornozeleiras e são encaminhados para cumprir penas nos programas de reflorestamentos. Os que estão vindo são os graúdos, caras de grana. Não tem boca, não, é ferro mesmo."

— Mas um montão de gente perdeu o jeito de ganhar dinheiro! — exclamou Felício.

— O pessoal que ganhava o sustento com a derrubada e a comercialização pode agora se engajar no processo de reflorestamento da Amazônia, do Nordeste e de outras partes do país e nos países vizinhos, pois o aporte de dinheiro que vem do mundo inteiro vai alimentar todos que queiram trabalhar para deixar o mundo mais verde, respirável e menos quente, com a recuperação de rios e seus cardumes — falou Dorvalino, o responsável pelo setor da limpeza. — Tudo isso tem gerado muito trabalho, além de grande quantidade de gente ocupada na despoluição de rios, praias e mares. Ou o mundo volta a ser limpo, ou vamos nos sufocar na imundície.

"O governo agora é mais confiável, e sem os desvios da corrupção dá para fazer uma expansão muita grande, contemplando todo o país com a rede de esgoto e ainda gerar grande oportunidade de trabalho. Tornou-se severamente obrigatória a ligação de todas as casas, com forte fiscalização, pois se trata do setor preventivo da saúde. Com o tratamento dos esgotos melhorando, as águas que vão para os rios são boas para o povo e para o meio ambiente."

— Sim — disse Emílio. — O retorno é enorme, pois vai reduzir muito as despesas com problemas de saúde.

— Mas estão muito severos no controle e fiscalização — avaliou Cláudio.

— Precisam ser — interveio Felício. — Há muitas casas nas cidades que têm rede na porta e não liga o esgoto.

— Isso mesmo. É preciso optar entre o respeito e a ordem ou a esculhambação — considerou Raimundão, o responsável pela segurança, um sujeito alto, forte, quase gordo, de músculos apertados, olhos pequenos e ligeiros, que pareciam sempre procurar algo.

— Não sei, não. Às vezes fico pensando que vai dar saudade daquela vida mais frouxa — falou Valdomiro.

— A pessoa pode até ter uma vida frouxa. Mas que não tenha filhos, então, porque eles sofrerão as consequências.

— Ah, mas se tiver filhos e eles também quiserem uma vida frouxa? — retrucou Valdomiro.

— Crendiospai! Aí não há revolução que dê jeito. Já ouviu falar da Suíça? — perguntou Raimundão.

— Ah, ouvi falar, sim. Dizem que lá é tudo bonito e bom — respondeu Valdomiro.

— Bom? Vai lá, então, ver por que é bom. É um controle lascado, todo mundo pisando no risco certo. Saiu da linha, é multa. Controle para baixo e para cima. Mijou fora do penico, é peia.

— Desconjuro! Não quero um lugar desse, não — disse Valdomiro.

— Então, salte do avião, porque Renascença é pior. É câmera por todo lado. Saiu do riscado, perde ponto, um atrás do outro. Quando der fé, não sai mais nunca desse meio de mato.

— Então quero ir para a Suíça.

— Fale com o armado que está atrás desse vidro embaçado e diga que quer saltar. Lá embaixo só há árvores. Você nem se machuca. Basta se agarrar a uma copa, pendurar-se num cipó, dar um grito que nem o Tarzan e se mandar.

— Acho que agora minha canoa está indo para a cachoeira, não tem mais jeito — falou Valdomiro, desanimado.

— Deixe de bestagem — comentou Mauro, demonstrando certo desânimo. — Puxa vida! Tudo isso acontecendo em nosso país e nós aqui, no xilindró, indo para o meio do mato.

— Sorte nossa, estarmos indo primeiro: vamos dominar a área — falou Cláudio.

— Negativo — corrigiu Emílio. — Temos que entender as mudanças que estão acontecendo e saber viver de acordo com a situação. A mudança é uma constante. Se a gente vacilar, dança. É preciso saber aproveitar a oportunidade e viver a experiência o melhor possível, sem perder espaço.

— Mas, de qualquer forma, vamos ficar longe demais de nossas cidades, amigos, família, mulheres — voltou a falar Cláudio.

— Ninguém segura as mudanças — continuou Emílio. — O sujeito pode não querer, espernear, gritar, protestar, mas não segura o alterar das coisas. É como o tempo. Quem segura a eterna passagem dos minutos, das horas? Eles nos selecionaram porque temos um diferencial em relação aos outros presos. Havia regras e metas, e estamos aqui. Olhe lá — disse, apontando para baixo. — Estamos no alto, cada minuto mais longe de casa, do passado, e cada vez mais perto de uma nova vida.

O avião dava uma pequena balançada e alguns já corriam para a poltrona. Mas não era nada grave.

— Não vai ser fácil.

— Nunca foi. Só vai ser diferente.

— É, para nós pode ser até melhor. Mas você acha que a gente dá conta do recado, lidando com tanto bandido, gente perigosa, que sente prazer no mal? Gente com instinto assassino?

— Tenho pensado muito nisso — disse Emílio. — Acredito que

sim, porque lá dentro as regras deverão ser seguidas. Quem não se enquadrar, a pena será dupla: a de fora e a de dentro.

— Como é isso de pena de dentro? — perguntou Rafael.

Raimundão respondeu:

— Estamos vindo por causa das regras de fora. Na cidade, há as regras internas, que todos devem seguir, e uma prisão para quem teimar em desrespeitá-las. Vai ser formado o Conselho de Convivência, que analisará cada caso e definirá a pena.

— E se o cara for valente e não se entregar?

— Primeiro é numa boa, depois se faz o isolamento de onde o cara estiver e, do lado de fora da cidade, vêm os blindados autoguiados, com robôs que usam armas de choque.

— Cara, que cruel! — exclamou Rafael.

— Cruel? Sabe de nada, inocente. Ou a turma se enquadra, ou está fodida.

— Mais?

— Talvez não sejam muitos, mas vai haver sempre alguém que agirá como se estivesse lá fora — falou Raimundo.

— É, vamos ver como vão se comportar com todos juntos.

— E quem achar que é o bambambã, vai acabar indo passar frio na solidão escura do fim do mundo — concluiu Raimundo.

— Fico preocupado porque muitos perderam os valores civilizados, ou nunca os tiveram — expressou Emílio. — E sem perceberem o tamanho da encrenca, podem entrar nessa fria, embora vá ter muita orientação.

— Mas não é só de gente totalmente ruim, não — ponderou Felício. — Muitos presos não são bandidos, e sim pessoas que cometeram um erro grave pelo qual devem pagar. Mas não são sangue ruim.

— Sim — concordou Dorvalino. — E há muitos corruptos, que não são pessoas más; só gostam muito de dinheiro alheio. E há também pessoas envolvidas em desmatamentos.

— Verdade — disse Emílio. — Vamos ter que, primeiramente, ganhar a confiança das pessoas mais maleáveis para ajudar no processo. O que vai facilitar é que, pela seleção, virão primeiro os menos ruins. Os piores chegarão por último, quando os espaços já estiverem ocupados e o sistema, funcionando bem. Eles terão que se enquadrar ou vão encontrar muitas dificuldades.

Em todas as poltronas, a conversa era quase a mesma, sempre sobre as expectativas. Havia até uma alegria de aventura, pois, para quem vivia nos ambientes fechados e agora estava num grande avião, indo para uma cidade nova, diferente, era uma sensação estranha e inquietante. Vivia-se ali uma ansiedade e uma alegria de jovens. Para muitos, era o entusiasmo de um tempo novo, uma esperança de a vida desabrochar em Renascença. Talvez a própria viagem de avião incutisse a falsa ideia de liberdade.

Depois de algum tempo, uma voz gritou:

—Eita que lá embaixo é só mato, não acaba nunca.

Todos que estavam próximos e puderam, olharam pelas pequenas janelas. Na verdade, faltaram janelas. A grande floresta se espalhava sob a luz do sol no dia limpo, quase sem nuvens.

Depois do empurra-empurra, o silêncio vigorou por longos minutos, sendo quebrado por dois homens que conversavam em voz baixa.

— Olhei pela janela e me deu um arrepio: eu me senti perdido expiando aquela floresta.

— Sossega, vamos nos acostumar. Não é o fim do mundo.

— É, mas que é estranho é! Se não é o fim do mundo, é perto dele.

— Não se assustem, esta é a Amazônia e as vastas solidões verdes. Isso some de vista — disse Emílio em voz alta.

— Ô, Raimundão — falou Valdomiro. — Você que é destas bandas, fale para nós como é viver nessas florestas!

— Sei lá como é viver no meio do mato. Não sou índio. Eu vivia na cidade. Se fosse no mato, não teria sido preso.

— Mas fale um pouco do mato, você conhece.

— Cidade, campo, floresta, é tudo uma coisa só, depende de você se impor na situação.

— Mas há bichos, rios, doenças, mosquitos, índios, e se perder no mato é pior do que na cidade.

— Todos os lugares têm seus mistérios — emendou Raimundão. — Belezas, doenças, alegrias, traições, perigos, lutas e desesperos. É preciso saber navegar em todos os mares da vida. Com o tempo, nós nos acostumamos, pois isso acontece até com a prisão. A vida empurra a gente para tudo que é lado. Desde cedo, é muito difícil para o pobre viver. Nas necessidades, a gente vai indo, e com o tempo abusando mais e mais. Quando eu nem percebia, saía por aí com o juízo envenenado, pelo costume da azaração. Coração pulando torto, sem dar valor ao alheio, valor a nada, sem medir consequências. Quando o homem ruma para o mal feito, não vê o que é bom. Tudo é desconforme.

— Mas você não falou da floresta.

— Da floresta não se fala, vive-se. Vamos viver na cidade, mas vamos sentir a floresta bem perto. Se alguém quiser fugir, vai ter a oportunidade de saber o que é a floresta.

— Será que algum cara vai querer fugir por esse matão cheio de perigos?

— Tem gente de todo tipo e coragem. Só o tempo vai dizer se alguém vai tentar e se vai conseguir.

— Olhando esta mata aí embaixo, que deve estar cheia de cobras, jacarés, onças e índios, vai ser ruim de o carinha escapar — afirmou Valdomiro.

— Melhor não pensar em escapar, e sim como viver melhor até cumprir o tempo de cana. Principalmente nós, que vamos para o comando — declarou Raimundão.

— O importante é que estamos participando de alguma coisa, uma enorme alteração, acompanhando o ritmo do mundo, porque a mudança é uma constante, e nosso sistema de prisões não mudava nunca. Sejamos sinceros — falou Emílio.

— O pessoal que está vindo hoje foi bem analisado e selecionado —

informou Valdomiro. — Estão confiando em nós. A cobrança vai ser forte. Vamos ficar entre os homens de fora e os de dentro, que são piores.

— Mas muitos que estão vindo primeiro se prontificaram a vir como voluntários antes de serem escolhidos. Isso dá uma boa força para o trabalho que deverá ser feito — explicou Emílio.

— Não sei, não — ponderou Raimundão. — Há três coisas que vão ser duras de aguentar: a falta de celular, mulher e visitas dos parentes.

— Mas celular vai ter.

— Só interno. Para fora, com o mundo, não — esclareceu Emílio, espreguiçando-se. — Tudo na vida tem prós e contras, a eterna luta entre o bem e o mal.

— Ô Renato, tá ligadão aí na janela, tá gostando do mato? — perguntou Mauro.

— A floresta não acaba! Tanto mato, uma coisa sem fim!

Assim, de conversa em conversa, as horas passaram e o comandante falou pelo sistema de som:

— Atenção, senhores passageiros, estamos nos aproximando de Renascença, a cidade colorida. Apertem os cintos que vamos aterrissar em alguns minutos.

Emílio olha pela janela e procurou identificar alguma parte que ouvira falar da cidade. Viu nitidamente a muralha, o Mirante, e, com a aproximação, observou ruas largas, calçadas espaçosas e quadras regulares com prédios homogêneos. Lembrou-se das explicações: "Elevadores, escadas internas e de emergência nas extremidades. O diferencial está na pintura, sendo grande a variedade de cores, dando um tom descontraído ao ambiente. O meio de locomoção é a bicicleta. Os veículos motorizados são usados somente para serviços de segurança, abastecimento, limpeza e saúde, todos com motores elétricos e autoguiados."

O clarão no meio da mata foi ficando maior. Alguns olhavam pela janela e viam o avião quase encostando na vegetação e, em seguida, deslizando sobre a pista com enormes árvores passando ligeiras. Os homens, quietos, com as costas grudadas nas poltronas, sentiam a reversão dos motores com apreensão. Foram momentos demorados. Alguns detentos tinham os olhos arregalados, mas a maioria os mantinham fechados. Alguns rezavam. Outros, pelo medo, esqueceram-se de fazer isso. Um deles, ao lembrar que era tarde, suspirou e deixou escapar, em alto som, quando o avião parou:

— A bondade de Deus é infinita. Aleluia!

Os companheiros ao lado se assustaram.

— Que é isso, meu? Tá louco?

— Ô, glória! — falou forte.

— Que que é? Você é pastor?

— Tô treinando.

— Tem medo de avião?

— Não então? Quase me borrei.

— Por que veio?

— Pensei que fosse vir de ônibus.

— Tá bom, e agora gostou?

— Nunca mais entro num avião.

— E como vai embora?

— Prefiro morrer aqui. Também nem sei se estou vivo. Acho que naquela hora o avião caiu.

— Por que você está com o rosto inchado?

— Nem me lembre.

— Gostou da voz do piloto?

— Nunca mais quero ouvir.

— Fique tranquilo, você vai voltar de avião.

— De jeito nenhum! Eu me entrego a Jesus.

— Desse jeito você vai cair nos braços de Alá.

— Misericórdia! Deus é mais.

— Por que você está preso?

— Erro da Justiça.

— Verdade! — disse, rindo, um dos homens. — Este é o avião dos inocentes, então Deus não deixa cair, fique tranquilo. Quando você for solto, vai estar tão leve que o avião não vai levar você para a terra, e sim direto para o céu.

— Vire esta boca para o outro banco.

— Ô, pastor, não é banco, é poltrona!

— Ah, não sei de nada. Só sei que quero sair dessa joça logo, já estou injuriado.

Os outros homens quietos continuaram sentados. Ninguém mais falava. Só olhos querendo ver o lá fora.

O interior do avião estava mergulhado no silêncio, e longos foram os minutos até se ouvir o destrancar das portas em que estavam as escadas. O desembarque foi hesitante, com os homens saindo do ar-condicionado e recebendo o bafo do dia quente. A fila, porém, andou rápido, e na escada o calor parecia aumentar à medida que se descia para a pista.

— Cara, que coisa mais quente! — exclamou Valdomiro. — Parece que estou respirando fogo.

— Nem me fale! Meus pulmões estão embrasados — respondeu o que ia à frente, e falou ríspido: — Vê se não empurra, porra!

Logo entraram nos ônibus com ar-condicionado e seguiram rumo ao portão da cidade, passando pelo jardim florido, onde estava a grande estátua de três mulheres, com a da frente de braços abertos e sorriso largo, acolhendo os recém-chegados. Embaixo, em letras grandes, lia-se: "Bem-vindos! Somos as Amazonas, visite-nos na Torre do Mirante."

Ao passarem pelo local, alguns homens assoviam, palavras se soltam, outros riem. Um deles disse:

— Cara, só de ver essas mulheres, meu coração pula contente.

Os ônibus atravessaram rápido os fossos, mas alguns homens ouviram latidos de cachorros e urros de leões. Mostravam-se admirados com o que viam e mais ainda quando entraram na cidade silenciosa e limpa. Foram levados para o grande salão de recepção, onde atenderam aos trâmites burocráticos pelos quais deveriam passar todos os presos que chegassem. Posteriormente, passaram ao grande auditório. Após se acomodarem, apareceu no telão a figura de doutor Alberto, que iniciou sua fala:

— Boa tarde, senhores. Bem-vindos a Renascença! Sucesso é o que desejo a vocês, que estão chegando. Ao coordenador, aos encarregados e a todos os responsáveis pelo funcionamento inicial da cidade. Antes de mais nada, quero cumprimentá-los por terem aceitado essa empreitada. Vocês vieram antes com uma missão e terão um bom retorno por isso.

"Sabem que vão enfrentar gente endurecida pela vida, pessoas com coração fechado para a felicidade, amargas demais. No entanto, em Renascença, os sentimentos devem ser respeitados, não importa o crime. Aqui, um novo estilo de vida tem que prevalecer, a mão grande não será tolerada. As câmeras, os drones e a pontuação darão conta do recado, tenham certeza, pois o formato desta prisão amansa as feras. Isso é o que esperamos, e os encarregados de cada setor são fundamentais para o sucesso e uma vida melhor para todos os moradores.

"Dentro de algumas semanas, quando tudo estiver preparado, começarão a chegar os voos com grande quantidade de prisioneiros. Vocês, portanto, têm esse tempo para o treinamento e a organização. Estou aqui do lado de fora, mas meus pés, minhas mãos e minha cabeça estarão aí, junto com vocês, por intermédio dos encarregados de setores, sob a coordenação de senhor Emílio. Peço agora que ele suba ao palco e apresente a todos cada um dos encarregados."

Emílio subiu ao palco e, pelo microfone, chamou nominalmente cada um dos responsáveis, citando sua área de responsabilidade. Apresentou-os e concluiu:

— Todos nós, encarregados, precisamos contar com o apoio da população e de vocês, da direção externa, assim como vocês podem contar com nosso trabalho. Os que estão aqui não é por acaso, e sim porque são pessoas interessantes, preparadas e inteligentes. Mas isso não basta. É preciso saber administrar a inteligência.

Alberto pediu uma salva de palma a todos e retomou a fala, explanando alguns detalhes de interesse comum. Para encerrar sua participação, projetou-se o filme sobre a cidade.

— Antes de dar continuidade aos trabalhos, quero ressaltar que sete passageiros danificaram as máscaras de oxigênio e terão que pagar financeiramente o estrago. Cada um terá vinte pontos negativos no prontuário.

Outras orientações foram passadas sobre os locais onde almoçariam. No primeiro dia, o restaurante do hospital providenciou a alimentação, distribuindo as quentinhas em alguns restaurantes da cidade. O que se repetiria à noite, com o jantar. Para as refeições do dia seguinte em diante, todos receberiam uma cesta. A partir de então, cada um providenciaria as próprias refeições, organizando-se nos apartamentos. Emílio e os demais encarregados foram convidados para almoçar na cantina do Corpo de Apoio, localizada fora da Muralha, com o doutor Alberto e sua equipe, devidamente acompanhados por seguranças.

Após o almoço nos três restaurantes, com as instruções e as chaves, cada um com sua bagagem, os homens foram se instalando em suas novas residências. Estranhavam o calor, mas gostaram dos apartamentos com ar-condicionado e foram logo ligando. Uns analisavam as camas; outros, a cozinha, a geladeira e as janelas. Em meio a tantas curiosidades, foram se acomodando.

Durante a tarde, em meio a grandes trovões, três caminhões autoconduzidos circularam com as cestas de alimentos para fazer as entregas. Emílio e Leonardo escalaram rapazes para o serviço, já que todas as cestas tinham a etiqueta com o nome e o endereço de cada um. Em pouco tempo, o trabalho estava concluído, embora os últimos tenham precisado correr debaixo do aguaceiro, com trovões e raios assustadores.

— Corre, Magrão! — gritou o Baixinho, um dos carregadores, para outro, que, debaixo d'água, levava nas costas uma cesta. — Corre aqui — prosseguiu, apontando para a marquise.

— Carai, meu, foi de repente. Tava um baita sol e veio essa tromba-d'água.

— Mas você não se molhou muito — falou o Baixinho.

— Tava me cagando de medo do trovão, corri feito um preá — falou com os olhos arregalados o Magrão.

— Trovão não mata, não.

— Hã? Trovão, raio, água, vento... Tudo misturado. Credo! Esse tempo está de sacanagem!

— Cê ficou com medo?

— Me deu foi saudade de minha cela suja, sem essa porra toda de temporal em cima de mim. Pai eterno, onde vim parar?! Muito assustador. Já me fodi com aquela merda de máscara e entrei na cidade devendo ponto, é mole? Para fazer uma média, eu me prontifiquei a ajudar nas cestas e levei essa trovoada em cima de mim.

— Calma, já já passa, vai ver só!

— Ah, passa. Esse foi o cartão de apresentação, quero nem vê. O "tar" do pobre é sem saída, quando pensa que vai respirar legal, lá vem um cheiro ruim. A gente deve ter feito muita barbaridade em outra encarnação.

— Largue mão, não tem essa de outra encarnação — falou fechando os olhos e tapando os ouvidos, esperando o estampido que viria depois do raio que cortou os ares e gritou: — Puta que pariu!

— Como é que você sabe que não tem encarnação? Nunca morreu!

— Por isso mesmo, se nunca morri é porque só tem essa vida.

— Larga de bestagem, v'ambora que tá passando a chuva.

— Que passando, meu! Não viu o puta raio? É que já vem outro.

— Não tem perigo, as torres recebem estes raios todos.

— Tô achando que estas torres chamam é mais raios pra assustar a gente, bem que minha mãe falava: "sai dessa vida, menino! Vai estudar!" Não escutei, taí a merda, cada vez engrossando mais.

Logo passou o temporal, o vento se acalmou, os raios viraram relâmpagos ao longe e o som do trovão era bom de ouvir assim abafadão, parecendo um tambor grande rolando céu abaixo, distante.

— Eu vejo essa chuva como para lavar nossa vida passada — falou Magrão. — Daqui para a frente, tudo limpo nesta cidade organizada e bonita. Olha que beleza de prisão! Acho que vai ser bom.

E se foram, terminando a tarefa.

A chuva deixou um cheiro agradável no ar, um aroma renovador, mas o calor continuava.

Depois de um dia cansativo e tenso pelo voo, e pelas expectativas normais a essas alterações na vida, todos estavam em suas novas casas. Lá fora, o sol já enxugava a umidade.

Após descansarem um pouco, os homens, com seus guias em mãos, caminhavam pela cidade. Observaram que, apesar da chuva, não havia lama nem água empossada. Na cartilha explicava sobre a drenagem, que fazia a água escoar pelos muitos bueiros até reservatórios subterrâneos, onde uma parte seria aproveitada em determinados setores da cidade e, a outra, canalizada para a estação de tratamento.

Os presos se espalharam: uns pela praça Manaus, outros pela área dos esportes e uma maior parte subia ao Mirante. Lá do alto, Emílio percorreu com os olhos a muralha, as guaritas com os vigilantes e, do outro lado, os fossos com os animais. Achava um exagero todos aqueles bichos, pois já havia drones, soldados e câmeras. Mas também tinha certeza de que alguém tentaria fugir.

— Emílio, você acha que alguém vai querer escapulir daqui? — perguntou Felício.

— Tenho certeza. É uma necessidade querer ir embora, e sempre vai haver alguém tentando fugir. O cara acaba criando um desafio para ele mesmo, cria um jogo a ser ganho.

— Concordo. Mas que vai ser difícil, vai. Olhe isso! Sair desse conforto e entrar nesta mata?

— Vamos aguardar o primeiro caso.

— Talvez demore para acontecer — opinou Raimundão, apontando com o dedo um bando de pássaros que voavam ao longe. — Os que estão chegando primeiro são os mais moderados, mas depois isto aqui pode virar um barril de pólvora.

— E vai explodir para onde? Sair todo mundo correndo pela floresta é que não vai ser. Mesmo que se sequestre um avião, não há para onde ir. Vai acabar o voo no Polo Sul.

— Mas tudo está bem dimensionado — afirmou Emílio. — A segurança vai ser implacável para o caso de tentativa de fuga. Sem saída.

— Cara, olhe o tamanho da prisão! — espantou-se Raimundão. — Parece não ter fim. Veja quantas torres de vigilância nesse muro! E olhe em cima: além dos equipamentos de captação de energia, há uma rede de choque.

— Chama isso de muro? — disse Felício. — Parece a muralha da China: é grande demais. E olha em volta a bicharada naqueles fossos. O cara que cair ali está fodido. Impossível sair por cima desta muralha.

— Fodido? Tá é comido. Depois é só leão lambendo os beiços. Desconjuro! — resmungou Raimundão.

— Vamos embora que esse papo tá ficando tenebroso — propôs Emílio, já descendo a escada para o andar de baixo e logo chegando ao amplo salão, também com amplas vistas para a floresta.

— Interessante este espaço para meditação — salientou Dorvalino.

— É, aqui virão os que gostam de meditar, fazer ioga, curtir o silêncio.

— E curtir um baseado.

— Aqui não pode fumar. Nem cigarro comum.

— Como é isso de ficar meditando, parado, feito um Buda?

— A pessoa tem que aprender a fazer isso, tem que ter orientação, saber técnicas de respirar e outros detalhes — explicou Emílio.

— Aprender a respirar? — indagou Felício, abanando a cabeça. — Quer dizer que a gente não sabe? Ah, se não soubesse teria morrido.

— Não é assim, ignorante. São técnicas para respirar melhor, que faz bem ao corpo e à cabeça.

— Pelo jeito, o Emílio vai acabar fazendo meditação aqui — ironizou Raimundão.

— Olhe, não descarto essa possibilidade. Mas, se eu vier, quero vir sozinho.

Quando estavam esperando o elevador, ouviram o som das badaladas do relógio da torre anunciando as cinco horas da tarde. Ao saírem do prédio, atravessaram a rua e entraram na praça Ovo de Colombo.

No fim do dia, após conhecerem a cidade, de volta aos prédios, foram curtir novamente os detalhes da nova residência: elevadores, quartos, beliches, banheiro, cozinha, sala de jantar... Para muitos, um luxo, quase um sonho. E a limpeza um espanto perto do que conheciam. A admiração era geral. Muitos ficavam nas janelas olhando tudo lá fora, o dia se acabando, a luz findando e a mata se cobrindo com o negrume da noite. O chuveiro não tinha folga. Aqueles homens pareciam um bando de pássaros que haviam escapado de suas gaiolas. Apesar de prisioneiros, sentiam-se, de certa forma, soltos.

O jantar foi entregue em todas as residências, acompanhado de refrigerantes e cervejas. Depois da refeição, muitos saíram para conhecer a cidade à noite. Era bonito ver as ruas bem-iluminadas e com pouca gente, os parques vazios, o ar puro. Nas muralhas, havia a silhueta de guardas em cada uma das guaritas. O céu amazônico estava bonito: estrelas, de um lado, e a lua aparecendo entre nuvens esparsas, de outro.

Renascença inundada de luz na noite escura era um tanto fantasmagórica em razão da solidão que transparecia quando se olhava ao longo das compridas ruas, sem um vulto de gente. Um dos homens que caminhavam parou e pediu a atenção dos outros. Pararam e ouviram o pio triste de uma coruja que parecia vir do fundo do mato. Voltaram a andar e perceberam, em seguida, o sistema de som tocando músicas que não eram bem para ser ouvidas, e sim para acompanhar a caminhada. Os homens andavam, conversavam e admiravam cada detalhe da cidade, mas de repente trovões fizeram o chão tremer, e não demorou para desabar mais uma chuva das fortes. De novo, houve correria para debaixo da marquise e todos se recolheram.

Emílio atravessou a noite com um sono agitado. Acordou, ficou ouvindo um pouco o silêncio, saiu da cama e foi à janela. Do alto do seu prédio, observou o escuro da mata e, após algum tempo, percebeu o começo do clarear. O cheiro gostoso da mata o envolveu. Eram os primeiros albores da madrugada, o perfume fresco da floresta no amanhecer. O relógio da torre deu cinco badaladas.

"Como aquilo era bonito! Quanta vida em tão simples acontecimento: o amanhecer!" Ficou ali parado olhando as ruas e, de repente, viu um homem que andava calmamente só, acompanhou-o com os olhos até que virando uma esquina sumiu. Continuou olhando a cidade, a muralha, os guardas e a floresta, que foram ganhando o clarão do dia, e ouviu os pássaros na praça em frente. Os andares mais altos foram recebendo a luz do sol. Não demorou e o vigilante em pé na guarita recebeu as primeiras luzes, e bandos de pássaros passavam em algazarra, amanhecendo o novo dia.

Muitas janelas estavam se abrindo. Alguns homens sentiam a felicidade por receber no rosto o ar fresco da manhã. Dentro das residências começava a nova vida. Era preciso fazer o café da manhã. O fogão elétrico e todo o necessário estavam disponíveis na cozinha: vasilhas, coador, leite, ovos, pão e biscoitos. Ninguém receberia a comida no bandejão, como durante todos os anos de cadeia comum e no dia anterior em Renascença.

Cada apartamento teria que se organizar para distribuir as tarefas domésticas, como cozinhar, limpar, lavar roupas e louças. Para isso havia as lavanderias de cada prédio, mas alguém precisaria pôr a mão na massa, organizar os roupas e respeitar os horários. Tudo isso seria exaustivamente explicado a todos que chegassem, lembrando sempre que as câmeras estariam ali para registrar tudo, contabilizando pontos positivos, negativos, e auxiliando nas necessidades. As câmeras estavam nos espaços coletivos dos prédios, mas dentro das residências não havia.

O treinamento para os que já haviam chegado era amplo, uma vez que envolvia convivência, funcionamento da cidade e o modo como deveriam atuar em suas ocupações, portanto teria duração de duas semanas. Só depois é que começariam a chegar a massa de prisioneiros. Durante esse período, já terão tomado posse os que vieram para ocupar postos como mercados, bares, restaurantes, correio, postos de saúde, coleta de lixo, limpeza pública, manutenção de elevadores, funcionamento das lavanderias e tantos outros que deverão estar prontos para quando começarem a chegar a massa de moradores.

Às dez horas, na reunião com doutor Alberto, estavam presentes Emílio e os doze encarregados para discutir todo o plano de trabalho e detalhar a programação da tarde sobre o papel de cada um nos postos que ocupariam na cidade.

Alberto começou a reunião com uma pergunta:

— Como fazer para ter o controle da cidade com disciplina, harmonia e produção? O desafio do sistema é administrar a grande quantidade de homens maus, bandidos, assassinos, ladrões, estupradores. Gente da pior espécie, sem esperanças fora do crime. Contamos, em favor da administração, com o fato de que, com as mudanças no país, ficou mais fácil ganhar a vida honestamente do que na bandidagem, pois as possibilidades de trabalho existem. Acreditamos que em Renascença esteja a real possibilidade de recuperação de muitos homens que poderão voltar logo para uma vida saudável. É verdade que o crime não acaba, por isso esta cidade estará aqui, de braços abertos, para acolher os desviados e colocá-los num caminho mais venturoso. Os que não quiserem participar ativamente, terão a chance de viver numa prisão confortável, esperando o tempo passar. Foi criado uma remuneração e uma pontuação. Todos receberão mensalmente o salário base. Mas, quem trabalhar na manutenção da cidade, receberá 50% a mais, assim como a contagem de pontos. Os que trabalharem em qualquer setor de geração de renda, receberão o salário, mais o fruto de seu trabalho, mais os pontos. Quem não trabalhar em nada, não se interessar por nada, só receberá o básico e não contará pontos. E, se atrapalhar a comunidade, terá pontos negativos e irá para o fundão, o que acontecerá também com os que forem desleixados na convivência do lar. Os impossíveis acabarão no Polo Sul, a sombra branca que paira sobre os rebeldes de Renascença.

"Vai ser criado um fundo que recolherá dez por cento do salário, e o sistema depositará valor igual em nome do apenado. Quando ele for embora, poderá sacar esse dinheiro. Se acontecer de algum falecer, a família receberá o acumulado.

"As orientações para todos serão constantes nas comunicações pelos telões espalhados pela cidade e pela TV nos apartamentos. A pontuação é uma constante na vida de todos, para mais e para menos, pois os que errarem, criarem problemas e danificarem o patrimônio, ou qualquer ato considerado negativo pelos estatutos, terão redução dos pontos ganhos e poderão receber pontos negativos, o que aumentará a pena. Os casos graves serão analisados pelo Conselho de Convivência, e o preso poderá ser mandado para o Polo Sul.

"Para superar este mundo isolado, sem a visita de familiares, sem mulheres, sem o mundo lá de longe, os habitantes de Renascença têm uma bela cidade, com todos os equipamentos necessários para uma vida confortável, conforme vocês já viram. Há muitas coisas boas que não falamos ainda e que, com o tempo, todos perceberão, mas quero destacar que de Renascença ninguém sai analfabeto, ou seja, faz parte do cumprimento da pena saber ler e escrever. Temos um sistema revolucionário de alfabetização de adultos. Assim que o analfabeto chegar aqui, já será automaticamente matriculado e não sairá daqui se não souber ler e escrever. Ou melhor, até poderá sair, mas com pena aumentada, a não ser que tenha justificativa convincente.

"Vocês já têm bem claro que a cidade só funcionará com os moradores trabalhando. Toda a manutenção será feita ou por quem já conhece cada ramo de trabalho ou por quem vai aprender. Com o aprendizado e as experiências adquiridas aqui, muitos sairão com emprego garantido lá fora. A cidade e o futuro de todos dependem de cada um de vocês.

"Da mesma forma, em Renascença a atmosfera não lembra a de uma prisão. Aqui se respira liberdade. O mau caráter, na cadeia de antes, sentia prazer no poder que passava a ter como resultado de suas maldades. Aqui, a democracia dilui o poder. Quem quiser formar grupos de maldade, quadrilhas, vai se dar mal.

"Temos muito material escrito para orientar a todos sobre o papel de cada um, seus limites e suas responsabilidades. No telão e na TV, serão feitas palestras de orientações sobre o necessário para viver em Renascença."

Depois da explanação, doutor Alberto juntou sua equipe com a de Emílio e passaram a manhã detalhando as responsabilidades de cada um. Como já havia apresentado seu pessoal no almoço do dia anterior, procurou sincronizar as ocupações de cada setor com as pessoas de fora e as de dentro. Passou no telão cenas do hospital, equipamentos, diversos grupos de atendimento e toda a sistemática moderna de serviços de saúde. Mostrou cenas do necrotério e do crematório. O filme trouxe ainda outros detalhes da parte externa, como instalações do Corpo de Bombeiros, represa, estação de tratamento de água e esgoto, explicações sobre o sistema de geração de energia. Foi enfatizado na apresentação todo o aparato de segurança nos diversos setores externos.

Além de muitos detalhes sobre a cidade, o filme focou bastante na área de aprendizagem, por meio de muitos cursos que seriam oferecidos à distância, o que geraria pontos, conhecimentos, profissionalização, empregos, enfim, um amplo crescimento para os interessados. Passaram a tarde toda envolvidos nos trabalhos para, no dia seguinte, colocarem cada um dos que haviam vindo na primeira viagem em seus postos de ocupação e darem os treinamentos necessários para o bom desempenho, o que se repetiria com cada grupo que chegasse nesse período de instalação.

— O VOO DA MASSA —

O dia acabara de amanhecer numa das principais prisões do país e muitos soldados com armamentos pesados circundaram os prisioneiros que estavam no pátio quando o diretor começou a falar:

— Vocês estão prontos para partir. Todos irão, mas os que chegarem primeiro terão mais facilidade para se encaixar na nova casa. Os que não estão aceitando a mudança vão do mesmo jeito, mas, como será mais tarde, terão que encarar a acomodação como for oferecida.

"A vida que vocês acham ruim aqui vai melhorar lá. Tenho certeza de que gostarão de Renascença e desejo a todos uma ótima viagem."

Em seguida, os homens, todos algemados, entraram nos três ônibus e, sob um forte aparato de segurança, foram conduzidos ao aeroporto. O avião com as adaptações adequadas esperava seus passageiros. Era uma aeronave grande, com uma pintura bonita, trazendo nas laterais letras grandes e artísticas que formavam a palavra Renascença. Na cabine de comando, completamente isolada e com entrada exclusiva, os três tripulantes já estavam acomodados. Os doze seguranças de voo estavam em seus postos. A máquina fora dividida em quatro espaços, cada um com oitenta acentos e três cabines de segurança, cada uma ocupada por quatro homens. Tudo na aeronave estava devidamente preparado para a longa viagem, desde os sanitários até armários com comidas e bebidas não alcoólicas.

Os veículos com os prisioneiros foram direto para o avião. À medida que saíam dos ônibus, os homens subiam as escadas. Dentro do aeroplano, as algemas eram retiradas. Os motores roncaram forte, embalando a máquina, que, numa velocidade crescente, empinou pelos ares, levando corações cheios de incertezas. Havia sensações de alívio por deixar aquelas celas apertadas e esperanças por algo novo, ainda incompreensível, misturado ao medo e o pavor de muitos que nunca tinham viajado de avião, além das tristezas pelo afastamento dos entes queridos. Agora o buraco do silêncio é preenchido pelo barulho dos motores.

Cada vez que o avião descia e subia, as emoções se renovavam, em meio à palidez de uns e aos vômitos de outros. Depois de decolar mais duas vezes, a lotação estava completa. A próxima parada seria o desembarque de trezentos e vinte passageiros num novo tempo. A aeronave voava rumo à Renascença.

A viagem transcorria normalmente e os seguranças haviam superado a apreensão inicial. Tudo estava tranquilo. Uns passageiros conversavam, outros dormiam ou bocejavam. Vários estavam no corredor. A todo momento, alguém reclamava de alguma coisa, principalmente por não poder fumar, pois na revista de embarque não foi permitido levar cigarro. Para compensar, comiam bolachas, doces e tomavam refrigerantes.

Os seguranças viam todos os passageiros, que, por sua vez, não enxergam o que se passava nas cabines devidamente protegidas por vidros especiais. Embora os soldados estivessem fortemente armados, a arma que usariam, em caso de rebeldia coletiva, seria o gás sonífero no compartimento necessário. Além das armas, havia filmagem por todos os ângulos do que acontecesse durante o voo. Em caso de danos, a reparação seria cobrada de alguma forma.

O voo seguia tranquilo tecnicamente, apesar de vez por outra uma turbulência agitasse os passageiros. Em certo momento, um deles falou na parte de trás:

— Essa lata está chacoalhando demais, cacete!

Ao seu lado, outro emendou:

— Que olho arregalado é esse, Bituca? Tá com medo? Você tá suando, cara!

— Nunca andei nessa porra. Não gosto disso, não. É cabuloso isso aqui, mano!

—Tem perigo, não, é seguro — outro falou.

— Seguro, mas cai — resmungou Bituca. — E aí não sobra nada.

Alguém levantou e disse:

— Se cair, a gente morre que nem rico: de acidente de avião.

Bituca não concordou e disse:

— Quero ser pobre e vivo.

Outro lembrou:

— Agora, não tem mais jeito, estamos a uns cem quilômetros de altura.

— Crendiospai! — exclamou Bituca, com a boca aberta, olhando pela janelinha. — Não é tudo isso, não, meu!

Alguns deram risadas, mas boa parte deles estava tensa.

Logo depois, Donizete falou:

— Já estou pensando é na volta.

Foi risada geral e o "conversê" aumentou, relaxando um pouco todos por perto.

Luzaldo, olhando pela janela, vislumbrou o tamanho da mata lá embaixo e sentiu um aperto no peito. Sem saber por quê, bateu-lhe saudade da infância. Sentiu-se só, como sempre, olhou de novo pela janela, viu um risco que cortava a imensidão da floresta e identificou um rio.

Sentado junto a uma janela, João Medeiros não tirava os olhos de tudo lá embaixo, e de vez em quando anotava alguma coisa em uma pequena caderneta e seu vizinho de poltrona perguntou:

— Cara, o que é que anota aí?

— Sempre gostei de anotar coisas por onde passo.

— Mas precisa anotar as horas também?

— Ah, você percebeu? É um costume meu.

— Cada costume... — encerrou o rapaz, de nome Colibri.

Tudo estava calmo, alguns até cochilando quando o avião começou a tremer mais e mais, chacoalhou intensamente entrando num vácuo, o que provocou um reboliço entre os homens. Um gritou:

— Vomitaram aqui! Puta que pariu, tinha que ser perto de mim, tem dó, ô mané, por que não pegou a sacolinha?

— Ah, cacete! Nem lembrei desta merda de sacolinha e nem deu tempo. Acho que vou vomitar mais.

— Sai pra lá, ô capeta!

— Caraca, me gelou os bagos! — disse o Moeda, com cara de assustado. — Achei que estava caindo.

— Puta susto, meu! — falou alto o Remela.

— Tô vendo mesmo, você está amarelo! — falou o da poltrona ao lado.

Assim, entre tremores, temores, conversas e risadas nas alturas, lanches e águas, a aeronave seguia.

Um gritou:

— Cara, olhe lá embaixo, meu, esse mato não acaba.

Um rapagão robusto que estava perto falou:

— Olho nada, se eu olhar, aí é que me cago mesmo.

— Ué, você não é o fortão, o valentão?

— Nada a ver, meu! Eu sou bom no meu pedaço. Se eu tivesse que voar, tinha nascido passarinho. Olho pra baixo, não.

Outro emendou:

— É, tamo nesse avião que parece voar sozinho. Ninguém viu piloto. Vai ver que nem tem. Nem os milicos de segurança nós vemos, acho que não tem. Eu já vi falar de aviões que voam sozinhos. Sei, não!

— Você está querendo dizer que essa merda está indo sem piloto, só com nós dentro?

— Só faltava essa: eles armarem este voo só para matar presos — emendou outro.

— Fala besteira, não, ô maluco, eu vi o piloto na janelinha, quando saímos do ônibus.

— Ufa! Ainda bem. Você salvou a gente. Eu já tava me apavorando.

— E os milicos, alguém viu a cara de algum?

— Ninguém viu, mas os samangos estão aí dentro desses aquários, que parecem ser três, mas a gente só vê dois. Deve ter uma meia dúzia deles em cada aquário.

— Eles estão só filmando. Se a gente criar caso, eles soltam um gás que faz a gente dormir na hora.

— Que será que eles comem?

— Ô palhaço, não é desse gás que tô falando, não.

— Ainda bem. Se fosse, acho que a gente morreria. Credo! Gás de milico, aí é demais.

— Prefiro que o avião caia a aguentar gás fedorento saindo da farda — falou outro.

— Pô, meu, parem vocês de falar merda. Por que não dormem um pouco?

— Qual é, meu, quero é pitar um bagulho.

— Nem fale, quem não quer?

— Eu quero mesmo é uma farinha — falou um bem esquisito de um canto, parece que tremia.

A viagem seguia tranquila e o tempo estava limpo. Do alto, viam-se, em meio ao extenso verde, os rios que se arrastavam lentamente para o mar.

— Senhores passageiros, prestem bem atenção nestas instruções — iniciou o piloto. — Peço que todos mantenham a calma. Lamentavelmente, estamos com problemas e o avião vai despencar, então vamos entregar um paraquedas para cada um, a fim de que todos possam se salvar pulando nas árvores lá embaixo.

Aquelas palavras foram um choque, de modo que todos queriam olhar desesperados pela janela. Uns já rezando, outros chamando "maínha", um outro estava parado, com o olhar assustado e os lábios tremendo. Olhares cheios de medo encaravam a janela, pálidos, com os cabelos alvoroçados. Muitos santos foram requisitados e até Padim Ciço entrou na roda dos pedidos. Vários xingavam o piloto, o governo, e muitos se desesperavam gritando de pavor. Havia os que faziam cara de choro.

Um deles falou:

— Já saltei de paraquedas.

E outro perguntou:

— Mas numa mata assim?

— Não — respondeu — tamo todos fudidos.

Quando os passageiros estavam em pânico, o piloto pediu silêncio e, após todos prestarem maior atenção, falou:

— Primeiro de abril — e deu uma gargalhada.

Foi um alívio. Uns bateram palmas, outros vaiaram e xingaram com palavrões impublicáveis às diversas encarnações e gerações do piloto: e filho disso e daquilo, vai tomar não sei onde. Mas tudo acabou em muitas risadas.

Tudo foi se acalmando e pequenas conversas voltaram a acontecer:

— Cara, quase me caguei todo, já pensou nós todos voando de paraquedas e caindo naquela matinha ali embaixo?

— Nós todos naquela selva nunca mais ninguém ia ver ninguém.

— Ah, se esse piloto caísse não na selva, mas na nossa mão...

— Coitado! Esse filho da puta me deu o maior susto que já tive.

— Nem fale, é um susto de acabar qualquer soluço.

— Me arrepiei todo quando pensei que podia cair num rio cheio de jacaré.

— Aí hein? Você quer azar só pra você, né?

— Eu já me vi pendurado numa árvore, crendiospai!

Depois de um tempo tudo voltou ao normal. Alguns homens dormiam e outros conversavam.

— Ô Xavier, está sossegado. Não tem medo de avião?

— Não, Marcondes, porque não adianta ter. A tecnologia está muito evoluída. Às vezes, cai um avião, mas é acidente, como são os acidentes. E você, Quirino, tem medo?

— Vixe, se tenho! É muito peso no ar, isso não é coisa de Deus, não. Quase me borrei na hora que o bicho subiu e fez aquela curva meio empinado, entortando prum lado. Vi a cidade ficando por cima, credo, fechei os olhos.

— Mas agora você está mais calmo?

— Estou mais tranquilo aqui em cima, mas na hora de descer é que quero ver o sufoco, torcer pra esta merda não espatifar no chão. Xavier, você já andou de avião?

— Sim, viajei muito e me acostumei. O que eu fazia me obrigava a viajar bastante.

— No que você trabalhava?

— Traficava e fazia outros rolos.

— Viajar é viver, sentir a liberdade — disse o Piolho, abrindo bem os braços.

— Qualé, cara, acorda, mané! De que liberdade você tá falando? Tá pensando que tá de férias?

— Tô viajando, sim, meu! A liberdade está na cabeça de cada um. Fica na sua, moleque — respondeu Piolho, um rapaz divertido, de sorriso fácil, inquieto e sempre animado.

— E aí, ô cara? — falou Bugrão para um gordinho da cara redonda que estava quieto. — Está rezando de novo? Está com medo?

O homem só olhou e voltou a baixar a cabeça em oração.

— Não precisa rezar, cara. Esta coisa aqui não vai cair.

— Estou pedindo a Deus que isso não aconteça e Ele vai nos proteger.

— Ah, é? E por que Deus não evitou que a gente viesse neste avião? Quer saber? Vou rezar para esta merda cair. A quem Deus vai atender? Somos todos bandidos. Essa porra desse avião não vai cair não é porque Deus está atendendo a mim ou a você. Ele não está nem olhando pra cá. Nossas vidas estão é nas mãos do piloto. Mas vou rezar para o avião cair.

— Não basta ser preso, tem que escutar isso — falou baixo o gordinho, que continuou a rezar, com suas bochechas carnudas.

Olhando pela janelinha, um deles falou:

— É longe demais, a floresta nunca que acaba.

Seu companheiro ao lado falou:

— Sim, um verde muito verde, que não acaba, uma mata sem fim.

Passado um pouco de tempo, alguém gritou:

— Olhem aí, seus malucos, acho que está perto. Essa coisa está imbicando para baixo.

— Está chegando ou caindo — falou um no fundo do avião.

— Cala a boca, ô animal — outro rebateu.

Os homens enchiam os olhos da vasta mata verde se aproximando, o avião baixando devagar.

Algum tempo depois, a cidade crescia lá embaixo. Muitos se voltaram para as janelas, observando curiosos a cidade em meio à floresta.

Na chegada, muitos se admiraram com os prédios coloridos que luziam ao sol forte.

O aparelho baixava rápido e já quase encostando nas árvores alcançou a pista. O silêncio era total e a tensão estava estampada na fisionomia de cada um. Alguns de cabeça baixa, outros de olhos fechados, tantos rezavam. Pareciam grudados na poltrona, o avião já não voava, corria pela pista provocando enorme barulho na reversão, e foi diminuindo a velocidade e os corações voltando ao ritmo quase normal.

Os grandes portões se fecham atrás do aparelho que se aproxima lentamente do ponto de desembarque. Imponente, a máquina parece se sentir o pássaro rei da floresta.

Todo o esquema de prontidão está a postos, com dezenas de soldados bem armados. Três grandes ônibus se aproximam. Sem algemas, os homens descem as escadas e um bafo quente no rosto foi o cartão de recepção, então seguem rápidos para os veículos. As portas se fecharam, e o primeiro deles saiu rumo à entrada da cidade. Alguns olharam para o avião, e o piloto, por trás dos óculos escuro, deu um tchauzinho. Os presos responderam com o dedo médio e fizeram homenagens à sua mãe.

Assustados, alguns homens constataram que não havia motorista no ônibus, que passou rapidamente por um portão e depois, mais devagar, circundou o jardim das Amazonas, o que provocou um agito de alegria e comentários diversos sobre visitar a casa delas. Em meio a comentários, o veículo parou em frente ao portão da ponte levadiça, onde desembarcaram. A ponte desceu e os homens começaram a travessia pelas passarelas de vidro. O piso transparente encheu de espanto os que iam à frente, que, boquiabertos, tiveram receio de andar e pararam. Começou, então, a vir um ruído de baixo: urros de leões de um lado, e latidos ferozes dos cachorros de outro. Os homens recuaram um pouco e o vozerio cresceu.

— Que porra é essa? — gritou um deles.
Outro disse:
— Eu não vou! Ei! Não empurra, ô babaca!
Os homens da frente, empacados, não queriam seguir, mas os de

trás os empurravam. Os da frente olhavam para o fosso sob o vidro aos seus pés e se apavoraram, com a impressão de que aquilo ia quebrar. Lá embaixo, os animais enraivecidos, de um lado, aumentam os latidos, do outro, os urros de leões estão mais altos. Os homens de trás não viam o cenário e queriam sair logo do sol quente, ao passo que os da frente esbirrados só vão no empurrão.

— Não parem, vacilões — gritavam os de trás, sem saber o que os da frente viam.

— Parem de empurrar, cacete.

— Os bichos estão com raiva! — falou outro, já bem alterado.

— Com raiva? Estão é com fome.

— É sinistro, cumpadi, esses bichos vão comer nóis. Olha os dentes do leão, credo!

— Ave Maria! Isso aqui sinistro é pouco!

— Caraca, meu, rezar agora não adianta mais, tem uma leãozada lá embaixo.

— Olha lá o tamanho da boca deles.

— Eu não vou, não, tenho medo de altura, vou dar o pinote.

— Não olhe pra baixo, caraio!

— Se tem medo de altura, desça lá, então, seu viado.

— Viado é seu ovo, ô bunda mole.

— Vamos andando aí, putada! Seus merdas, não parem — gritavam lá atrás, já empurrando.

— Não para, é? Vem você aqui.

— Qualé, mané? Vai logo, porra, tá quente isso aqui, meu!

— Anda aí, ô bundão! Vai, seus maricas!

— Cara, é muito urro. O leão tá com fome! Olha o olho dele.

— Sai da frente, cagão!

— Desce lá, então, ô Sansão.

— Ai, meu pé, cacete! Não enxerga, porra?

— Claro que não, estão me empurrando. Vê se anda aí, meu, que o leão é manso.

— Manso é seu ovo!

Os urros estavam mais alto e os homens começaram a correr. Foi como uma boiada que se amontoa à beira de um rio sem que nenhum queira pular na água para a travessia, até que o primeiro toma coragem e os demais o acompanham. Se deu o efeito manada e aquela correria agitou ainda mais os animais nos fossos, que pareciam agora enlouquecidos. Ouviam-se latidos, urros e gritos.

A leva de homens chegou ao outro lado da passarela de vidro assustados e molhados de suor, olhando para trás e comentando a travessia.

A turma do segundo ônibus foi chegando quando a primeira começou a correr e passaram a correr também, sem saber por quê. Ao se verem sobre o vidro e escutarem os urros dos leões, desesperaram-se em desabalada correria, sem entender nada além de medo. Vários por pouco não se borraram, alguns desmaiaram.

— Cara, tô com o juízo baleado.

— O bagulho é doido, meu. Prefiro correr da polícia.

— Puta que pariu! — falou um deles. — O diretor, aquele filho da puta, disse que ia ser bom. Bom o carai.

— Já pensou se fosse ruim? — outro emendou. — Quase me caguei naquele chão de vidro. Achei que aquela merda fosse quebrar. Até senti o leão bocando a gente.

— E eu que escorreguei e um viado me empurrou? Nem vi quem foi o filho da puta.

— Até esqueci o medo do avião.

— Porra! É cada bicho brabo lá embaixo... Se um cair lá, vira merda rapidinho.

— Queria jogar lá embaixo o filho da puta que inventou e armou isso aqui.

— Quero jogar lá aquele piloto filho da puta.

— Não dá nem vontade de ir embora se tiver que passar por aqui.

— Cara, senti formigarem as pontas dos meus dedos. Acho que era a alma escapando pelas unhas, voltando para o avião.

— Tô aqui pensando que outras merdas aprontaram pra nóis aí dentro dessa cidade.

— Fica esperto, cara, tamo é fudido aqui nesse cu de mundo.

Outro emendou:

— E no meio desse puta mato. Isso é que é o sem saída!

— É mesmo, só falta pular uns índios metendo frecha em nóis.

— Pare de falar besteira, ô zé ruela!

— Besteira? Você está sem noção de onde enfiaram a gente?!

— Bem que falaram que, quando a gente estivesse aqui, não ia mais querer ir embora. Eu mesmo não quero. Tá loco, quase me caguei todo. Sacanagem, meu. Se eu soubesse disso, não teria vindo.

— Não tem bom, meu, todo mundo vem.

— Só se eu viesse amarrado. E, pra ir embora, só vou se estiver anestesiado.

— Por isso que não pode vir visita. Quem vai querer vir?

— Me deu um desânimo de ir embora. Acho que vou ficar aqui para sempre.

— Não pode, não. Venceu o tempo, tem que ir.

— Puta que pariu! Trazem a gente na marra. Quando se quer ficar, levam na marra. Nessa vida, o pobre é sem saída, é que nem cachimbo.

Após cruzarem a muralha, ainda assustados, entraram num prédio grande, onde está o salão de recepção com muitas portas, dando acesso a pequenas salas. O serviço de som ia orientando. Em fila, cada prisioneiro recebia, num guichê, uma senha com o número da sala para onde deveria se dirigir. Formaram-se pequenas filas em cada uma das portas e o atendimento começou. O prisioneiro entrava e, seguindo orientações de uma voz na cabine, colocava a senha na fenda indicada e se posicionava para a foto e o registro da íris. Tudo muito rápido. Por outra porta, saía da sala e entrava num salão para reuniões e palestras, onde todos aguardariam a fala de recepção do diretor.

Quando os procedimentos burocráticos foram concluídos, os homens estavam mais calmos e acomodados. Aguardavam, então, o início da fala. Com o ar-condicionado a toda, a temperatura era agradável.

Germano estava sentado, demonstrava cansaço e tinha o olhar perdido nos pés. Então, Deiverson disse:

— E aí, mano, tá com uma cara de cansado. Não dormiu na viagem?

— Cara, foi o maior alívio descer daquele avião, mas quando me vi naquela pinguela de vidro, quis voltar para lá.

— Rapá, nem me fale! Também fiquei no apuro, parecia que o leão urrava nas minhas costas. Eu me sentia já caindo na boca dele.

— Me deu um calorão. Se tiver que sair por ali, nem quero ir embora.

— Tem uns chegados meus que, se souberem que é assim, não vêm pra cá nem a pau. Vão desistir de ser bandido.

— Carai! Nunca vou esquecer esse dia. Foi a porra desse avião subindo e descendo não sei quantas vezes. Perdi a conta das vomitadas. Quando estava perdendo o medo, aquele piloto filho da puta assustou minha alma. Depois, a chegada com esses bichos malucos, nesse troço de vidro, e eles urrando daquele jeito, de fome. Acho que deixaram eles sem comer um mês só para assustar a gente.

— Assustar? Eles queriam era comer nóis.

— Cara, e o dia não acabou, tô desconfiado de tudo aqui. Fica esperto!

— Nem brinca meu, acho que agora tamo sossegado.

— Na dúvida, vou rezar. Me fala aí uns três santos camaradas, só conheço um.

— Qual?

— Santo Onofre.

— Ih, logo esse?

— Ué, por quê?

— Ele anda sempre muito ocupado, é protetor dos manguaceiros.

— Tô lascado mesmo — falou coçando o pomo de adão.

— É, você vai precisar de ajuda. Só esse aí não vai ser suficiente pro seu peso. Olha, não sei se vai ter santo disponível para você. É melhor se virar com seu anjo da guarda.

— Então, tô fudido mesmo. Meu anjo da guarda me abandonou. Acho que ele tem medo de avião.

— Você, pra se acalmar, deve entregar seu coração a Jesus — falou um homem sério ali próximo, que ouvia a conversa em silêncio.

— E eu recomendo você conhecer as palavras de Maomé, te orienta bem — disse outro com um nariz adunco numa cara grande e morena, de olhos bem pretos.

— Sabe, seu Salame, prefiro o Buda, que recomenda ficar sentadão debaixo de uma árvore, e árvore por aqui não vai faltar.

— Cara, depois dessa merdalhada toda desse dia, tô aqui pensando é nas fotos que estão tirando da gente naquelas cabines. Vai ter cada uma que é de espantar até bruxa.

— E o sol, você sentiu? Aqui parece que é maior ou está mais perto.

— Nem me fale. Ih! Parece que vai começar a falação. Preste atenção e fique esperto.

Enquanto aconteciam os retalhos de conversas pelo salão, a música parou e o serviço de som anunciou que o diretor do presídio falaria. O silêncio se fez. No estúdio, do outro lado da muralha, doutor Alberto estava pronto, olhava firme para a câmera, com olhos penetrantes e um sorriso leve, fez um gesto de mão para o câmera, aí com uma voz forte e pausada iniciou sua fala:

— Boa tarde, senhores. Sejam bem-vindos à Renascença, a cidade feita para acolhê-los e levá-los a uma vida melhor. Gostaria de dar um abraço em cada um, mas não dá tempo. Espero que tenham gostado da viagem e desses primeiros momentos em nossas instalações.

Levou uma tremenda vaia. Foram longos os minutos de espera até que conseguisse voltar a falar.

— Entendo a emoção de vocês, e essa manifestação de alegria me deixa contente. Tudo isso faz parte do aprendizado. A parte burocrática foi feita. Vamos passar algumas orientações e depois vocês irão para suas casas. Antes, quero apresentar a todos os dirigentes da cidade.

Nesse momento, no telão, apareceu Emílio, e, em seguida, cada um dos doze responsáveis pelos diversos setores. Alberto retomou:

— Um passado trouxe cada um de vocês para cá. Mas, se do passado não escapamos, o futuro podemos modelar, e isso começa na mente. Deixem acender em suas cabeças as luzes da razão. Lá fora, nos outros presídios, existia um verdadeiro exército para tomar conta de vocês. Aqui, não. Não há carcereiro os vigiando no passo a passo. Quem cuida de vocês são vocês mesmos. Não é uma prisão, e sim uma estada para reciclar a vida. Os que quiserem vão sair com diploma para participar normalmente da sociedade, tornando a vida mais leve. As oportunidades estão aí, os homens as utilizam de forma sábia ou tola. Aqui vocês vão de novo ter esperanças. Nesta cidade, tudo conta pontos. Vocês vão receber uma cartilha sobre os procedimentos, mostrando detalhadamente o funcionamento da vida aqui, como se ganham ou se perdem pontos. Se alguém não souber ler, porque é estrangeiro ou porque não foi alfabetizado, agora terá aulas de alfabetização e vai ler. Assim, não será dependente de ninguém. Além de começar a ganhar pontos com o curso.

"Temos um ambiente de reciclagem das pessoas que não se adequaram às regras na sociedade ou que, em momentos extraordinários, cometeram falhas pesadas e precisam de um tempo determinado pela Justiça para meditar, refletir e se preparar para a volta ao convívio com a família e a sociedade. É uma oportunidade de voltar a viver lá fora mais rapidamente do que no sistema antigo, depende de cada um e do convívio de todos pelo bem comum. Nesta cidade, vocês são livres, mas o espaço de cada um é sagrado. É preciso que se respeitem e levem a sério o direito uns dos outros.

"As regras vão ser postas. Quem seguir vai viver numa boa. Aqui não se aceitam injustiças. Cada um vai colher o que plantar, sempre muito rapidamente. A justiça em Renascença é rápida, todos vocês vão gostar, pois é do jeito que preferem, e não se admite nenhuma forma de abuso.

"Em Renascença não se aceita violência. Quem provocar e brigar perde pontos. Se alguém cometer assassinato, será julgado pelo Conselho, que dará a sentença, e, conforme o crime, pode se mudar para o Polo Sul.

"Todo ser humano nasce com um talento a desenvolver, mas muitas pessoas não têm chance nem de perceber a qualidade de sua natureza, pois não têm oportunidades. Em nossa cidade, vocês terão chances de ainda descobrir aonde o talento pode levar cada um. Quero fazer um parênteses: se alguém só tem talento para o mal, para o roubo, para assassinatos, aqui não terá campo para se desenvolver. Mas, se quiserem, há esportes, cultura, estudos e profissões. Aproveitem a chance para renascer e alcançar a liberdade da muralha e da mente.

"Em Renascença, todos são iguais; respeitem para serem respeitados. A travessia está nas mãos de cada um. Talvez alguém não tenha ouvido bem o que falei ou tenha perdido alguma parte, portanto todos receberão uma cópia do que foi dito. Agradeço a atenção de todos, e nossa equipe de apoio estará sempre pronta para atender no que for possível. Tenham uma boa tarde e uma boa estada."

Assim que o doutor Alberto terminou, o serviço de orientações explanou os próximos passos, inclusive a entrega na saída dos cartões com o pagamento do mês.

— CONHECENDO A CIDADE —

Após pegarem as malas, mochilas e trecos, os homens se agruparam nos pontos indicados e, com o auxílio dos guias, seguiram pelas ruas, observando tudo muito limpo: as ruas, calçadas, jardins e os prédios por onde passavam. Entraram em seus apartamentos bonitos, atraentes, com aspecto agradável e cheirando a limpeza. Beliches, mesas e bancos eram de alvenaria. Os colchões eram macios, e a roupa de cama tinha duas peças de cada item. As seguintes seriam compradas pelos moradores.

Sobre cada cama havia uma cartilha com as regras a serem seguidas, tanto na casa quanto na cidade, direitos e deveres de cada um, tendo como item primeiro "respeite como gostaria de ser respeitado". Na sequência, eram estabelecidas todas as regras para a boa convivência na casa e todas as orientações para viver na cidade.

Em cada um dos prédios, os homens se espantavam a todo momento com a limpeza do *hall* espaçoso e iluminado que levava aos elevadores, o esquema de coleta seletiva do lixo e tudo o mais.

Os oito homens de cada residência se acomodaram, escolhendo as camas. Uns se dirigiram ao banho, outros foram ler o guia da cidade que trazia, além das regras, tudo o que era oferecido, como os entretenimentos na área de esportes, músicas, praças, bares, lanchonetes, restaurantes, locais de informações sobre cursos, biblioteca, museu, bicicletas, farmácia e postos de atendimento de saúde. Alguns abriram a geladeira e descobriram que havia oito cervejas, oito refrigerantes e uma pet com água tratada da torneira com filtro. Eufóricos, ligaram a TV, o ar-condicionado, o chuveiro e foram até a janela.

Muitos homens foram para as ruas, esparramando-se como se estivessem em plena liberdade. Alguns caminhavam próximos à muralha, olhando detalhadamente os vigias em suas torres. Outros se espalhavam pelas praças, impressionados com a música em todas as partes percorridas. Entraram pelos jardins e ficaram admirados com o tamanho das árvores. Caminharam pelas ruas, largas e limpas, entre os prédios coloridos. Observaram as muitas lixeiras. Entraram em quadras de esportes, campos de futebol e bares. Um verdadeiro passeio pela curiosidade.

Havia os que procuravam os espaços religiosos e pareciam ter gostado dos variados cultos e recantos para meditação. Onde, entretanto, se aglomerou mais gente foi na fila dos elevadores que levava ao alto do mirante, embora alguns tenham preferido as escadas. No alto, espantaram-se com a vista da floresta sumindo no horizonte. Podiam sentir a força das cores da natureza, com aquele verde intenso da floresta e o céu de um azul profundo, bonito além da conta. Uns admiravam em silêncio, outros viam a grande mata como um imenso obstáculo que os cercavam e teciam os mais diversos comentários jocosos para a situação.

A tarde ia caindo e, com ela, o movimento nas ruas. O silêncio reinava. O avião havia muito já partira e as luzes se acenderam. Nos apartamentos cheirando a novo, aqueles homens sentiam algo diferente dentro do peito, um sentimento que muitos não se lembravam mais ou nunca haviam tido.

Deitado na cama cheirosa, Valdecir se pôs a pensar: "Sinto uma coisa que há muito não sentia: a paz de um lar. Nem quando estava solto, na correria, tive isso. A higiene de um banheiro, o cheiro gostoso de limpeza, o sentimento de liberdade. Apesar de estar preso, não há carcereiro controlando, não há grades, não há aquele amontoado de pessoas numa situação de promiscuidade, aperto, fedores, sevícias, riscos dos mais diversos, sempre perto de morte, doenças, tudo de ruim. Era uma escola do crime. Quem viveu aquilo demora para ter uma vida normal. Era o inferno dentro da gente. Mas e aqui? Como será a vida aqui? A distância da família e dos amigos, a falta de visitas e sem celular. Comunicação só por carta, como antigamente. Mas a ausência da mão pesada, a possibilidade de trabalhar, estudar, reduzir a pena, praticar esportes... Por outro lado, tudo que é tipo de gente vai estar aqui, o que é um risco constante. Cada um tem que cuidar da própria comida. Mas isso é um problema menor. Muita gente vai se embananar, mas, no fim, todos se acertam com relação a isso. No começo a gente pode se atrapalhar, mas nos após as pessoas vão se acertando. Penso que logo alguns restaurantes vão começar a servir boas quentinhas. Outros, com mais sorte, vão se acertar e fazer gostosas comidas em casa. O tempo tem a receita."

Envolto nesses pensamentos Valdecir pegou no sono.

Os homens se ajeitavam. Foi relativamente rápida a acomodação, pois a expectativa de tempos novos e um sentimento de certa liberdade facilitaram o relacionamento inicial. Tudo era novidade: fogão, geladeira, despensa e víveres. Muitos ficavam nas janelas, admirando a passagem do dia para a escuridão. Um deles, deitado na cama, falou:

— Cara, estou escutando muitos gritos na mata. Acho que são macacos. É bom ficar esperto. Não demora, e eles pulam para a cidade.

Outro rebateu:

— Eles não passam nos fossos.

— Não passam? — discordou o primeiro. — A bicharada se entende, vai ver só. Logo, logo haverá macaco roubando os ladrões daqui.

— Deixa vir, eles não sabem onde estão se metendo. Se entrar aqui em casa, vocês seguram o bicho que vou deixar o sabiró dele em brasas que vai sumir nesse mato e não volta nunca mais.

— E se ele gostar de você, num amor à primeira vista?

— Bom, melhor ele não vir aqui.

E todos riram em suas camas.

O manto da noite envolveu a cidade, as luzes clareavam as ruas, as praças e as guaritas da muralha pareciam ficar mais tristes quando os soldados se distanciavam, parecendo uma sombra solitária. No mirante, um homem contemplava a cidade iluminada e o escuro da floresta lá fora, um breu num silêncio enorme, só quebrado por algum barulho novo para seus ouvidos e, logo depois, por um ruído abafado de trovões ao longe.

João Medeiros estava sozinho no apartamento. Ao olhar pela janela, admirava tudo aquilo, que parecia um sonho. Via os vigilantes na muralha, ouvia de vez em quando o rugido dos animais do fosso e, dando asas ao pensamento, analisava cada detalhe. Viu-se preso a um pensamento quando ouviu as badaladas. "E o relógio da torre? Meu Deus! Será que vou me acostumar com essas batidas? A cada quinze minutos ele toca. Parece marcando que passaram mais quinze, mais quinze e quando vê ele anuncia a passagem de mais uma hora. Deve ser tenebroso ele dando as badaladas na madrugada, ou será bom ouvir o tempo indo?". Ficou a pensar no relógio, o medidor do tempo.

Medeiros, um homem compenetrado, medindo sempre o que dizer e o que fazer. Alto, forte, de cabelos pretos e olhar firme, passava a impressão de uma pessoa determinada. Em sua cabeça, germinava um plano para ir embora antes, por conta própria. Ia buscar um caminho que fosse do seu jeito.

Era gente se mexendo aqui e ali, o cheiro fresco de banho tomado e, em alguns apartamentos, o aroma de comida subindo das panelas. Parecia férias, parecia irreal aquilo tudo. Os homens conversavam em cada uma das residências. Alguns fumavam cigarros normais; outros, de maconha.

Os bares mais centrais estavam abertos e muitos apareceram para conhecer, tomar uma cachaça ou cerveja, conversar sobre todas as novidades que estavam vivendo. Vários foram ao mirante à noite, mas só o que viram foi a escuridão da floresta e a muralha iluminada com suas guaritas e sentinelas. Ainda assim, valeu a pena ver as luzes da cidade, as ruas retas e silenciosas, limpas, sem carros e quase ninguém. Algumas bicicletas circulavam.

Esse voo trouxe um pessoal já mais barra pesada, pois não eram selecionados para trabalhar, poderiam, sim, pleitear emprego, mas aguardando vagas a serem criadas. Emílio e Felício foram até o bar Castanheira, no qual várias pessoas ocupavam as mesas. Era um estabelecimento bonito, localizado na confluência das ruas Rio Negro e Rio Solimões, que ladeavam a praça Manaus. Próximo ao encontro das duas, ficavam o portão de entrada da cidade e o grande salão de recepção. Na praça, em frente ao bar, estava o frondoso pé de castanha. Da confluência das duas ruas, saía a avenida Amazonas, que seguia para o leste até o fundo da cidade. Essa rua estava preparada para ser a principal via de comércio, com prédios de onze andares, sendo o térreo reservado a lojas e outras atividades.

No bar, comentava-se sobre tudo: a cidade, as ruas, os prédios, os apartamentos, enfim, todas as novidades. Havia certa alegria naquelas conversas. Emílio foi saudado de modo cortês por alguns. Estava acompanhado por três dos encarregados que ocuparam uma mesa. Ele, todavia, antes de se sentar, foi até o balcão para cumprimentar Demá, dono do bar, que estava contente com o movimento desde cedo. O coordenador quis saber se o abastecimento estava funcionando e recebeu uma resposta afirmativa. Após isso, voltou à mesa e acompanhou os colegas na cerveja gelada, já no copo.

— E aí, Emílio, parece que está tudo em ordem nesse primeiro dia com o pessoal que chegou, né? — falou Felício.

— É, muito calmo, não será sempre assim — disse Emílio.

— E muita confusão vai acontecer — emendou Renato.

— Sem dúvida — concordou Emílio. — Tudo vai acontecer: brigas, truculências, mortes, muitas bebedeiras e drogas. Aqui parece melhor para a convivência, mas é todo mundo no fio da navalha. Vamos aguardar.

— Talvez nem seja tanto, pois o controle por câmeras está por toda parte — opinou Felício.

— E você reparou nos drones? Nesse pouquinho tempo, vi uns quatro passando.

Nisso foi chegando o Bugrão e disse:

— Emílio, você, que é chegado dos homens, sabia daquela merda de ponte de vidro? Não deveria concordar com aquilo.

— Rapaz, sou preso igual a você, só estou num trabalho. Se você é inteligente, sabe que as normas não foram feitas por mim e que não perguntariam minha opinião. Se há aquela ponte é porque tinha que haver. Talvez haja algum sentido pedagógico que não saibamos.

— Só estou falando do cagaço que o pessoal passou.

— Passou. Agora é bola pra a frente. Vai ser interessante ficar velho e ter histórias pra contar.

— Isto aqui parece ser bom, calmo e respeitoso, mas aquela ponte de vidro na chegada... Homem, o que é aquilo?! Não há perigo nenhum, mas a gente chega cansado da viagem, cagado do avião, entra num calorão, vem andando despreparado e topa com aquela transparência com os urros dos leões de boca aberta. Cara, de verdade, é dose pra leão.

— Pensando bem, a questão é que o cara desce do avião, recebe já na escada esse calor medonho, está cheio de expectativas sobre a prisão, bem desorientado, esbarra com as Amazonas, fica feliz e, quando vê, está naquela ponte transparente, com aqueles bichos ferozes urrando embaixo, com aquelas bocarras, querendo comer a gente, aí entra em parafuso. É muito de repente — disse Marcondes, na mesa ao lado.

— É — assentiu Bugrão. — Se a gente viesse devagar, sabendo que havia uma ponte sem perigo e atravessasse calmamente, não haveria problema. Eu ia até gostar de ver os bichos lá embaixo.

— A filha da putice é não avisarem a gente que não há perigo.

— Mas o objetivo é este: mostrar que somos despreparados e frágeis. Isso logo na chegada — emendou Marcondes.

— Mas isso não é verdade — disse Bugrão.

— É discutível, pois teve cara que quase se borrou — reagiu Marcondes.

— É isso mesmo. A Gigi desmaiou, coitada.

— O Chicão que a arrastou para tirá-la de cima do vidro.

— Dizem que o Chicão levou Gigi nos braços. Ah, a Gigi, rapaz bonito, nascido Givanildo.

— Ah, foi bem romântico, então!

— Falam que, para entrar no paraíso, é preciso passar pelo purgatório — disse Emílio.

— Paraíso? Ah, tá bom. Entendi. Essas câmeras são os anjos da guarda. Tchau, Marcondes, vamos rapá fora, ir pro bar Fornalha — disse o Bugrão.

— Fornalha! Olha o nome!

— Queria o que, que fosse bar Sibéria, aqui, nessa temperatura?

— Tá bom, já vamos. Deixe eu falar uma coisa: o diretor disse na palestra que aqui ninguém ia ficar no pé vigiando, mas olhe só: é câmera e drones por todos os lados, mais vigiados que lá de onde viemos.

— Mas o diretor está certo — opinou Bugrão. — Não fica no pé mesmo. Só não falou que ficam na cabeça da gente. Deixe pra lá e vamos ao Fornalha. Preciso encontrar um maluco lá, quero dar um tapa.

— Vamos nessa! A rapaziada aí tá de comédia, meu cumpadi.

Nas mesas espalhadas pela calçada, sob a marquise do Castanheira, a conversa seguia animada sobre todas as novidades. Alguns estavam exaltados pela sensação de liberdade; outros, pelo sistema de recebimento de dinheiro; um terceiro falava do conforto do apartamento, da distância, do calor, do voo, da muralha, dos jardins, dos pássaros e de tantas outras coisas, até se haveria tentativa de fuga.

Depois de pouco tempo, Emílio e os amigos se foram. Ele e mais um foram ao bar das Amazonas, os outros dois, ao restaurante Boto Azul.

Emílio e Felício ocuparam uma mesa e pediram cerveja. Não demorou, chegou um cara falando alto, dirigindo-se ao primeiro:

— Ei, meu chapa, fiquei sabendo que você é o chefão aqui, o bambambã.

Emílio respondeu:

— Nem tanto. Só estou ajudando a acomodar as coisas, e espero contar com seu apoio no andamento disso aqui.

— Apoio? Tô aqui é em férias, meu! — falou rindo Wendell, mostrando a ausência de um dente da frente.

— Mas vai ter que fazer comida e lavar sua roupa. Se quiser fazer alguma coisa para a comunidade, vai ganhar pontos e ir embora mais cedo. Se não quiser fazer nada, vai ficar mais tempo.

— Humm, é assim mesmo? Sei, não. Tô com vontade de fazer porra nenhuma não, meu irmão. Quero pegar essa merreca de grana todo mês e beber e fumar ela inteira — e dando uma longa risada saiu para a rua quando foi molhado rapidinho por forte aguaceiro e correu soltando palavrões. Era a sua primeira de muitas chuvas.

No bar entrou correndo um magricela, já quase molhado, gritando:

— Meu, que chuva boa!

Ao ver Emílio, continuou:

— Cara, já andei por tudo aí a tarde inteira, é muito maneiro. Andei pelos jardins, pelo bosque, estou solto. Cara, isso aqui é meu Shangri-lá. Vou tomar um "birinaiti". Mande um rabo de galo aí, meu irmão, que levei uns pingos no lombo.

Era Sorvete, um cara alegre, de sorriso largo, um otimista.

— Calma! — disse Emílio. — Nada é tão ruim e nem tão bom assim. Vamos deixar a vida se acomodar.

— Rapaz, pra mim tá muito melhor. Pare pra tu pensar: a gente está solto.

— E o que você sabe sobre Shangri-lá?

— Vi num filme e sempre pensei naquilo pra minha vida. Agora achei.

— Então não vai querer mais ir embora?

— Pega leve, meu cumpadi, tô chegando agora na parada. Quando precisar, vou embora, mas com certeza volto — emendou, rindo alegre.

— Você gostaria de ler o livro? — perguntou Emílio. — Se quiser, acho que consigo.

— Que livro?

— Sobre Shangri-lá!

— Verdade, meu? Tá valendo! — falou empolgado. — Tranquilidade, mano, pode trazer que eu leio esse Shangri-lá, meu sonho — e, assim falando, Sorvete foi para o balcão tomar sua bebida.

Emílio falou para Felício:

— Tem gente que traz o paraíso na alma, e a vida não deixa perceber. Esse cara é esperto, pelo jeito não demora a ir embora.

Depois que a chuva passou, Emílio foi com o amigo até o Serenata, um bar e restaurante em frente à praça Ovo de Colombo, onde encontraram quatro companheiros da administração.

— E, então, Emílio, as coisas saíram como você esperava?

— Sim, foi ótimo, tudo dentro do que seria normal. Um pouco de complicação nas relações humanas não poderia deixar de haver.

— Verdade — concordou um deles. — Mas, considerando a clientela, foi como se não tivesse problema algum. O que mais deixa o pessoal irritado é o isolamento, a falta de visitas. Por outro lado, a mudança para um sistema mais humano e a pontuação que abrevia a pena ajuda a superar o lado negativo.

— É, vamos ver no decorrer do tempo. Mas dessa ponte de vidro o pessoal reclama muito.

— Existe uma porção de motivos aqui para os caras se amarrarem nas conversas e se apartarem lá de fora. A ponte de vidro é uma delas, e é fundamental que o pessoal tenha ocupação mental no trabalho, no lazer e na religião, bem como atividades culturais e bons motivos para conversas e boas risadas, pois nem todos se aperrearam — ponderou Emílio.

— Concordo. Outra coisa um tanto desagradável é o calor.

— Sim, mas é um calor mais suportável do que o dos presídios amontoados.

— Ah, muito melhor. E muitos nunca tiveram uma casa como agora.

— Verdade.

A conversa se desenrolou. Estavam satisfeitos, jantaram e se recolheram. Nas ruas do centro, muitos ainda circulavam, mas os trovões como que empurravam os homens para casa. No apartamento, Onofre falou, admirado:

— Rapaz, tem até espelho aqui.

E, ao olhar sério a própria imagem, comentou:

— Quando me olho no espelho, vejo os estragos do tempo. Seria melhor não ter esse troço aqui. Não quero nem ver.

João Medeiros e Colibri estavam na janela do apartamento no décimo andar, de onde podiam ver a lua subindo lentamente, prateando a extensa mata e estão a prosear.

— Olhe lá, Colibri. Como lhe falei, esse lado que estamos vendo é o leste. Veja a lua subindo. Amanhã cedo, por ali, virá também o sol.

— Cara, você é bem curioso. Sabe esse negócio de lua, sol, estrelas; e lá no avião ficava anotando rios, horários. É muito para minha cabeça.

— Na sua cabeça cabe muito mais coisas do que imagina, é só questão de observar e ir entendendo o mundo que o rodeia, pois tudo que estou lhe falando não são coisas do outro mundo, estão aí à vista de todos.

— Sim, mas a vida é estranha. A gente nem dá bola para o que vê e se envolve em coisas que não vê, como as religiões, de que a turma fala, fala e não se vê nada.

— Gostei de ver. Agora você foi fundo. Qualquer dia desses falamos sobre isso. É hora de dormir, boa noite! Ah! Já adianto que religião é uma coisa que nasce na cabeça das pessoas. Há necessidade de ter fé.

— E por que que nasce?

— Por necessidades.

Colibri foi para a cama pensando naquilo, querendo entender o assunto. Era um rapaz magro, mas forte, com músculos firmes, pele escura sem ser negra, um jeito brincalhão mas responsável. Queria juntar pontos e cumprir logo sua pena, ter de novo a liberdade.

A noite avançava, muitos estavam dormindo e alguns conversavam baixo. De vez em quando, alguém dava um grito numa janela e outro respondia ao longe. Depois da meia-noite, o ruído foi diminuindo e quase todos dormiam ou estavam quietos em suas camas novas e cheirosas. Uns fumando cigarros, outros curtiam um baseado.

A vida recomeçaria na manhã seguinte.

Em seu leito, Zacarias ouviu o relógio da torre dar as doze badaladas do tempo, que desviaram um pouco seu dormir e sentiu uma força naquelas batidas, como o vibrar da vida pulsando sem parar. Adormeceu pensando no relógio.

A cidade dormia envolta no silêncio escuro da mata, e quando vem arribando os primeiros sinais de luz das bandas do nascente, a floresta acorda primeiro. O chilrear dos pássaros vai animando o novo dia, fazem barulho também os macacos e outros bichos.

Em algumas janelas, homens viam o fim da noite e o lento amanhecer, sentiam um ruído calmo, diferente dos dias passados em outras partes. A brisa suave trazia para dentro das muralhas o cheiro da selva.

— Cara, nóis nessas camas parece um sonho — falou Bituca, no beliche de cima.

— É mesmo. Achei que fosse mentira isso de cada um ter a própria cama — respondeu Moeda, no de baixo.

— E a geladeira meu! — exclamou Remela, no outro beliche. — Nem dá para acreditar! E o filho da puta do Zoim, que, reclamando do calor, deitou na frente da geladeira e deixou a porta aberta. O Sapo deu um chute no rabo dele e prometeu encher o puto de porrada se fizer isso de novo.

A noite fora demorada para alguns, que mal conseguiram dormir. Logo de manhã, porém, já estavam nas ruas para aproveitar a sensação de liberdade.

O dia amanheceu radiante, com céu alto, estridentes araras coloridas passando em bandos, enfeitando o tempo. As bonitezas do mundo. Os homens saíram às ruas e sentiram o aroma gostoso da floresta ao amanhecer. Um deles andava só, observando as coisas, sentindo algo novo dentro de si que não entendia. Aquilo tudo em volta, para ele e muitos outros, era uma grandeza.

Muitos se assustaram com a sirene que tocou forte no alto do mirante às oito horas, avisando que o comércio estava abrindo as portas. A vida tomava um novo rumo.

No alto do mirante, o tempo do Universo era marcado pelo relógio e uma sirene marcava o tempo do trabalho, soando alto, diariamente, às oito da manhã e às seis da tarde, menos aos sábados, domingos e feriados. Aqueles momentos sonoros eram compartilhados por todos: presos, militares, dirigentes externos e trabalhadores de fora da muralha, num sentimento que estão todos juntos.

O voo do dia chegou e tudo se repetiu como no dia anterior. Essa era a rotina que povoava a cidade. Os homens ocupavam seus postos de trabalhos. A vida foi ditando o ritmo, e a cidade, funcionando conforme o programado.

O clima era como o de uma cidade normal, com trabalho, lazer e desentendimentos pequenos, pois os olhares das câmeras eram implacáveis. Os mais religiosos procuravam organizar os trabalhos preparando a divulgação de encontros. O serviço dos postos de saúde encaminhava os que necessitavam de atendimento para o hospital, principalmente homens que chegavam das prisões apinhadas de gente com doenças de pele, feridas antigas, problemas mentais e outros. Iniciou-se também o agendamento para atendimento odontológico. No hospital, os primeiros pacientes drogados entraram em processo de recuperação.

Mais bares abriram as portas. Os donos dos estabelecimentos já em funcionamento estavam animados, pois a cada dia a população de Renascença aumentava.

No meio da manhã, os homens circulavam pela cidade com grande curiosidade. Liam os folhetos de orientações. Impressionavam-se com tudo o que estava conhecendo e queriam saber sobre a possibilidade de trabalhar, participar de esportes e estudar.

No escritório da administração, Emílio conversava com colegas do comando:

— Estou notando certa preocupação, um desconforto, em alguns companheiros, mas o começo é assim mesmo. Só que não podemos demonstrar vacilo, temos que ser firmes em nossas ações para passar segurança. É só cada um fazer seu trabalho que vai dar certo. Temos pontos favoráveis. Primeiro, nem todos são totalmente maus. Segundo, aqui todos se sentem valorizados: não há privilégios, existem oportunidades, e a pontuação é o divisor que faz o cara refletir se quer sair antes ou não. Os abusados vão entender que a lei está mais perto, forte e rápida. Nesta cidade, o próprio relacionamento aperta os laços da disciplina. Não sei se vocês concordam, mas aqui me parece um lugar de justiça social. Os presos, em sua maioria, sabem bem seguir as regras, pois faziam parte de quadrilhas, nas quais precisavam ser obedientes. O problema maior são os chefes. Esses demoram mais, são mais resistentes, mas vergam diante do sistema.

— Aqui a força deles acaba, porque, como todos ganham a mesma coisa, as pessoas não ficam dependentes, e o humilde trabalhador vai estar ganhando mais que o ex-chefe, se este não trabalhar — avaliou Felício.

— Aí é que está o problema — rebateu Rafael. — Esse antigo chefe vai querer continuar sendo o chefe e vai se impor sobre alguns, tirando até dinheiro.

— A estrutura está armada para não permitir isso — fala Raimundo — por meio de lideranças de apês, prédios, quadras, câmeras e drones. Não vamos esquecer que os espiões do bem são uma rede que pode vir a ser implantada para ajudar na ordem.

— Isso pode fazer uma boa diferença, tenho confiança de que vai dar certo — disse Emílio. — E, para os sem remédio, há o Conselho, o isolamento, se for o caso, e, na pior das hipóteses, o Polo Sul. O Departamento de Comunicação deve deixar isso bem claro.

— Concordo! Isso de ir para o Polo Sul assusta.

— O MIRANTE —

João Medeiros e Colibri caminharam pela cidade para conhecer bem cada espaço. Admiraram tudo que envolvia o presídio, do cheiro da floresta ao colorido dos prédios. Subiram ao mirante e observaram cada detalhe da cidade vista de cima.

— Cara, isso aqui é muito alto — falou Colibri. — Olhe lá os guardas nas torres, ficam miudinhos.

— Daqui dá para ver a cidade inteira — respondeu João. — O mirante está bem no centro, que é para todo mundo ouvir as badaladas do relógio.

— Nem me fale desse relógio! Vai ser difícil acostumar. E a tal sereia? Que grito dá! Deve assustar a bicharada nesse matão em volta. Eu mesmo, outro dia, pensei que estivesse pegando fogo na cidade. Fui até a janela e vi uns caras correndo. Fiquei sabendo depois que eles achavam que fosse a polícia.

— Os caras não perdem o costume.

— Foi o Bituca e o Remela que correram gritando "polícia". Uns homens, que haviam chegado naquele dia, saíram em disparada, assustados — relatou Colibri. — Depois queriam bater nos dois, mas logo tudo se acalmou e deram risadas.

— O nome é sirene — frisou João.

— Eu sei, mas o apelido é sereia. Beleza de vista — continuou Colibri. — Admiro a muralha. Como é grande! E o que são aquelas coisas que brilham sobre ela?

— Escutei falarem ontem que é o sistema para captar energia solar. Veja, está por toda a extensão em volta da cidade e também em cima de todos os prédios. Ouvi que um grupo de presos entende desse trabalho, fizeram curso para atuar na manutenção dos equipamentos.

— E eles devem ganhar bem, né?

— Com certeza — concordou João. — Mas, olhe, há uns aí que ganham melhor ainda, pode crer. O Josué, que mora lá na nossa casa, disse que trabalha na manutenção dos elevadores e também fez curso lá fora, junto com vários outros.

— Mas e quando eles forem embora?

— Vão sempre estar dando cursos para outros interessados, mas o melhor é que, quem pratica aqui, quando sair estará bem-empregado, aí é ficar na moita e correr para a aposentadoria.

— Quem diria, uma conversa dessas entre prisioneiros! Tudo muda, até o crime tem que se curvar às mudanças. Muito maneiro isso aqui. Você tem vontade de encarar um lance desse? — indagou Colibri.

— Olha, a gente já tem um salário. Se arranjar um trampo legal, é de se pensar — respondeu João Medeiros. — Ainda ganha um curso e uma profissão. Não estou pensando em fazer curso, não ainda, mas se tiver um sobre apicultura, eu encaro.

— Apicultura? É sobre o quê?

— Trabalhar com abelhas. Já conheço o ramo, mas é sempre bom aprender mais.

— O problema é que não estamos acostumados com essa servidão de ser empregado.

— É, mas a liberdade do jeito que a gente gosta tem um preço alto.

— Mas se amarrar e perder a liberdade também é um preço duro de pagar. Há muitas torres aqui. Aquelas maiores em volta de toda a muralha e uma carreira igual passando pela cidade de um canto a outro, para que são?

— São torres de captação de raios para armazenar energia — intrometeu-se um rapaz que estava próximo.

— Até isso? Veja só que tecnologia! Nem os raios escapam mais — disse João Medeiros.

— Vamos descer e tomar uma geladinha e saber mais das coisas — propôs Colibri, indo para o elevador. João não acompanhou e permaneceu olhando para a mata.

— Ei, cara, por que está aí parado?

— Estou admirando esta paisagem. Olhando daqui, por todos os lados do mirante, parece que esta floresta se esparrama pelo mundo inteiro, não pensei que fosse assim tão bela vista daqui. Olhe lá, bem longe, onde o azul e o verde se misturam, duas cores que inundam os olhos da gente. A floresta me fascina. Gostaria de andar lá dentro. Você tem coragem de conhecer esta mata?

— Nem pensei nisso, mas no filme que passou achei bonitas todas aquelas árvores e pássaros. Só que havia onças, índios, sucuri... Deve ser tenebroso andar pela mata fechada.

— Também acho tenebroso e fascinante. Gostaria de ir, ouvir os pássaros, ver as grandes árvores, sentir a mata e seus barulhos, seus mistérios.

E, assim, conversando, desceram as escadas para o andar de baixo, onde sentiram um clima diferente, um espaço muito quieto, que inspirava respeito. Um aroma envolvente de incenso chegou até suas narinas. Como havia umas pessoas quietas sentadas no piso, João fala baixinho:

— É o recanto para meditação.

Entraram em silêncio e logo Colibri falou em voz baixa:

— Você está a fim de vir curtir isso aqui?

— Com certeza. É só chegar na hora.

À medida que transcorriam os dias, o ruído na cidade aumentava. Depois que foi concluído o circuito de todos os principais presídios, mais de seis mil homens haviam desembarcado, sendo dois mil e quinhentos deles profissionais qualificados e experientes, que estavam em seus apartamentos e se adaptando às tarefas.

Intensificava-se a cada dia o movimento para entrarem na cidade as quantidades de alimentos, produtos e materiais necessários ao funcionamento e ao bom atendimento a todos.

Os bares, vários já em funcionamento, vendiam muitos tipos de cervejas, cachaças e outras bebidas quentes, além de refrigerantes, refrescos e sorvetes. Vários restaurantes estavam em atividade, e alguns deles forneciam quentinhas, o que facilitava a vida de muitos habitantes. Lojas de drogas comercializavam os produtos legalizados no país, então, em Renascença não seria diferente. Lotéricas, pequenos armazéns e quitandas, lojas de roupas e tudo o que era necessário para o funcionamento de uma cidade estava, aos poucos, se instalando. Inclusive supermercados, embora no momento só houvesse um: o Arapuca.

O olho implacável das câmeras era como um carcereiro no pescoço. Mesmo para quem não tinha esperança nenhuma de libertação com benefício, a possibilidade de se impor era anulada, pois os mais fracos se sentiam em pé de igualdade diante das câmeras e era preciso cuidar de juntar pontos. Os mais fortes fisicamente e violentos poderiam querer se impor no escuro dos apartamentos, mas o líder de cada residência e cada prédio dispunha de responsabilidades, de modo que qualquer denúncia levava o infrator para o isolamento no fundão. Se fosse descoberto que alguém estava sendo subordinado a outro, os dois perdiam pontos.

Num dia calmo, o avião da tarde havia chegado e os passageiros estavam nos trâmites de entrada no salão de recepção, enquanto muitas pessoas aguardavam nas imediações para vê-los. No bar Castanheiras, as mesas da calçada estavam repletas. Alguns se aventuravam na sinuca, outros jogavam dominó, mas a maioria bebia e conversava aguardando os novos habitantes.

A música no sistema de rua aumentou o som, e os novos moradores começaram a aparecer, saindo pela porta central. Andavam, como todos os anteriores, com a curiosidade à flor da pele. Foram passando em frente ao bar. Quase no fim, surgiu um sujeito alto, com uma capa longa, sem camisa por baixo e um chapéu bonito, aba larga, copa redonda, de cor azul-cinza. Era um chapéu atraente, bonito mesmo e que parecia deixar a cabeça mais inteligente.

— Tá vendo aquele? — perguntou Robson.

— Sim, parece que veio passear — respondeu Weller.

— Parece mais que escapou de um filme. Deve ser o Kid Rosca — riu um terceiro.

Quando o homem ficou mais perto, Robson falou:

— Ei, novato, quer vender o chapéu?

— Tudo é possível — falou, com um leve sorriso de superioridade, o do chapéu, mas sem parar de andar. Era um homem de aspecto rebelde. Seu nome, veio a se saber depois, era Tenório, um sujeito arrogante, que acreditava ser o dono do mundo. Era um mulato alto, de ombros largos, cara de marrento, passos largos, um tipo espigado.

OS BARES

Num fim de tarde, homens ocuparam as mesas do bar Serenata, em frente à praça Ovo de Colombo, tomando cervejas ou cachaça, conversando sobre a mudança para aquelas terras quentes, mas menos sufocantes do que os presídios abarrotados. Numa mesa na calçada, sob a marquise, Cleiton, conhecido como Qualhada, manifestou:

— Cara, que enorme calor! Penetra na cabeça da gente e parece que amolece a medula.

— Verdade. Você mesmo já está misturando miolo com medula — riu Piolho.

— Você não queria uma vida inundada de luz? Taí, o sol iluminando tudo — ironizou Monjolo.

— Não precisava exagerar, é muito quente — retrucou o Qualhada.

— Estamos aqui pagando nossas penas — decretou Piolho. — Mas e essas tantas cidades que foram se criando e cresceram com o povo nesse calor por querer deles mesmo?

— Não dá para entender como o povo escolhe morar nesses lugares tão quentes — falou Qualhada.

— É a necessidade — ponderou Monjolo. — O homem se espalhou pela Terra, por esse mundão todo, conforme a precisão. Nesse calor equatorial, o homem veio sempre atrás de ganhar dinheiro, dizem que primeiro foi pela borracha, depois pelo ouro e por outros minerais e também pela madeira. Na embrulhada de gente, vêm os vendedores fornecendo mercadorias para os moradores e logo aparecem bares, mulheres, igrejas, armazéns, olarias, oficinas. Vem gente até para se esconder. Surgem os núcleos, que vão crescendo, como em todas as partes do mundo, seja aqui no calor, seja no gelo do Canadá.

— Carai, você destampou o verbo, hein, Monjolo? Entende de tudo isso que falou ou decorou? — espantou-se o Qualhada.

— Aprendi muitas coisa antes de te conhecer, depois me lasquei.

— Ganhou, bobão? — falou rindo o Piolho e continuou:— A esses lugares extremos ninguém vai porque gosta, e sim pela necessidade, em busca de dinheiro ou fugido.

— Verdade — consentiu Monjolo. — Nos lugares frios, também é difícil. Aqui, pelo menos, se tiver muito calor, a gente pula na água, mas no lugar frio não dá pra pular no fogo. No máximo ficar perto, e se ele apagar, o cara morre congelado.

— E rapidinho — emendou Piolho.

— Mas que esse calor é duro demais, ah, isso é — reforçou o Qualhada.

— Meu — falou o Piolho —, quando saí do avião e cheguei ao fim da escada, imaginei que estava no inferno sendo lavado a seco, só no bafo do capeta. Eu, que tava com medo do avião, quis voltar, mas me empurraram pra frente. Aí pensei, tô frito. Quando vi, já tava no ônibus, só no empurrão.

— No que abriu a porta do avião — falou o Qualhada — e a gente começou a descer a escada, parece que tinham jogando a gente num fogaréu. O calor era sufocante. Entrando no ônibus, o ar condicionado devolve a gente a um lugar fresco de novo, mas logo vem a travessia da pinguela de vidro e é aquele sufoco com medo de cair, medo dos bichos lá embaixo e a gente esquece o calor, daí a pouco está todo molhado de suor e de novo encontramos o ar fresco no salão de recepção. Esse esquenta e esfria é pra gente ficar doente e morrer logo, acho.

— Eu apoio essa merda que você falou, mano — disse Piolho. — Às vezes, fico me lembrando dos dentes daquele leão. Já tava sentindo ele no meu pescoço, credo.

— O calor é tão forte ao meio-dia que parece existir uma fogueira no céu — falou o Monjolo, passando a mão na testa e continuou: — Aqui é o bicho de quente, mas também não tem prisão no mundo em que os presos tomem mais banho. Tem cara que no mesmo dia toma três, quatro, e no fim de semana perdeu a conta de quantos tomou.

— Sem falar nos que não querem trabalhar, nem estudar, nem ponto nenhum, querem nada e passam o dia na piscina. Se o cara for grande e ficar escuro do sol, é perigoso levar um tiro do guarda, pensando que é um hipopótamo na piscina — falou rindo o Piolho.

— Lá fora, nem rico tem uma vida assim.

— Verdade! Mas o cara que não trabalha e não participa de nada vai é mofar aqui nesse calorão.

— Tem gente que vai estranhar quando for solto, vai querer voltar logo — falou Qualhada, dando risada.

— É, mas se o cara não quer nada com nada, pode ser assim na primeira vez. Se voltar, vai lá para o fundão, é a regra, e, se quiser trabalhar, será nos piores serviços, não terá moleza. Se não se enquadrar, sobra o caminho do Polo Sul. As câmeras ficam em cima do peão e, se vacilar, vai para o calor da solitária, lá no cu do fundão, e lá não tem piscina.

— Quero nem saber onde é isso. Deus me livre-guarde! — falou Piolho, dando três toques na mesa.

— Aqui é para reabilitar. Quem não se enquadra, recebe a mão pesada, que vai apertando devagar até espremer o cara, que vê todos os outros no conforto.

— Que nem um berne passando sufoco no óleo queimado misturado com veneno — expôs Moringa na mesa ao lado.

— O sistema aqui é macio ou bruto, o cara escolhe.

— Nessa cidade, a vida não é lenta, monótona nem vazia, e sim cheia de esperanças e oportunidades. Tem que saber aproveitar.

— Para falar a verdade, estou gostando — confessou Monjolo. — Estou encontrando a paz que perdi por aí.

Piolho olhou a placa com o nome da praça na esquina e falou:

— Praça Ovo de Colombo, não entendi. Uma bela praça no centro da cidade e com esse nome. Pode? Vejam quantas ruas com nomes bonitos de rios, flores, árvores, pássaros, peixes, animais. Nenhuma com nome de gente, e logo essa praça tão bonita com um nome de homem e ainda na frente o ovo.

— Carai! — espantou-se Qualhada — Eu nem tinha reparado. Achei que fosse praça Avô do Colombo.

— Porra, meu, ou você não sabe ler, tá cego ou bêbado. Avô do Colombo?! — falou indignado Piolho.

— Estranho pra cacete! — esbravejou Qualhada, irritado com a gafe. — Como foram fazer uma coisa dessas? Quem foi o pai d'égua que fez isso?

— Dizem que tudo aqui tem explicação, um sentido. Vai saber! — falou Piolho.

— É, na história da humanidade — explicou Monjolo — até o que parece não ter explicação tem. Certas coisas são demoradas para entender. Até o fato de que a Terra gira em volta do sol foi demorado. No antigamente, um homem chamado Galileu defendeu essa ideia, e só por isso queriam sapecar o cara na fogueira, aí ele desdisse. Aprendi um dia na escola e me deu até medo. Aquilo de amarrar gente num pau e colocar fogo com o cara ainda vivo! Isso feito pelo povo da Igreja! Imagine se Galileu caísse na mão da turma do capeta! Depois daquela época, tudo clareou e não teve como não aceitar que não é o sol que gira em torno da Terra.

— Não sei isso de fogueira, mas acho que esse Colombo nunca se enfiou nesses matos — julgou Piolho.

— Por aqui nunca andou ninguém — arriscou Qualhada. — Por isso as ruas não têm nome de gente, só da natureza.

— Acho bonito isso, só não entendo esse ovo — teimou Piolho.

— Sabe, o mundo tem muita coisa, e tem delas que é melhor não entender. Eu não estava entendendo nem o ovo, imagine o resto — admitiu Qualhada.

Enquanto isso, no bar Fornalha, Emílio estava com Felício e vários homens em três mesas que juntaram.

— Rapaaaá, puseram a gente para cozinhar nesse caldeirão do Diabo aqui — iniciou Lucas.

— Também acho, nós vamos é assar nesse forno — afirmou Marlon na mesa ao lado.

— Estamos é no céu aqui. Já esqueceram o inferno como era? — argumentou Felício.

— Mas precisava ser neste lugar tão quente? — rebateu Lucas.

— Não fale besteira, não — disse Cossaco. — Quer ir para a Sibéria? Lá é que tu vai ver o que é sofrer na temperatura de cinquenta graus abaixo de zero.

— Tudo bem, esqueça — rendeu-se Lucas. — Tem gente gostando disso aqui, dá para respirar legal.

— Tem gente gostando mesmo, e eu sou um deles — admitiu Marlon. — Já ouvi gente falando que a pena vai começar mesmo quando sair.

— É, aqui está moleza — falou Lucas. — Lá fora, se o cara regenerar, vai ter que trampar pegando busão, metrô, trem, filas... Não é fácil a vida de regenerado.

— Acho que é por isso que não trazem mulher — opinou Marlon. — Se elas estivessem aqui, aí sim, ninguém ia querer ir embora. Saber de ponto, porra nenhuma! Ainda mataria mais um e ia ficando. Ganha um dinheirinho na moleza. Se quiser mais um pouco, trabalha. Sem essa de disputar trampo, nem ônibus, nem o escambau a quatro. Só aqui, sem risco nem fisco. Vidão! Só na sombra da marquise ou rapidinho de bicicleta, nas ruas planas.

— Vá pensando! Quem ficar aqui de propósito, tá fudido — advertiu Monjolo.

— Nessa prisão, estamos longe de tudo e de todos que gostamos, mas não estamos naqueles cubículos apinhados de gente, vivendo pior que animais — sentenciou Helton. — Aqui a gente se sente solto, sente a chuva, o sol, o vento, o ar limpo. E, à noite, conversa com as estrelas e a lua, que às vezes está enorme de grande e onde cabem todos os sentimentos, todas as saudades.

— Acorde, maluco! — interveio Lucas. — Desça das estrelas.

— É estranho como isso aqui dá uma esperança forte — disse Cossaco. — Dá até vontade de acordar cedo e ir se ocupando, sentindo as horas passarem mais rapidamente, diminuindo o tempo para ir embora. Dá vontade de ter vida nova. É bom ir se deitar e não ter medo da insônia.

— Este presídio é da hora, bem melhor que os outros. Cada um tem sua casa, sua cama.

— Também valorizo isso — falou Piolho —, mas quero ir embora.

— A gente sente um clima diferente — continuou Cossaco, olhando o cálice de vodca. — Uma energia forte demais, no sentido de valorizar o lado do bem, querer construir, participar com todos. É uma coisa que nunca senti. Nesta prisão, o sentimento é de liberdade, pois saio, passo o dia fora, trabalhando ou passeando, e tenho para onde voltar. Volto porque saí: aí está a diferença. Não me sinto prisioneiro no cotidiano, sou prisioneiro de algo maior e aí vejo meus erros. Penso em minhas vítimas e me vejo vítima de minhas ilusões. E quem escapa delas? Vem o som do canto da sereia e, quando vemos o turbilhão, ele nos envolve e arrasta. Aqui se tem a oportunidade de repensar a vida, pode-se entender o que se quer, meditar, achar um rumo.

— Mas como? Não temos chance, somos marcados — opinou Helton.

— Pare! A chance nós fazemos! Aqui está a oportunidade. É preciso descobrir o caminho. Sinto uma esperança: levanto cedo e tenho vontade de ir para o trabalho. Sinto que sou útil e que, passada essa fase, vou me reencontrar lá fora, com minha família e meus amigos antigos. Nas prisões, lá fora, a gente acordava para nada. Aqui a gente acorda para a vida, temos o que fazer.

— É verdade — concordou Lucas. — O jeito de ser dessa prisão provoca um degelo no coração da gente.

— Foi feliz a ideia de criar essa cidade — disse Emílio, na mesa ao lado e que ouvia a conversa. — Aqui não padecemos de solidão, como nos presídios comuns. Já dizia um filósofo: "Não há nada mais perigoso do que a solidão."

— Pô, Emílio, agora você pegou pesado: sacou de filósofo?! — riu Piolho.

— Nem me fale! A solidão é um perigo na vida da gente, uma fonte de descontrole — proferiu Cossaco. — A gente tem que dar sentido à vida. Esse é o pequeno mistério que pode nos nortear. Não podemos aceitar ser um bando de homens sem história. Precisamos reagir, agarrar essa chance. É preciso enxergar que existe outro tipo de vida.

Marlon retrucou:

— Mas lá fora não tinha que ter aquelas prisões cheias daquele jeito.

— Também concordo, mas na real é que tinha — disse Lucas.

— Isso é verdade. Aqui sinto a vida com liberdade — seguiu Helton. — Hoje mesmo, bem cedinho, deitei na grama, na frente de casa, e vi o céu limpo. Parecia uma cuia azul emborcada sobre o manto verde deste mundo tão longe de casa. De repente me senti forte, com uma sensação boa.

— É, só faltou cair farinha da cuia — ironizou Piolho.

— Puta que pariu! Você é debochado mesmo, seu zé ruela! Estragou meu encanto, perdeu a graça. Primeiro mandam eu descer das estrelas, agora vem com essa farinha. Qual é, piá? Tá perdendo o medo, moleque?

— Desculpa aí, mano, foi mal, pode voltar pra sua cuia azul.

— Que baita diferença entre essa prisão e as anteriores, superlotadas! — exclamou Cossaco. — A gente vivia um horror naquelas prisões apertadas, amontoadas de gente, com mau cheiro insuportável, coceiras, estupros, brigas, assassinatos, rebeliões, medo... Aquilo era um inferno. Os ambientes fechados, escuros, insalubres tendem a empurrar a gente para a depressão. Oprimem como se fosse um funil. Quando se vê, não há mais volta: somos bandidos para sempre.

— Grande mudança! — enfatizou Lucas. — Os engomadinhos se foderam. Acabou a impunidade dos brancos. A lei está igual para todos: rico, jogador famoso, artista estrela, políticos fortes, médicos, polícia, juízes, promotores, não tem bom. Todos os que cometerem crimes que se enquadram para vir para o matão vêm mesmo. Estão chegando aí, todos os dias passam o apuro na ponte de vidro.

— Cara, aqui tá cheio de gente que era importante lá fora — disse Helton. — Tem padre, pastor, gerente de banco, advogados, empresários, muita gente forte.

— Que era forte, você quis dizer — corrigiu Piolho.

— Eles ficam quietos por aí, com os nomes trocados. Aceitam até apelidos furrecas e andam pedalando as bicicletas — concordou Cossaco.

— Por isso a cidade aqui funciona: há gente bem preparada participando — afirmou Emílio.

— Muitos desses, quando estavam lá fora, estrepavam os mais fracos e aqui estão pianinhos — disse Cossaco. — Sabem dos riscos que estão correndo se encontrarem com alguma cara conhecida e aborrecida.

— Ah! Os pés de chinelos estão lá fora com tornozeleiras e os bons da boca estão aqui, numa ferrada — falou Piolho. — Os caras estão por aí, humildes, fazendo comida, lavando roupa, fazendo horta, cuidando de jardins, até varrendo casa e calçadas, disfarçando.

— Pena que a gente não sabe quem é quem na multidão. Mas fique de olho nesses mais calados, os sumidinhos, esses estão se escondendo. Não que eu quisesse fazer mal, bater. Só quero rir e chamar de colega — riu Marlon. — Acho que não gostam nem de falar para não demonstrar conhecimento.

— É, o peixe morre pela boca — assentiu Helton. — Se um cara desses começa a falar muito certinho, é claro que o sujeito é das elites que roubavam o povo e agora está fodido. Ah, se eu descobrir um desses! Vai sofrer na minha mão. Ah, se vai! Sem a câmera ver, claro.

— Mas acho que aqui a maldade dos presos está enfraquecendo um pouco — expôs Felício. — A vida está mais humana. Nas prisões lá fora, a coisa era muito feia, o cara tinha que ser fera feroz.

— Aqui é mais manero — concordou Lucas.

— Parece que não, mas o controle é grande. Olhe a quantidade de águias nos encarando — sugeriu Marlon, apontando para o drone que planava ali perto. — É ruim e é bom: mais segurança.

— O castigo nessa prisão não é estar preso, mas estar confinado longe da família, dos amigos, das mulheres — sentenciou Lucas. — A liberdade aqui dentro existe, mas a lei entre os presos é mais rigorosa do que lá fora. Aqui, não dá para ficar fora das regras. A penalidade pode ser imediata.

— Aqui não existe mais chefe nem domínio de espaço. Cada um tem o seu. Legal isso. Perto das outras, é um paraíso — comentou Piolho, coçando o nariz e indo falar com alguém no balcão.

— É, mas todo mundo de olho em todo mundo — advertiu Helton. — Aqui estamos fora do alcance da lei lá de fora. Mas saiu do riscado, caiu na desconsideração. A lei da cabeça de cada um vai prevalecer. Não se pode exagerar, o risco é grande.

Ernesto, que chegara havia um tempo e estava em pé ao lado do balcão, tomava uma cachaça e prestava atenção à conversa. Agora falava com Piolho. Raposa era seu apelido, um sujeito de modos extrovertidos, corajoso e ríspido, tipo entrão, de olhar ligeiro, boca suja e voz rouca. Ele se aproximou da mesa e entrou na conversa, dizendo:

— Paraíso é o caralho! Vão se foder com esta porra aqui, meu! Isso aqui é a prisão do cu do mundo! Longe demais, um calor do cacete, uns mosquitos filhos da puta! Que saco é isso aqui! Queria saber quem foi o filho da égua que inventou de fazer essa merda! Vou é fugir dessa bosta. Ah, se não vou! Melhor morrer fugindo nesse matão dos diabos. Quer saber? Acho que já morremos e estamos no inferno. É isso. Puta que pariu! Morri e estou no inferno sem comunicação com os vivos.

— Calma, cara — falou o Felício. — É que você acabou de chegar, precisa conhecer o pedaço. Isso aqui é muito melhor. Olhe só o conforto do seu apartamento.

— Que calma! Está louco?! É só calor, suor e mosquito. Estou derretendo, não paro de suar. Isso aqui para mim é uma merda: não há celular, internet, mulher... Estou isolado e perdendo dinheiro, pois meu trabalho é roubo pela net. Estou de mãos amarradas aqui nesse fim de mundo. Meu pessoal lá fora está de mãos na cabeça comigo tão longe, porque nosso jeito de trabalhar é esse. Roubar carga não dá mais, sequestro é complicado: câmeras para todo lado e rico com chip sob a pele. Leva um filho da puta desses e daí a pouco o cafofo está cercado. Não sei onde isso vai parar. Essas mudanças todas dificultam demais. Minha família está no ramo há muito tempo, coisa de gerações. Alguns mais atrevidos se meteram na política, outros entraram no ramo das próteses desnecessárias, alguns vendem água da bica dizendo que é mineral. Um deles até se passou por médico por um bom tempo. Agora estou aqui, nessa cidade só de machos, longe pra cacete. Achei que o combustível do avião fosse acabar, não chegava nunca. Quando cheguei, quase me caguei naquela porra de pinguela de vidro com aqueles leões me engolindo com os olhos. E se tentar fugir daqui, dizem que há jacaré, onça, índio, cobra e o diabo a quatro.

— Está nervoso? Pule na piscina — irritou-se Cossaco.

— É, meu chapa, para se acalmar aqui só trabalhando, rezando ou se divertindo no esporte — disse Emílio.

— O quê? Não trabalhava de empregado para ninguém lá fora. Vou trabalhar aqui? É ruim!

— Logo você vai se acalmar e ver que não tem escapatória — ponderou Emílio. — Você é inteligente e vai querer sair daqui antes do seu tempo. Mas, para isso, tem que seguir as regras. Se você ficar na sua, sai no seu tempo, mas se violar as regras, o tempo pode aumentar.

— Vou dar um giro por aí, reconhecer o pedaço, estudar o ambiente e descobrir como cair fora. Se eu achar uma brecha, sumo. Não fico aqui nem que a vaca tussa.

— Agora no começo era para vir só quem estava concordando. Por que você veio? — perguntou Lucas.

— Bobeira minha. Queria vir, agora quero ir. Às vezes, quero uma coisa e minha alma quer outra.

Raposa estava nervoso, agitado. Virou rápido seu copo de cachaça, saiu ligeiro para a rua sem se despedir, espumando de raiva e cuspindo fogo pelas ventas.

— Um cara sem pavio, de língua desgovernada — disse Felício e emendou: — O sangue quente tropeça nas pedras do caminho, deixe ele.

— Esse parece ter um coração sem cabresto — falou Emílio.

Raposa saiu quase correndo e, já na rua, se assustou com um tremendo corisco no céu, acompanhado por um forte estralo e anestesiado por um raio próximo. Ficou alguns segundos paralisado com o temporal que chegou de súbito. O grande aguaceiro o alcançou, fazendo com que entrasse correndo em outro bar, agora todo molhado pela chuva grossa. Chegou reclamando, com os olhos lampejantes.

— Puta que pariu! Não tem corpo que aguente! Eu, quente e suado, e agora essa água gelada no lombo. Dá para ser feliz?

Um dos que estavam no bar falou:

— Você está pálido. O que aconteceu?

— A porra de um estralo! Quase morri de susto!

— Ainda bem que o raio não te pegou.

— Está loco! Vire essa boca para lá. Quero uma pinga. Quebrar esse gelo — propôs, dando um tapão no balcão.

— E aí, Raposa, a água tava fria? — perguntou Corvo, um companheiro de apartamento.

— Nem me fale! Até minha alma está confusa. É quente e, de repente, é água fria nas costas, parece banho turco. O hospital que espere. Vai ser tanta pneumonia... Estou até vendo.

Depois de tomar uma boa dose de cachaça, Ernesto se sentou sozinho a uma mesa no canto, emburrado. O cabelo escorrido lhe dava agora um aspecto triste. Ali, junto à janela, ficou vendo a chuva, que de grossa foi afinando. Aquilo parece tê-lo acalmado e ele pediu uma cerveja. Ouvia os trovões já distantes e o barulhinho da chuva findando. Olhando pela janela, absorto em seus pensamentos, ouviu uma voz que chamava seu nome. Era Emílio.

— Posso me sentar?

— Claro, sente aí. Garçom, traga uma cerveja aqui para o amigo.

— Aceito, com prazer. E aí, está meio chateado? É normal.

— Desculpe, eu cheguei na mesa de vocês daquele jeito. Foi mal. Eu me escabreei. É que a vida faz cada coisa com a gente, né?

— Sabe, Ernesto, há gente que, se não está de mau humor, arranja um motivo para ficar. Quando a alma da gente está envolta em meio à violenta tempestade, difícil é acertar o caminho, mas é possível, basta ter calma e enxergar as coisas. É preciso rever tudo: como era a vida, como está agora e como pode ser depois. Estamos cercados por muitas pessoas, mas a vida que a gente vive é só nossa, individual, intransferível. Esqueça um pouco todo o seu mundo anterior e pense em você, sua vida. Para aliviar o coração é preciso acalmar a alma.

— Tudo bem. Concordo com uma porção de coisas, mas não concordo com outras. Para que vir tão longe? E a gente ter que fazer comida, lavar louça, lavar roupa, cuidar da casa? Nas prisões por lá era apertado, mas havia outras regalias: visita de mulher e a família trazia lanches, frutas, chocolates.

— Mas aqui há tudo isso e dinheiro para comprar. Pode-se andar pelas ruas, pelos bares, praticar esportes. Há muitas coisas, e ainda podemos ir embora antes.

— Credo, só homem para todo lado! Dá até urticária.

— Há as moças de silicone, que falam, cantam e têm calor.

— Só faltava essa mesmo: nessa idade e brincando com boneca. Desconjuro.

— Acalme-se e veja duas coisas: explore o lado bom de estar aqui e se conforme, porque não há opção. Ah, estava me esquecendo: o isolamento é o atalho para o Polo Sul.

— Vou pensar — falou alto. Depois que Emílio se retirou, concluiu para si mesmo: — Está bom que não tem saída. Vamos ver. Prefiro morrer a ir para essa porra de polo. Nem sul, nem norte, nem nada.

Depois que ficou só, chegou em sua mesa o Piolho, que sentou, pediu uma cerveja e indagou:

— E aí, Raposa, o que está achando disto aqui? Já olhou o pedaço?

— Não olhei direito, mas não gostei e vou fugir.

— Pelo jeito, essa não é uma cadeia de barbante meu. Não vai ser fácil sair daqui.

Acabaram aquela cerveja e, depois da saideira, foram dormir.

UM SONHO POLÍTICO

Dois meses depois, quarenta mil presos já haviam chegado, e o movimento só aumentava em todas as partes. Várias fábricas já produziam, as igrejas tinham seus cotidianos se estabelecendo. O hospital contava com cada vez mais atendimentos, principalmente no tratamento de viciados. Poucas mortes ocorriam, a maioria por antigos acertos de contas. O sistema de incineração funcionava bem e as cinzas eram entregues aos familiares. Alguns esfaqueados se recuperavam, mas a animosidade era pequena diante da clientela em convivência. A rotina da população era a de uma vida quase normal, o que ajudava a preencher o tempo, seja com trabalho, seja com lazer.

A área de esportes estava animada, com as quadras, piscinas e campos de futebol sempre com atividades. Todos os setores se estruturaram, organizando cada modalidade à medida que surgiam os interessados.

Campeonatos já eram organizados. A atividade física, muito estimulada, se tornava constante; parecia haver um bando de garotos em férias. A carência de expansão era estampada nas fisionomias. Apesar de prisioneiros, havia uma energia boa no ar.

No bar Castanheiras, o papo rolava entre três moradores:

— Cheguei faz poucos dias. A vida lá fora está braba, está cheio de gente na tornozeleira e muitos bons da boca no xilindró. E aqui, como é? — perguntou Nonato.

— Nonato, vou te falar como é isso aqui — disse o Sapo —, um rapaz da cara larga e boca grande. Na verdade, um cara feio e alegre.

— Você já escutou falar de comunismo? — indagou Totó, atravessando a fala de Sapo, que ficou com a bocona aberta. — Pois é. Dizem que no país que rolava esse jeito de vida todo mundo era igual: ganhava igual, tinha casa igual. Parece que esta merda aqui onde estamos, virou comunista: é tudo igual.

— Fala besteira, não, ô animal — cortou Sapo. — Aqui pode parecer que tudo é igual, mas não é. Veja, tem uns caras aí que estão numa onda diferente, que vivem melhor, comem melhor, bebem melhor. Eles tem a organização nas mãos. Percebeu não? Vive aí com a cara pra cima. Acorda, mano!

— Uai, moleque, se é assim, então é comunismo mesmo! — exclamou Totó. — Você é que não enxerga.

— Dá para ser diferente? — quis saber Nonato. — Alguém tem que mandar, organizar, ser responsável e usufruir melhor. Está certo assim, por que não? E por que não nós?

— Nós quem, cara-pálida? Você, eu, ele? Como? Se já estamos fora é porque estamos por fora. Tem gente mais preparada — falou Sapo.

— Não é isso. É que chegaram primeiro, mas as coisas mudam. Acho que é preciso revezar. Isto aqui não é comunismo, é preciso alternância no mando. Quero participar — deixou claro Nonato.

— Mas como se faz para participar do comando? — perguntou Sapo.

— Se mexendo. Se ficar parado é que não se chega a lugar nenhum. Tem que se movimentar, ir atrás.

— E quando você estiver lá, vai estar de acordo que tem que revezar?

— Se eu estiver fazendo certinho não precisa mexer, claro.

— Hummm, claro! Acho que já li sobre isso em algum lugar do passado. E você tem alguma ideia de como faz pra se mexer? — perguntou Totó.

— Temos que ver quem é quem em cada setor e chegar a esse Emílio, que é o bom da boca, e falar que quer participar — sugeriu Nonato.

— Aí ele pode colocar a gente na varrição de rua, caminhão da coleta de lixo, se esfolar na hidroponia, cultivar cogumelos, reciclagem, essas coisas — ponderou Sapo.

— Sai, cara, negativo. Estou falando de participar do comando, fazer parte da turma que come melhor, bebe melhor, levanta mais tarde.

— Xii, sei, não, tem que entrar na vaga de um — disse Totó.

— Tem que ter paciência, entrar no meio da turma, organizar o avanço e dar o bote na hora certa.

— E como você vai fazer isso? — perguntou Sapo.

— Vou fazer um plano e qualquer dia desses convido o Emílio para um almoço. Quero levar um papo reto com ele. Uma boa comida, um bom vinho, um vinho de classe lá no Boto Azul: esse é o caminho.

— Já ficamos de fora — disse Sapo olhando para Totó.

— Cara, eu tô pensando, tô bolando e vou em frente, vou botar pra quebrar. Se melhorar pra mim, logo vocês vão estar juntos. É preciso ter sonhos risonhos na vida.

— Vamos torcer, mas veja lá se não faz merda. Vá com cuidado. Aqui só tem gente ruim, é um ninho de víboras. Se alguém percebe seu jogo, já cria distância, te queima, igual na política — ponderou Totó.

— É, pra criar vaga só quando morre gente, entendeu? — disse o Sapo. — Mas, se neguim perceber a intenção do olhudo, quem morre primeiro é este. É o contragolpe no golpe.

— Nem fale isso. Os caminhos aqui são outros, mutretagem não vai rolar — interveio Totó.

— Vamos brindar a esses novos tempos e fazer planos sérios para melhorar nossa parte. Vamos entrar na política, ajudar a melhorar isso aqui — afirmou forte Nonato, um homem de gestos largos, animado e sorridente.

— Tem meu voto! Quem diria que a gente teria um papo assim estando presos? Então, vamos brindar aos novos tempos.

— Vamos nos aproximar da chefia e trabalhar para criar mais uma secretaria.

— Viva! Assim é que se fala! O paraíso é dos espertos.

Nesse momento, Raimundão entrou no bar, não cumprimentou ninguém e se sentou numa cadeira no canto. Pediu uma cerveja e varreu o bar com um olhar pouco agradável, seus lábios pareciam tremer.

Quando Sapo viu o homem, disse, apertando os olhos:

— Sujou! Vamos cair fora.

Os três se mandaram para outro bar, continuando os planos para a vida melhorar.

Raimundão falou baixinho, entredentes:

— Criar mais uma secretaria! Vá pensando! Vou ficar de olho.

— A VONTADE DA FUGA —

A tarde quente, abafada, anunciava a tempestade. Alguns moradores brindavam com uma bebida bem gelada sob a marquise do bar Serenata quando viram três homens atravessarem a praça rumo ao bar. No meio, um cara mal-encarado andava feito um importante, com seu chapéu de aba larga, camiseta branca e um casaco comprido leve — devia ser para se proteger da chuva que talvez viesse. Tinha um ar sério, olhar ligeiro, desconfiado, e trazia nos lábios um sorriso irônico, parecendo cheio de si e de maldade. Tenório era seu nome, e parecia carregar um desassossego dentro de si. Um de seus amigos era baixo e roliço, tinha os olhos miúdos e agitados, e mordiscava o bigode grande, que teimava em lhe entrar pelo canto da boca, cacoete que se intensificava quando soprava o cabelo que lhe caía na testa. Era Anésio, conhecido como China. O terceiro era Ricardo, de apelido Sabonete, um sujeito de pele muito branca, tão branca que só podia ser por estar desbotada pelas repetidas temporadas em solitárias. Tinha a aparência de quem gosta de ser ruim.

Entraram e se sentaram a uma mesa. Pediram cervejas e ficaram por um longo tempo falando baixo, ora observando o interior do bar, ora com os olhos lá fora, como se esperassem alguém. Não demorou muito para Ernesto Raposa aparecer e juntar-se a eles, pedindo:

— Ô do bar! Uma gelada!

E emendou:

— E aí, Tenório? O que está achando disso aqui?

— Olha, é muito diferente de tudo que é cadeia que conheci. É mais maneira, mas esse calor, a distância, a falta de visitas e sem celular... Essa parte é muito ruim, sem contar que não dá para fugir. E, o que é pior, precisa cuidar da casa e fazer comida. Estou fora, não nasci para marmita e merreca.

— Eu me vejo livre, mas sinto a alma algemada — confidenciou Raposa.

— Aqui se é mais livre do que nas outras prisões, sem carcereiro no pé, mas fico espantado com a quantidade de câmeras vigiando a gente — disse Tenório, tomando um gole e apontando para um drone que acabara de passar.

— Nem me fale! — continuou Raposa. — Pra onde se vira, há alguma coisa nos olhando. Quando se pensa que não, há uma águia por cima. Parece que existe uma câmera para cada um, credo!

— E não sei, não... Acho que estão escutando a gente — disse China, mordiscando o bigode.

— É bom a gente não falar de fuga em qualquer lugar, pois pode haver um microfone por perto.

— Dizem que há gente com aparelho de escuta para grampear conversas.

— Aí já é paranoia. Mas, se eu descobrir um X9, esse corno vai achar que o calor daqui é fresquinho perto do lugar para onde vou mandar o puto — falou Tenório. — Ah, se não deito o cara!

— Ah, vai morrer rapidinho, despachado para os infernos — repetiu China.

— Pode haver escuta até aqui — alertou Raposa, passando as mãos nas pernas da mesa e se curvando para olhar por baixo, examinando bem. — É sobre isso que quero falar — disse, baixando a voz: — Vocês têm uma ideia de plano para se mandar daqui?

— Olhei lá do mirante, e o jeito é cair nesse mundão aí de fora — disse Tenório. — Estou pensando: precisamos achar um tatu, furar o buraco e dar o pinote.

— Nós também temos olhado por aí, mas não encontramos um jeito de fugir. É muito difícil com a floresta em volta. Um túnel até dá para furar, mas e depois?

— Já pensei no túnel, mas não sei, não, essa terra com tanta chuva deve desmoronar "facim-facim".

— Conheço um tatu. Vou falar com ele e, se topar, marco de ele vir conversar — falou Raposa, olhando para Tenório, que retrucou com um ar pensativo:

— Não é tão simples assim. A gente precisa entender tecnicamente o terreno e todas as dificuldades a serem superadas. Precisamos pensar, conhecer, analisar e ver as possibilidades. Estamos muito fora de nosso ambiente, então temos que ir devagar, não dá para errar — concluiu, calculando as palavras.

— Veja só que situação. Onde viemos parar! Daqui até consigo ouvir o urro dos leões — falou China, colocando a mão em concha na orelha esquerda e arrematou, mordendo o bigode, que teimava em entrar na boca. — É mole essa bocada?

— Mas nossa vida sempre foi assim: na prisão, na rua, no aperto e na folga — lembrou Sabonete.

— Sim, nós, bandidos, parece que vivemos num mundo encantado, cheio de dificuldades e facilidades, coragens e medos, carências e farturas, com tudo e sem nada, livres e presos, e assim será o fim final — assentiu Raposa.

— Nem me fale! — esconjurou China, batendo três vezes no tampo de madeira.

Piolho, sentado a outra mesa próxima a uma janela, captava disfarçadamente trechos da conversa e entendeu rápido o pouco que ouviu. Quando se levantou para sair, aproximou-se do grupo e disse:

— Boa tarde, escutei que seu nome é Tenório. A hora que puder, quero trocar um dedo de prosa com você. Meu nome é Geraldino, mais conhecido como Piolho.

— Qual é seu assunto?

— Só posso dizer em particular, muito particular.

— Entendo! Vamos nos falar amanhã, aqui, neste mesmo horário.

— Obrigado, irmão, fique na paz.

Piolho se sentiu confiante e foi embora.

Tenório olhou para os companheiros e sentenciou:

— Acho que não podemos discutir esse assunto num lugar fechado. Sempre que formos tratar disso, deve ser na praça, no bosque ou andando por aí. Vamos tomar outra rodada.

Depois de um momento em silêncio, Tenório comentou:

— Esse rapaz aí, o tal Piolho... Já o vi rodar por aí. É um sujeito de coração inquieto, mas fui com a cara dele.

O dia seguia lento no meio da tarde abafada quando Piolho chegou ao apartamento animado, comentando com os companheiros de quarto:

— Lá fora está um calor dos infernos.

— Nem fale, um forno — concordou Euzébio.

— Mano, eu vou fugir, quero me meter nesse matão aí e rapá fora.

— Vai nada, daqui não se foge. Sem chance — disse Euzébio, lendo um livro junto à janela sentado numa cadeira amarela de plástico, que comprara no comércio local.

— Não vou sossegar enquanto não fugir. Não quero ficar longe da minha mina.

— Piolho, você estudou ou fugiu da escola?

— Fui reprovado no segundo ano do ensino médio, depois não me deu mais vontade de voltar para a escola. Por quê?

— Sua mãe não obrigou você a voltar?

— Ela saiu do controle.

— Pois então, moleque: sem estudar, não dá para fugir daqui. Trate de entrar na escola para saber das coisas.

— Ah, porra, a gente só precisa cavar um túnel e pular fora. Nunca vi um lugar tão fácil pra cavar um túnel. Já andei lá pelo fundão. É livre, dá pra cavar sossegado.

— Que fundura é preciso cavar pra não furar o fosso e dar de cara com os jacarés?

— É ruim, hein?! Pra fugir da cadeia, ainda tem que fugir do jacaré, mas vou furar bem fundo, até chegar no Japão — riu.

— Sem contar que os jacarés podem subir pelo túnel e entrar na cidade, assustando o povo, que depois vai te pegar.

— Não sei o que é pior: jacaré ou gente. Mas agora é sério: só precisa cavar bem fundo e passar por debaixo dos fossos.

— E para que rumo você cavaria o túnel e entraria na floresta?

— Nesse rumo aqui da frente — apontou com o queixo —, e aprumo direto para lá.

— Tá vendo? Já errou! Precisa seguir para o outro lado, pois fizeram o aeroporto e a entrada do lado contrário para desnortear a gente.

— Mas o avião vai por este lado.

— É o que parece. Mas, se você prestar atenção, vai ver que o avião sai nesse rumo e, lá longe, ele vira, seguindo para o outro lado. Se você sair por onde está pensando, vai ficar cada vez mais longe da sua amada.

— Caraca, meu! Preciso mesmo estudar, bem que minha mãe falava.

— Mas para qualquer lado que alguém sair, se conseguir, vai enfrentar situações que nem imagina. A floresta é uma coisa colossal, com suas entranhas de cipós, escuridão durante o dia, onças durante a noite, chuvas torrenciais, brejos, aranhas, escorpiões, tudo quanto é tipo de insetos, lagartas de fogo, formigas venenosas, cobras, muitos bichos miúdos e fatais, e outros bem ferozes, como queixadas, jacarés, panteras, e ainda há a amolação da sede e da fome. Se você superar tudo isso, ainda vai dar de cara com os índios. Dificilmente vai encontrar por aqui uma tribo com duas índias boazinhas como encontrou o Papillon quando fugiu da prisão na Guiana Francesa. Além de andar, andar e voltar ao mesmo lugar. A floresta é um lugar muito perigoso e às vezes misterioso, mágico. E esta nossa Amazônia é um labirinto gigantesco.

— Caraca, meu, é apavorante! Mas vamos por partes: com tanta chuva, de sede é que não morro. E como você sabe tudo isso?

— Fui à escola. Aprendi, estudei e leio bastante.

— Fez tudo isso e está aqui comigo na mesma? De que adiantou estudar?

— Viemos para o mesmo lugar, mas os erros que cometemos foram diferentes. A diferença são duas. Primeiro, encaro isso como um tempo difícil, mas que vai me dar a oportunidade de sair na metade de meu tempo se eu trabalhar e estudar bastante. Segundo, o estudo me ensinou que não devo me meter numa fuga por essa floresta.

— Pois não tô a fim de trabalhar, não.

— Se você não arrumar um trampo, vai cumprir a pena inteira aqui. Se resolver fugir, vai se foder ainda mais.

— Legal! Você me animou muito!

— Não queria te desanimar, só explicar.

— Já desanimou! Mas não vou aguentar ficar longe da minha mina, da galera, da zoeira, das noites de farra, das alegrias da minha vida. Pronto, já animei de novo! E você devia me incentivar, dizer que posso encontrar as mulheres amazonas no meio do caminho, iguais àquelas gostosas das estátuas.

— Olha, cara, é mais fácil você encontrar uns índios pelados com espadas em riste, prontas pra luta.

— Credo, "desafasta" essa ideia meu!

— Sabe, Piolho, a vida e as loucas ilusões ficaram pra trás. Como estou há mais tempo nessa estrada, e apesar de você não ter pedido, vou lhe dar um conselho. Você vai precisar de quatro coisas para se orientar e não ficar louco: trabalhar, estudar, praticar esportes e rezar.

— Conversinha de lascá! Eu quero é fugir! Vou me arrumar com outros malucos por aí, cavar um túnel bem fundo e entrar nesse matão, dando porrada em índio e em onça. Vou sem olhar pra trás! Ah, se vou! Vou mesmo, pode esperar pra ver!

— Não adianta, Euzébio — falou Zeferino. — Quando o cara é teimoso assim, só muda de ideia depois de levar muita chuva e curtir bastante o couro nesse calorão medonho. Vai ter sorte se um índio não sapecá a espada no fiofó dele — falou Zeferino.

— Cacete! Vocês estão me zoando.

— Zoando? Wilson, você, que é da Amazônia, fale para ele.

— Deixe ele ir! Vai voltar com o sabiró em brasas.

— Seu entusiasmo é excessivo, e isso vai levá-lo a caminhos complicados — observou Euzébio.

— Ah, vão se foder! Quem pegou minha cerveja aqui da geladeira?

— Ô, Piolho! Peguei emprestada — disse Zeferino.

— Ainda acha que não tenho motivos pra fugir? Com uns amigos iguais a vocês é que tô fodido de verdade. Como fala o Emílio: sem saída. Também vou pegar uma cerva emprestada, mas só se tiver bem geladinha. Como diz um amigo meu: *dilícia*.

O fogo daquela ideia, porém, não dava sossego a Piolho: encontraria companheiros para a fuga.

— GALEGO —

O dia seguinte amanheceu de chuva, daquelas grandes, com pouca gente nas ruas e quase ninguém de bicicleta. A água que desceu cedo era forte e parecia ser duradoura.

No bar Castanheira, alguns homens conversavam tomando café.

— O dia hoje está de muita chuva — falava Zé Maria para Tadeu, que concordou, parado na porta, olhando a rua. — Demais de água! Pelo jeito o dia vai ser inteiro assim.

— Chegou o Galego! — emendou. — E aí, Galego, muita chuva nas costas?

— Rapaz, hoje é daqueles dias em que gavião come o filhote.

— Isso aqui está muito chato hoje. Foi bom você chegar. Conte aí uma história pra animar, aquela do ceguinho.

— Vixe... estou molhado. Deixe eu tomar uma branquinha para rebater essa friagem e tirar a urucubaca de cima de mim.

— Qualé, mano, te fizeram um embaraço? O que houve?

— Ué, só de vir parar aqui nesse fim de mundo. Precisa mais?

— Vamos passar por cima disso. Conte aí uma história, nisso você é campeão.

— Não estou me lembrando de nenhuma agora, não.

— Como era o nome da cidade do ceguinho?

Galego tomou uma talagada, lambeu os beiços, bateu os dois pés no piso num tremor e falou:

— Cara, você não esquece o ceguinho, né?

— É que o Tadeu não sabe. Conte aí, vai.

Galego era um cara simpático, uma pessoa de feições iluminadas pelo sorriso, tipo engraçado, conversador e que gostava de contar histórias. Quem o conhecia não tinha certeza se o que contava era verdade ou mentira, mas era divertido escutar. Igual a filmes e livros: quase tudo inventado, mas passa o tempo, diverte e ficam os ensinamentos.

Depois de limpar a garganta, ele começou:

— Lá onde morei, cidade pequena no interior de Mato Grosso, tinha um cara de rolo com uma mulher casada. O coitado do marido dela era cego. O nome do conquistador era Ambrósio, apelidado de Amoroso, e os amigos lhe diziam: "Cara, você está vacilando, o ceguinho está de olho em você." Ambrósio dava risada e debochava, afinal o cara era cego. Acontece é que o ceguinho estava ligado na treta e não era tão cego assim, uma parte só fingimento do velhaco. Amoroso frequentava a casa e conversava com o cego e a esposa, mas sempre que tinha chance dava uma pimbada na mulher do prejudicado. O cego foi enxergando, por meio de vultos embaçados, os detalhes dos carinhos furtivos, às vezes escondidos e em outras nem tanto. Aquilo foi clareando em sua mente, e ele foi tendo certeza de que a mulher o traía com o falso amigo. Um dia, ele pediu que Ambrósio trocasse uma lâmpada da sala. Enquanto o homem estava na escada, o cego pegou a espingarda que estava atrás da porta e deu um grito: "Pensa que não vejo, seu Amoroso do capeta?" Mandou a descarga de chumbo. Foi aquele barulhão de tiro, com escada caindo, homem despencando por cima da mesa, cadeiras se quebrando, lâmpada pocando e a mulher gritando por socorro do céu. Ambrósio ainda deu um urro em xingamento para o cego, que ria e gritava: "Agora é sua vez, vagabunda." A mulher saiu em disparada, ziguezagueando pela rua, escorregando na água da chuva e ouviu desesperada o estrondo de um tiro, que não a atingiu. O ceguinho havia atirado para o ar, só para aterrorizar. Dentro da casa, Ambrósio se agarrou à perna da mesa e foi se levantando, deu uns passos, cambaleando, mas caiu e bateu a cassuleta, ali nos pés do cego, que estava numa mistura de riso e choro.

Nesse momento, entram no bar Emílio e mais dois companheiros: Felício e Alair.

Após cumprimentar a todos e fazer um comentário sobre a chuva, o primeiro pergunta:

— E aí, pessoal, vamos hoje ver a inauguração do Espaço Religioso?

Como não obteve resposta, insistiu:

— Galego, você vai, né?

— Tô sabendo de nada de inauguração, não. Vai ter churrasco e cerveja?

— Churrasco, não, vai ter é muita reza.

— Hummm, deve ser o caminho do céu, né? Tô com pressa, não.

— Sei disso. Só estou sacaneando e também convidando.

— Mas essa chuva não vai atrapalhar?

— Vai ser no começo da noite, às oito horas. Até lá passou a chuva.

Nesse instante, o sistema de som interrompeu a música e anunciou:

— Atenção, senhores moradores, aqui é o serviço de som, que deseja a todos sempre uma boa convivência. Ouçam nossos avisos e curtam as músicas, que, se não agradam a todos, também não irritam. Pelo menos é o que esperamos. Nosso objetivo é comunicar o que acontece em nossa comunidade. Haverá um encontro na praça das Religiões. Vai ser um evento a todos que quiserem participar de alguma religião e conhecer os espaços disponíveis aos diversos credos e também juntar mais pontos. É preciso conhecer para saber como participar. Será hoje, às oito da noite. Estão todos convidados.

Encerrado o convite, voltou a música.

— Sabe, seu Emílio, acho que vou lá, sim, ver como vai ser — falou Galego.

— É isso aí, Galego, você é um cara ágil, vai gostar e será bom estar lá. Até mais tarde, gente — falou Emílio, após pagar o café, e saiu com sua capa longa, a Três Coqueiros, antiga mas protetora na chuva.

Com os amigos, ele continuava a caminhada observando os ambientes. A chuva diminuiu um pouco, então atravessaram a rua. Sob a marquise, um homem o abordou:

— Chefe, meu nome é Amarildo. Preciso lhe fazer um pedido, uma encomenda.

— O que é, Amarildo?

— Quero comprar um realejo.

— Um realejo? Coisa mais antiga! Onde vamos conseguir isso?

— Quando se quer, é possível conseguir. Você conseguiu essa capa, que também é bem antiga. E sei que vai querer, pois o realejo vai dar um ar diferente na sua cidade.

Emílio olhou para sua capa e, curioso, para o homem que queria um realejo, concordou que seria interessante, mas falou que a cidade não era dele, e sim de todos.

Amarildo continuou:

— Sei de um endereço. Vou lhe passar e você vê quanto custa, eu pago.

— Está bem, faço minha parte. Dê-me o endereço que vou pedir que o departamento de compras providencie.

O papo continuava a rolar no bar Castanheiras, com mais gente chegando. Numa mesa ao fundo, dois amigos falavam de igreja. Weslley disse para Bocão:

— Estou lembrando que tenho caminhado por aí. Fui ao mirante, entrei no espaço de reflexão e comecei a pensar em meus crimes, minhas maldades. Um momento pequeno, de segundos, e sua vida muda para sempre. Eu, ali, na ação, com um revólver na mão, e meus companheiros fazendo o assalto. O cliente vacilou de pavor e fez um gesto. Meu medo se transformou em susto e pá, atirei. A pessoa morreu ali, aos meus pés, e carrego aquele fardo nos ombros. A vida nunca mais foi igual. Esse primeiro assassinato abriu a porteira, foi naquele instante que me perdi de vez. Eu achava que tivesse razão e que fizera pouco, pois levei umas massagens desagradáveis dos policiais. O tempo acaba amolecendo a gente. Agora, aqui nessas distância e nesse sossego, dá vontade de pensar um pouco na vida.

— Pensar o quê? — perguntou Bocão. — Nascemos desse lado. Não dá para pensar como se fosse do outro.

— E se você aprender as coisas daquele outro lado da vida?

— Não vejo como. A essa altura, é difícil mudar de vida quando sair daqui. Acostumei a conseguir a grana na mão grande, vou agora trabalhar pesado? Levantar de madrugada, pegar ônibus e ter chefe marcando em cima? É ruim, hein?!

— O mundo mudou. A gente tem chance no comércio legalizado das drogas, e estou preocupado com esse tal de Polo Sul. Dizem que é frio, escuro, uma solidão perpétua. Não quero conhecer isso, não.

— É, dizem que está havendo muitas oportunidades de trabalho pelo país — concordou Bocão.

— Vou é lá ver essa inauguração hoje à noite — disse Weslley.

Bocão, em silêncio, ficou olhando o amigo e disse:

— Acho que não sei mudar de vida.

— Você é novo, tente achar um caminho. Vou procurar o meu.

No balcão, Zé Maria, Pachola e Batata conversavam com Galego, que disse:

— Gosto de andar pelas ruas, sentindo o vento, às vezes sentindo a chuva fina em meu rosto. Até do sol quente tem hora que eu gosto.

— Eu também — disse Zé Maria. — Gosto de sair por aí. Andando, vou me lembrando dos anos terríveis naquelas prisões entupidas de gente, daquele fedor horrível, dos turnos para dormir, às vezes agachado. Nem bicho vive assim. Aquilo era sinistro, maldade pura. Aqui é tranquilidade.

Galego opinou:

— Cara, nem fale daqueles dias tristes. Pachola, conte aí para nós aquela história da sua prisão, depois conto outra.

Pachola era um rapaz franzino, de pele queimada, estatura de mediana para baixo, mancava da perna esquerda, sequela de um acidente de trabalho, como gostava de frisar. Tinha uma testa larga, lábios grossos e era engraçado contando suas histórias.

— Vamos voltar pra mesa então — propôs, puxando a cadeira. — Cara, aquela foi a maior fria que a gente entrou, a tal da esparrela. Vou contar, porque foi tão ruim que chega a ser engraçado.

Pachola fez uma pausa para um gole, lambeu os beiços e começou:

— Era na boquinha da noite quando invadimos uma casa, numa cidade do interior, eu e meus chegados Bigorna e Zé Galinha. Dentro, estavam a empregada, a patroa e o marido, um homem já de idade, que conversava bem e foi logo falando de um jeito antigo, meio caipira: "Ô, seus meninos, estava mesmo esperando vocês, pois nossos vizinhos foram todos visitados. Sabia que um dia vocês iam chegar aqui em casa. Sabemos como é e vamos colaborar, mas não precisa violência. Já vou avisando que não temos dinheiro. Sou professor aposentado e está dureza. Vocês sabem como é a vida da gente, sempre na pindaíba."

"O Zé Galinha já foi gritando com o tagarela pra deixar de prosa e ir logo passando a grana, que naquela crise qualquer merreca servia. Mas o velho professor continuou a falar, agora já com uma voz mais cansada: 'Calma, meu filho, não tenha pressa. Temos um lanche para vocês. Estávamos esperando. Venha, vamos para a cozinha.'"

Pachola andou imitando o velho, arquejando e gemendo com as mãos na cintura. Depois prosseguiu:

— Na cozinha, ele mostrou um punhado de contas atrasadas para pagar, penduradas em ímãs na geladeira. Disse que estava esperando a ajuda dos filhos. Aí falei: "Dê um tempo, tio! Que mané conta! Não vou pagar nem que tenha desconto. Quero o rango, estamos mesmo com fome."

"'Estão aqui estes pães', falou o homem.

"'Qualé, seu mané, estes pães estão velhos'. O homem respondeu: 'É de ontem, mas é puro'.

"'É puro, não, é duro', falou Bigorna, já ficando nervoso. 'Caia na real, coroa. Isto é um assalto, porra! Coisa de profissional.'

"'Vamos comer isso com o quê?', perguntei. Ele respondeu: 'Aqui está a mortadela'. E tirou da geladeira a mortadela fatiada.

"'O quê? Pão velho e mortadela ressecada? Está zoando com a gente? Pirou de vez?', esbravejou Zé Galinha, falando alto e levantando a arma.

"'Não, meu filho, a mortadela é importada. Tem tubaína geladinha também.'

"'Aí que lascou mesmo', disparou o Bigorna. 'Se liga no bagulho, vovô. Tubaína aberta, sem gás, mortadela e pão velho? Está zoando? Não queremos isto, não. Chega de lero-lero. Arrume uma grana aí que vamos dar no pé, e já. O senhor é aposentado. Está chorando, mas é um sovina e deve ter boa grana *mocozada*, pois comendo essa mixaria deve ter economizado muita grana.'

"'Calma, filho', disse o velho, pedindo à esposa. 'Ô, Margarida, pegue lá o rosário para a gente fazer uma oração para os rapazes.' Aí o Zé Galinha falou: 'Sai dessa, coroa. Que mané reza!' O velho, teimoso, continuou:

"'Tem uns biscoitos bons aqui', disse, abrindo uma lata. Era uma lata bonita, toda enfeitada de flores pequenas, bem pintadas e muito coloridas. O velhote bom de prosa continuou: 'São uns biscoitos que a gente só come quando tem visita: os filhos, os netinhos...' e falando, falando o velho tirou da lata uma automática carregada e a casa virou um inferno de pipoco pra todo lado. O homem era fodido e cresceu em cima de nós. O filho da puta ainda gritava: 'Não quer mortadela, então coma chumbo.' E tum, tum. O tiroteio foi fatal. Ainda escutei o Zé Galinha gritar 'Sujou!' antes de empacotar com um buraco na testa.

"O homem não era tão velho nem professor porra nenhuma, era

policial aposentado. Acertou nós três. Meus parceiros Bigorna e Zé Galinha morreram. A empregada também levou uma chumbada. Não sei quem acertou a coitada, mas não morreu. O homem me encheu de buracos. Levei três tiros, apaguei, mas sobrevivi e aqui estou. Só fiquei manco.

"A gente vacilou na prosa do velho, que não era tão acabado porque fazia academia. Fiquei sabendo depois que era bem preparado. Levou a gente para a armadilha com aquela prosa de mortadela, pão velho, tubaína e lata bonitinha de biscoito dos netinhos. Levamos no sabiró, Zé Galinha e o Bigorna foram pro saco. Pensa que acabou?

"A porra do velho foi ao hospital e levou pra mim uma lata pintada com florezinhas coloridas. Quando vi aquilo, minhas veias congelaram e gritei para a enfermeira, mas o homem me acalmou. Dentro da lata havia uns sanduíches de pão com mortadela. Ele disse: 'Coma que o pão é fresco. A tubaína está sem gelo, mas tem gás.' O que eu poderia fazer? O pão estava gostoso e a mortadela, cheirosa. Tive que mastigar e engolir. A enfermeira deixou, estava combinado entre eles.

"Depois que o homem foi embora, olhei melhor a lata e vi que tinha mais coisas embrulhadas. Eram dois livros: *Dom Casmurro* e *Ouça a canção do vento*. Li enquanto estava no hospital. Numa parada dessas, quando a gente não morre, sempre aprende alguma coisa."

— É assim a vida, Pachola — falou Zé Maria. — Você está no lucro, não desperdice. Leu os livros? Gostou?

— Li, sim. Tive tempo de sobra e acabei gostando. Já vi que tem deles na biblioteca. Leia que você vai gostar.

— A BIBLIOTECA —

A biblioteca de Renascença era espaçosa, atraente e dispunha de muitos livros. Era bem frequentada. Um dos frequentadores mais assíduos era Eugênio Guimarães, também conhecido como Professor. Homem calmo e simpático, tinha uma vasta cabeleira que lhe cobria o crânio e deixava transparecer um ar de entendido. Era bom de conversa.

Em volta da mesa, o Professor e quatro rapazes trocavam ideias quando Alcides reclamou do calor de Renascença, da saudade que sentia e do isolamento. Clodoaldo rebateu:

— Está melhor do que onde a gente vivia, naquele inferno que também era quente e pinhocado de gente, todos mal acomodados e com um mau cheiro danado. Aqui estamos longe, mas no paraíso. Perto daquilo. Olhe a quantidade de livros bons aqui para nós nesta biblioteca agradável.

— Professor, ajude-me a entender aquele quadro ali na parede em que está escrito: "A boa música e a boa leitura libertam a alma e fazem a pessoa crescer. A cultura liberta da solidão e da tristeza."

— Só de você ter interesse em perguntar já é um caminho para o entendimento. Quero depois detalhar a conversa sobre isso, vá pensando sobre o tema. Agora, vamos falar de nossa prisão e do que o Clodoaldo disse. Quero dizer que aqui pode estar melhor, mais arejado, confortável, mas há pontos negativos também, que são muitas pessoas ruins juntas. Bandidos, assassinos, estupradores, muitos acostumados a roubar e outros cheios de maldades. Aqui é um lugar do qual Deus não está tomando conta.

Nesse instante, Gervásio falou:

— Professor, já que o senhor, que é uma pessoa mais velha que nós, falou em Deus... Acha mesmo que existe inferno e paraíso?

— Sim. Mas é demorado explicar e mais demorado ainda entender.

— O senhor acredita que nós estamos aqui porque cometemos crimes e que vamos para o inferno? — acrescentou Toledo, rapaz franzino de olhar esperto.

— Para o céu, duvido — adiantou Clodoaldo.

— Deixe o Professor falar, cacete! — esbravejou Gervásio.

— Falo que existe porque tenho claro na minha cabeça que o inferno e o céu são aqui e agora — disse Eugênio. — Quando vivemos um momento bom, estamos no céu; quando é o contrário, estamos no inferno. Esses momentos podem ser mais ou menos fortes, mas a vida é assim, cheia de coisas boas e outras difíceis. Vivemos entre o bem e o mal. Quando estamos em um, logo o outro está nos rodeando.

— Mas tem que ser assim: o bem e o mal? Não há uma terceira via? — perguntou Clodoaldo.

— E essa história toda que há na Bíblia, não é verdade? — indagou Gervásio.

— Olha, existem a Bíblia, o Alcorão, a Torá e livros sagrados de regiões da Índia e do Extremo Oriente. Todos esses, e outros, foram escritos por gente de muita fé na existência de uma força superior que muitos chamam de Deus. Todos eles buscam o conforto espiritual para as pessoas, procurando orientá-las no caminho do bem. Cada povo segue a orientação que recebe e na qual acredita.

— Mas o senhor, no cepo, acredita que Deus existe? — perguntou Gervásio.

— Entendo que Deus é a perfeição. Tudo que dá certo tem a participação de Deus. O que dá errado, não, pois o que dá errado foge do perfeito. Não entendo Deus como um homem barbudão lá no céu, tomando conta de tudo, até porque o céu é um espaço vazio, um azul que não existe.

— Se fizermos a coisa certa, estamos sendo acompanhados por Deus. Se fizermos o errado, é o Diabo que está no comando. É isso mesmo? — indagou Clodoaldo, com uma expressão intensa nos olhos.

Todos estavam atentos à fala de Eugênio quando Alcides falou:

— Quero entender melhor esta conversa.

— Vejam como é simples — explicou o Professor. — Falam que Deus criou a Terra e tudo que há nela. É verdade. A Terra só existe assim porque tudo que se desenvolveu nela estava combinando corretamente: a temperatura pela distância do sol, a posição inclinada do planeta, o giro pelo espaço, o oxigênio e a água. Com o passar de bilhões de anos, o conjunto desses elementos, sempre na medida certa, possibilitou o desenvolvimento da vida, na água e nos solos que se formaram, seja dos animais, seja dos vegetais. Se alguma coisa não prosperou foi porque não se adaptou ao lugar, ao momento. Enfim, o que não estiver na forma apropriada não prospera.

— Quer dizer que a Terra gira em torno do sol e a gente nem percebe o movimento?

— Exato. Veja este copo d'água — disse o Professor, apontando seu copo sobre a mesa. — Nosso planeta está girando a mais de mil e seiscentos quilômetros por hora e a água não treme. Imaginem se a Terra trepidasse ou fosse aos solavancos. Não seria possível viver aqui. No movimento em torno do sol, a Terra vai a mais de cem mil quilômetros por hora e a um milhão por hora no giro pela galáxia.

— É fantástico e impressionante! — exclamou Clodoaldo. — Tantas velocidades e a gente não percebe! Um mundo perfeito!

— Caraca, é mesmo! — concordou Toledo. — Quer dizer que o que está certo é Deus e o que está errado é o Diabo?

— É mais ou menos isso, mas também não precisa ser muito rigoroso, pois o que dá certo pode estragar e o que dá errado pode ser concertado. Acho que essa seria a terceira via que o Clodoaldo perguntou.

— Acho que entendi — falou Toledo. — Vivi no paraíso, tinha emprego bom, vida boa e uma bela namorada, que eu até chamava de anjo. Era o paraíso de verdade, mas aí aconteceu a merda. Ela me traiu, perdi o controle, matei a moça, desarranjou minha vida. Entendo agora que foi o paraíso perdido. Ela, meu anjo caído em tentação, e eu entrei nos infernos. Mas não teve jeito. Minha cabeça dominou a situação, fiquei com o juízo baleado. Era um vulcão dentro de mim, aquele desejo mais forte que a razão. Mas, antes de matar, escrevi a ela um bilhete assim: "Quando você falou para mim que nosso tempo havia chegado ao fim, foi como um punhal cravado em meu peito, dilacerando o coração. As lágrimas misturadas formavam pérolas de sangue que rolavam pelo corpo que você tanto beijou."

"Ela leu o papel ali na minha frente e adivinhou, mas não deu tempo de correr. Enfiei o punhal em seu peito. Ela, linda, vermelha de sangue, e eu, ao seu lado, chorando feito criança, pois, quando vi que ela havia morrido, um clarão grande invadiu minha cabeça e uma cortina de arrependimento se apoderou de mim, mas já era tarde. Logo, tudo escureceu em minha vida. A polícia chegou e me levou. Eu estava no inferno, havia perdido meu paraíso. Deus me deixou escapar e me vi nos braços do Diabo."

— São as maluquices que um homem faz quando está submetido ao império da paixão. Acho que você entendeu o que é paraíso e inferno — falou o Professor.

— Quando lembro, aqueles momentos me devoram, fico sem paz.

— Credo em cruz! Que história mais triste! — exclamou Clodoaldo.

— Aqui só há histórias tristes — frisou Gervásio.

— Professor, o Toledo não é um matador. Está certo ele pagar pelo erro, pois tirou uma vida. Mas como pega quarenta anos, mesma pena de um matador de aluguel que despachou um monte de gente? — opinou Alcides

— É, ele não é um perigo para a sociedade. Ao contrário de um estuprador, que barbariza várias moças e às vezes não pega nem isso — considerou Gervásio.

— Sim. Mas, com os benefícios que o sistema aqui proporciona, o Toledo sai antes e vai refazer sua vida sem matar mais ninguém, espero, ao passo que o estuprador é o tipo com grande chance de atacar novamente. Aí volta pra cá rapidinho, à estaca zero. Vem ser noiva muito tempo, pois perde os benefícios de sair antes, vai cumprir a pena inteira e, se bobear, vai para o fundão, que é o caminho do Polo Sul, onde pode ir para endoidecer de vez.

— Professor, minha cabeça fica sem entender direito — prosseguiu Gervásio, com os olhos pensativos. — Já escutei falar que há países com o povo muito miserável, pobre demais, e outros lugares onde o povo vive muito bem, no maior conforto. Fico matutando. Se Deus é feito homem que nem nós, por que deixa desarranjar assim:

uns tão bem de vida e outros com tanto sofrimentos? Se é ele que controla, por que não controla? E por que tanta miséria, tanta coisa ruim, tanta seca e tanta enchente que só lasca os pobres? O senhor consegue me explicar?

Nessa hora todos ficaram em silêncio, esperando Eugênio falar, mas ele também ficou pensativo. Rompendo o silêncio, continuou:

— Gervásio, você esqueceu que falei que Deus não é um homem. Mas tudo bem, isso está na sua cabeça, então digo de novo. Deus está na perfeição de tudo que acontece. Se estamos num lugar em que tudo vai sendo feito de maneira correta, as coisas vão dando certo, as pessoas falam que é a mão de Deus. Mas se tudo vai mal, as coisas tendem a dar errado. Por isso se diz para fazermos nossa parte que Deus faz a dele. Se um grupo de gente estiver num lugar onde o clima é bom, com chuvas no tempo certo, terra fértil, o homem semear corretamente e cultivar habilmente, os resultados serão positivos, e o grupo prosperará e a vida será boa. Se a natureza não ajudar ou se os homens falharem no cultivo, a vida será difícil. Mas se um grupo for explorado por outro, haverá o desequilíbrio, um vivendo pior e outro melhor.

— E aí, Deus está do lado de quem? — perguntou, rápido, Alcides. — Por que Deus deixou o mais forte explorar o mais fraco?

— O inferno e o paraíso existem, os caminhos é que são embaçados — respondeu Eugênio.

— É, Professor, acho que tem muita coisa errada no mundo, tanta diferença e tanto sofrimento, que Deus não dá conta de acudir — atalhou Toledo.

— Cada um tem o paraíso que merece — opinou Gervásio.

— Não concordo! — exclamou Alcides. — Está errado uns terem tanto e outros nada e ainda serem explorados.

— É ótimo termos esta conversa, mas as indagações de vocês acharão a resposta aqui na biblioteca, lendo livros interessantes, estudando e entendendo toda a trajetória da humanidade e por que existe tanta gente vivendo em tamanhas dificuldades. Olhem bem para nossa cidade e vejam que aqui chegando todos são iguais, com as mesmas oportunidades, mas que, com o tempo, uma parcela estará mais feliz que a outra. Uns terão mais pontos, viverão mais confortavelmente e irão embora mais cedo, enquanto outros seguirão para o Polo Sul.

— Para os que vão dando errado, aumentam as necessidades de achar os caminhos que levam a Deus e acabam acontecendo certas explorações — disse Gervásio.

— Na busca de Deus, entre a escuridão da ignorância e a luz do conhecimento, os livros podem ser o caminho.

— Mas só os livros, Professor? — perguntou Alcides.

— Não só. Também o debate, a troca de ideias e todos os meios de comunicação que despertem para o conhecimento. Quando falo dos livros, é porque quem tem a companhia deles nunca está só.

— E o senhor, o que fez para estar aqui? A gente pode saber? — perguntou Alcides.

— É melhor não, porque se cada um aqui for contar suas histórias, vamos acabar ficando mais tristes e com medo um do outro. Vou continuar aqui lendo meu livro. E vocês também leiam muito, pois isso é bom e clareia os caminhos.

— O senhor quer dizer que o livro é a luz?

— Para os que vivem na escuridão, os livros trazem as luzes do conhecimento, que é o caminho para uma vida melhor.

— É mesmo, Professor — falou Clodoaldo. — Há livro que é tão bom que a gente lê devagar para não acabar logo, pois às vezes quando a história termina fica um vazio, uma saudade dos personagens.

— Sim, dos personagens e de suas mensagens. Quando acabar de ler um, sempre há outro — disse, sorrindo, o Professor Eugênio Guimarães.

—— UMA IDEIA GERMINANDO ——

Na manhã desse dia chuvoso, todos os outros haviam saído de casa, exceto Colibri, que dormia, e João Medeiros, ainda deitado, que matutava sobre a vida, tudo que acontecera, e lamentava por estar naquele fim de mundo, com um tempo muito longo a cumprir e uma compulsão pela liberdade. Seus pensamentos corriam por toda parte da cidade buscando uma saída. Imaginava-se passando para o outro lado da muralha e ganhando a floresta. Quando viera no avião, ficou a observar a mata e os rios. Fez anotações e sempre estava a estudá-las, analisando mapas na biblioteca. Era preciso preparar um plano, mas diante da dura realidade seria necessário seguir devagar, sem pressa. Não podia ser sozinho e nem muita gente.

Sua ideia foi crescendo. Depois de alguns dias, começou a criar corpo o plano de fuga. Já vinha sondando seu companheiro de quarto e passou a ter longas conversas para conhecer melhor Colibri, com quem fazia longas caminhadas, passeios pelo fundão nas plantações que se iniciavam, no mirante, pelas ruas que acompanham a muralha e em bares e restaurantes, sempre sondando sua personalidade, sua inteligência, seu tipo de crime, sua facilidade de adaptação, relacionamento e o tamanho de sua vontade de liberdade. Só avançava nas conversas quando estavam a sós.

João se levantou e ficou na janela olhando a chuva que caía fina. Tomava seu desjejum na cozinha quando Colibri saiu da cama e foi até a mesa. João puxou a prosa e o rapaz falou sobre seu passado. Depois, na janela, conversaram e olharam a cidade sob o branco da chuva.

Colibri era bem mais novo, mas trazia no prontuário o assassinato de um prefeito, ato que praticou por ter sido humilhado quando era funcionário. Ali, vendo a cidade sob o manto branco, contou:

— Eu era do setor de serviços gerais na prefeitura e fiz umas coisas que acharam que era errada. Fui demitido rapidinho. Com o fim de meus sonhos, perdi a cabeça e fiz a besteira. Foi maluquice, coisa de momento, e estou pagando caro.

— Mas que sonhos eram esses que você tinha como trabalhador de serviços gerais que chegou a matar?

— O perigo está sempre na ignorância. Dificilmente um cara de salário alto mata um prefeito. Meu sonho era que naquele emprego eu teria condições de alcançar um horizonte, algo que, com a demissão, não daria mais, pois na minha região, que é muito pobre, as chances eram poucas. Com a frustração, perdi a cabeça. Se fosse outro tipo de patrão, eu não teria matado, mas aí entram a política e a sensação de ter sido enganado por ter votado no cara. Santa ignorância! Agora é seguir aqui. Chego à conclusão de que a maldade dele foi menor que a minha, porque morreu e não teve mais nada a sofrer, enquanto eu estou amargando meu penar.

— É bem isso mesmo, você levou a pior. Sabe, Colibri, esta prisão é tranquila, sem aperreios, mas o isolamento é descomunal. Estamos tão longe que nem sabemos onde. Às vezes, me dá uma vontade louca de sair, sumir, nem que para isso tenha que morrer. Quando o calor aperta, então, é de lascar.

— É, aqui é maneiro, tem o calor, mas tem um bom chuveiro, piscina, boas sombras. Agora, saber que está preso é cruel, mais ainda quando se pensa que a mulher mais próxima está depois daquela ponte de vidro, do jacaré e dos leões, e que não são para nós. As nossas estão do outro lado da mata. Às vezes, também, me dá uma vontade danada de fugir. Acho que dá em todo mundo, deve ser normal.

— Às vezes, esses sonhos povoam minha mente, mas não se pode nem falar isso dentro de casa. Do jeito que é o sistema, bem capaz de ter microfone embutido e pensarem que a gente está tentando fugir.

— Verdade! Vamos mudar o rumo desta prosa.

— Colibri, você tem quantos anos para cumprir?

— Quase trinta. Mas, se eu trabalhar, participar de bastantes atividades, pode cair pela metade.

— E não está trabalhando ainda por quê?

— Estou aguardando me chamarem. Vou trabalhar numa fábrica, e você?

— Já apareceu uma oportunidade, mas estou esperando outro lance que pode ser mais do meu jeito. Ouvi falar que hoje vai haver a inauguração do espaço religioso. Vamos lá ver?

— Não sei disso, não, mas é capaz de eu ir ver.

—— A INAUGURAÇÃO DO ESPAÇO RELIGIOSO ——

O espaço para os cultos religiosos era uma área circular muito ampla, com grande pátio central e pequenos templos, um ao lado do outro, que circundavam a praça. Eram de tamanhos diferentes.

Os espaços foram construídos com semiobscuridade. "A luz excessiva dispersa as ideias, enquanto a luz fraca e dúbia recolhe o espírito, desenvolve e exalta o espírito religioso", ensinava Thomas Morus. Com base nessa premissa, trabalharam os arquitetos que projetaram a nova cidade. Alguns templos eram definitivos; outros, não. Dependendo da quantidade e do fluxo de frequência, fazia-se a programação.

Quando alguma das religiões precisasse de um espaço maior, poderia usar o pátio central, que tinha ampla cobertura circular. Uma regra básica é que nenhuma religião podia fazer cultos barulhentos, com gritaria entusiasmada, pois a boa convivência estabelecia que o barulho de uns não poderia irritar os vizinhos. Para falar com Deus, bastava o pensamento, e a palavra calma dos pregadores era o canal suave e eficiente que levava conforto aos que necessitavam.

Por volta das sete horas da noite, as pessoas estavam chegando para a inauguração. Não demorou e o pátio estava razoavelmente tomado.

No horário marcado, Emílio e alguns companheiros subiram ao pequeno palco, o serviço de som anunciou o início dos trabalhos e o silêncio se fez no pátio. Emílio cumprimentou a todos, agradeceu às presenças e, dando rápidas explicações sobre o momento, pediu a todos atenção ao telão, no qual o diretor passou a explicar a função daquele espaço e como cada um deveria ser utilizado.

Qualquer seita, por menor que fosse o grupo, teria seu momento de orações, reflexões, meditações ou comemorações. Ali estava um espaço de todos e que por todos deveria ser utilizado e respeitado. O telão mostrou cada um dos templos, e, à medida que a imagem avançava, o espaço era aberto e suas luzes se acendiam. Em alguns momentos houve aplausos.

Após a apresentação no telão, Emílio retomou o microfone e falou:

— Este é um espaço para orações tranquilas, com calma e sabedoria. Cada um deve procurar o culto que lhe agrade. As pessoas devem se concentrar no templo que desejar e, juntas, escolher o dirigente que estiver disposto a conduzir os trabalhos. A administração dará o apoio possível. Agora, vocês ficam livres para conhecer o que quiserem. Em cada espaço, há livretos com orientações. Tenham uma boa noite!

As pessoas que já haviam ido antes e conheciam o ambiente se dirigiram para o templo que lhes convinham e, animadamente, trocavam ideias sobre detalhes e ocupações que deveriam desempenhar.

Nem todos correram para os templos. Muitos ficaram ali, sem saber se iriam para um dos ambientes ou se esperariam um tempo para definir se queriam mesmo uma religião. Ou estavam ali só por curiosidade.

Emílio e seus companheiros conversaram um pouco com alguns moradores, depois se afastaram caminhando pela rua movimentada e foram ao bar Fornalha, próximo dali.

No bar, o assunto era a inauguração.

Emílio e seus amigos ocuparam uma mesa, e ao lado havia uma discussão sobre o momento. Eram quatro. Um deles, Roque, falou:

— Futebol e religião não se discutem.

— Discordo — proferiu Eugênio Guimarães, o Professor. — Os dois assuntos são interessantes. Quando começar o campeonato de futebol, vamos falar dele. Como hoje tivemos a inauguração do espaço religioso, a conversa é sobre religião, que existe desde o começo do mundo e é o pano quente entre a ilusão e a dureza da vida. Quando eu era mais jovem, não suportava religião. Mas, com o tempo, fui entendendo certas situações que se criam com o vazio da alma e necessitam ser preenchidas. Como superar isso? Então, as coisas foram se clareando pra mim.

— Também acho — concordou Luciano. — A religião é necessária, pois a alma das pessoas precisa de conforto. Quando eu estava em minhas loucas ações, era como se estivesse fora da realidade. A droga vinha como um sonho, e eu logo partia para os exageros. Perdia o controle da situação: queria bater, esfaquear, dar tiro, matar. Não tinha preocupação com consequências. Sem pensamento de medo. Só depois, quando saía daquele estado de transe, é que eu via o que acontecera e que era responsável pela infelicidade de pessoas que eu nem conhecia. Sentia culpa, mas depois bebia, me drogava e fazia tudo de novo. Então, numa prisão, comecei a conversar com um pastor, que me clareou a cabeça para certas coisas, e com outro cara, que me ensinou a fazer meditação. Vi coisas em mim que não sabia que tinha.

— E você vai frequentar alguma religião? — perguntou Roque.

— Sim, vou — respondeu Luciano. — Quero ir a um templo oriental. São espaços para cultos silenciosos, pregações moderadas, sem os exageros de gritarias e desmaios. Também espero que tenha espaços para ioga e meditação Vipassana, programas de tirar o ódio e o desespero do coração.

—Vi...o quê? O que é isso? — indagou Damião.

— Vipassana eu não sei bem como funciona. Sei que é uma técnica de meditação que se originou na Índia. Só ouvi falar. Tomara que alguém implante isso aqui.

— Com tudo tão diferente, mais humano, estou vendo bondade em pessoas que não imaginava. Respeito tudo isso. Sinto uma clareza sobre minha vida e o que me envolveu antes. Sou outra pessoa — confessou Roque.

— Hummm, a bondade entrou em seu coração. Depois de tudo, agora vive da banda de Deus — sentenciou Damião.

— Não deboche! Só acho que a meditação faz bem, o que não era possível onde estávamos antes — continuou Roque. — A convivência naquelas prisões horríveis, superlotadas, sem higiene, leva o homem a ser mais brutal e cheio de ódio. O cara já tem problemas, não se enquadra lá fora, chega e vira fera. Ali não há espaço para a bondade nem contato humano positivo com tranquilidade e harmonia. É um mundo sem trégua, com suas regras, e quem não se enquadra paga preço alto. Era a faculdade do crime, com pós-graduação na especialidade do mal.

— É verdade que aqui vai ser obrigatório ser de uma religião? — perguntou Damião.

— É obrigatório se filiar a uma igreja se quiser contar mais pontos — respondeu Roque. — Quem não quiser, já é considerado ateu e será convidado a participar das reuniões e das ações, que tem um chefe e estrutura de organização. Os que participarem ativamente também serão pontuados. Quem se inscrever em qualquer atividade, religiosa ou não, mas sem participar efetivamente, não terá o benefício dos pontos. Você não reparou um espaço lá na praça chamado ateísmo?

— Vi, mas não me toquei. É para quem não acredita em nada? — quis saber Damião.

— Ora, se não acredita em nada não precisa ir a lugar nenhum. Melhor vir pro bar — afirmou Luciano.

— Não é bem assim. Lá também existe um espaço para quem acredita na natureza, que é a criadora de tudo que temos na Terra — rebateu Eugênio.

— Sei, não. É uma conversa para entendidos. Melhor eu pedir mais uma cerveja, que é do que entendo — brincou Damião.

— Você entende de cerveja? — perguntou Roque.

— Não, entendo de pedir — falou rindo Damião. — Agora estou entendendo por que as penas no xilindró passaram a ser mais pesadas.

— Bem lembrado. Aumentaram as penas para a gente se enquadrar aqui — disse Roque.

— É, quem quiser reduzir precisa se enquadrar em vários seguimentos — lembrou Eugênio.

— Mas não é obrigatório pertencer a uma igreja, pois aqui dentro existe liberdade — ponderou Damião.

— Mas vocês acham que igreja adianta para essa gente? — perguntou Luciano.

— Presos precisam de muita reza — afirmou o Professor Eugênio. — A reza é a vacina contra a loucura.

— Verdade, essa gente precisa muito de igreja, porque a religião acomoda o homem — enunciou Roque. — Para boa parte não adianta, mas todo aquele que for ajudado pela reflexão que a religião proporcionar é um avanço a ele e à sociedade. Chega uma altura da vida em que a situação induz a pessoa a aceitar valores religiosos, pois nos momentos mais difíceis acaba que a solidão é a companhia, daí a necessidade do amparo oculto, do poder invisível que pode acalentar a alma em desamparo. O desespero leva a Deus, e as orações são os caminhos que levam ao repouso da alma. O ser humano acaba acreditando na ilusão do infinito, pois isso lhe faz bem e, resumindo, é o que interessa. E você, Damião, o que acha de haver igreja aqui? Você acredita em Deus? Acredita no Diabo?

— O demônio? Olha, desconfio de umas coisas. Estava aqui lembrando... Lá perto de onde nasci, tinha um riozinho, e o danado era bonito e com muitos peixes, uns poços grandes, com as margens bem sombreadas. Era lugar de a meninada ir passear, nadar e pescar lambari, uma belezura harmoniosa. Vai que um dia no meio daquelas alegrias aconteceu um desarranjo e um menino foi morto, não foi afogado, não, foi matado mesmo. Daí pra frente tudo se desarranjou, e aquilo que era bom demais, se perdeu.

"Como a gente deixa perder o bom? Por isso acredito que tem Deus e o demônio dentro da gente, numa luta sempre, a constante batalha entre o bem e o mal. Acho que meu demônio era forte, pois me tirou daquela vida. Veja onde vim parar depois de fazer muita merda pela vida afora! Mas fale aí, Roque, como é o demônio que o acompanha?"

— Ah, tenho cá minhas coisas, meus fantasmas. Todo mundo tem, uns mais, outros menos, mas o coisa ruim parece que está sempre cutucando a gente, levando para os caminhos contrários. As ofertas são atraentes, e diante das necessidades, quando a fraqueza humana é maior... — Roque interrompeu o relato, abrindo os braços e balançando a cabeça. Depois concluiu: — Deu no que deu. Estou aqui, ferrado, acho que o demo me trouxe.

— Estou aqui pensando é nesse seu jeito de falar, meio arrependido, até parece que não fez o que fez — comentou Damião.

— A gente pode ter o sangue arruinado pelo tempo, mas sempre sobra um lado bom — discursou Roque. — Assim como o cara que é certinho no viver dele, que o sangue não arruinou, mas lá no fundo tem seu lado de maldade. Ah, sei que tem! Só mostra nos apereios da vida.

— Tem vivente que é fera adormecida; outros, não — opinou Luciano. — Tem o que é mau por natureza lá dele mesmo, só sabe se divertir maltratando os outros. Sujeito de coração ruim, fino feito uma lâmina de aço, que não bombeia sangue, mas fel. Fico no meio dessa confusão, dessa mistura de gente com tanta dificuldade e tanto sofrimento, que acabo sempre duvidando da existência do todo-poderoso, pois o tamanho do sofrimento humano não é condizente com a existência de Deus, no formato que as igrejas pregam. Qual é sua opinião, Eugênio, você que é mais estudado?

— Olha, as coisas acontecem muito na cabeça da gente, na cabeça de cada um — respondeu o Professor. — A pessoa nasce, vai crescendo, e o conhecimento vai chegando com as experiências que vai acumulando, juntando as influências recebidas, até começar a ter capacidade de analisar e passar a aceitar ou não certas coisas. Deus é a imaginação necessária para o ser humano encontrar o conforto espiritual. Sempre foi assim na história humana, mas muita gente entende que é de outra maneira.

— Deixe-me voltar ao que o Luciano falou — interrompeu Roque. — Para você, então, Deus não existe? Ah, Luciano, a fé existe, e é nela que está Deus! É necessário, é preciso ter Deus. Lembra, no avião, aquele cara rezando e implorando a Deus? Era só o que restava a ele naquele desconforto, na insegurança, porque não poderia fazer nada para segurar o avião com aquele peso e naquelas alturas. O que restava? Implorar a uma força maior que não deixasse a aeronave cair. E foi atendido. Entendeu? Concordo com o Professor: Deus está na imaginação que temos que ter.

— Aquele cara vai rezar todos os dias pra não chegar logo a hora de ir embora e, quando subir aquelas escadas, vai querer um Deus só pra ele — disse rindo Damião e emendou: — Professor, você, que está sempre na biblioteca, lê bastante, estuda muito, fale mais para nós sobre esse seu entendimento.

— Posso falar o que penso?

— Claro! — disseram, rápido, os outros.

— Bem, essa questão sempre ronda a cabeça das pessoas. Na semana passada, li um livro de Dostoievski que dizia o seguinte: "Todos os povos através da história tiveram como objetivo a procura de Deus." E por que essa procura? "A luta entre o bem e o mal! Aí está a causa da procura de Deus." Tenho refletido muito sobre o tema e cheguei às minhas conclusões. É claro que Deus existe e está dentro de nossas cabeças, porém o que precisa é o ser humano ter o entendimento de como é Deus. Nas pessoas influenciáveis e carentes, é simples incutir o que for mais fácil de entender: um Deus à semelhança do homem, e ponto. Mas pode ficar mais complexo quando é necessário entender Deus como o nome da perfeição. Tudo que não é perfeito não dá certo, sai errado, dá confusão, e por aí vai.

"Pelo que tenho lido, estudado, e por conversas que já escutei, o homem nasceu animal igual aos outros, mas, com maior inteligência, foi se aperfeiçoando ao longo de milênios, sendo domesticado e moldado pelas convivências. Dos pequenos grupos familiares passaram a participar de grupos maiores. No início dessa caminhada, não havia escolas e foi se criando entre as pessoas muitas lendas, mitos, medos, magias e regras, levando a surgir as religiões, que foram aperfeiçoando os freios para conter os ímpetos selvagens, sempre com os mais lúcidos preocupados em conduzir os homens para uma convivência pacífica."

— A fera foi sendo domesticada? — indagou Luciano.

— Exato. Mas, mesmo tendo passado tantos milênios, hoje vemos a maldade, a crueldade e o descalabro na convivência. Estão aí as guerras, as brigas de torcidas nos esportes, os massacres, assassinatos de pessoas que se amam, tráfico de gente, a brutalidade campeando solta. Mesmo com toda a evolução das ciências, da educação, das religiões, dos entendimentos entre as nações, o homem solta as travas da fera que tem dentro de si. Nem prisões, mutilações e penas de morte contêm o ímpeto demoníaco quando aflora o DNA da maldade, encoberto por camadas do verniz muitas vezes sujo que o reveste.

"As misérias humanas e as frustrações de toda ordem levam o homem a precisar de um ser maior — continua Eugênio — um ser superior, invisível aos olhos, mas presente em seus pensamentos. Que esteja ao seu lado nas horas de dificuldades, nos momentos de solidão, de aflição, no desamparo das trevas. Concordo com o Roque: a solidão vai chegando, sorrateira de dentro da vida boa, quando faltam a mãe, o pai, os irmãos se espalhando para longe, os filhos passam a cuidar da própria vida, os amigos rareando, partindo e o tempo passando. Então, percebe-se que quase todos se foram, e é chegado o tempo de o vivente estar só. Para suportar a solidão, faz-se necessário um ente superior. Só um ser forte, protetor, invisível, pode estar presente. Esse ser está tão perto que envolve o coração, a mente, então um pouco de paz é possível. Quem pode fazer isso? A religião. Está aí a origem de Deus. A origem de Deus é a necessidade de Deus. Ele está dentro da pessoa, de suas necessidades. É o momento maior, quando você está com você mesmo e sente a calma que lhe faz bem. A paz do espírito — concluiu Eugênio."

— Mas me fale uma coisa: se o homem procura essa paz, como vai ter, se tem que ser temente a Deus? Não é assim que falam? — perguntou Damião.

— Nessa linha, concordo com você. A paz de que o homem precisa não pode vir de um Deus opressor, autoritário, que põe medo. A paz deve vir de um Deus amigo, que seja ombro e perdoe os erros que o homem, sua criação, comete. Ou é um Deus parceiro ou não adianta, não serve.

— Ah! Falam que tem que ser temente a Deus que é para o cara se enquadrar logo, ficar com medo — falou Roque, com ar desconsolado. — As criancinhas já escutam: "Não faça isso que papai do céu não gosta."

— É, faz sentido — concordou Luciano. — Mas o homem, na luta pela vida, se desencabeça, parece que vem o Satã, o Belzebu, preparando as armadilhas do caminho, com os cantos das sereias e suas maravilhosas vantagens, e vai tecendo a alegria do descuido que é para o cara seguir. Quando vê, entra na esparrela e pronto, lascou!

— É isso mesmo — falou Eugênio. — O céu e o inferno, o bem e o mal, estão sempre no caminho, é preciso ter preparo para entender. Quando as encruzilhadas da vida estão sob forte cerração, a escolha do caminho certo é difícil.

— Sigo meu caminho — afirmou Roque. — Não sei quem traça: se é anjo ou o demo. E aí podem me prender, colocar na solitária, fechar do jeito que quiserem, mas uma coisa que não podem controlar nem segurar são meus pensamentos.

— E o que você faz com seus pensamentos? — perguntou Damião.

— Faço tudo o que eu quiser. Nos meus pensamentos, existo do jeito que quero. Saio dessa prisão e vou pelo mundo.

— Mas pensamento não enche barriga.

— Mas enche a cabeça.

— Prefiro a barriga cheia.

— Meus pensamentos me ajudam a pôr na barriga o pouco de que preciso para viver — frisou Roque. — Até porque, quem não pensa, come mais do que precisa, e aí começa um problema para a pessoa. No mais, meus pensamentos me orientam a ter a paz de que preciso. A gente enche a barriga e nossos pensamentos vazios nos fazem sofrer, só procurando comer, beber e dormir de cara cheia. Nem eu mesmo controlo meus pensamentos, porque, quando durmo, eles escapam de mim e saem por aí, conversando com pessoas que nunca vi, ou até com conhecidos, amigos e inimigos. Às vezes, andam de forma desnorteada, indo e vindo, pulando de um lugar para outro e até me acordando de forma assustadora, feliz por ter despertado, e outras vezes me fazem contente enquanto durmo e acordo no meio da felicidade incompleta.

"Minha alma é meu pensamento. Quando dá, penso o que quero. Crio o que quero, e assim crio a proteção de que preciso, um ser superior perfeito, que me acompanha. Esse ser é meu Deus. Acho que é dessa forma que Deus está no pensamento da gente. Mas fiquemos esperto: não existe o bem sem o mal, e o Diabo ronda sempre. Não existe o paraíso sem o inferno por perto. O homem quer que exista Deus e um paraíso na eternidade onde possa estar; não admite que, ao morrer, vai ser nada e que para ele tudo acabou. Ele quer ter uma continuidade, outra vida. Deus está no seu pensamento, por isso precisa existir, o que significa a vida continuar depois da atual."

— Mas, Roque, você não acredita que Deus tenha criado o mundo? — perguntou Luciano.

— Acompanhe meu raciocínio — pediu Roque, emborcando mais um goró. — Deus, lá na imensidão do céu, aquilo tudo muito calmo e aquela pasmaceira no Universo a girar, então, escolheu um lugar para dar uma animada e começou a criar, como um artista numa tela: e foi criando as florestas, rios, mares e oceanos, vulcões, terremotos, ventos, brisas e furacões, animais... Isso e aquilo. E empolgado, viu que havia criado o paraíso. A Terra ficou muito bonita. Olhando sua obra, pensou: "Vou pôr um sujeito ali." E o cara foi posto, o Adão, que ficou andando sozinho, meio perdidão e desanimado. Deus o viu macambúzio e pensou: "Vou animar esse cara." Pimba! Criou a mulher: a dona Eva. Os dois andando pelo paraíso em sua pureza, e, Deus, que criara muitas árvores frutíferas, cismou com a macieira de bonitos frutos coloridos e determinou: "Não comam esta fruta, pois ela é proibida." Adão escutou aquilo e fez o que? Nada. E o que Adão tinha que ter perguntado? "Por que não? Por que não comer aquela fruta gostosa e alimentícia?" E tinha que falar mesmo: "Se eu estiver com fome, vou comer."

— Mas Deus disse que o fruto era proibido — falou Damião.

— Mas por quê? — perguntou Roque, alto, já meio mamado. — Por que Deus criou essa situação? Precisava? Qual o motivo? Só pra estrepar o cara e a mulherzinha nova lá dele. Vejam! Naquele tempo, não havia onde comprar nada. No paraíso era só pegar peixe pra sashimi, mel, abacaxi, laranja, tâmara, romã, mamão... E a mais fácil para comer era qual? A maçã, que dava pra mandar pro bucho com casca e tudo, ali na hora, tirada do pé. Por que não proibiu o abacaxi? Logo ela, a maçã, ficou proibida? Aí deu no que deu. Adão, como bom homem, temente a Deus, falou para a patroa que não era para comer a maçã. E dona Eva, o que falou? Ah, o sangue já ferveu na hora! Ficou foi muito brava e fula da vida, chamou os dois de machistas, sapateou (quer dizer, pisoteou, pois não havia sapato), soltou fogo pelas ventas e emburrou. A serpente, vendo aquilo, já pensou: "Vou jogar merda no vento e ficar vendo de longe." Foi muito fácil enrolar a mulher, que já queria mesmo não obedecer àquela ordem. Comeu a maçã e pronto.

— E o Adão? Quando soube? — perguntou Damião.

— Ah, o cara ficou macho e sacou logo que o paraíso já era e que a moleza havia acabado!

— E Deus ficou sabendo?

— Claro, né, ô mané! Ele sabe tudo e tudo vê, escapa nadica de nada. Mas o que ele falou? Hummm, já no primeiro erro não perdoou: deu uma carraspana nos dois e mandou eles cairem fora do paraíso. Mandou eles por roupa e ir caçar sapo com bodoque.

— Credo! O que é isso? — espantou-se Damião.

— Naquele tempo foi que inventaram o bodoque, não se espante.

— E a serpente?

— Deus encheu ela de veneno e soltou pro mundo afora.

— E os dois, foram pra onde?

— Por aí tudo. Uma parte dos descendentes deles veio parar aqui nesta cidade, alguns estão nesta mesa. Fred, chega de cerveja! Quero um suco de maçã bem geladinho — solicitou, acenando para o garçom.

— Você enrolou pra cacete — reclamou Luciano. — Acho que não acredita em nada. Fala mais que o homem da cobra e não diz coisa nenhuma.

— Como coisa nenhuma? Desde criança escuto essa história, que entra pelos ouvidos e, para quem estuda, conforme falou o Professor, pelos olhos, por meio dos livros entra a história da evolução da Terra, da vida e da humanidade lentamente ao longo dos milhões de anos, e que vai continuar.

— Não estou a fim de igreja nenhuma — cortou Damião. — Vi muito aborrecimento nessa vida por causa de igreja. Vou contar o que aconteceu em minha cidade numa noite de muito calor. Já passava das oito quando vi o que sucedeu numa igreja perto de minha casa quando saía para as quebradas e as orações estavam no auge, com o povo de Deus naquela enorme gritaria, como sempre acontecia. Um homem alto e forte, de cabelo desgrenhado, ar agitado, andando rápido, invadiu o templo e, lá na frente, foi gritando para o orador inflamado: "Que gritaria da porra é essa, seu pastor? Vou levar aqui um papo reto. Vocês deixam os vizinhos loucos. Precisa falar nessa altura, caralho? Pra vocês serem ouvidos por Deus, precisam infernizar os vizinhos? Vão gritar assim na puta que os pariu!"

"Os irmãos da igreja se achegaram todos, o pastor quis falar mais alto, mas o invasor tomou o microfone de sua mão e o pau comeu, com socos e pontapés pra todos os lados. As mulheres gritavam e algumas choravam, assustadas; as crianças corriam. O homem, vendo que ia apanhar em nome de Deus, sacou um revólver e deu um tiro pra cima. Foi um tropel de gente correndo e caindo por cima dos bancos. O maluco deu mais uns três tiros pro alto, fazendo cair um pedação de gesso.

"O danado saiu em disparada, dando mais uns pipocos pro teto, o que derrubou mais gesso. Muitos gritavam que a igreja estava caindo. Aquele salseiro foi uma confusão dos diabos. O sururu estava armado e havia gritaria, choro e até desmaio. Logo, estava todo mundo do lado de fora, a vizinhança correu curiosa e a polícia chegou.

"Ninguém sabia quem era o homem. Era um estranho, não vizinho. Desconhecido total. A conclusão a que se chegou é que alguém contratou o forasteiro para aquele aperreio. Mas quem? Por muito tempo, o pastor pregou com os olhos na porta, e a mulherada, também. Mas, não demorou para prepararem a acústica, e os trabalhos religiosos não incomodarem mais a redondeza. Foi um alívio para a vizinhança. Deus ouviu as preces dos moradores."

Emílio e Felício continuavam ali, tomando um lanche e conversando com Nonato, que chegara havia algum tempo. Falavam sobre a administração da cidade. O rapaz tinha ideias que defendia como interessantes para contribuir, mas não pôde expor muito, pois mais dois chegaram e a prosa descambou, molhando as palavras com a cervejinha gelada. Nesse instante chegou também Raimundão, que se sentou à mesa de Emílio e se limitou a tomar cerveja e prestar atenção à conversa de Nonato. Emílio estava achando interessante a conversa sobre religião ao lado e, quando ia falar algo para o pessoal, entrou no bar um homem de cor, alto e simpático, que parecia ter uma alma limpa. Foi logo convidado por Damião para se chegar à mesa.

— E aí, cara, tudo bem? Está gostando daqui? Sente aí com a gente, Fred — gritou Luciano. — Traga uma cervejinha aqui para o Kalango, nosso considerado.

O homem agradeceu e, antes de sentar-se, foi até a mesa de Emílio cumprimentar a todos.

— Ô, africano, de onde você vem? Está aprendendo bem nossa língua? Fale para nós de sua terra — sugeriu Luciano após o rapaz se sentar.

Kalango, depois de agradecer a cerveja e fazer um brinde, começou a falar:

— Sou de uma terra muito distante, depois do mar. É depois desse mar de vocês, do outro lado da África, na parte oriental do continente. É um país de muita injustiça, muita pobreza e tristeza para o povo. Muitas disputas entre várias etnias e religiões, muita fome, guerra e miséria.

— Que religião vocês têm lá? — perguntou Roque.

— Perdi a esperança em religião, pastor, padre, nesses dirigentes todos, até em Deus. Não aguentava mais ver o povo naqueles sofrimentos. Meus familiares foram mortos, muitas moças do meu povoado foram vendidas como escravas sexuais. Eu quis sair de lá, achar um lugar onde Deus tivesse tomando conta, porque de lá não toma conta, não.

— E encontrou?

— Zanzei para lá e para cá e acabei preso, mas vou continuar procurando o lugar onde Deus comanda.

— Deste lado de cá do mundo, você deve procurar acima do Equador, bem pra cima. Parece que o que você procura está lá — aconselhou Luciano. — Por estas bandas aqui Ele também não está dando conta, não.

— Não fale besteira para ele, não, porque duvido que Deus esteja tomando conta daquela gente por lá, nos países ricos, pois a lei lá é dura. Todo mundo é na planilha, vigiado, não pode pisar fora da linha que vem multa, ficha no controle social e outras rigorosidades — assegurou Roque.

— Ué, se se estabelecem leis, precisam ser cumpridas — vociferou Luciano. — O que está errado? Não foram os representantes do povo que fizeram as leis?

— Mas não precisa chatear daquele jeito — falou Roque.

— Bem, ou se quer ordem ou não. Pelo que escutei, os pregadores dizem que Deus quer ordem, disciplina e respeito de todos com todos — asseverou Luciano.

— Onde há ordem, há Deus — afirmou Kalango. — Onde não há ordem, é um engolindo o outro, o Capeta tomando conta. Assim o homem caminhou pela história da humanidade, entre Deus e o Diabo.

— Mas o povo que está sofrendo nas barras do inferno de guerras, escravidão e injustiças continua rezando, pedindo a força de Deus — disse Roque. — Mas a taxa de retorno é baixa...

— Sim, faz tudo isso porque é o que sobrou. Ou entra na luta ou reza. Qual é o melhor caminho? As circunstâncias mostram o caminho a ser seguido. No meu país, está muito difícil, e aqui também não tive sorte, mas em Renascença estou trabalhando, vou ganhar pontos, dinheiro e uma profissão. Daqui três anos, vou levantar a vida lá fora. Se Deus quiser.

— Amém! — disse Luciano.

— Ih! Lá vem você com esse papo bíblia. Não falei que está virando pastor?! — ironizou Roque.

—— PIOLHO E TENÓRIO ——

No dia seguinte, conforme o combinado, Tenório chegou ao bar Serenata e Piolho o esperava tomando um lanche. Cumprimentou o homem com seu sorriso que traz uma alegria que contagia. O recém-chegado também sorriu e falou:

— E aí, Piolho, sua conversa parecia reservada e aqui estamos só nós. Qual é a mutreta, maluco?

— Como percebi que você é um cara de ação, vou direto ao ponto. Senti, pelo pouco que ouvi ontem, sem querer, que temos uma vontade em comum: fugir. Podemos falar sobre isso?

— Humm, quem falou isso?

— Ninguém, eu tô ligado em assunto que me interessa, com a antena no ar, só isso. Se eu estiver errado, me fala que estou puxando.

— Olha, malandro, ninguém escuta nada sem querer, muito pelo contrário, "neguim" escuta e fala que não escutou, mas tudo bem, acaba teu lanche e vamos dar um rolê, levar um papo, trocar umas ideias.

Não demorou para Piolho acabar de comer e os dois saíram para conversar na praça em frente.

— O que você conhece e o que sabe para poder ajudar a construir um plano desses? — perguntou Tenório.

— Ainda não sei nada, mas tô cheio de vontade, e juntos podemos criar ideias.

— Sabe, cara, a gente nasce pra viver no mundo, ter a felicidade ou enfrentar as adversidades. O ser humano carece de emoções, enriquece a vida com elas. Aprecio muito sua vontade, e vamos juntos descobrir um jeito de sair daqui, conversar mais vezes e ver no que dá. Mas é o seguinte, primeira regra, não demonstre pra ninguém, ouviu? Ninguém tá com vontade de fugir. Esqueça essa palavra em suas falas por aí.

Foram caminhando pela praça, trocando ideias, atravessaram a rua, chegaram ao mirante, entraram no elevador e, de cima, olharam a floresta. Falando baixo, Piolho apontou o rumo que deveriam seguir pela mata, depois de atravessarem a muralha. Tenório achou interessante o conhecimento do rapaz e concordou, criando um mapa na cabeça, com a mata, a muralha e o prédio de onde deveria sair o túnel.

— Vamos voltar ao bar e, tomando umas, trocar palavras sobre o passado pensando no futuro.

No bar haviam chegado vários homens que conversavam animadamente em duas mesas que juntaram.

— Olá, pessoal — chegou dizendo Piolho. — O chegado aqui é Tenório, um considerado meu.

Apresentou cada um que estava à mesa, pediu duas cervejas e prosseguiu:

— Não queremos interromper a conversa, continuem.

— Almirante, você ia falar de sua família, que é grande. Conte aí — propôs Bituca.

— É grande, sim, gente espalhada por toda banda: irmãos, tios, primos... É gente por tudo que é lugar.

Almirante contou histórias e façanhas de sua grande família e, numa pausa para molhar a garganta, Bituca falou:

— Não tive família, não conheci meu pai. Minha mãe, a última vez que vi, eu tinha uns nove anos. Ela sumiu de casa, e eu e meus irmãos nos espalhamos pelo mundo. Quando dei fé, estava largado e sozinho, desamparado. Fui recolhido num abrigo e logo depois caí na rua. Aquilo matou minha inocência. Nem sei o que é ter família. Fui vivendo junto com meus companheiros de rua. A vida virou uma busca de comida e roupa pelo roubo. Também tinha diversão, correria, namoradinhas e drogas. Era acordar, viver o dia do jeito que desse, sempre correndo: pela comida, atrás de drogas ou da polícia. Um dia apaguei um cara, aí foi correria maior e depois outras mortes. Nunca parei até ser preso como adulto, e aqui estou. Se for falar em família, minha vida é sem história. Fale você, Almirante. É bom ter família? Não pegavam no seu pé?

— Sempre há pegação no pé, mas é assim. Se você não tem família, outros vão pegar no seu pé. A família é importante para ter uma vida normal. Você não acha, Adriano?

— Acho, sim. Há pessoas que conheceram avós, bisavós e sabem de antepassados mais distantes. Outros pagam pesquisa para saber a origem da família, porque todos temos, lá atrás, gente que viveu, teve filhos, netos e chegou até aqui. O Bituca falando parece que brotou do nada, que não existiu ninguém para ele existir. Mas não é assim. Antes de nós, existiram muitos relacionamentos que possibilitaram nossa existência. Se cada um soubesse a história de seus antepassados seria interessante.

— Não quero nem pensar nisso, porque não tenho nem por onde começar uma pergunta — advertiu Bituca. — Do passado, ouvi falar que houve Adão e Eva. Depois disso não sei de mais nada. Não conheci avô nenhum nem pai. Nem para minha mãe posso perguntar.

Se eu quiser saber disso, vou é me sentir mais sozinho ainda. Agora só quero sair daqui, aproveitar o que estou aprendendo na produção de cogumelos e ver se dou um rumo na vida, com meu próprio cultivo. Quem sabe o acaso me faça encontrar algum dos irmãos ou até começar uma família que tenha continuidade.

— Faz bem. Tomara que consiga — incentivou Piolho. — Ou é vida nova, ou volta para o crime e vir pra cá, ou morte violenta nos tiroteios das quebradas, ou, pior, acabar no Polo Sul.

— Com certeza — manifestou Bituca, olhando fixo para o chão.

Tenório não achou interessante aquele papo, pagou sua cerveja e deu no pé. Piolho contou uma piada, fazendo a turma rir, continuou contando histórias e se animando mais com a chegada do Galego, que logo estava divertindo a turma com suas verdades misturadas com mentiras.

— A LUZ FAZ UM FURO NA ESCURIDÃO —

O tempo passava e Renascença recebia seus habitantes já no terceiro mês. Mais um dia amanheceu e a cidade acordou em silêncio, com o orvalho resplandecendo, luminoso, nos jardins floridos e as pessoas indo de bicicleta rumo ao trabalho ou caminhando para os locais de exercícios. Outros tantos dormiam até mais tarde.

Nos domingos de manhã, nas quatro torres, os sinos badalavam, chamando para orações ou simplesmente anunciando que era domingo. As praças de esportes se movimentavam com muitos jogos, e nos telões pela cidade eram exibidos shows com muitas músicas.

Aquela gente, apartada dos entes queridos, dos amigos, sem mulheres, longe das plenas liberdades, viviam ali domingos azuis, cercados pelo verde das matas, e se esbaldavam com piscinas e músicas, fazendo novas amizades nos mais diversos ambientes. Frequentavam igrejas, biblioteca, bares, restaurantes; conversavam, trocavam ideias; faziam churrascos; bebiam cerveja e cachaça; caminhavam e praticavam esportes; bicicletas circulavam pelas ruas. Tudo isso ia construindo um novo rumo, a possibilidade de uma nova vida para muitos. Os homens tinham consciência de que experimentam prazeres novos, diferentes.

Também havia encrencas, brigas e algumas mortes, mas em número bem pequeno, se se levar em conta o perfil dos habitantes e a grande concentração. O Conselho já mandara para o isolamento vários homens, quase todos por brigas. Dois deles, por assassinatos, estavam na eminência de ir para o Polo Sul, juntamente com outros dois que fizeram arruaças no mirante, inclusive no andar de meditação. Aguardavam o julgamento do Conselho de Convivência, que seria em breve.

Numa tarde, o voo diário não chegou, causando preocupação na diretoria ao escurecer. A viagem, que por alguns motivos teve um grande atraso, seguiu noite adentro. No avião, entre os presos, havia os que dormiam, mas a maioria estava muito ansiosa, cansado pela duração da viagem — angústia que aumentava com o passar das horas na escuridão do céu e com a ausência de luz abaixo.

Depois de muito tempo no breu e após chacoalhar em algumas tempestades, uma luz fez um furo na escuridão. Pelas janelinhas, os homens se alvoroçaram ao verem o clarão de Renascença. As luzes formavam um desenho vivo, atraente. Quando a aeronave parou na pista, a estátua das amazonas, com o jogo de luzes coloridas, encantou os olhares. Os homens atravessavam a ponte de vidro, o pavor tomou conta, pois os leões estavam particularmente alvoroçados. Após muitos gritos e xingamentos, entraram no grande salão para a recepção de praxe.

— O PRÍNCIPE —

Numa tarde abafada, o homem se sentou junto à janela da biblioteca, olhou o tempo lá fora: o forte calor prometia uma trovoada. Ele meditou um pouco e começou a escrever uma carta:

Querida,

Pensando em você, veio-me uma brisa de inspiração. Estou aqui nos confins do mundo e o som do trovão adverte para mais uma das muitas chuvas. É um som bom de ouvir, um barulho distante, forte, cadenciado, o qual sinto se aproximar. No jardim florido, vejo as folhas caídas das árvores que se mexem com o roçar do vento que vem chegando antes. Os trovões agora estão próximos. A escuridão se aproxima, o vento se torna mais forte. Olho pela janela e percebo o véu branco da chuva, que vai cobrindo o alto dos prédios. Vejo os pingos grandes se estatelarem lá fora e aumentarem rapidamente, logo metralhando furiosamente o pavimento quente, fazendo subir uma nuvem de vapor. O ambiente é invadido pelo cheiro morno da superfície molhada, o céu se desmancha em águas pesadas, uma chuva derramada demais. Quando vai passando a fúria do primeiro impacto, resta uma água que cai mansa, produzindo um som agradável. Música para meus ouvidos.

Nesse instante, Felício e Emílio entram na biblioteca. O segundo se dirige ao homem, dizendo:

— Fale aí, Príncipe, meu poeta, o que está imaginando olhando pra cima?

— Eu é que pergunto. O que fazer quando a alma tem sede de viver?

— Lá vem você com suas palavras doces.

— Estava aqui pensando em alguém e resolvi escrever. Há certos momentos em que meus pensamentos vão flutuando por sobre a muralha e não há cachorro, onça, jacaré ou homem armado que segure. Aí viajo longe, perdendo-me nessa imensa mata, mas chego a algum lugar cheio de gente, vejo-me caminhando entre as pessoas e sempre acabo num elegante restaurante com uma mulher. Fico assim viajando, que é a melhor maneira de passar o tempo, faz bem à alma. Mas às vezes me dá uma tristeza — continua o Príncipe — quando, no fim do dia, estou só no quarto e ouço trovões abafados, que parecem vir dos mistérios da mata. Há dias que eles roncam em todos os fins de tarde. Torço sempre para chover. Gosto de olhar a chuva e me transporto para minha meninice, quando ficava na janela olhando a água caindo do céu e, no finzinho da chuva, corria feliz com as outras crianças pela enxurrada cor de chocolate. Era longe, e eu não imaginava que aquela água do sertão estava indo para o mar. Hoje sei das grandes distâncias. Naquele tempo, não sabia que o mundo era tão grande e belo. Então, fui ver.

— Você fala bonito. Por que não se deu bem nos trampos da vida?

— No moinho da vida, comecei a me apoderar do alheio, foi um caminho sem volta. Aquilo tudo para mim era uma poesia: dinheiro, músicas, restaurantes, belas mulheres, carros, jogos. Você entende: o ladrão é um poeta que tem sua fantasia no roubo, o espírito de aventura, e quase sempre não cabe dentro das limitações que a vida lhe proporciona. Realizei o que deu. Um dia, o sonho acabou, mas foi lindo. Enfrento as consequências de cabeça erguida. Estamos presos, mas o vasto mundo continua belo e esperando nosso regresso.

— Meu poeta, tentei lembrar seu nome inteiro e não consegui. Como é mesmo?

— Meu nome é um poema: simplesmente Archibaldo Asdrúbal Coreolano Nascimento de Antúrios. Meu pai acertou em cheio. Depois me apelidaram Príncipe.

— Cara, com um nome desse, como veio parar aqui?

— Muita poesia no sangue. Só isso.

— Por que o apelido de Príncipe?

— Era considerado o príncipe na arte de falsificar quadros de pintores famosos.

Asdrúbal era um tipo sóbrio, às vezes não muito simpático, reservado, passava a impressão de vir de uma linhagem nobre, de sangue azul. De poucos amigos, tinha voz forte e ar insolente, mas quando lhe dá na veneta gosta de declamar poesias e explicar coisas do mundo para alguns, que entendem pouco ou nada. No aniversário dos mais chegados, costuma presentear com poemas. Quando toma umas, torna-se um bom sujeito para prosear.

— O MEL —

Assim que Emílio e Felício saíram da biblioteca, foram abordados por um homem.

— Seu Emílio, quero que o senhor pense numa coisa que estou pensando. Tenho um plano amadurecendo aqui na minha cabeça que é o seguinte: eu, antes de cair na esparrela do crime, cuidava de colmeias e tirava muito mel. Como aqui é um lugar que incentiva as pessoas, penso que posso ter as caixas e trazer muito mel para o comércio, ganhar um dinheirinho sem ocupar o lugar de outra pessoa, no mercado de trabalho, além de incentivar e ensinar outros a trabalhar nisso.

— Mas aqui na cidade não há como ter caixas de abelha — respondeu Emílio.

— Aí é que entra a força do sistema. As caixas vão ficar longe, lá na mata, onde estão flores e abelhas. É só confiar em mim e mais um que vai comigo. Quando a gente for sair para o trabalho, colocam as tornozeleiras em nós. Para produzir, é preciso concentração e serenidade, e acredito que a floresta seja o lugar apropriado para isso.

— Acho que sua ideia soma mesmo. Vou colocar sua proposta para a diretoria. Penso que pode dar certo e você pode adoçar a boca dessa gente. É uma boa ideia, prepare o projeto. Como é seu nome mesmo?

— Meu nome é João Medeiros ou João do Mel. Assim que me chamavam.

— Está bem, João. Faça a lista de tudo de que precisa e me entregue. Vou falar com o doutor Alberto.

— Seu Emílio, se for aprovado o plano, enquanto o senhor encomenda o material, precisamos das tornozeleiras e da autorização para a gente andar pela mata para começar a localizar os enxames das abelhas.

— Havendo acordo, vou providenciar isso. Fale comigo depois de amanhã.

Medeiros saiu feliz da vida e foi procurar o colega de quarto.

— Colibri, não precisa mais esperar o serviço na fábrica. Tenho uma boa notícia. Estou conseguindo liberação para nós dois trabalharmos na floresta. Produzir mel. O que acha?

— Está brincando! Trabalhar lá fora? Como conseguiu isso? E por que eu?

— Já trabalhei nisso, conheço as manhas e preciso de um parceiro. Estou convidando você. Aceita? É pegar ou largar pra outro.

— Claro que aceito — respondeu Colibri, apertando a mão de João Medeiros. — Vamos tomar uma que pago.

— Calma! Não comente com ninguém, porque ainda preciso do sinal verde do Emílio.

— Vamos tomar uma assim mesmo e você me fala desse tipo de trabalho. Cara, só de poder atravessar a muralha já é um ganho. Mas pera lá, e esse negócio de onças, bichos, não vai ter perigo?

— A gente vai se virar, não esquente.

— Se virar? Como é isso de se virar com onças? Tô fora, mano!

— Calma, confie em mim, vai ser bom e vai dar certo.

Já no bar, tomando a cerveja, Colibri depois de ficar pensativo admitiu:

— Cara, não entendo nada de abelha, nem de mato, menos ainda de onça. Na verdade, nem quero entender de onça.

— Mas você entende de correr, né? — falou sério, João Medeiros.

Colibri abriu a boca e não saiu palavra. Ficou ali de olho arregalado, mudo.

— Estou brincando. Não tem que correr, não. Você será meu ajudante. Vou ensinar tudo de apiários e lhe instruir sobre a floresta. Você só precisa ter vontade e coragem.

— Coragem? Pra quê? Lutar com onça? Tô longe!

— Calma! Coragem para sair e ir atrás das abelhas.

— Abelha é pequenininha, mas ferroa doído. Já escutei falar que, quando atacam uma pessoa, até matam.

— É verdade, mas são casos isolados de pessoas desprevenidas, o que pode acontecer até aqui na cidade. Trabalhando no ramo não há perigo, pois vamos estar com a roupa adequada.

— Mas tem os perigos da floresta, como queixada, sucuri, índio e sei lá mais o quê.

— Na floresta, é um alerta constante. Fora esses bichos que você falou, existem muitos outros perigos, como lagartas de fogo, aranhas venenosas e tempestades com ventos violentos que derrubam galhos e árvores num ruído assustador. Mas tudo faz parte do viver. De raio você pode morrer até aqui na cidade.

— Muito animador esse papo. E quando vamos começar? — perguntou Colibri, virando com gosto o copo com o líquido gelado e estendendo a mão para João.

— Na vida, é preciso ter sempre muita paciência — falou Medeiros, retribuindo o aperto de mão.

Três dias depois, João falava para Colibri que o pedido fora aprovado:

— O Emílio questionou sobre os investimentos em centrífuga e local adequado para apurar o mel, e eu disse que, por enquanto, vamos trabalhar de forma artesanal e que mais tarde trataremos disso. Essa semana, eles vão formalizar os documentos, seus e meus, e assim que liberarem as tornozeleiras poderemos começar. Acho que não demora muito. Primeiro, vamos sondar a mata, reconhecer os arredores, ver o potencial de plantas produtoras de mel, marcar os locais dos enxames... Enfim, vamos conhecer o ambiente.

— Aqui entre nós: você está com algum plano escondido? — indagou Colibri, baixando a voz.

— Não, não estou. Mas já falamos que há palavras que não se mencionam perto de paredes nem brincando. As ideias da gente, é preciso fervê-las em fogo brando, esperar, esperar. É só que a aranha tece sua rede.

— Tá certo, não falo mais nada.

— Eu me refugio nos meus sonhos e espero o tempo. Vamos ter dias inteiros para sonhar em voz alta, lá no meio da mata, depois a gente volta pra casa e fica quieto. Deixe lhe dar uma dica: para ir pro mato é bom roupa branca, pois atrai menos mosquitos.

— Cara, não vejo a hora de passar aquela muralha e entrar nessa matona aí de fora. Quem sabe encontrar uma índia com os cabelos negros caídos nos ombros.

— Agora você viajou hein? — debochou Medeiros.

— Fiquei animado, cara. Lembrei uma música antiga — concluiu Colibri, soltando um risinho estridente.

—— A CHEGADA DO REALEJO ——

Renascença entrava no quarto mês e o assunto era a ida para o Polo Sul dos quatro homens julgados pelo Conselho de Convivência. Os dois arruaceiros do mirante pegaram uma pena de dois anos e retornarão, ao passo que os dois assassinos ficarão lá cinco anos e voltarão, mas suas penas foram acrescidas em dois anos e se assassinarem de novo voltarão para o Polo Sul, onde ficarão o dobro do tempo: dez anos.

O embarque aconteceu no início do mês. As forças externas entraram com os blindados e buscaram os condenados no fundão. Os homens reagiram em vão. Foram levados, e houve um mínimo de reação por parte dos moradores. Muitos gostaram. Quando o avião subiu, havia uma tristeza espalhada não pelos que foram, mas pela insegurança dos que ficaram. A travessia para o Polo Sul era algo assustador.

Após um mês do pedido, Amarildo recebeu a notícia que o realejo havia chegado. O papagaio ele já tinha e estava treinado para tirar os papelotes da caixa. Era só pegar o aparelho, ambientar o Loro e sair com a música pela cidade. Ele não via a hora de estar pelas calçadas, praças, bares e restaurantes. É lógico que sabia não poder ficar muito tempo no mesmo lugar, pois quando a música começasse a chatear passava a correr riscos: ele, o realejo e o papagaio. E os escritos da sorte nos papeizinhos coloridos tinham que ser sempre positivos. Teria que tocar a vida entre a alegria e o risco. Mas ele gostava daquilo, era um pedaço de sua vida que voltava. Doces emoções.

Na mesma tarde, no centro da praça, lá estava Amarildo, com sua maquininha de receber pelo cartão, vendendo a Raspadinha Nacional e anunciando que às quatro horas da tarde os quatro primeiros fregueses do realejo não precisariam pagar para o papagaio trabalhar. Bom de marketing, o Amarildo.

—— A PRAÇA DAS RELIGIÕES ——

Era noite em Renascença e, no templo evangélico, um homem pregava:

— Vamos nos organizar para nossas vidas serem mais suportáveis. Quero me apresentar, sou o pastor Aldir — e fez uma longa pregação encerrando: —A escuridão que tomou conta de sua alma está no fim. É tempo de chegar à chama que encherá de luz seu coração, seu ser, seu caminho e sua vida eterna. A escuridão está ficando para trás. Seu caminho será de luz. O conforto da paz está chegando, você tem que acreditar nisso. As orações são o caminho para o encontro com Deus, o verdadeiro sentido da vida.

O pastor continuou a pregar a palavra de Deus. Como norma, devia passar uma orientação ao encerrar, estimulando o lado da convivência pacífica entre todos, a solidariedade nos apartamentos, pedir que todos cuidassem da limpeza e do acondicionamento adequado do lixo, além de zelar pela cidade.

Em outro espaço, um grupo de mulçumanos fazia suas orações na bonita mesquita.

O espaço do ateísmo era pouco frequentado, mas de vez em quando algumas pessoas trocavam ideias e limpavam o ambiente.

Nos outros templos, sempre havia alguém chegando, olhando e trocando ideias.

Na Igreja Católica, o homem falava para um pequeno grupo:

— Amigos, boa noite a todos. Meu nome é Alfredo, sou padre, ou melhor, sou padre afastado da Igreja lá de fora. Mas todos os ensinamentos da Igreja Católica trago dentro de mim. Os motivos que me trouxeram até aqui não interessam, assim como não interessam os de vocês. A verdade do momento é que estamos aqui e podemos nos ajudar a passar o tempo nos confortando. Como sou padre, coloco-me à disposição para ajudar os que precisarem de uma orientação, uma palavra de conforto, um momento de desabafo. Estarei aqui da mesma forma que lá fora, onde uma confissão é um segredo de pedra. Se houver outro padre aí que queira participar ativamente, vamos juntos, até chegar um bispo e designar um titular.

"O religioso é o profissional do conforto. Tenho orgulho disso. Este espaço é ótimo. Sei que poderemos, eu com a ajuda de vocês, nos confortar juntos. Este grupo crescerá. Quero ouvir os que quiserem falar, aqui com todos ou em particular na sala reservada, para conversas mais demoradas. Quero que entendam que, comigo, não é uma confissão, e sim um desabafo, uma faxina na alma. Limpeza sempre é bom."

Após algumas pessoas trocarem ideias sobre as boas instalações e como poderiam fazer os cultos orientados por Alfredo, Reinaldo se aproximou. Homem branco, forte, tinha sobrancelhas de taturana que lhe davam uma feição inquietante, piorada pela enorme cicatriz no meio do rosto. Ele pediu uma palavra a sós com o sacerdote.

— Sabe, padre, tenho tido noites maldormidas, fico pensando no que fiz e nos detalhes que hoje me machucam. Remoo o passado, lembro minhas ações e as de meus amigos. Eu gostava de sair para caçar à noite e a cortina da morte sempre acompanhava meus assaltos. Era firmeza. Meus olhos ficavam brilhando sob o manto das trevas. Aí eu gostava de agir. Se o otário pensasse em reagir, eu já matava logo. Morria bem mortinho ali mesmo.

"Eram as pessoas tocando a vida, e quando estavam numa felicidade distraída, a gente atacava, causando o terror naquele momento, pura azaração, tirando suas coisas e sua paz. Tá sacando? Igualando elas com a gente no sofrer. Naquele momento da ação, na hora do ataque, é aquele nervoso, tensão a mil. Sentia meu corpo quente e começava a me descontrolar. Os olhos ligeiros, as mãos tremendo, o corpo chacoalhando inteiro. Uma coisa sem explicação. Às vezes, fixava meu olhar nos olhos da vítima e me via como num espelho. E de repente atirava. Agora, nas noites de insônia, aquele espelho me persegue. O maligno às vezes conduz minha vida, meus passos, minha mãos, aí faço coisas que depois renego, mas depois faço tudo outra vez. O que é isso senão o maligno, o malvado, o maldito? É o mal que está dentro da gente. Fiz muito isso. O senhor acha que tenho o Diabo dentro de mim? Acha que vou para o inferno quando morrer? Tenho salvação, ou estou amadurecendo a alma no caminho do inferno?"

— Reinaldo, meu filho, você já está no inferno.

— Epa! Espere aí, mas você também está!

— Não, o inferno não é esta prisão. Aqui é a libertação, a travessia para o céu, a chance do renascimento. O inferno está dentro de você porque em seus pensamentos estão os sofrimentos que gerou nas pessoas. Você acendeu as fornalhas das escuras profundezas. Mas o arrependimento ajuda e leva o cara a sofrer nas barras do inferno, com fogo lento, que vai se apagando aos poucos. Você se arrependendo do mal que causou e controlando o lado ruim que o dominou estará ganhando as graças de Deus. Este é o caminho. Deixe eu lhe perguntar: você pretende trabalhar aqui na cidade?

— Eu não tinha pensado nisso. Já que tenho um salário, queria ficar só de boa. O senhor acha que será necessário?

— Mas claro que sim! Além de ganhar pontos importantes para abreviar seu tempo aqui, receberá um dinheiro a mais e ocupará sua mente. Recomendo ainda que participe de tudo que lhe agradar, pois aqui há muitas possibilidades, além de estudar.

— Esta é a penitência que o senhor me dá: trabalhar e estudar?

— É isso mesmo. Não adianta mandar você só rezar tantas e tantas ave-marias, é preciso algo mais. Para mim, seria bom se você me pagasse umas indulgências e eu rezasse por sua alma. Mas esse tempo passou, venceu. Hoje, se você mesmo não rezar e trabalhar, não terá a salvação eterna, que é agora.

— É, vou pensar nisso. Mas, espere, não entendi isso de salvação eterna que é agora.

— É uma filosofia que significa que você tem que trabalhar, rezar, fazer esportes e ler muitos livros bons. Sábios antigos já diziam: "Viver de acordo com a razão significa desviar-se das paixões, que são as perturbações da razão." Ocupe seu tempo. Procure dormir o menos possível e participe de muitas atividades. Quando não tiver nada para fazer, vá à biblioteca e pegue um livro. Ocupar-se muito e comer pouco: esse é o caminho do céu. Segure na mão de Deus e vá.

— Trabalhar muito e comer pouco, não sei disso, não. Mas não entendi isso de segurar na mão de Deus.

— Deus é o bem, é o que de melhor você pode fazer no caminho em busca da perfeição.

— Quer dizer que quando não se está indo no melhor caminho é o inferno?

— Não é propriamente o inferno, mas por aí se chega lá, como você o trouxe para dentro de sua cabeça.

— Credo em cruz! Mas, se esse inferno está dentro de minha cabeça, já estou fodido.

— Não, homem, você está no caminho para limpar isso. É só você rezar, trabalhar, participar das atividades que lhe interessar, fazer esportes ou caminhadas e exercícios, não beber, comer pouco, dormir o suficiente, e o inferno sairá de sua cabeça.

— Mas não pode nem tomar uma de vez em quando?

— Claro que pode, socialmente. Veja que um vinhozinho nem os padres dispensam.

— Boa dica, padre. Entendi. Vou lhe trazer uma garrafa.

— Você começou a trilhar o caminho do céu bem rapidinho — riu o padre.

— A PREGAÇÃO NUM TEMPLO —

Era sexta-feira à noite, a igreja estava quase lotada e o pregador fazia sua oratória:

— Meus irmãos, encontrei em Deus o caminho certo. Confesso a vocês que já fui político, cometi muitos erros de conduta, falhas horríveis com o dinheiro público, traí meus eleitores e tantas outras coisas. Mas aqui, na punição merecida, uma luz me iluminou, uma luz do caminho correto para a vida de paz. O caminho do Senhor.

Assim que fez uma pausa, um homem num banco do meio falou alto:

— Mas estava bom, né, pastor?

— Meu filho, eu vivia no escuro, não enxergava.

— Crendiospai, se enxergasse, então...

Uns risos contidos se ouviram, outros nem tanto. Mas o pregador não perdeu o prumo e continuou:

— É necessário ter religião, pois a alma do homem precisa de conforto, e só a religião pode dar alento às pessoas. Vejam nosso país, onde o povo estava vivendo na maior pobreza, tendo filhos em pencas. Jovens engravidando precocemente, sem orientação e sem recursos, o descontrole das bebidas e das drogas, a prostituição, mais filhos, mais roubos e mais crimes. Como dar orientação a essa balbúrdia? Só mesmo muita educação, religião e o apoio de todos, pois apenas o Estado não consegue dar a assistência necessária.

— O senhor me permite um aparte? — perguntou, levantando-se, um homem forte e com cara de poucos amigos, olhando firme o pregador. A cicatriz da testa até o pescoço o deixava com uma fisionomia cruel. Seu nome é Azambuja, e apelidado Pagão.

— Não é a religião que prega que os filhos vêm por uma vontade de Deus? E as igrejas são contra o planejamento familiar, contra a pílula e contra a camisinha? Aí tem esse monte de filhos e quer que o Estado tome conta?

O sorriso do pregador desapareceu. Ele olhou bem para o homem, sentiu um olhar de contrariedade, cheio de maldade, e falou:

— Meu filho, seu discurso está atrasado. Já está acontecendo o planejamento familiar, a educação nas escolas foi bastante terceirizada, as famílias estão mais preocupadas em acompanhar as atividades dos filhos e a gravidez precoce diminuiu muito, pois a juventude ficou mais esperta com relação a isso. O sexo é bom, mas tem que saber como fazer para não trazer problemas. E para isso é preciso um esforço de todos na educação, orientação, e não deixar esse trabalho só para o Estado. Todos têm que fazer sua parte. O senhor tem que entender que nesse plano que vivemos o Estado organiza a sociedade para as coisas materiais e a religião procura abrandar o sofrimento, portanto a palavra divina tem que ser respeitada. A religião é necessária para o ser humano alcançar a glória eterna.

— Não discordo que tenha que ter a religião, sei que ela ajuda as pessoas e alivia seus sofrimentos. Mas há o plano terrestre, que é real, duro, e a luta pela vida é que faz acontecer muita confusão, que acaba estragando tudo.

— O povo de Deus se espalhou pela Terra e nela tem que viver e conviver — continuou o pregador. — Aqueles que se organizam melhor seguem um caminho mais tranquilo, e os que têm a infelicidade de encontrar maiores empecilhos nessa caminhada sofrerão e terão que superar para encontrar a paz que todos merecem.

— Mas pergunto ao senhor: o céu e o inferno existem mesmo ou é invencionice, conversa para engambelar o povo? — quis saber Pagão, com os olhos enfiados no pregador, que estava incomodado.

O pregador coçou a cabeça e encarou o povo da igreja, que olhava para o Pagão e para ele, então falou:

— É claro que existem os dois lados, que são o bem e o mal, assim falou Zaratustra. E por hoje é só.

Estava suado e saiu rapidinho para o fundo do templo.

— OS SINOS NAS MANHÃS DE DOMINGO —

Renascença acordou lentamente, era dia de preguiça, um domingo lindo e luminoso que convidava a sair de casa. Nas ruas, homens pedalavam bicicletas rumo ao centro; outros iam em sentido contrário, à praça Manaus; outros, para o mirante. Havia os que iam a bares distantes, mas a maioria seguia para as praças de esportes, campos de futebol, ginásios e piscinas.

Gaúcho Leocádio seguia feliz pela rua Maçaranduba, protegido pela sombra da marquise. Caminhava para a praça Manaus tendo na mão esquerda a garrafa térmica com água quente e, na direita, a cuia de chimarrão, que de vez em quando levava a bomba à boca e dava um chupada. No sentido contrário vinha Alcebíades, dando risada. Gaúcho lhe perguntou:

— Ei, guri, viste passarinho verde? De que está rindo?

— Se fosse depender de passarinho colorido não pararia de rir. Estou rindo porque contei uma piada para mim mesmo.

— Barbaridade, tchê! Que coisa mais esquisita!

Seguiu a andar. Na esquina, parou para cumprimentar Felício. Ao mesmo tempo chegava Estrimilique, que perguntou por Emílio. Após a explicação, cada um seguiu seu rumo. Gaúcho cumprimentou dois homens que caminhavam pela sombra da marquise e Vitalino falou para Maurício:

— Doutor, o alvorecer dos domingos é bonito em Renascença, com o repicar dos sinos. Tem uma sensação diferente, estranha mesmo, e deixa as pessoas se sentindo perto de algo que não é concreto, mas é forte, uma energia boa. Esses sons me transportam para a infância. Chega pra mim uma saudade quase triste daqueles tempos bonitos, cheios de alegrias e esperanças, aquelas manhãs juninas de frio e sol fraco, o povo chegando à missa, com as mulheres bem arrumadas e os homens com a roupa de ver Deus, quando o padre distribuía presentes para as crianças.

— Em qual cidade você morava? — perguntou Maurício.

— Eu vivia num bairro rural, como a maior parte de nosso povo no passado mais distante. O domingo amanhecia calmo, silencioso, e pelas sete horas o aprendiz de sacristão dava as primeiras badaladas. Eram longas, quase melodiosas, e sinalizavam que era domingo. Traziam uma esperança bonita, uma vontade de ir para a rua encontrar as outras crianças e brincar. O aprendiz de sacristão, que chamavam de padreco, era vidrado nas coisas da Igreja e era bom no que fazia com o sino. Aprendeu bem e gostava como ninguém de badalar, chamando o povo nos dias de orações ou todas as tardes, às seis horas anunciando a ave-maria. O padreco era Antônio Torquato, que trabalhava no armazém ao lado da igreja, só para ficar por perto e estar sempre atendendo aos que acorriam por algum conforto naquela porta sempre aberta. Aquele tocar de sino marcou minha infância, e, por onde vou e ouço um sino, me transporto para aquele tempo. Só não imaginava que um dia, já no fim da vida, estaria aqui preso tão perto de um sino. A vida é mesmo cheia de muitos mistérios. Hoje acordo com o badalar ali ao lado, e o som me parece vindo de longe. Às vezes, sinto que ele me acompanhou toda a vida, então não escapo de repassar meus erros, meus desencontros, meus desenganos, meus dias perdidos, minhas esperanças escapadas pelos vãos dos dedos.

— Não fale em fim da vida, Vitalino. Você tem muita lenha para queimar.

— Que esperança, doutor! E esperança para quê? Não force! Tudo tem seu tempo.

— Não tive este tipo de experiência, mas acho bonito o repicar dos sinos no entardecer dos dias de semana e nos domingos de manhã — alertou Maurício. — São quatro torres com sinos distribuídos em igual distância pela cidade. Deve ser interessante ouvir esses sons a certa distância da cidade, lá no meio da floresta.

— Verdade, mas é uma experiência que não vamos ter.

— Isso é o que dói na prisão: as coisas tão perto e tão longe — lamentou Maurício. — Pequenas vontades impossíveis. Mas estou sabendo de dois caras que vão poder ouvir os sinos lá de fora. Parece que conseguiram autorização para tirar mel, vão trabalhar nisso.

— Está vendo? O que parece impossível, de repente não é.

— É, mas escutar sino com a onça correndo atrás não deve ser nem um pouco agradável. Melhor escutar daqui mesmo.

— Também acho.

— Isso me fez lembrar de um cara lá no bar Castanheiras falando sobre os sinos daqui, que ele comparou com o que conheceu no estrangeiro, numa região de montanhas, parece que na Suíça — prosseguiu Maurício. — Disse que era um vale com alguns quilômetros de largura. Nos dois lados, nas montanhas, as igrejas espalhadas pelas cidadezinhas badalavam os sinos nos domingos de manhã. Era um som lindo, continuado que parecia uma onda distante e um eco pelas montanhas brancas de neve. O dia ficava parecendo domingo mesmo. Ele também gosta de ouvir os sinos daqui; disse que traz boas lembranças e o dia fica parecendo domingo mesmo, uma sensação boa.

Assim conversando, chegaram à praça Manaus, que estava movimentada e onde Amarildo vendia raspadinha, manivelava o realejo, falava com o papagaio e soltava seu verbo de camelô para o povo, falando alto e rápido:

— Meu amigo, para uma vida sem sal, tenho os temperos certos. Como transcorre o viver? É na independência, na dependência, nas felicidades, nos sofrimentos, nas alegrias, nas tristezas, nas doenças, nas vitórias, nas derrotas, nas glórias, nos fracassos, nos amigos, na família.

Correndo o olhar ligeiro no público, continuava, cada vez mais rápido e com maior clareza:

— Na solidão, na incompreensão, nas facilidades, nas dificuldades, na sorte, no azar, no destino, nas sensações, nas quietudes, nos projetos, nos planos, nas metas, no sucesso, nas vontades, no tédio, nas frustrações, nas mágoas, na angústia, na ansiedade, na consciência, na apatia, na ternura, na explosão, na paciência, nas vontades, nas mentiras. A felicidade vem em gotas, parece que testando quem sabe usufruí-la. É preciso saber aproveitar a sutileza de um perfume, um sabor, um sorriso, o ritmo da chuva, o som que encanta, as cores de um pássaro, a leveza de um voo, o roçar da brisa, o vermelho da rosa, o amor.

O homem era um craque na arte de falar; as pessoas se encantavam com aquela prosa que jorrava como uma fonte musicada. Era uma fala apimentada. Com fogo na ponta da língua, Amarildo continuava, agora no cerne do que importava:

— Pegue aqui seu papelzinho colorido. O papagaio vai mostrar o que vai ser bom para você, vai mostrar o caminho da felicidade, vai apontar o lugar certo para atravessar aquela muralha.

E, sem parar de rodar a manivela, a música jorrava caindo vez em quando uns trocados. Ele dava uma pequena pausa e vendia raspadinha.

—— IGREJA DA LIBERTAÇÃO ——

No bar Fornalha, alguns amigos tomavam cerveja e jogavam conversa fora.

— Cara, acordei hoje com os sinos repicando — afirmou Sabão.
— Achei bonito, tem uns mais pertos e outros mais distantes.

— Eles fazem parecer que é domingo — concordou Moacir.

— Nos dias de domingo, eles badalam no alvorecer e no anoitecer, são momentos de religiosidade. Mas, na real, acho que é igreja demais — desabafou Augusto. — Dá até para fazer turismo religioso.

— Nem me fale! — disse Moacir. — Já tinha bastante e apareceu mais uma. Quem comanda é aquele cara brancão, que parece meio lerdo. Mas só parece. Vem com uma prosa na suavidade da seda, e, falando de forma adocicada, fundou a Igreja da Libertação.

— Opa, tô nessa! — disse Sabão.

— Essa é boa! É exatamente que precisamos: libertação — riu o Furão, sendo acompanhado por todos.

— Fui lá e achei interessante — admitiu Augusto. — Fala-se da libertação das pessoas com relação a padres, pastores e outros tipos de dirigentes. Pregam que nós, no silêncio do templo ou de nossa casa, numa praça ou em qualquer lugar tranquilo, devemos meditar sobre nosso papel neste mundo; que somos mais um entre os homens criados e entre tantos outros animais e plantas. Tendo sido criado, vem e se vão. Explicam como apareceu a vida na Terra. Lá nas palavras deles não existe essa história de que o mundo foi feito em sete dias e de que na verdade tudo apareceu devagar, ao longo de bilhões de anos.

— Então, é uma igreja que não acredita em Deus? — atalhou o Moacir — Desconjuro! Estou fora.

— Calma! Não é assim. Eles dizem que Deus existe, mas é de outra forma. Tudo em cima da Terra é força da natureza, o que é bom dá certo e tantas coisas que só indo lá para entender.

— Quer dizer, então — perguntou Furão — que nós, presos, estamos aqui fora do rumo, não somos obra de Deus?

— Não é isso. Fazemos parte do desenvolvimento da Terra com sua vida de plantas e animais. O que nos diferencia é que o ser humano foi desenvolvendo a inteligência, foi se transformando, fugindo do natural e, pior, transformando a natureza.

— Também acho — falou Sabão. — O homem foi transformando a natureza para viver melhor, só que fez coisas boas e muita merda.

— É, com tanta gente no mundo, não tinha como não estragar o jardim do paraíso — decretou Moacir. — Mas conte aí, Augusto, o que mais os caras falam lá no templo deles.

— Eles dizem que a deusa natureza é perfeita, que tudo funciona em equilíbrio, mas que as ações do homem vêm desequilibrando: desmatamentos, cidades, estradas, represas, petróleo, urânio, guerras, poluição e outras coisas. O homem desequilibra, altera a perfeição e a deusa natureza.

— Então está invertendo tudo? — perguntou Moacir. — Em vez de Deus dominar o homem, este é que O está dominando? E onde isso vai parar?

— E quando começou isso? — completou Sabão.

— Começou quando, lá no paraíso, foi ordenado que Adão não comesse a maçã e ele não obedeceu. Quer dizer, ele obedeceu, mas Eva, toda revoltosa, começou o movimento feminista, não deu bola e comeu.

— Ela estava com fome e ficou com a culpa, mas acho que fez certo — defendeu Furão.

— Parem com isso, vocês dois — clamou Augusto. — Já falei que nada disso foi feito em sete dias, mas em milhões de anos.

— Mas acredito que foi Deus quem criou o homem, do jeito que aprendi.

— Tudo bem, Moacir, então fique lá na sua igreja — aconselhou, ríspido, Augusto.

— Onde isso vai parar, se o homem não cuidar com responsabilidade da natureza? — inquiriu Furão.

— Não sei detalhar. É melhor você ir ao templo deles.

— Rapaz, sabe que essa igreja é interessante — falou o Sabão. — Não há padre, pastor, dízimo?

— Não, por enquanto não — respondeu Augusto. — São pregadores diferentes dos que a gente está acostumado a ver. Eles pedem que as pessoas falem sobre o que pensam, reflitam sobre si mesmos e sobre a natureza. Não existe gritaria, e sim contemplação, reflexão, textos e pensamentos de diversas religiões, principalmente das orientais. Mas se aproveitam do que há de positivo em reflexão nas diversas religiões do mundo. Para eles, a felicidade pode estar num momento de paz. Simples assim.

— Às vezes, fico pensando: por que o deus do Extremo Oriente levou o povo a uma atitude calma e o deus do Oriente Médio, a uma belicosa, uma confusão que não acaba nunca? — questionou Moacir.

— Acho que você encontra respostas estudando história — opinou Augusto. — Sei que padres, pastores, rabinos, imãs e outros dirigentes são importantes, pois ouvem os carentes, orientam, dão conforto, mas há também os charlatães. O que essa igreja prega é que, entre o dirigente enganador e o explorador, é melhor orar sozinho, conversar direto com Deus e buscar a perfeição nas ações. Eles defendem que o caminho mais curto para falar com Deus é a educação, porque com mais conhecimento fica fácil escapar dos embusteiros, e Deus gosta de pessoas educadas.

— Então, Deus gosta mais dos ricos? — perguntou Sabão.

— Ô, ignorante, não é isso — falou Furão. — Para ser educado de berço não precisa ser rico. Às vezes, é o contrário.

— Como se chama mesmo a igreja? — quis saber Sabão.

— Igreja da Libertação.

Dois dias depois, Sabão, Furão e Augusto estavam chegando ao templo e se sentavam no último banco. Várias pessoas já aguardavam. Passado algum tempo, uns vinte homens estavam acomodados, e por uma porta no fundo do salão entrou um homem alto, de cabelos no ombro e cara comprida, com um sorriso levemente calmo. Era Flávio, que, cumprimentando a todos, foi dizendo:

— Amigos, aqui, no Templo da Libertação, vocês é que sabem o rumo que querem. Se quiserem, podem ficar num canto, em silêncio, e conversar com seus familiares, com seu passado, com Deus. Mas podem também conversar com todos nós aqui presentes, que, como vocês, estão juntos neste momento. Vocês podem pedir a palavra que todos vamos ouvi-los e ninguém vai recriminar ou condenar o que disserem. Aqui se abre o coração, falam-se das angústias, das dores, enfim, desabafa-se e limpa-se a alma, pois a limpeza da alma é a alegria da vida. A limpeza da mente liberta das angústias vindas do passado.

"O budismo é uma doutrina que vem do Oriente. Para os budistas, o sofrimento existe dentro de nós, e nós é que devemos saber lidar com ele, diminuindo sua força. A felicidade também está dentro da gente. Tudo está em nossa cabeça, e nós é que temos que saber administrar como viver melhor. Antes de Buda, Zaratustra também pregava sobre a luta entre o bem e o mal que envolve a vida de todos nós."

Os três trocaram leves sorrisos. Gostaram.

— O PAGANISMO —

Esmerando, de apelido Estrimilique, era uma cara magro, agitado, de olhos esbugalhados e com um tique nervoso de esticar o pescoço elevando o queixo para a frente. Não trabalhava nem fazia esportes, portanto não contava ponto nenhum. Por isso, puseram em sua cabeça que deveria fundar uma igreja, pois juntaria muitos pontos. Depois de não raciocinar nada decidiu ter uma igreja e andava procurando o encarregado geral. Encontrou-o caminhando por uma rua e foi falando:

— Emílio, tem vários templos por aí e quero saber como faço para ocupar um para minha igreja.

— Você deve ir ao Departamento de Eventos, conhecer as regras e apresentar sua proposta.

— Tudo bem, mas veja o que você acha. Quero criar um culto pagão, daqueles do mundo antigo, tô com o saco cheio desses espaços religiosos atuais, e sei de muita gente que pensa a mesma coisa. O povo quer mudanças, precisamos inovar para trás.

— Inovar para trás? Não entendi.

— É o seguinte: para muitos homens, aqui, na nossa situação, todas essas religiões que estão aí não interessam, pois foi com elas atuando que caímos aqui. Então, temos que evoluir em busca de um templo que poderia ser bom para nós que pensamos assim. É pra inverter, tirar nós daqui.

— E que é que vocês pensam?

— A busca do real sentido da vida. Queremos cultuar aqueles deuses antigos, a começar de um mais chegado nosso aqui, que é Tupã, e os estrangeiros como Dionísio, Zeus e sua turma do Olimpo. Também os deuses egípcios, como Ísis e Osíris.

"Negócio é o seguinte, vai ter um mostruário de deuses. O camarada chega lá e, se não tem nenhum que agrade, acha um no céu lá dele, conversa e traz pra cadastrar. O cara, para ir lá, não pode ser batizado, tem que ser puro. É assim que vai ser: um templo democrático. Cada um escolhe seu deus e se vira com ele, resolve lá suas pendengas e boa."

— E se o cara já tiver sido batizado antes? — perguntou Emílio.

— Desbatiza, purifica legal.

— E vai passar o picuá? — indagou Felício, que estava com Emílio.

— Ih, cara, picuá já era, a gente deve passar a maquininha. Se a coleta é universal, no nosso templo não poderá faltar, do contrário os deuses ficarão zangados. E olha que serão muitos! Já pensou os deuses fazendo protestos e fechando os caminhos do céu queimando pneus? Pense na multidão de almas sem poder chegar ao paraíso ou sei lá onde.

— Mas não sei se dará certo inovar para trás — falou Emílio.

— Tem gente que inova para trás na política. Vamos fazer isso na religião. Participe com a gente.

— É isso aí — continuou Emílio. — Vá para trás e faça o que lhe falei: procure o departamento.

— Obrigado, irmão. Nosso povo vai orar por vocês.

— Vá com os deuses — desejou Emílio.

Para si mesmo, pensou: "Haja céu pra tantos deuses!"

Estremilique gritou de longe, esticando o pescoço:

— Quando vier, não esqueça o cartão. Celular também pode.

— Nessa agitação toda, é uma pessoa a ponto de perder o juízo completamente — afirmou Emílio.

— Conversinha de louco. Você ainda o mandou ir para trás. O cara está mais para psiquiatria do que para igreja — opinou Felício, abanando a cabeça.

— O TATU —

O dia amanhecia. João Medeiros e Colibri, após uma noite agitada e maldormida, levantaram ansiosos, pois chegara o momento de ir para a mata. Fizeram uma boa refeição e prepararam o lanche para a jornada. Às sete horas, foram colocadas as tornozeleiras. Caminharam até a saída e, após o portão, passaram sobre os fossos. Sentiram um pequeno tremor ao atravessarem a ponte de vidro. Olhando para baixo, viram os leões, que estavam calmos. Caminhavam em silêncio. Guardas os acompanharam até o portão da cerca de segurança externa, por onde saíram com retorno previsto para as cinco da tarde. Os dois atravessaram a estrada que circunda Renascença. João Medeiros parou e olhou para trás, observando a posição do sol subindo por sobre a cidade, no lado oposto de onde estavam. Andaram alguns passos com os raios nas costas e entraram na mata. Após uns minutos, pararam, cumprimentaram-se e abraçaram-se felizes, sentindo o aroma gostoso da floresta na inesquecível manhã. Colibri falou:

— Cara, conseguimos ficar fora do muro. Isso merece uma comemoração. É meio cedo, mas não podemos deixar passar.

Descendo a mochila, tirou duas latas de cerveja.

— Viva esta liberdade! Viva! — clamou Medeiros. — Ela será maior.

Os dois bateram as latinhas e sorriram, radiantes.

— E agora? — perguntou João, tirando o boné e esfregando dois dedos da mão esquerda na testa. — Colibri, é preciso pensar, pôr a cabeça para conhecer o que vamos ver e saber voltar. Com o facão, vamos limpando as ramagens que marcam nosso caminhar. De vez em quando, a gente deixa um sinal numa árvore, que é nossa garantia para a volta. Hoje, vamos andar pouco, sem nos afastar demasiado, para ir entendendo, pegando o jeito. Cara, se andar livre pela cidade já estava bom, agora, então, aqui pelo lado de fora... Que beleza!

— Olhe isso. Que maravilha! Árvores de todas as alturas.

— Nesse aperto, elas todas buscam, numa constante luta, a luz do sol. Como todo ser vivo, buscam um espaço, por isso crescem tanto.

Andaram um tempo em silêncio, ouvindo só o ruído de seus passos e do facão limpando para o caminhar.

— Sinta, Colibri, os cheiros da natureza aqui dentro da mata, o perfume de flores, resinas, frutas silvestres, orquídeas, folhas velhas e terra molhada — sugeriu João. — Tudo isso, junto e misturado, dá esse cheiro gostoso da natureza selvagem.

— Mas estamos correndo mais risco aqui do que lá dentro.

— O risco faz parte da vida. Nasceu, o transcorrer é sempre arriscado. Aqui estou tranquilo, sinto-me em casa. Andei muito no mato, tenho as manhas. É só ter muita atenção em todos os lados, no chão e no ar.

— Mas podiam deixar a gente andar com uma arma. Aqui existe onça.

— Ah, mas se matar uma onça você vai preso.

— De novo?

A manhã estava fresca junto ao chão da floresta, mas lá no alto das árvores o sol já mostrava que o dia seria de poucas nuvens, o que facilitava o exercício de se orientar. O calor, no entanto, seria forte.

Andavam sem muita dificuldade, e João falava ao companheiro sobre a vegetação da Amazônia, como castanheiras, jatobás, seringueiras, sucupiras, muitas palmeiras, pau-d'arcos, maçarandubas, mogno, preciosas, cipós de diversos tipos. De vez em quando, era preciso dar grandes voltas em razão das árvores tombadas pelos vendavais, que criavam moitas perigosas.

— Medeiros, você está me falando dessas árvores. Conhece mesmo ou está chutando?

— Conheço bem. Fui criado na Amazônia. Meu pai foi mateiro e trabalhou em derrubadas, meu avô labutou como seringueiro, meu bisavô foi soldado da borracha nos tempos difíceis daquela escravidão disfarçada. Estou lhe contando isso porque agora somos como sócios nesta empreitada. Mas o que falamos aqui, aqui fica. Está me entendendo? Não quero que outros saibam que conheço matas.

— Claro — concordou Colibri, pensando no que ouvira e achando que o companheiro estivesse escondendo coisas.

Começou, então, a fazer uma pergunta, mas logo parou, e João perguntou o que ele falaria.

— Nada. Só um fragmento de pensamento circulou em meu cérebro, mas já passou. Bobeira minha.

Numa pequena depressão, sentiram uma mudança na temperatura.

— Vamos parar de falar um pouco — propôs João, que seguiu andando devagar, com as narinas cheias do bafo morno da floresta. Aquilo para ele era o que podia acontecer de melhor. Estava feliz.

— Cara, estava fresco e de repente deu um ar quente — comentou Colibri.

— Na floresta é assim: cheio de coisas que parecem estranhas. A gente vai sentindo a floresta e aprendendo como é o lugar.

Depois de mais algum tempo, parou, escutou o silêncio e dentro dele o zumbido de um enxame. Andou na direção certa, sinalizando o ponto, e cortou uma vara colocando a fita vermelha e branca. Fez também uma marca na árvore próxima, como vinha fazendo para demarcar o caminho.

Continuaram a andar. O terreno plano facilitava. A hora do dia era propícia ao silêncio da floresta. Pássaros e outros habitantes demonstravam não estar por perto. Os homens não falavam, só produziam o ruído macio do estalar de pequenos gravetos e folhas secas sob os pés. No alto, as copas não se mexiam; não havia vento. O calor úmido deixava o clima ainda mais pesado. De repente, por trás de uma moita próxima, um forte bater de asas fez disparar o coração dos dois homens. Colibri gritou:

— Puta que pariu! Que susto! Quer me matar? Saia para lá, capeta!

— Cara, andar no mato tem disso, mas a gente se acostuma. Foi apenas um jacu que voou, também assustado — disse João.

— Não sei se me acostumo a levar susto — falou Colibri, tirando o boné e olhando para cima.

Algum tempo depois, quando pararam para descansar, João Medeiros falou:

— Escute, Colibri, a cidade é calma, mas de vez em quando vem algum ruído como o relógio do mirante. Quando começamos a caminhada, as batidas do relógio estavam atrás de nós, agora estão um pouco do lado direito. Está ouvindo? Vamos procurar os enxames dando a volta na cidade. Na próxima vinda, vamos cruzar a rota do avião, que vai estar bem sobre nós.

— Tô entendendo, mas ó, tem muito mosquito quando a gente para.

— É, de dia tem muito pium, meruim e outros. Esse repelente que passamos ajuda, mas o pessoal que vive sempre na mata conhece plantas que maceram e fazem repelentes bons também.

Medeiros andava esperto no mato, com desenvoltura, explicando ao parceiro coisas da floresta:

— Este é o cipó correia, que tem água. Veja!

Cortando o cipó, deixou a água cair na mão e tomou.

— Cara, que da hora! — exclamou, boquiaberto, Colibri. Andando um pouco mais, João mostrou um palmiteiro, que se poderia comer, caso necessário. Logo depois, um tipo de fruta. E assim era o tempo todo, mostrando algo útil à sobrevivência na selva.

Colibri foi ficando encucado e disse:

— É o que estou pensando? Você está querendo preparar uma fuga?

— Não, longe disso. Não quero fugir, não.

— Então, por que não disse antes que conhecia o mato?

— Se eu dissesse que conhecia bem, podiam achar o que você está achando: que quero fugir.

— Mas se você conhece bem, por que não foge?

— Exatamente porque conheço bem que não quero fugir. Olhe, Colibri, ali está um buraco de tatu. Pelo jeito ele está lá dentro. Vamos levar essa mistura para a janta. Você fica aqui na frente com o facão, mas seja ligeiro. Vou cutucar o chão, enfiando esta vara de ponta fina em alguns pontos, e na hora que acertar o bicho vai sair em disparada, aí você dá um golpe com o facão.

Os dois ficaram em silêncio, parados, e assim ouviram ao longe o relógio no badalar das horas, mas não deu para contar. Colibri estava na expectativa, com os olhos no buraco, e João enfiava a vara fina na terra uma, duas, três vezes. Nada. Mais para trás, mais para a frente. Colibri estava sem piscar, com os olhos arregalados no buraco um metro à sua frente, quando de repente, feito uma bala, o tatu passou entre as pernas do rapaz, que sapateou e pulou sem nem ver direito o animal. Seu coração batia como o de um passarinho assustado. Enquanto isso, Medeiros gargalhava, falando:

— Pô, cara, deixou ele escapar.

— Isso é um tatu ou um foguete? Não vi nem a cor do bicho.

— Ele tem cor de tatu mesmo. — disse João. — Cara, eu sabia. É sempre assim, muito difícil! Só com cachorro e enxadão pra caçar. Falei pra você ficar aí e ir aprendendo alguma coisa.

— Mano, mesmo sabendo que ele podia sair, levei um baita susto!

— Imagine se fosse uma onça!

— Uiuiui, eu tava comido. Nessa velocidade, nem minha alma escapava.

Depois de muito andarem, pararam para descansar e comer. Deitaram sobre as folhas secas e, olhando para as copas, viam o brilho do céu lá no fim das árvores.

— João, será que um dia vamos passar a noite aqui?

— Tudo tem seu tempo, mas eu gostaria muito de pernoitar aqui, dormindo em rede, que é menos perigoso.

— Nunca dormi em rede. Acho que prefiro dormir no chão.

— Dormir na rede na mata é perigoso, mas dormir no chão é muito mais.

— Por causa de quê?

— Bichos. No chão é muito maior a chance de cobra, aranha, escorpião, formigas, taturanas e outros.

— E aqui na rede, eles não vêm?

— Vêm, sim, mas é menos.

— Não sei se tenho coragem de passar a noite aqui, não.

— Lembra que lhe falei que na vida, para alcançar objetivos, é preciso vontade e coragem?

— Qual é o objetivo? Lamber mel? Humm, você me faz pensar coisas.

— Tudo o que pensar, guarde para você. Tem alguém na cidade de quem você seja bem amigo, troque ideias, confidências?

— Não, tenho não. Amigo de verdade é coisa difícil em qualquer lugar. Imagine nesse nosso meio! O que se tem é só combinação. Com quem mais converso mesmo é você.

— Isso é bom, muito bom manter sempre a boca fechada. Você sabe por que a gente tem dois ouvidos e uma boca só, né?!

— Sim, tô sacando! Estou encantado com essa mata. Mas quando a gente fica quieto e tem barulho nenhum, sem pássaros, nem bichos, sem ruído, é um lugar muito triste. Preste atenção.

Os dois homens, olhando em volta, sentiram o silêncio que era demais de grande. Aqueles segundos de solidão pareciam não ter fim, e de repente se criou vida com um grito de um bugio não muito longe, e logo outros.

Após marcarem alguns enxames, começaram o caminho de volta, com João falando para Colibri:

— Meu pai falava um ditado que os homens do mato usavam: "Terçado me leva, terçado me traz, já deu meio-dia, é daqui para trás." Terçado é o facão — explicou Medeiros.

No fim da tarde, eram quase cinco horas quando os dois homens, cansados mas felizes, entraram na cidade, molhados, debaixo de chuva.

Após um dia na floresta, descansaram o outro na cidade. No seguinte, foram novamente e continuaram localizando os enxames. Assim, fizeram muitas incursões na floresta até terem uma boa quantidade de colmeias localizadas. Colibri foi se acostumando e perdendo o medo. Aprendeu a se orientar pelo sol e percebeu que, quando chegaram ao lado oposto ao portão de saída, não continuaram dando a volta na cidade. Indagou o motivo, e Medeiros só respondeu que aquele era o ponto do sol que interessava: o rumo leste.

—— SAUDADES ——

A tarde estava calma, com o calor mais forte já passado. Era mais de cinco horas e os homens chegavam para o bate-papo do fim do dia. No bar Serenata, Zé Bolacha, Abílio e Valter molhavam a garganta com uma geladinha. Zé falou:

— Bom trabalhar e no fim do dia vir tomar uma, né?

— Preferia vir tomar uma sem precisar trabalhar — respondeu Abílio.

— Melhor acostumar com a cruz, carregar devagar, mas sem parar, pros guardas não virem com o chicote — opinou Bolacha.

— Vixe, está religioso hoje — caçoou Abílio.

— E você, Valter, está pensando em quê aí, quietão?

— Remoendo outros tempos. Às vezes, me batem umas lembranças lá daqueles tempos antigos. Sei que muitos acham bobeira certos pensamentos, mas não se consegue apagar o passado.

— Nem fale — disse Zé Bolacha. — Lembro sempre meu avô falando daqueles tempos. O povo vivia no campo, um ambiente sadio, na natureza, com rios de muitas águas, peixes em abundância, cachoeiras bonitas. Olhando assim, de longe, era um verdadeiro paraíso, mas não sei se eles sabiam. Aquilo era criação de Deus, como se pensa existir quando se lê a Bíblia. Mas com o tempo foram mandados embora, deixando as terras, e nas cidades tudo foi diferente. As pessoas que se foram do campo se sentiam expulsas de seu paraíso, como Adão e Eva lá no deles. Foi muito triste aquela mudança para as periferias das cidades. Mas o que fazer? Ninguém segura as mudanças.

"Meu avô contava a história da colonização do sertão de São Paulo — continua Zé Bolacha — que naqueles tempos era os cafundós do Judas. Para desbravar tantas matas não foi tudo moleza e paz, não. Teve muitos tiros, mortos e escorraçados. No oeste do estado, alguns fazendeiros fortes se apoderaram de terras alheias na base da bala e estabeleceram limites com placas de propriedade, jagunços e correrias sobre os mais fracos, que eram expulsos. Eram pessoas de altas posses, que tinham influências na cúpula política da República, tinham respaldo. Com o tempo, as linhas de ferro seguiram, acompanhando o café, que ia na frente, ocupando as áreas desmatadas. As moradias aumentaram, a civilização se estabeleceu, e vieram outros cultivos como algodão, amendoim, milho, cana e tantos outros naquelas terras férteis, para as bandas de Rio Feio, Lagoa Seca, Corgo da Onça, Tucuruvi, tantos lugares."

— Como é bom recordar certos tempos inocentes de nossos antepassados! — disse Valter. — Tudo parecia melhor. Mesmo que não fosse tanto, tem-se essa impressão.

— Lembro as histórias do tempo bom, quando as fazendas tinham muitas casas — continuou o Bolacha. — Eram colônias compostas de quinze, vinte, quarenta casas. Aquela alegria nos fins de tarde. Pessoas sentadas nas varandas, outras se juntando para ouvir as notícias e as músicas nos rádios enquanto a criançada brincava feliz, as meninas nas cantigas de roda, os meninos de pique, de bola. Depois que escurecia, juntavam-se eles e elas e brincavam de passar anel. A diversão dos adultos, fora as conversas ao pé do fogo, era a pescaria nos rios, com fartura de água e peixes, ou futebol aos domingos nos campos das fazendas. Meu avô contava que morou num lugar que tinha uma olaria. Os trabalhadores enchiam o forno grande de tijolos crus, depois lacravam a porta com tijolos e barreavam. Em seguida, iam colocando lenha em três bocas grandes e mantinham o calor por três dias e três noites. Alimentando o fogo naquele longo tempo sempre acompanhava cachacinha, carne, mandioca e muitas histórias.

"Depois tudo mudou e aquela vida ficou para trás. Acabaram-se os tempos da inocência. Eram os caminhões de mudanças nas estradas empoeiradas ou encalhando na lama, rumando para as cidades. As novas leis espantaram os fazendeiros que não queriam mais gente morando em suas terras. Os ventos da mudança fizeram aparecer o lavrador boia-fria. As cidades incharam. O trabalhador rural tinha que levantar muito cedo, a esposa preparava a comida e o marido ia para o ponto de encontro em busca de um caminhão para levá-lo às lavouras — no plantio, na capina ou na colheita. Muitas vezes, não tinha trabalho para todos, e os que ficavam fora dos caminhões voltavam para casa com sua boia já fria. As pessoas gemendo na miséria, incertezas do pobre, as incertezas da vida.

— Dia desses eu estava lembrando meu pai contando como era bom quando as fazendas tinham muitas casas — iniciou Valter. — Não havia luz, e as pessoas andavam com faroletes, lampião ou no clarão da lua. Lá no meio do mundo onde moravam, muitas noites ficavam na porta de alguma casa ou na frente do boteco, em volta de um fogo, com a luz das chamas iluminando seus rostos, o brilho das brasas dando um tom avermelhado em seus semblantes cansados do trabalho duro. Alguns sérios, outros falantes ou sorrindo. Às vezes, um cochilava junto ao calor das brasas. Outros picavam fumo, enrolavam o cigarro de palha macia e o pitavam olhando o brilho vermelho na ponta. Seguiam conversas do cotidiano ou contavam histórias que sabiam dos mais antigos.

"Sentavam-se no banco de tábuas, aqueles compridos de dois pés, sem encosto, e as horas passavam com histórias e causos que deixavam as crianças encafifadas e até com medo, quando eram de assombração. Entre as conversas, assava-se carne ou se colocavam batata e mandioca sob as cinzas quentes. De lei eram os adultos tomarem uma cachaça. Eram dias felizes entre as pessoas que se respeitavam, se gostavam. Gente de alma simples.

"Mas vieram as mudanças com o êxodo rural, e na cidade a meninada foi crescendo e se enchendo de necessidades, cada vez querendo comprar mais coisas. A nova vida, tantas atrações e confortos, custava muito, e cada vez mais faltava dinheiro. O que se tinha antes sem precisar pagar, tudo agora era no dinheiro: água, luz, gás. No quintal, não tinha galinhas, ovos, leite, porcos, horta, mandioca e frutas. Às vezes, nem quintal tinha. O mundo estava mudando. As famílias viviam tragédias inteiras. Gente sofrida, de alma triste, pelejando nas mudanças. As cidades se avolumaram, o povo se amontoou, as favelas cresceram, assim como as necessidades e as tentações. Na sequência, vieram o roubo e a prostituição. O que se poderia fazer com aquelas vontades fervendo e tanta falta de dinheiro? A pobreza e o tormento de ter que conseguir o pão de cada dia. Entraram nos anos bicudos de suas vidas."

— O irremediável é que o tempo passa e não tem como voltar — lamentou Abílio.

— Por que o passado parece sempre ser mais bonito? — perguntou Zé Bolacha.

— Acho que é porque não é mais possível — disse Valter. — Aí fica aquela lembrança boa e, como o Abílio falou, não tem como voltar.

— É, e aí floresceu uma miséria agressiva e, com ela, o mercado das drogas. Pronto! Era um caminho para algum dinheiro — disse o Bagre, que chegara havia algum tempo à mesa. — Às vezes, fico pensando sobre a vida, como é ter uma família, mas não entendo quase nada. Nunca tive família, igual muita gente que conheço.

— Então, Bagre, são muitas as pessoas como você, criadas por aí sem apoio de família, sem ninguém, desconhecendo os valores que poderia levá-las à vida por um caminho mais fácil — atestou Abílio. — Como é a cabeça de uma pessoa que não tem pertencimento? Como é a vida crua dessa gente pobre? O ódio que muitos trazem dentro do peito desde muito cedo, quando foram jogados na vida, sem pai nem mãe? Ficam só ou em mãos estranhas, criados nas ruas, sem escola e sem orientação. Que valor pode ter para ele a igreja, a família, as leis, a história, enfim a cultura que o cerca por longe? Seus valores são diferentes, sua mente está programada para sobreviver cada dia, sem chance de um carinho, sem compreensão.

"Como serão suas emoções? — continuou Abílio. — Que caminhos pode ter? O rumo da criminalidade é o mais curto. Como recuperar? Quais possibilidades existem? Seria a música? O esporte? A culinária? Talvez a música chegue sorrateiramente e lhe ganhe a alma. Algo pode e deve ser feito antes que o crime o pegue definitivamente e a prisão seja sua escola ou seu túmulo."

— É muito difícil falar sobre as expectativas de vida para uma pessoa com esse perfil — disse Valter. — Gente que não tem história, não vê raízes por onde possa nutrir sua vida para a frente. São filhos de vidas tormentosas. Como disse Machado de Assis em outras partes, outros tempos, "é o amor multiplicando a miséria".

— Às vezes, fico lembrando as crianças vivendo na miséria de muitas famílias nas favelas país afora, no sofrimento, na humilhação — lamentou Abílio. — São os órfãos de amor de pobres, na falta de tudo para uma vida razoável. Para existir tanta miséria assim é porque estamos vivendo num desequilíbrio. A caminhada da humanidade sempre foi difícil, mas hoje temos tecnologia e fartura. Acho que é possível equilibrar. É preciso baixar o nível da ganância e de sede de poder. Acredito na democracia, na tecnologia e no medo das classes dominantes. O mundo vai melhorando. O mundo vai melhorar, por inteligência ou por medo.

— É, mas pra nós não sei. Acho que não dá mais tempo, a gente caiu nesta vida bandida — opinou Bagre, com ar desanimado.

— Foi dura, nossa vida lá fora, mas a gente acabou gostando — garantiu Bolacha. — Aprendemos a nos virar naquela agitação, vida corrida e cheia de riscos. Aquilo me aquecia, me dava vontades enormes.

— Era bom demais. E a mulherada? Meu Deus! Que saudade! — lamuriou Valter, arregalando os olhos.

— Pronto! — exclamou Abílio. — Agora vocês vão lembrar suas histórias de alegrias antigas. Não esqueçam as quantidades que morreram jovens.

— Morreram, morreram... Fazer o quê? Quem está vivo pode lembrar. É gostoso pensar em minhas mulheres inesquecíveis — afirmou Bolacha. — A noite era do nosso jeito, todo tipo de estripulia. Mas depois tivemos que enfrentar o sol do dia e acabou que chegamos aqui.

— Não discordo que seja chata a vida aqui em Renascença, sem o agrado de mulher — admitiu, sério, Valter. — Ficamos só com as alegrias do passado, tempo dos amores errantes, restando as recordações ardentes.

— Como são boas as doçuras do pecado! — disse Bagre. — Sempre com a cueca e o revólver nas mãos na correria — falou rindo e com os olhos arregalados.

— Para o crime, muito dinheiro é sucesso com todas as suas implicações, riscos, fartura, e uma vida sempre desassossegada — opinou Bolacha. — O equilíbrio no fio da navalha entre a prisão e a morte. Agora estamos aqui, nesse fim de mundo, cercados de perigos por todos os lados. Bem que podíamos estar lá fora, curtindo as belezuras da vida, às vezes difíceis e às vezes paraíso.

Um cara que chegara havia tempo e ficara numa mesa ao lado levantou e disse:

— Que conversa pobre! Só bobagens.

— Como pobre? Como bobagens? — exasperou-se Abílio. — Fale outra besteira dessas e um raio estala em cima de você. Não vê que são histórias da nossa gente, histórias de uma época? É assim que vive o povo: com suas paixões, suas esperanças, suas misérias, seus enganos, suas piadas, suas mentiras, seus discursos, sua cultura. São fases da vida de um povo, de um país. Muitos vivem isso e depois até negam, mas fica no DNA. Na história de todos nós da espécie humana, passamos pelas mesmas fases. Podem estar bem agora, por cima da carne-seca, mas antes foi o que todos foram: raízes. Situações de carências, dificuldades mil, conversas e vexames. Quem sabe? Quem sabe da história dos antepassados? Para muitos que estão bem hoje, como terão sido os sofrimentos e as privações pelos quais passaram os que os antecederam?

"Pena que não temos relatos conhecidos do cotidiano dos homens dos primeiros tempos — continuou exaltado —, suas dificuldades, os afazeres, as primeiras piadas, as histórias das caçadas, das pescarias, seus momentos felizes, as lutas com animais, com outros grupos de habitantes, os atritos internos, os amores proibidos, os romances, os crimes, as muitas brigas, os costumes. Quantas histórias perdidas! Quanta riqueza desperdiçada como pagamento do constante iniciado! Assim é a vida. Portanto, é preciso registrar cada momento, pois tudo é precioso, alguém vai aproveitar."

— Você chegou agora aqui na nossa conversa — declarou, alterado, Zé Bolacha. — Não sabe de nada e vai metendo o bico. Por isso seu apelido é Boca Frouxa.

— Meu nome é Luiz Alberto. Não tenho esse apelido. Quem falou isso?

— Se não tinha, agora tem. Veja se maneira na hora de entrar numa prosa, tome uma aí e fique de boa.

— Olhem quem está chegando! É o Kelvin, o bom de bola — alertou Bagre. — E aí, cara, quando chegou?

— Faz uns três dias. Tô num prédio lá no fundo, depois de tudo, na rua Bocaina, uma rua sem alegria. Vim andar por aqui hoje, conhecer melhor. Apresento um chegado meu do cafofo, o pastor Balbino.

— Sente aqui com a gente, deixe eu te apresentar pros meus considerados.

Assim falando, todo animado, Bagre apresentou os amigos.

— Esse é o Kelvin, um chapa meu, um cara dez por cento, podem crer. Kelvin, esses são Valter, Abílio e Zé Bolacha, muito meus chegados. Sentem aí, tomem uma cervejinha com a gente.

— Não, obrigado, só vim tomar um lanche — respondeu o pastor. Mas Kelvin já puxou duas cadeiras.

— Sente aí um pouco — propôs Abílio, pedindo um refrigerante para Balbino e uma cerveja para Kelvin.

— O que está achando? — perguntou Bolacha para Kelvin.

— Olha, estou achando a cidade interessante, parece bonita. Já olhei por aí, conheci praças, jardins, subi na torre do mirante.

— E a chegada, foi tranquila?

— Rapaz, o que é aquilo? Quando atravessei a porra daquela ponte de vidro, com aqueles leões urrando lá embaixo da gente, parecendo pertinho e eu já sentindo o cheiro deles, me veio à cabeça os cristãos naquelas arenas, sendo comidos pelas feras, como veio falando o pastor na viagem. Depois fiquei pensando: aquelas pessoas eram do lado de Cristo, passavam por aquilo e eram comidas. Nós, criminosos, sem acreditar em nada de religião, passamos por cima das feras e saímos vivos. Aí me pergunto: de que lado está a proteção?

— Ah, cara, são outros tempos! — falou Abílio.

— Que outros tempos, mano?! Leão é leão, gente é gente, cristão é cristão, e bandido é bandido. Quem morreu e quem viveu? Ah, não sei, não. Acho muito estranho, tenho aqui minhas desconfianças. Não tenho estudo, mas tô desconfiando de muita coisa. Tudo o que o pastor me falou, o leão daqui estragou.

— Desconfiando de quê? — perguntou Balbino, sem muita alegria.

— Sei não, uma ideiazinha aqui nos meus pensamentos.

— Bobagem — disse Valter. — E, olhe, você falou que somos bandidos e não temos religião. Mas não é bem assim, não. Está cheio de bandido aí que é bem religioso.

— Ah, mas ser religioso depois que entra na prisão não vale igual, não — falou Kelvin. — Pensa que lá em cima não estão vendo? Religioso que é religioso mesmo, temente a Deus, não cai aqui, não. Desculpe, Balbino, é o jeito de falar.

— Há! Vá pensando — falou Zé Bolacha. — Tá cheio de cara bem filho da puta lá fora que se gruda com Deus pra não ser preso. Frequenta igreja que nem que fosse um anjo e paga dízimo, mas, na hora que o demo baixa nele, não tem reza que segure: o cara rouba, mata, estupra e o escambal.

Balbino se levantou, inventou um desculpa e foi tomar um lanche em outro bar. Aquela prosa não estava nada agradável.

— Mas interrompi a prosa de vocês. Falavam da cidade, né?! Falem-me mais dela, já que estão aqui há mais tempo. E a mulherada?

Foi só risada e tapa na mesa e o Bagre falou:

— Você já chegou, acorda, mano!

Kelvin, meio sem graça, tentou justificar a escorregada:

— Esqueci, falei mais por costume de falar. Caraca, meu! Ô garçom, me dê um rabo de galo!

— Olhe, cara, é uma prisão diferente e uma cidade diferente também: confortável e limpa — manifestou Valter, voltando à conversa. — Dizem que é inteligente, pois está cheia de tecnologia pra vigiar a gente.

— É mesmo. Câmeras por todos os lados, veículos que andam sozinhos, bicicletas a rodo e drones. Cheio deles — explicou Abílio. — Olhe para cima. Bem ali, olhando para nós. Mas fora o que é ruim tem coisas boas, como muito espaço, esportes, cursos, biblioteca e, se quiser, tem trabalho também.

— Mas e essa de ter que cuidar da casa, fazer comida, lavar roupa? — perguntou Kelvin.

— Tem que se organizar na casa, cada um fazer uma parte e se revezar. O apê precisa estar sempre em ordem, pois tem inspeção toda semana — esclareceu Zé.

— Como é isso de inspeção? Quem faz?

— Todo apê tem um líder — explicou Valter. — Ele é o responsável. No dia marcado, os líderes de cada prédio se juntam e fazem as vistorias, sempre em grupo de quatro e mais as câmeras.

—Vou ver se me encaixo num time de futebol.

Continuaram a prosa com as pessoas chegando e saindo dessa mesa, de outras mesas e outros bares com Renascença já dentro da noite.

Na hora de sair, Kelvin estava só com o Bagre e falou:

— Cara, que história é essa de que sou dez por cento?

— Falei isso? Não, acho que não. Eu quis dizer cem por cento.

— É, porra, saiu dez. Vê se corrige essa merda aí com seus chegados.

— Caraca, meu. Foi mal, desculpa aí, mano, vou consertar isso — falou o Bagre, coçando a cabeça.

— RECREAÇÃO —

Renato, o encarregado do setor de cultura, esportes e lazer, está fazendo um ótimo trabalho, com envolvimento de muita gente nas mais variadas modalidades esportivas, com competições de sinuca, dominó, xadrez, dama, cartas, pebolim, jogos eletrônicos, futebol de campo, futsal, vôlei, basquete, handebol, natação, boxe, luta greco-romana, bocha, malha e outros, conforme a demanda.

Há uma farta distribuição de troféus e prêmios, o que faz animar ainda mais as disputas. Os troféus ganhos são colocados na Sala dos Troféus, no museu da cidade, com o nome do ganhador.

Há também concursos literários, gastronômicos, exposição de pinturas e festivais de músicas.

No cotidiano da cidade, além das atividades esportivas e culturais, tudo começa muito cedo, com o dia clareando e muita gente fazendo caminhadas, natação ou malhando nas academias.

Todas as atividades são severamente acompanhadas, para a devida pontuação, e cada pessoa segue pelo celular e tem as publicações mensais para conferência.

* * *

Entraram no bar Serenata Emílio, Renato e dois de seus auxiliares, vindo de uma reunião sobre a organização do campeonato de futebol.

— E, então, Renato, como foi a reunião? Muito trabalhosa? — perguntou Emílio.

— Nem fale! Essas reuniões com presidentes de times de futebol são brabas.

— Quantos times se formaram?

— Dezesseis no Núcleo 1, para começar logo, e já temos gente organizando os outros núcleos. O futebol é uma boa diversão, mas é trabalhoso e dá muita confusão. A paixão está acima da razão.

— É, a paixão é a negação da razão — assentiu Emílio. — Mas fazer o quê? No futebol é assim, bola pra a frente.

— Já houve uma porção de desentendimentos, mas tudo dentro da normalidade.

— E árbitros, está fácil conseguir?

— Sempre há e vão receber por partida. Cada time paga uma taxa de inscrição para a despesa de arbitragem. Sempre há uns malucos que adoram apitar jogos, e, apesar das eventuais correrias, depois tudo, se acalma.

— Vamos torcer. Cada um por seu time de preferência e todos para que dê certo o andamento do campeonato.

— A LUZ DOURADA —

Quando a manhã veio surgindo, a luz foi entrando de mansinho pelas frestas da janela. Lá fora, os pássaros faziam a algazarra matinal e um novo morador, Leopoldo, acordou. Por um momento, sentiu-se perdido com o ambiente e perguntou-se onde estava. A réstia de luz que entrava pela janela esquecida um pouco aberta foi revelando o quarto limpo, as outras camas e os homens ressonando. Firmou o pensamento e sentiu o clarear em sua mente. Era a nova prisão, com cheiro gostoso de limpeza.

Levantou devagar, foi até a janela e a abriu mais. O dia estava clareando. Do oitavo andar, viu o céu inundado de cores fortes com o nascer do sol, olhou as árvores depois da muralha e ouviu o cantar dos pássaros. Feixes de uma luz dourada entravam agora pela janela. Da floresta vinha o perfume fresco da manhã. Debruçou e chegou a pensar estar sonhando. Olhou para a rua lá embaixo e viu homens andando. Estêvão também acordou e veio para perto do amigo, coçando os olhos. Ficaram em silêncio, maravilhados. Depois de algum tempo a contemplar, Estêvão falou:

— Bom dia. Aqui não tem cheiro de prisão, né?

— Bom dia — respondeu Leopoldo. — Não tem mesmo. Será que a porta está aberta?

— Acho que está. Vamos lavar o rosto e descer.

— Vamos. Quero ver lá embaixo, a rua.

— Tem que fazer café, branquelo — falou uma voz rouca vinda de um beliche.

— Cara, aqui não tem mais chefe e domínio de espaço — enunciou Leopoldo. — Legal isso, né? Bom dia para você também. Se fizeres o café hoje, amanhã eu faço.

Assim dizendo, foi lavar o rosto.

O do beliche resmungou, rangendo os dentes:

— Tá de brincadeira! Não tem mais preso como antigamente. Não sei onde esse mundo vai parar, não se tem mais respeito. Fecha essa porra de janela aí, então, e vaza que quero dormir.

—— PRODUÇÃO ——

A cidade estava em seu oitavo mês e já tinha muita gente, com grande movimento de bicicletas, comércio intenso, fábricas em atividade e produtos constantemente despachados. Mas era preciso responsabilidade na produção e no trato com a hierarquia criada para que a mercadoria fosse entregue com qualidade. Cada fábrica tinha seu conselho de controle, que liberava os produtos para embarque. Centenas de homens labutavam na produção de colchões, travesseiros, lençóis, guarda-chuvas, bolas de futebol, calçados e diversas confecções.

Muitos terrenos, entre os prédios residenciais, destinados às hortas, estavam sendo cultivados. Havia também a expansão da produção de cogumelos, rosas, orquídeas, antúrios e goiaba. Um dos prédios preparados para hidroponia vertical já estava em plena atividade, criando oportunidade de trabalho para centenas de pessoas e abastecendo o mercado. Treinamentos, por meio de palestras, cursos e filmes, eram intensos.

O pagamento do pessoal era feito de forma escalonada, de modo que a cada dia da semana cerca de dez mil pessoas tinham o dinheiro liberado, possibilitando uma melhor distribuição de movimento no comércio. Havia papel-moeda circulando, mas em pequena quantidade.

O serviço de coleta do lixo era excelente, e todo o recolhido era processado na usina, que gerava muitos empregos, possibilitando grande pontuação por ser uma atividade insalubre.

— LEMBRANÇAS —

Andando à noite, Zacarias ouviu, vindo da janela de um dos prédios, uma canção numa voz melodiosa acompanhada por um violão. Parou, sentou-se num banco próximo e, apurando os ouvidos, escutou: "Vem a noite, e com a noite todas as lembranças que você deixou/ Eu, sozinho no meu mundo, vou chorar saudades do que já não sou..."

Ali ficou até o fim da canção. O mesmo aconteceu em outras noites. Nunca soube quem cantava a música que ele gostava tanto e que lhe trazia doces recordações.

Certa noite, após ouvir a canção, foi até o bar Floresta, tomava uma cerveja numa mesa no canto de onde podia ver a rua quando entrou no bar João Medeiros, que estava só, e se sentou após o convite.

— Sozinho hoje, Zacarias? Meio solitário.

— É, curtindo umas lembranças antigas, meio pra baixo. Tenho ouvido um cara cantar uma música aí na cidade que me traz recordações, é bonita e gosto muito. Ainda agorinha ouvi, mas não descobri ainda quem canta.

— É bom curtir as lembranças dos momentos felizes, mas não pode encucar — disse João, pedindo uma cerveja.

Nesse instante chegaram Marujo e Galego, e o papo descontraído rolou solto, com histórias, piadas, mentiras, risadas, verdades e tristezas.

Numa mesa ao lado, Emílio tomava um vinho com Nonato, que falava bastante, gesticulava e olhava firme para o interlocutor, que se limitava a ouvir com uma atenção quieta, só analisando. Daí a pouco chegou Raimundão, que não gostou de ver Emílio com aquele tipo do Nonato. Este, por sua vez, não se sentiu bem com a chegada do chefe da segurança.

De fora, veio chegando um cara muito amarelo: Gumercindo. Marujo falou para os da mesa:

— Puta que pariu! Lá vem o Guma, cara mais chato, só fala batendo a mão no braço da gente.

O Galego falou:

— Ih, ele tá vindo pra cá.

— Misericórdia! — resmungou Marujo. — Já sei. Oi, Guma. A gente estava aqui fazendo uma aposta pra ver em quem você vai bater no braço primeiro.

Gumercindo ficou meio paradão, querendo entender aquilo. Nesse instante, Marujo pediu uma cerveja e ofereceu ao recém-chegado, que ficou sentado meio sem assunto e falou:

— Ninguém vai ganhar a aposta.

Todos aplaudiram, e Galego perguntou:

— Gumercindo, o que aconteceu que você está com essa cor açafrão?

— Nem me fale! Estava perto do portão quando passou um caminhão, aí pus a cara pra fora e um leão deu um urro tão alto que achei que fosse me pegar, aquele filho da puta.

Todos riram, até o Raimundão, que riu olhando para o Nonato e pensou: "Esse cara tá de treta, quer avançar no cargo de alguém. Vou ficar de olho nele. Se bobear, vai pro exílio no Polo Sul."

—— OS APICULTORES ——

Nos quatro meses desde a primeira entrada na mata, João Medeiros e Colibri haviam localizado muitos ninhos de abelhas. Agora, eles estavam em outra fase, vestidos com a roupa de apicultor e instalando as caixas de colmeias para atrair enxames e começar a produção de mel. "Uma escada de objetivos e um degrau de cada vez", pensou João Medeiros, feliz, e disse ao amigo:

— Quando se tem objetivos, a vida fica mais leve. Tem que dar certo, mas se não der, valeu pelos momentos vividos, que é o objetivo de ter nascido: viver.

— Tem horas que você fala umas coisas e fico boiando — afirmou Colibri.

O ruído dos pingos nas folhas secas fazia a floresta produzir uma música no gotejar do orvalho, na manhãzinha, com os raios entrando por pequenas brechas. Duas figuras estranhas manipulavam as caixas para captar mais uma colmeia. Pareciam dois astronautas perdidos na floresta varada pela luz da manhã.

O trabalho era árduo, e Medeiros queria mostrar resultados, o que não demorou, pois, além de já ter abelhas nas caixas, estava tirando mel dos ninhos em árvores. Antes que Emílio esperasse, os dois chegaram com dez litros de mel e foram falar com ele.

— Seu Emílio, veja o que trouxe para o senhor e seus amigos — anunciou João, mostrando o produto.

— Parabéns, Medeiros! Como produziu rápido!

— Não, seu Emílio. Esse mel tiramos de ninhos naturais em árvores. As abelhas de nossas caixas ainda vão demorar um pouco para produzir.

— Mas que bom! Então, você entende mesmo da arte, hein? E o Colibri também está aprendendo?

— Sim, ele é muito dedicado. Vai dar para produzir muito, há muitas abelhas e muitas árvores com flores. Vamos vender muito mel. E, olhe, lá na frente, quando for a hora, vamos querer mais caixas. Se o senhor concordar, a gente pode abrir espaço para mais um trabalhador.

— Vamos ver isso. Quando for o tempo, você me fala. Quanto custa o litro do mel?

— Nada, não. Esse foi nosso primeiro mel. Tiramos um pouco para nós lá de casa. Esse aí é para o senhor e seus amigos. Logo, logo, quando vier mais, vamos começar a comercializar. Esse é um agradecimento pela confiança que depositaram em nós. Estamos muito felizes. Muito obrigado mesmo.

— Fico feliz de ver vocês em produção e um dia quero ir junto, conhecer o trabalho e andar pela mata. Sei que com vocês vai ser seguro.

— Ótimo. É só falar que vamos juntos. O senhor vai gostar. Leve o Felício.

— Se aumentar muito, vai precisar da centrífuga.

— Precisamos primeiro ter certeza do potencial e, mais adiante, tratar disso. Por enquanto vai do jeito antigo: na mão mesmo.

— Está certo. É pé no chão mesmo.

Os dois foram para casa, mas antes pararam num bar para tomar uma geladinha. Colibri falou baixinho:

— Você é danado mesmo, hein?! Adoçando o bico dos homens.

João Medeiros sorriu leve e fez um brinde. Deu um litro de mel para Demá, o dono do bar Castanheira, porque era preciso divulgar o produto.

Demá era um alagoano bem-humorado, sempre satisfeito com a vida, mas valente no último, cabra de não se deixar enrolar. Se ficava aperreado, logo estava sorrindo e administrando a vida para as coisas melhorarem. Boa gente o Demá, daí o sucesso de seu bar. Além do bom ponto, claro.

— João, e esse negócio de centrífuga? Logo vão querer que a gente faça — arriscou Colibri.

— Vamos empurrar com a barriga, não podemos criar despesa.

— A VISITA DE MARIA —

A chegada de Maria se aproximava e Emílio estava ansioso. Era uma operação da qual só ele e o diretor sabiam, talvez algum auxiliar. Ela chegaria no voo que levava as mercadorias e os funcionários dos setores externos ao presídio. O encontro seria no pavilhão de apoio, num dos apartamentos disponíveis.

Eram onze horas da manhã e o avião entrava lentamente na área de desembarque. Emílio, dentro do carro, olhava para o alto da escada e pensava: "A vida tem momentos doces que valem por muito tempo. A felicidade exige paciência."

As pessoas começaram a descer, e não demorou para Maria surgir no topo da escada, olhar em volta e descer. Logo o carro se aproximou e ele baixou um pouco o vidro. Sorrisos iluminaram seus rostos. Ela o encarou com aqueles olhos enormes, quase pulando para fora, entrou no carro e os dois se abraçaram longamente enquanto, sem motorista, o veículo rumava para o alojamento. Depois das conversas iniciais sobre a viagem e o calor, Emílio falou:

— É bom você estar aqui, uma alegria. Fico sem saber o que falar, pois a felicidade, quando chega, é como um sol atingindo meu interior.

— Emílio, sobre o que falamos primeiro: eu sobre lá ou você sobre aqui? — quis saber a mulher.

— Nosso tempo é curto. Você veio me fazer uma visita de beija-flor, mas durante este fim de semana vamos misturando a conversa sobre lá e cá.

— Você parece estar bem — opinou ela. — Está feliz aqui? Tem ocupado bem seu tempo?

— Sim, eu me ocupo demais. Tive sorte de receber a responsabilidade de conduzir a cidade. A gente tem que dar sentido à vida, é o mistério que pode ou não nos nortear. Nossa equipe é ótima, tem homens muito capazes, o que acaba ajudando a todos nós e aos moradores. Depois falo dos detalhes. Já lhe falei que a vida corre nos pormenores e que a felicidade está nos detalhes.

— Gosto de ver você falando assim. Mas me diga: nessa coisa de pontuação, você também se beneficia? Já tem noção de quando vai embora?

— Estou somando pontos, mas ainda há muito tempo pela frente. É melhor eu não ficar ansioso com isso.

Conversaram durante horas, com Maria falando de sua vida e Emílio contando o que sucedia em Renascença.

— Sabe, Maria, a vida tem umas bandas doces, ah, isso tem, mas o amargo sempre vem. Vem se misturando e querendo morar. O tempo que tenho que ficar ainda é grande, e a distância entre nós é maior ainda, então tive pensando que pode existir a possibilidade de você vir trabalhar como enfermeira neste hospital aqui de Renascença. Quer pensar no assunto?

— Até já me passou pela cabeça, pois deixaria a gente perto, mas me dá pavor só de pensar que todo paciente é um preso. Sem falar neste lugar tão ermo.

— O trabalho tem acontecido normalmente e até hoje não aconteceu nada de errado. Amanhã à tarde, se você quiser conhecer as instalações do hospital, enquanto vou dar uma olhada na cidade, vá até lá dar uma volta, o pessoal é bem legal. Quanto à distância, para nós, de um país tão longe dos centros mais movimentados do mundo, já estamos acostumados, porque com o avião isso se supera fácil. Com relação à floresta, aí é escondido mesmo.

Acordaram com o dia clareando. Lá fora, o vento soprava forte e a chuva batia na janela. Era sábado. Emílio olhou pela vidraça e falou:

— Amanheceu um céu cor de chumbo, escuro, pesado, e acho que vai soprar um vento longo. Isso é bom. Você vai sentir menos calor e ficamos aqui mais tempo, morgando.

Depois do almoço, Emílio entrou na cidade e Maria visitou o hospital. Conversou com várias pessoas, mas sem falar sobre ela e Emílio. Não demorou muito e os dois estavam no apartamento.

— E aí, Maria, o que achou das instalações?

— Gostei muito: tudo de primeira linha, moderníssimo. Tecnicamente, deve ser bom trabalhar aí. O pessoal também, todos simpáticos, nem parece que estamos no meio da floresta. Até vi vários pacientes, e tudo tão calmo que até esqueci que são prisioneiros.

— É, os tempos são outros. E a chuva, atrapalhou?

— Não, eu me protegi bem.

— Não tenha pressa sobre esse assunto, mas vá pensando. Lá na frente, a gente volta a conversar.

— Sim, vejo isso com simpatia e preocupação, o que é normal, claro.

— Também acho. Pondere apenas, e depois voltaremos a conversar. Espero que não demore a vir de novo.

No domingo à tarde, o clima já era de despedida.

— Pena não poder levá-la para bater perna pela cidade, conhecer o mirante, o centro de meditação, o museu, os bosques, andar pelas ruas vendo os prédios coloridos e jantar no Boto Azul.

— Mas já vi tudo isso nas imagens que você projetou, e as comidas que vêm dos restaurantes estão ótimas. O tacacá de ontem estava supimpa, muito bom mesmo. Hoje à noite, você traz pizza. O importante é estarmos juntos, intensamente, neste pouco tempo. Amanhã, vou embora.

Assim, Emílio esqueceu um pouco os afazeres com Renascença e teve bons momentos com Maria, que, na segunda-feira à tarde, se despedia. Ele disse antes de a mulher subir a escada do avião:

— Olhe bem dentro de meus olhos e verás que minha alma não envelheceu e está de mãos dadas com a sua, correndo por aí, felizes, as duas.

Com os olhos marejados, ela se foi. Do alto da escada, olhou para trás, com um sorriso triste.

Emílio ficou um tempo só, vendo o avião sumir sobre a imensa floresta e pensando em Maria, quase vendo seus olhos sorrindo, como gostava de ver, aqueles olhos negros, profundos e aveludados, lindos. Agora longes.

—— A VONTADE DA FUGA ——

Sob a sombra da figueira, no bosque do fundão, quatro antigos quadrilheiros conversavam. Alguns comparsas mantinham a distância necessária para não ouvir o que falavam, mas estavam sorrateiramente a vigiar o encontro.

— Na moral, não podemos ficar aqui, não tem como — falou Vivaldo, apelidado de Brasa. — Sem comunicação com o pessoal lá fora estamos de mãos amarradas, não controlamos mais nada. Essa merda aqui, neste fim de mundo, sem celular, é o desastre completo.

Benício acrescentou:

— Sem esse contato de fora, aqui nosso poder de controle está enfraquecido. Nesse lugar, todo mundo é igual, só querendo trabalhar, jogar, rezar, ler, atrás de juntar pontos e ir embora o quanto antes. Essas câmeras todas tiram nosso poder de manipulação.

— É horrível essa porra de pontos que inventaram. Ponto para cá, ponto para lá, só se fala em ponto. Não aguento mais essa palavra — esbravejou Queixada. — Dizem que é a lavagem cerebral do bem, estão enrolando todo mundo. Essa gente tem que ser alertada, estão pondo a canga no pescoço, vão sair daqui para trampar feito uns camelos, tomando busão de madrugada, metrô lotado ou bicicleta na chuva.

— Sem chance de ficar aqui, temos que fugir o quanto antes — repetiu Brasa. — Vai ser possível, mas vamos ter que dar uma boa grana, pois o risco da operação é grande.

— O piloto topou — lembrou Vilfredo, que chegara aquela semana e explicou direitinho como foi armado o plano. — Por fotografia de satélite, o cara do helicóptero sabe chegar e pousar no campo de futebol aqui do fundão.

— Temos que armar o esquema para ninguém vir para cá na hora do apronto. O necessário é que o tempo esteja limpo, sem chuva. Se no dia 15 amanhecer bom, vamos estar prontos às dez horas, que é o horário marcado. Se estiver ruim, temos que ir todos os dias depois, até dar certo.

— É certeza que as torres não alcançarão a aeronave? — indagou Queixada.

— A orientação para o piloto é que deve vir baixo e descer no campo, que está longe das torres. Quando o helicóptero estiver chegando, vamos fazer o X no chão, com os lençóis que estão preparados, embarcamos e ele sobe. Os guardas das torres não conseguirão atingir. Fizeram esta merda de lugar cheio de segurança, jacaré e outros bichos, mas esqueceram que se foge pelo ar. É só ter grana. Como sempre, a grana resolve.

— Mas será que o pessoal da Força Aérea não vai atacar o helicóptero? — pergunta Vilfredo.

— Daqui ele não vai para a cidade mais próxima. Vai descer num campo de pouso clandestino que não está longe. É bem camuflado, velha rota de contrabando que o piloto conhece. Ficamos no cafofo uns dois dias e depois, bem de madrugadinha, ele faz outro voo curto, passando para outro ponto, e assim vai se distanciando até nos levar a um aeroporto clandestino e sairmos de avião para um país vizinho. Depois, com documentos falsos, voltaremos para casa. O esquema está bem armado.

— Agora é só esperar os dias passarem e que nada mude!

— Faltam onze dias, vamos aguardar em paz.

— O CAMPEONATO DE FUTEBOL CHEGA AO FIM —

Chegava o nono mês de Renascença e terminava o primeiro campeonato de futebol.

— Então, Renato, foi tudo bem com o campeonato? — perguntou Emílio.

— Sim, foi muito bom. Muitos jogos, reclamações, gritarias, socos e pontapés, correrias, risadas, sopapos nos juízes, pênaltis e a turma gritando "juiz ladrão", decepções e alegrias no geral. O pior é que tinha juiz que não era ladrão, era assassino, aí quase deu merda. Mas, finalmente, se sagrou campeão o time do Bafo da Onça, que levantou no maior entusiasmo um grande e bonito troféu. O vice foi a equipe Estrela da Mata, com seus jogadores muito felizes, pois no regulamento o elenco do vice-campeão ganharia um troféu menor, como é o costume, e uma quantidade de pontos maior, portanto o contrário do campeão. Alguns jogadores estranharam um pouco esse tipo de coisa e o centro-avante e artilheiro Binguinha ainda reclamou no vestiário e falou: "Só me lasco, até quando ganho saio perdendo, eita vida atrapalhada."

"Dei os parabéns a ele e a toda a equipe, disse que agora era só comemorar e reforçar o pessoal para tocar as competições que estão em andamento e organizar outras."

—— A FUGA DE HELICÓPTERO ——

A data marcada chegou, uma segunda-feira, quando os campos de futebol não têm quase ninguém na parte da manhã. O dia amanheceu calmo, limpo, quase sem nuvens, bom para voar. Os homens levantaram cedo, depois de uma noite maldormida.

— Rapaz, não dormi bem — reclamou Benício. — Demorei a pegar no sono. Fiquei muito agitado, sonhei um monte de coisas, mas não consigo lembrar quase nada, uma confusão na cabeça.

— Também não dormi bem — falou Queixada. — Essa espera para deitar o cabelo mata a gente.

— É, foi uma noite de sonos inquietos — disse Vivaldo, o Brasa.

Benício, olhando a floresta pela janela, continuou a falar:

— Estamos nesse meio de mato, amanhecendo para uma aventura diferente. Em outras fugas, logo a gente se misturava e tinha esconderijo perto. Não estou tranquilo como de costume, estamos muito isolados.

— Relaxe! Pense sempre que estamos no lucro, porque, com nosso tipo de vida, já usamos mais que as sete do gato — tentou animá-lo Vilfredo.

— E vamos continuar a usar, tenho fé — assegurou o Brasa. — Vamos cair no mundão que nos espera.

Assim conversando, eles foram caminhando para o fundão da cidade, pelo lado direito, aproximando-se do último campo de futebol. Não queriam demonstrar, mas todos estavam nervosos. O tempo parecia não passar, as horas se arrastavam, o relógio da torre deu as nove badaladas. Pararam os quatro num canto do campo e alguns outros homens espalhados, de forma a evitar que pessoas se aproximassem da cena. Disfarçavam discretamente as sacolas com os lençóis diante das câmeras fixas e dos drones que passavam por perto. Ficaram deitados no gramado, conversando, olhando para o céu, inquietos. Sempre havia um em pé olhando o céu.

Eram quase dez horas e a torre de comando do aeroporto detectou aeronave no radar, mandou um alerta:

— Atenção, aeronave, identifique-se para aproximação! Esta é uma área militar restrita.

A aeronave continuou avançando. Vinha rápido, pouco acima das árvores, e, se aproximando, subiu um pouco para localizar o campo de futebol.

Os homens viram o helicóptero se aproximando velozmente e Queixada apontou.

— Olhem, lá vem ele, é chegada a hora.

Correram para o gramado, espicharam rapidamente o pano em X e o prenderam no chão com grandes pregos entortados.

Sirenes dispararam. A torre de controle emitiu alerta geral. Uma energia forte se espalhou pela cidade. Todos os militares ficaram de prontidão.

A aeronave se aproximava rápido. Um drone veio para próximo dos quatro que se afastavam do xis. A sirene da torre também disparou e a cidade inteira parecia agora vibrar. Algo extraordinário acontecia. O serviço de som comunicava:

— Atenção, todas as guaritas! Alerta geral! Atenção, Torre de Ferro: combate iminente!

Era grande o barulho do sistema de som, das sirenes e de gente correndo por toda a cidade, que se agitou. Algo incompreensível acontecia. Os homens largavam seus afazeres e corriam para as ruas, procurando entender aquele momento. Muitos falavam alto, outros gritavam. Nos prédios, os elevadores desciam e subiam. Muitos não esperavam e desciam correndo pelas escadas. Os que não sabiam nada desciam também. Na verdade, ninguém sabia de nada, mas, diante da correria, quem via, corria também. A expectativa crescia, não importando o que fosse. O que de maior tinha no momento era a curiosidade. Todos atentos: presos e guardas. O helicóptero descia. Os veículos de aço dispararam pela rua lateral para chegar ao fundão. A tensão no ar era palpável. Tudo muito rápido.

    A aeronave desceu ligeira e firme, pousando no local sinalizado, com as hélices girando em grande velocidade. Os quatro homens que haviam se afastado um pouco voltavam agora correndo, com os corpos curvados, chegando às portas que se abriram. O sistema de som da torre de controle aéreo repetia para a aeronave não levantar voo, pois seria abatida. O piloto recebia a mensagem, mas estava determinado: o dinheiro era muito atraente para pousar e levantar voo rapidamente, indo buscar o esconderijo, antes que chegassem jatos da Força Aérea.

    Os homens foram se acomodando, as portas foram trancadas e o helicóptero começou a subir, sem dar atenção à voz dizendo que seriam abatidos. Ganhou altura e saiu dos limites da cidade. As ruas estavam apinhadas de gente, que gritavam e batiam palmas numa euforia instantânea, uma alegria mesmo.

    De repente, ouviu-se um tremendo assobio cortando o ar. O povo todo, num reflexo, se jogou no chão, e uma violenta explosão transformou a aeronave numa bola de fogo e fumaça caindo sobre a floresta. Um susto, o silêncio e a paralisia total continuaram por alguns instantes. Em seguida, a multidão corria para próximo do fundo da cidade, onde estava a muralha e do outro lado agora só fumaça. O susto, a indignação, a ousadia, o espanto, o medo — tudo se misturava. Veio o sentimento da prisão como em outros tempos. Para muitos, era como se acordassem de um sonho para a dura realidade. O sistema de som pedia calma e que voltassem aos seus lugares.

    Uma esquadrilha de drones sobrevoava a multidão. Muitos presos esbravejavam. Os amigos dos fugitivos conclamavam a pôr fogo em tudo, quebrar tudo, então um tiroteio se ouviu. De cada uma das guaritas da muralha foram disparados para o ar muitos tiros de fuzis, conforme a orientação que receberam. Tudo ao mesmo tempo. Algumas metralhadoras também vomitaram suas balas rumo ao céu. O povaréu caiu na real, olhava a fumaça que subia da mata, e foi aos poucos se dispersando. A sirene continuava a tocar, como que recolhendo a todos. Até que ali, olhando para o outro lado do muro, restaram só os que sempre estavam junto aos antigos companheiros. Conversavam agora sobre a realidade que era aquele lugar.

— O Vivaldo planejou tudinho certo, mas deu no que deu: o Brasa virou carvão.

— Cara, os homens não estão de brincadeira, pensaram em tudo — espantou-se Catarino. — Ninguém sabia da defesa antiaérea. Aqui estamos fodidos mesmo: é jacaré, cobra, leão, cachorro, floresta, índios e agora míssil. O que podemos fazer? O que mais será que existe nesse lugar para estrepar a gente?

— Só resta mesmo saber que outros perigos nos aguardam, por isso não trabalho nessa porra. Que se foda! — bradou Zé Pimenta.

— Fico com minha pena até fugir. Ah, se não fujo! Em toda prisão do mundo sempre tem quem fuja. Por que não aqui, nessa largueza?

Zé Pimenta era um matador profissional, tinha a pele queimada, motivo pelo qual não sentia muito o sol. Seus olhos eram meio fechados, sempre irrequietos e sem descanso, daí o apelido.

— Não sei, não — atalhou Jesus Preto. — Aqui tem esse jeitão de liberdade exatamente porque não dá para fugir. Se o cara conseguir sair fora dos muros, existe outra barreira enorme, com mato, bichos, índios ferozes, risco de doenças, rios perigosos, brejos demorados. Quando chegar a algum lugar, se chegar, é capaz de cair nas mãos das autoridades rapidinho, então volta para cá ou vai direto pro Polo Sul.

Jesus tinha mesmo esse Preto no nome, não era apelido, embora ele fosse branquelo. Era um cara determinado, leal com os companheiros. Seu nome completo era Jesus Preto de Araújo.

— O cara que fugir — continuou Catarino — tem que levar uma

ferramenta pra cortar arame, porque ouvi dizer que tem uma outra cerca mais distante, em volta da cidade e também recheada de onças, que são alimentadas como essas dos fossos.

— Isso é mentira, lenda urbano-florestal — retrucou Jesus Preto.

— Vai dizer que você nunca escutou os urros que vêm lá de fora, do fundo do mato? — perguntou Zé.

— Como vou saber se o urro é dentro ou fora? E, mesmo se for fora, não prova a existência da cerca — declarou Jesus.

— Então, pra tirar a dúvida, você foge e depois conta pra nós — ironizou Catarino.

— É, se a onça não te comer — disse rindo Jesus.

— Pô, que saco! Vocês são meus amigos ou amigos da onça? Em vez de ficarem falando esse monte de merda, por que não vêm comigo? Quem topa? — propôs Zé Pimenta.

— Tem uns caras aí que estão sempre falando que vão fugir. Converse com eles.

— Sei, não. Aquele zé ruela do Piolho já falou comigo, diz que está até estudando pra saber fugir. Puseram na cabeça dele que cara que não tem estudo não vai longe nem nesse matão sem fim.

João Medeiros e Colibri caminhavam próximo, ouviram a conversa e foram se distanciando, pensativos, olhando suas sombras, que pareciam correr buscando um abrigo, porquanto o sol estava abrasador. Na praça Ovo de Colombo, pararam sob o mogno gigante com sombra generosa e se encostaram na grossa árvore.

— Rapaz, a chapa esquentou — falou Colibri. — O bagulho é doido. Os homens não aceitam desaforo e deixam claro as dificuldades para escapadas. Muito cruel aquele assobio disparado. Achei que fosse uma bomba atômica pra acabar com tudo.

— Nisso não pensei, porque nunca vi cair uma bomba atômica.

— Nem eu, até porque quem vê cair uma bomba dessas só conta como é quando chega ao beleléu. Por isso pensei que poderia ser.

— Quando vi o helicóptero e os avisos, percebi que um perigo grande se avizinhava — confessou Medeiros. — Não terão nunca complacência.

— Compla o quê? Onde você aprendeu a falar assim? Tem hora que parece que você é estudado.

— Não estudei muito, não. Sou de família pobre, do mato. É que nos anos de cadeia sempre gostei de ler.

Enquanto conversavam parados, ali na praça, passaram dois rapazes conversando agitados. Um deles disse:

— Aquele zunido me fez arrepiar a arma.

— É "a alma" que se fala.

— Sei lá. Já me envolvi tanto com arma que minha alma virou arma mesmo.

— Crendiospai — desabafou Colibri. — Além de estar preso, tenho que escutar isso.

Enquanto isso, os bombeiros que circularam rapidamente pela via externa, contornando a cidade e depois de intenso trabalho na mata, chegaram à aeronave abatida, que não estava muito longe, embora não tenha sido fácil o trabalho de resgate. No fim da tarde, tiraram os corpos carbonizados, que foram incinerados posteriormente. As cinzas foram enviadas às famílias, inclusive as do piloto, que não era presidiário.

No noticiário da noite, o doutor Alberto se limitou a dizer que os avisos foram claros, mas que os que tentavam fugir não pararam. Finalizou:

— Aqui temos o crepúsculo dos homens maus quando não seguem as regras.

COTIDIANO EM RENASCENÇA

Após doze meses, todos os presos já haviam chegado. Havia espaço suficiente ainda para os que continuassem sendo presos e precisassem ir para Renascença. Dentro de um ano e meio, aproximadamente, os presos com penas menores, dependendo da pontuação, começarão a ser libertados.

A cidade estava bombando, com movimento intenso em todos os setores e confusões como em todo relacionamento urbano. Trabalho, lazer, academia, caminhadas, bares, músicas, alegrias, brigas, rezas, esportes, prisões, depressões, hospital, curas, mortes, crematório, piadas, mentiras, histórias, cantorias e muitos porres. A vida como ela é, embora ceifada de liberdade, mulheres e celular.

* * *

Depois de muitas ponderações, Maria decidiu se transferir para o hospital de Renascença. Havia gostado das instalações, do setor de trabalho, do ambiente com o pessoal, da remuneração diferenciada, da facilidade de visitar a família com o auxílio do serviço aéreo. Faltava acertar sobre a casa que seria adaptada para viver com Emílio. Estava decidida e preparou a viagem para a floresta.

Quatro meses depois da primeira visita, Maria chegava novamente à Renascença. Conversou longamente com Emílio que a levou para falar com o diretor Alberto. Juntos, estiveram com o doutor Jorge, diretor do hospital, para tratar sobre a transferência dela. Após isso, conversaram sobre a moradia no alojamento. Em vista do excelente trabalho de Emílio ao conduzir a cidade, Alberto conseguiu a autorização para que fossem feitas adaptações nos dois últimos apartamentos de uma das alas, abrindo um espaço que agradou a Maria, que se mudaria em definitivo dentro de três meses.

— O CANTOR E O GUARDA —

Nas dezenas de guaritas sobre a muralha que circunda a cidade, os vigilantes estavam atentos aos movimentos que aconteciam do lado de dentro. Um deles era Rivaldo, homem de trinta anos, forte, bem-preparado para o posto que ocupava, observador e atento aos detalhes. Ficava sempre olhando as nuvens, admirando aqueles caminhos e descaminhos das águas no céu. Gostava de ouvir a voz do vento soprando nas árvores da mata ao lado. O tempo passava, e o soldado conhecia em profundidade o espaço onde ficava e o horizonte que o envolvia.

Do lado de fora, a grande floresta com seus ruídos estranhos: ora animais a gritar ou assobiar, ora o cantar dos pássaros, ora galhos caindo ou o vento chacoalhando a folhagem. De vez em quando, o barulhão provocado pelas tempestades assustava, ou águas mansas provocavam um leve ruído na mata. Nos primeiros tempos, Rivaldo se assombrava com as tempestades, mas depois foi se acostumando.

Bem à sua frente, o soldado via o fosso dos pitbulls e dos jacarés, que, nos plantões diurnos, quase sempre estavam sobre a rampa, para tomar sol. Já no escuro da noite os animais emitiam arrepiantes sons. Dentro da muralha, o soldado observava outras feras, as que falavam. Ele estava sempre olhando, admirando aqueles homens proibidos de frequentarem outros lugares. Tinham que estar ali, entre muralhas, homens armados e animais ferozes. Quando seu olhar estava no verde mais longe da floresta, o farfalhar das copas das árvores logo trazia para bem próximo o guincho de muitos macacos. Rivaldo acompanhava com o olhar o movimento de alguns presos, que às vezes vinham para a rua junto à muralha.

Era um passatempo olhar aqueles moradores, e os guardas, com seus fuzis, eram uma distração para os presos. Quando era insultado, a vontade era logo fazer um carinho de chumbo no puto, mas não podia, senão quem iria para dentro seria ele. Só faria isso se endoidecesse. Às vezes, ficava olhando aquele homem que passava e imaginava sua família: filhos, mulher, as tristezas de todos eles.

Havia os tipos atrevidos. Via-se logo no jeito de andar, falar, gesticular. Alguns iam para perto da muralha e, apesar da distância, se punham a falar alto, querendo conversar. Como não era possível, acabavam falando uns palavrões e iam embora para outra torre.

De vez em quando, um passava falando sozinho e outros mexiam com cada guarda nas guaritas. Quase sempre aparecia Luciano, o cantor de ópera que andava soltando a voz pela cidade. Às vezes, já no meio da noite, ia até o ponto mais próximo da guarita e falava:

— Meu nome é Pavarotti.

Cantava uma canção do italiano com sua potente voz. No silêncio da noite, sua canção envolvia o mundo do soldado e parecia que até os ruídos da floresta se aquietavam. A voz trazia uma canção melodiosa, criava um clima triste. Após algumas músicas, o homem parava, sentava-se no chão e ali ficava certo tempo. Depois, sem se despedir, saía silencioso e esquecia que era Pavarotti. Aquilo deixava Rivaldo com uma coisa ruim na cabeça: o preso, a canção, o silêncio, a angústia. A noite ficava lenta, demorada demais. Olhava para as outras torres e via os vigias sob a luz de uma lâmpada. Vinha uma vontade grande de conversar, mas tinha aprendido a deixar a vontade passar.

Alguns dias, quando a floresta vai escurecendo devagar, bate a melancolia do entardecer e a luz do sol é tangida pela solidão, entre o claro e o escuro, então baixa uma lenta tristeza. Não é dia nem noite, e ele ali vendo o fim da luz, apenas um momento angustiante em que o guarda não pode andar, não pode correr. Aquilo fica ainda mais esticado quando o imã, do alto do Mirante, emite suas orações numa língua estranha, puxando um fio da cabeça do homem para imagens de um mundo distante. Ele, então, começa a escrever em seu bloquinho de anotações: "Não entendo sua fala, mas é um lamento, uma voz que parece mesmo sair das entranhas da solidão por onde andam os camelos. Aí a saudade que me chega forte neste escurecer e aperta mais no meio da noite e vai ficar grande nas horas mortas da madrugada. Tudo piora nas noites escuras demais sem nenhuma lua e olhando ao longo da muralha vejo nas torres os outros vigias num silêncio distante. Acho que o tédio que sinto me levará à loucura, ou será que estou com medo?"

Ali, no calor, o guarda atravessava as noites com a alma gelada, querendo que o cantor aparecesse ou que houvesse uma tempestade das brabas, espantando a solidão da guarita.

— A BELEZA DAS ROSAS —

Emílio, Felício e Valdomiro saíram do escritório e, no veículo silencioso, se dirigiram para o leste da cidade. Era um sábado abafado, com muitas nuvens forrando o céu, mas sem o sol forte: bom para caminhar nas áreas de cultivos. Foram para os fundos da cidade, com o objetivo de visitar a área de produção agrícola. Primeiro passaram na plantação de rosas de Heitor, que trabalhava com vários ajudantes. As rosas deixavam Heitor muito orgulhoso. Era como ter "a Colômbia dentro do peito", ele dizia. Seu nome é Héctor, mas entre os detentos é chamado por Heitor mesmo.

Foram até o goiabal do Japonês, que ainda estava no início do cultivo, mas ele e sua turma estavam animados com o viço com que as plantas brotavam. No viveiro de orquídeas de Toninho, ficaram impressionados com a beleza das flores e, depois, se admiraram com o tamanho dos antúrios de Gilberto. Visitaram o enorme prédio de dez andares para o cultivo de hortaliças em hidroponia vertical, uma verdadeira revolução na produção de alimentos com aproveitamento de espaço. Um dos agricultores era Zé Pereira, que coordenava uma grande equipe.

No ranário de Eduardo, a expectativa era das melhores, com os bichinhos em crescimento. Visitaram também o cultivo de cogumelos de Deca, num dos três grandes prédios destinados ao cultivo de alimentos no sistema vertical, é a agricultura urbana. Tratava-se de enormes estruturas, de muitos andares, que em breve ocuparão muita gente. Todos estavam envolvidos em cursos muito bem elaborados, tanto nas apostilas quanto nos vídeos. Eram cursos à distância, com esquemas de monitoramento.

Emílio combinou com todos eles de tomarem umas cervejas no bar Zico, próximo dali. Ao chegarem lá, Heitor e mais alguns já conversavam numa mesa.

— Oi! Pelo jeito, estamos atrasados — saudou Emílio.

— Acho que nós é que estamos adiantados — retificou o colombiano.

— Chamou pra uma geladinha, a gente não demora — sorriu Eduardo.

Estavam todos sentados, com seus copos de cerveja ou cachaça, quando Emílio puxou a conversa:

— Heitor, está muito bonita sua plantação de rosas. Não pensei que estivesse assim.

— Sim, minhas rosas estão bonitas. Veja esta, que linda! — mostrou uma que levava consigo. — Para os espinhos da vida, tem-se a beleza das rosas.

— Opa! E é poeta também? — brincou Felício.

Heitor continuou:

— Há um ditado árabe que diz: "Se quiseres ver a glória de Deus, contempla uma rosa vermelha." Para mim, a rosa é a criação mais linda do Universo. Trabalho com alegria, faço minha parte, e ninguém vai poder dizer que não cuidei das rosas. Falo essa frase para lembrar meu pai recordando uma semelhante aqui do país de vocês, quando ele era jovem.

Heitor era um homem de estatura mediana, porte atarracado, forte, moreno, cabelos pretos, sobrancelhas serradas e cara séria, mas agradável, quando abria o sorriso. Tinha experiência desse trabalho em seu país. Ele dizia ser preciso falar com as rosas na linguagem delas e que quem as compra também têm que falar, e falar com elas de forma diferente. É a linguagem das rosas. E que cada um deve usar a linguagem conforme a cor da flor.

— Um lugar como esse, só de homens marcados pela sociedade, mandar beleza para fora, faz brotar em mim uma alegria grande — falou Heitor. — Cuido das rosas com muita animação, pois, além de me ocupar, me dão pontos, dinheiro e são lindas. Também esses rapazes entenderam a harmonia do cultivo. Nós nos damos bem: nós e as rosas. O cultivo deu certo, teve apoio com investimento de insumos e sombrite. A produção está começando a ir para o mercado por avião. Mas não quero monopolizar a beleza, porque os canteiros das orquídeas do Toninho são de encher os olhos.

— Você e sua equipe estão de parabéns. Logo, logo, tudo o que vocês estão cultivando também estará na linha de embalagem para ir ao mercado — previu Emílio, olhando para todos. — O trabalho de todos vocês está muito bom, é gratificante ver isso. Agora vamos precisar ir, porque hoje é a inauguração da Tribuna lá na praça Manaus. Ah, antes que me esqueça! Zé Pereira, seu prédio com a hidroponia é um espanto, uma maravilha, produz bastante em pouco espaço, dá oportunidade para muita gente trabalhar, e com o que mais precisamos: comida. É claro que as flores nos enchem os olhos pela beleza, mas comida é fundamental para todos. Quando o prédio todo estiver em produção, muito mais gente estará ocupada lá. É fantástico aquilo. Pena que o Olímpio não pode vir aqui para o bar. Ele estava muito ocupado com o fantástico cultivo de cogumelos. Fiquei impressionado com aquilo. Parece que chegamos ao futuro com aqueles prédios e a grandeza da tecnologia ajudando na produção que já estão mandando para o mercado. Uma grandeza o trabalho de todos vocês!

Depois que Emílio saiu, eles continuaram a conversar sobre trabalho, esportes, religião, prisão e as durezas da vida. O dono do bar Zico era caprichoso e fritou uma porção de linguiça apimentada, dizendo ser em homenagem a um deles ali presente.

AS TEMPESTADES DA VIDA

— Agradeço muito — disse Zé Linguiça. — Zuza, está meio amuado. O que está pegando?

— De saco cheio. Por que a vida é tão dura, tão difícil? — respondeu, abrindo outra latinha.

— Difícil pra pobre, que já nasce fodido — respondeu Zé Linguiça.

Linguiça era uma figura divertida: alto, tinha um pescoço comprido, um jeito insolente, e seus lábios pareciam estar sempre querendo rir de alguém. Mas, por trás da cara com boca de palhaço, escondia suas dores.

— Acordei hoje pensando em minha família, lembrando os tempos de acordar cedo e ver que não há quase nada para comer em casa — continuou Zuza, com o olhar caído. — No café da manhã, era um belisco de alguma bolacha que não matava a fome. Depois vinha o almoço e o jantar, sempre com arroz, feijão e ovo. Como fazer compras melhores? Como pagar o fiado na venda? Ficar sem crédito até pra comida. A tristeza, o desespero. Como ter família assim? Só podia dar em desastre. Muita gente se enche de ilusão, esperanças, e se gruda no amor, mas não vai prestar. Está escrito nas estrelas, mas ninguém consegue ler. O sofrimento era a conta chegando depois.

— É, na minha casa também não era fácil — recordou Zé Linguiça. — Minha mãe era osso duro; ela batia muito em mim e nos meus irmãos. Quando comecei a sair de casa, ela ficou mais brava e batia ainda mais. Na rua, comecei a bater também. Quanto mais ela me batia, mais eu batia nos outros. Apanhando e sem dinheiro, comecei a roubar. Minha vida era apanhar, roubar e bater. Fui vivendo, enfrentando as tempestades da vida. Até que, ainda menino, num roubo, puxei o dedo e passei um cara. Nessa hora, virei homem, não voltei mais pra casa. Tinha dó dos meus irmãos que apanhavam. Mas eles também foram saindo, apanhando e saindo. Todos no roubo. Minhas irmãs saindo e indo pra vida errada foram virando putas, as coitadas.

Nós nos espalhamos por aí. Pior, espalhando filhos. Meu pai espalhou antes, não aguentou o peso, foi irresponsável. Acho que passaram ele nas quebradas. E agora minha mãe é só cachaça. Maior ruim, meu!

— E você acha que, saindo daqui, volta para a bandalha ou vai trampar nesse ramo lá fora? — perguntou Zuza.

— Aqui vejo uma vantagem: a gente tem espaço pra pensar.

— Mas você continua usando drogas.

— Do jeito que muita gente sempre usou bebidas, tá ligado? Só estou usando o bagulho socialmente.

— Agora regulamentou o comércio — disse Deca. — Mas quanta gente teve a vida estragada por traficar! E traficava para ganhar algum dinheiro. Mas esse comércio só existia porque tinha o consumo, que é mais de quem pode, e quem ia preso era o pobre que precisava de dinheiro. Os barões das drogas manipulavam tudo, os consumidores ficavam numa boa e a turma de baixo se fodia como bucha de canhão.

— Tranquilidade, mano. Se não tivesse o consumidor não existiria o tráfico — justificou Zé Linguiça.

— Rapaz, pesquise a história. Vai ver que, lá no fundão do começo da humanidade, os homens já usavam os bagulhos que faziam o cara flutuar — falou Heitor, passando a mão esquerda nos cabelos.

— No fundo da história? Entre aqui por estas florestas e vai encontrar tribos primitivas com os índios tragando uns fumacê, ficando doidão e dando a desculpa de que estão falando com os deuses — afirmou Zé. — O ser humano sempre foi assim: buscando aperfeiçoar o jeito de aliviar os sofrimentos.

— Nem me fale em sofrimento! — clamou Teco. — Não tive família. Sinto saudade de um tempo que não vivi; quero ver um futuro, mas não enxergo. Às vezes, fico pensando e querendo achar o motivo de eu ter nascido. Nasci do nada, vivi largado. De um lado pro outro, sem rumo, sem orientação, sem noção. Como um animal de selva, correndo, lutando pra comer. Sem ver sentido, sem saber o porquê de tudo à minha volta. Buscava entender, e nada fazia sentido.

Acompanhei quem estava por perto. Éramos um bando de animaizinhos que foi crescendo a cada dia, vivendo a cada hora. Só dormir, andar, roubar, correr e comer. Lar, nunca tive. Às vezes me amontoava com outros em pequenas prisões. Nunca tive um canto onde a paz pudesse entrar na gente. Essa doçura de paz nunca experimentei. Naquela situação, a miséria era tão grande que não se reagia mais contra ela. A gente ia preso, fugia, e assim, nessa luta diária, muitos meninos morreram. Não se tinha vergonha de ser preso. Tanto fazia. Preso ou solto, era o mesmo, sem medo nenhum.

Teco, cujo nome verdadeiro era Marcelino, se aquietou, olhando para dentro do copo. Em seguida, falou:

— Aqui foi o primeiro lugar que me vi como gente, com uma casa boa, cama, salário, e ainda esse trampo de que estou gostando. Acho que minha vida está mudando. Vamos ver se lá fora consigo continuar assim. Estou até estudando! Mas estou torcendo para demorar a chegar meu dia de ir embora. Aqui tenho casa. Lá fora vou voltar a ter nada.

— Não pense assim — insistiu Heitor. — As coisas mudaram. Quando você fizer sua travessia, lá fora vai achar seu rumo, pode crer. É bom você estudar. Vá também à biblioteca, só vai aprender.

—— A TRIBUNA ——

Era o fim da tarde, e na praça Manaus o povo foi se juntando. O realejo do Amarildo já musicava havia algum tempo. De vez em quando, o papagaio puxava um papelzinho colorido e alguém sorria com a sorte que ele trazia no bico. O realejo parava o som para Silas puxar o fole numa velha sanfona, Raimundinho bater o pandeiro, Zé Jacó na zabumba e Severino a tilintar o triângulo. A animação estava feita, acompanhada pelos olhos sorridentes do povo chegando.

Os músicos tocaram mais uma meia hora. Renato subiu no pequeno espaço elevado cerca de sessenta centímetros e que comporta uma só pessoa. Levantou o braço num aceno aos músicos e o silêncio se fez, então discursou, declarando que ali os moradores poderiam falar o que quisessem. Era um espaço da palavra, das reivindicações, de declamar poesias, cantar... Estava, enfim, inaugurada a Tribuna Livre.

O povo lotava a praça e aplaudiu. Em seguida, subiu um orador que, se dizendo representante do povo, agradeceu a iniciativa e disse que aquele local seria de muita valia para treinar as pessoas a fim de se tornarem pastores e futuros políticos, "mas lá mais tarde", deixou claro. Foi mais aplaudido.

Outro, que já havia tomado umas, se sentiu animado, subiu ao palco e mandou seu recado:

— Sou Etelvino, conhecido como Paçoca, e quero avisar que quem se meter comigo vai conversar com Deus ou com o Diabo.

Levou a maior vaia. Arrepiou-se, enfrentou, bateu boca e levou uma surra, depois disso ficou sumido por uns três dias.

Outro subiu e falou:

— Nosso país só vai melhorar mesmo quando a maioria dos presos forem políticos, e não os pobres.

Foi muito aplaudido, sob os gritos de "Tá eleito".

O orador desceu rapidinho, antes que virasse político e apanhasse.

Outro se apresentou e tascou o verbo:

— Se na democracia cada um é livre para fazer as coisas, então se pode matar alguém sem ter problemas.

Ao que um da plateia falou:

— Isso não é democracia, é a lei do mais forte.

E o tribuno falou:

— Não, é a lei do mais rápido.

Aí gritaram vários:

— Fora, fora!

Um grito foi mais alto:

— Fora, seu bêbado! Vá para casa, mané! Otário! Burro! Ignorante!

Ouviram-se muitas vaias e risadas. O cara se escafedeu na multidão, e por pouco não lhe chutaram a bunda.

Em seguida, subiu Gigi e o povo fez silêncio, era respeitada a Gi. A amiga Rebeca ficou atenta ao lado da tribuna e Gigi começou:

— Temos que nos organizar. Cada grupo que quiser reivindicar alguma coisa tem que lutar. Alguns querem que venham os cavalos — muitos aplaudiram — outros, querem que venham os cachorros — muitos aplaudiram, alguns vaiaram — os que querem galos de briga, — poucos aplauso e muitas vaias — alguns querem que venham shows ao vivo — um grande aplauso e vivas. Gi continuou: — Tenho ouvido falar que estão fazendo um movimento para a vinda das mulheres — Nesse momento aconteceu uma explosão de aplausos e vivas e mais vivas, e ela então gritou: — Calma, gente! Calma. Deixem-me terminar!

O povo fez silêncio e Gigi, então, falou:

— Sou contra a vinda dessas barangas!

Ela recebeu uma tremenda vaia e gritos de "fora, vagabunda". O povo deu um bote para perto da tribuna. Rebeca correu, Gigi disparou para o outro lado e, na desabalada correria, perdeu um sapato e mancando, com um sapato na mão, ficou lá atrás da praça, assustada e esperando a amiga. Depois, acalmou-se e, passado um tempo, foi voltando.

Tenório, com seu chapéu grande, sem camisa e com seu casaco comprido, subiu à Tribuna e discursou:

— Quero aqui dizer umas poucas palavras. É sobre gente portando gravador escondido para grampear fala de morador. Se tiver mesmo, ele que se cuide, pois se for descoberto vai para o forno, vira cinza rapidinho — foi muito aplaudido. — Só falta essa agora! — continuou: — Nós presos aqui, nesse cu do Judas, cercado de muralha, drones, guardas, mísseis, câmeras por todo lado, onças, leões, cobra, e ainda ter que regular o que fala porque pode ser gravado. Vá para a puta que o pariu! Só avisando: se tiver alguém gravando, vai morrer.

O povo todo presente apoiou, aplaudindo muito.

Um que estava ouvindo ao lado de um amigo disse:

— Isso é lenda urbana que já estão criando. A paranoia da perseguição.

— Não sei. Pra ganhar ponto, podem entrar nessa.

— Vamos aguardar! Se tiver, vai ser pego.

Entre os vários oradores inscritos, subiu à tribuna Porvilho, um rapaz caolho que trabalhava na área da saúde.

— Boa noite a todos. Trabalho na saúde e quero ser breve. Trago boas notícias.

Alguém gritou:

— O trabalho de vocês está ótimo!

Ao que Porvilho agradeceu e continuou:

— Nosso país fez um convênio com a França e teremos um mutirão de atendimento na área urológica. Vai estar chegando no avião de amanhã a equipe do doutor François Dedon para uma exame geral de próstata, na campanha contra o câncer. Estou com a prancheta e quero começar a pegar os nomes dos que vão ser atendidos primeiro.

Enquanto pegava a prancheta, olhando para a frente não viu mais ninguém e levou um esporro de Renato.

— Cara, não falamos que você seria o último? Agora acabou a festa.

— Também, com este nome: Porvilho — indignou-se Felício.

— Cacete — disse Renato —, ainda falou no gerúndio: "Vai estar chegando no avião", ai, ai, ai.

Um cara que estava ali perto perguntou:

— Vocês me chamaram? Falaram que vocês me chamaram.

— Não, ninguém o chamou. Qual seu nome?

— Gervásio.

— Não foi você, não, foi o gerúndio. Cada uma, por isso que eu bebo — desabafou Renato colocando a mão no ombro do Felício e dizendo: — Vamos lá para o Castanheira comemorar que amanhã tem mais tribuna. E o Porvilho que nunca mais fale nesse doutor Dedão!

Emílio já estava lá com mais três amigos, que consolavam Gigi, dizendo que ela estava certa e para não desanimar, pois era o começo da luta. E ela falou:

— Tenho fé de que não vou perder essa parada.

Rebeca foi falar alguma coisa e Gi gritou:
— Saia pra lá, não fale nada. Você correu, me deixou sozinha.

—— COMEÇANDO O TÚNEL ——

Tenório era um cara ligeiro e cheio de vontades. Desde que chegou, mentalizou uma fuga. Assim pensando, foi arquitetando seu plano. Estudava o terreno, observando os prédios, os parques, a muralha, onde sairia na floresta, e sondava os colegas de presídio para formar a turma e fugir.

Na chegada, Tenório teve chance de optar por morar no térreo de um prédio não distante da muralha. Como colega de apê, tinha três amigos, portanto precisava conseguir outros quatro para completar o número certo da moradia. À medida que ia encontrando os que topavam fugir, foi dando um jeito de transferi-los para seu apartamento, fazendo trocas. Com muitas conversas e negociações, conseguiu os outros. Um deles era Piolho, doente para fugir. Os outros seis eram Raposa, Sabonete, Catarino, Jesus Preto, Anésio China e Zé Pimenta.

Tenório estava satisfeito quando completou o quadro com a chegada de Zé Pimenta. Fez um puxado de plástico na varanda, praticamente criando outro cômodo, e, num domingo chuvoso, os oito saborearam ali um churrasco, precedido por uma reunião. Tenório explicou todo o plano e a fundamental importância de que só eles soubessem, pois podia haver olheiros e alcaguetes. Por isso, fez de tudo para que morassem juntos e fossem uma só cabeça. A fuga, para dar certo, tinha que ser coisa séria, sigilosa. Estariam sempre juntos, nas ideias e nas atitudes. Era preciso ter disciplina.

Tenório foi detalhando:
— Vamos cavar o túnel a partir da casa, por isso escolhi e lutei para morar aqui. Precisamos saber o rumo. Ter as ferramentas para cavar, colocar as tábuas e caibros de sustentação. O Catarino, como é

profissional em motosserra, conseguiu autorização para trazer a dele, com a desculpa de que ia fazer artesanato em troncos disponíveis no fundão da cidade. Ele é mestre em serrar toras com esta máquina, que é silenciosa porque é elétrica — falou, mostrando a motosserra. — Vai ficar por conta dele derrubar árvores do bosque aqui do lado em noites de chuvas barulhentas e ir serrando para tirar caibros e tábuas.

"Quando for possível, nas madrugadas, a equipe toda vai transportando as tábuas para cá e colocando no buraco à medida que ele for sendo cavado, pois nas revistas semanais não podem perceber nada que está acontecendo.

"O Piolho disse — continua Tenório — que já está estudando a situação da região e sabe um pouco sobre a floresta, tem lido na biblioteca. A terra que sair do túnel deve ser disfarçadamente distribuída. O China conhece de jardinagem, trabalha no setor com o Sabonete e tem as manhas de cortar a grama do jardim em placas, que serão retiradas. A terra será semeada e as placas serão colocadas de novo.

"Ricardo, Sabonete é nosso tatu, tem grande experiência em cavar túneis e está providenciando o necessário para iluminação e oxigenação.

"Já medi. Da casa até a muralha são duzentos metros. Para passar por baixo dos fossos até chegar ao mato em segurança são mais cem metros. Se cavarmos três metros por dia, serão cem dias para a fuga, ou seja, daqui a três meses e pouco estaremos fora da prisão."

— E como vai fazer para ter os fios e as lâmpadas? — questiona Raposa.

— Já comecei a trabalhar isso. Tenho vários contatos na área das fábricas. Logo chegam os fios, na surdina. Lâmpada é mais fácil ainda, e não precisamos de muitas. Para circular no túnel é com farolete.

— E depois que sairmos do túnel, como será? — perguntou Zé Pimenta.

— Será a liberdade — disse Tenório. — A liberdade é preciosa demais, e quem mais sente o valor dela é quem não tem. Sei de uma história antiga de prisioneiros da região gelada da Rússia que, para buscarem a liberdade, caminharam seis mil quilômetros durante meses e conseguiram.

— E todos que saíram conseguiram chegar, depois de uma distância dessas? — perguntou Ricardo.

— As condições lá eram terríveis, muito piores do que aqui. Eram desertos gelados, sem comida, ou desertos quentes sem comida e sem água. Na verdade, alguns morreram, mas a maioria conseguiu chegar à liberdade em outro país.

— E nós vamos chegar onde? — perguntou Anésio. — Será em nosso país mesmo?

— Melhor, então, a gente ir para outro país — falou Jesus Preto após a afirmativa de Tenório. — Se a gente ficar no Brasil, é prisão certa.

— Piolho, você, que anda estudando, tem noção de que rumo devemos tomar? — inquiriu Tenório.

— Devemos ir nessa direção — apontou, esticando a mão para a janela.

— Está louco?! — questionou Raposa. — A frente é do outro lado.

— É isto o que querem: que a gente pense assim. Mas, em dias claros, vejo o avião que sai para lá e, bem longe de nós, faz a curva e vem para o outro lado. Fazem isso para embaralhar. Já observei muitas vezes. O sentido é invertido. Temos que furar o túnel nesse rumo e continuar sempre reto, para nos distanciarmos do presídio e chegar perto de alguma cidade. Se vocês observarem, vão ver que desse rumo nasce o sol, e todos sabem que em nosso país o sol nasce sempre do lado do mar, que está para lá.

Todos olharam admirados, e Piolho ficou satisfeito por ter repetido o que aprendeu havia pouco com os antigos colegas e mostrou conhecimento, o danado.

— Tenório, depois que sairmos daqui, como vai ser? — indagou Zé Pimenta. — Você tem ideia? Alguém tem? Que tipo de dificuldades teremos que enfrentar?

— A floresta é outro mundo — explicou Tenório. — Vai ter de tudo que não sabemos, mas é o preço da liberdade. É ir ou ficar. A travessia será difícil, como tudo em nossas vidas. Como difícil é ficar aqui. Lá pelo menos estamos por nossa conta. Se tiver que sofrer, prefiro sofrer curtindo a liberdade. Sei que não será fácil, pois teremos calor, chuva, mosquitos, aranhas, cobras, onças, queixadas, rios, piranhas e índios. Mas todos eles terão nós também.

Piolho pensou "já falou merda, terão nós e daí? Cada uma, mas vamos pra frente nessa porra".

— Gente — disse Tenório —, não vamos nos preocupar muito com o depois. Agora temos que focar no túnel, tudo o que for necessário para o sucesso. O principal ingrediente é o sigilo, depois empenho e trabalho bem-feito. Ao mesmo tempo, vamos colhendo conhecimentos para que tudo dê certo do momento da partida até ficarmos longe daqui, que não é um lugar ruim, mas não é o que queremos. Alguns caras que sondei não quiseram enfrentar, por comodismo desta situação ou por medo da floresta. Quando alguns deles me perguntam, digo que desisti por falta de companheiros e que não quero mais ir. Monjolo andou me sondando, desconfiado. Aquele migué lerdo nasceu lento, não tem como acompanhar nós na fuga.

— De jeito nenhum — disse Jesus. — Além do problema da perna, está com sobrepeso.

— Que mané sobrepeso, meu! — esbravejou o China. — Fale logo que o cara tá gordo e que não aguenta se arrastar por essa mata.

— Ah, olhe quem fala! Você que trate de comer menos, porque em gordura é o cabeceira aqui. Se não emagrecer, não passa no túnel — falou rindo o Piolho e logo emendou: — Vire esse olhar pra lá, carinha, estou brincando.

E, pegando no bigode de China, completou:

— Pare de mastigar isso.

— Vá se foder! Antes que eu me esqueça — rebateu China, aceitando a brincadeira.

— Falando sério, meu. No dia de sair, você tem que ir por último. Vai que enrosca!

— Depois a gente vê isso, Piolho. Quem sabe um sorteio? — propôs Tenório, o que fez o rapaz arregalar os olhos.

— Sorteio, não. A escala para a saída tem que ser por peso, como já vi em outras fugas.

Em outro lugar da cidade, Emílio conversava com seu amigo:

— Sabe, Felício, tenho visto alguns movimentos aí na cidade e estou estranhando. Estão encomendando mochilas no comércio. Fico imaginando onde uma pessoa vai usar mochila se não pode viajar, não pode acampar.

— Pode ser para ir à casa uns dos outros.

— Mas são mochilas grandes, várias encomendas. Não comente com ninguém para não alarmar. Vamos ficar de olho, porque está me cheirando alguém preparando fuga. Veja! Olhei os nomes dos que querem mochilas e do movimento que o Tenório fez para morarem juntos. Dois são de lá. Vamos ficar de olho e não falar nem para o Alberto, por enquanto.

No meio da semana seguinte, armou um grande temporal quando o dia já ia escurecendo. Os homens puxaram a fiação atravessando a rua por cima do pavimento. Catarino entrou no bosque com sua motosserra, limpou o pé da árvore e foi serrando, esperando o momento de barulho mais forte do vento em meio a trovões, e então derrubou a maçaranduba. Jesus e Zé Pimenta iluminavam a área para o desempenho de Catarino.

Era uma árvore enorme, que ele já havia marcado dias antes. Só esperava a noite apropriada com o barulho de tempestade, apesar do risco de raios. Mas o risco sempre foi uma constante em sua vida. Aquela bela árvore daria um batalhão de tábuas em suas mãos habilidosas de madeireiro. Derrubá-la foi tarefa rápida.

Aproveitando a noite ruidosa, continuou limpando as galhadas, deixando o tronco no jeito para dar início ao desdobramento e começar a tirar as tábuas. O vento foi diminuindo e a chuva foi ficando mansa. Era hora de ir embora e voltar em outro momento.

Na casa, iniciaram a abertura do buraco no piso do puxadinho de plástico escuro, bem armado, com travas dos lados, em cima e embaixo, ficando longe de olhos alheios e de qualquer câmera de vigilância. Mais um passo rumo à liberdade fora dado. Era preciso cavar um bom pouco para começar a colocar as tábuas de sustentação. A terra não era difícil de cavar, daí o perigo do desmoronamento.

Os dias foram passando, e nas madrugadas silenciosas homens cruzavam o espaço entre o bosque e o prédio de Tenório, com tábuas e caibros nas costas. Durante o dia, cavavam o túnel. Era incrível ver aquelas tábuas perfeitas, todas com dois centímetros de espessura e vinte de largura, rigorosamente iguais e que não eram feitas em serraria, e sim no meio do mato, com uma motosserra. Esse é um drama para conter o desmatamento no país inteiro pois não sai do mato a tora e sim a taboa em pequenos tratores, carroças ou até nas costas de homens.

Certa noite, Emílio chamou Felício às três horas da madrugada e os dois saíram para um giro pela cidade. Caminharam para os lados do fundão, chegando à rua anterior, onde moravam Tenório e os amigos. Aproximaram-se, caminhando lentamente e parando nas esquinas para conversar. Quando chegaram a uma distância em que podiam ver sem serem vistos, avistaram homens carregando coisas nas costas.

— Está vendo, Felício? Os caras estão armando. Mas vamos ficar na boa. Deixe-os tocar o projeto. Vamos só acompanhar de longe, sem que percebam.

A cidade estava calma. Só havia barulho de gente próximo às praças. Voltaram para casa e foram dormir.

—— ESTÁTUA DO HONESTÃO ——

Meses antes, Miguel fizera uma proposta para ser analisada por Emílio e pela cúpula de Renascença. Disse que era escultor e tinha um projeto de fazer a estátua de um homem, homenageando o honesto.

Seria uma estátua grande, maior que o tamanho natural. Emílio argumentou que os habitantes poderiam não gostar, uma vez que estava homenageando quem não mora em Renascença. O escultor retrucou, pois via isso ao contrário, já que todos ali se diziam inocentes, perseguidos e injustiçados, portanto a estátua homenageava a todos. Ao que Emílio perguntou:

— E você acredita que seja assim?

— Claro que não. Para boa parte, honestidade passou longe, mas em razão de circunstâncias da vida, há os que cometeram crimes que não têm nada a ver com desonestidade e aqueles que, com certeza, sairão de Renascença com grandes possibilidades de serem honestos num segundo tempo da vida.

Na praça Manaus, um local nobre foi isolado com tapumes para que o escultor pudesse trabalhar tranquilo, juntamente com seu ajudante, Fernando. A área foi coberta para que sol e chuva não atrapalhassem.

Foram meses de muita labuta da dupla, até que finalmente a obra ficou pronta. Miguel, o escultor, estava feliz, mas uma miúda nuvem cinza parecia embaçar o azul de seu céu. Havia alguns dias, sentia o sangue correr pelas veias numa velocidade diferente. Ele contava as batidas do coração. Às vezes estava normal, às vezes disparava. Havia dias que segurava os pulsos contando os batimentos. Aquilo o incomodava, mas não queria parar o trabalho e ir ao médico.

Fernando percebia sua preocupação, as paradas para segurar os pulsos, e observava a veia grossa em seu pescoço. Não resistiu e perguntou:

— Guel, por que você às vezes fica segurando o pulso assim quieto?

O artista respondeu:

— Estou cismado com a correria do meu sangue, que de repente fica lerdo.

— Ih, cara! Corra para o médico, eles estão aí para isso.

— Você conhece esta velha mania dos homens de não gostar de ir ao médico. Acho que está chegando minha hora de ir. Primeiro, vamos acabar essa belezura, e depois da inauguração vou enfrentar o doutor.

A estátua ficou pronta, uma beleza que ia valorizar a praça, dando um aspecto mais sério àquela parte do jardim bem-cuidado. O plano era deixar a estátua limpa, o pedestal brilhando e os arredores do monumento bonito e atraente. Os jardineiros estavam caprichando, dando o toque especial para o momento que se aproximava. Um dia antes, os tapumes foram retirados, e uma grande lona plástica azul claro embrulhava a estátua.

Enfim, chegara o dia tão esperado da inauguração. Miguel acordou cedo, animado com a manhã luminosa de sábado, dia tão esperado para a entrega de sua obra. A maior que já fizera. Preparou café com leite, pão, biscoitos, banana e um ovo quente. Depois da refeição, pôs café num copo e foi tomar junto à janela, de onde dava para ver o jardim e o grande embrulho azul, pronto para a inauguração, que seria às dez da manhã, evitando os possíveis aguaceiros da tarde. A cidade já estava banhada pelo sol. Guel olhava aquele azul com um leve sorriso de satisfação quando Fernando, seu ajudante, se aproximou e falou:

— Que bonito ficou! Você está de parabéns, é mesmo um artista. Quando tiver sua idade, quero fazer algo assim também, meio parecido comigo, como você fez.

— Sem essa — retrucou Miguel. — Não fiz parecido comigo, você é que está achando.

— Homem, é sua cara. Mas você está certo: se tinha que parecer com alguém, melhor que fosse com você. Se não tinha a intenção, a natureza da arte teve.

Miguel tomou mais um gole de café, pensativo, mentalizando a estátua, e falou baixinho, sem perceber:

— Parece meu pai.

— O quê? — perguntou Fernando

— Nada, nada, deixe de bobagem. Vamos arrematar os detalhes da limpeza que a hora passa rápido.

O relógio da torre deu as sete badaladas.

Desceram do prédio e foram caminhando lentamente, curtindo o frescor do novo dia. No meio do caminho, Miguel parou. Estava estranho, com os olhos fixos, olhando o nada. Fernando, que dera uns passos a mais, voltou e perguntou o que acontecia:

— Você está bem?

Miguel respondeu que sim com a cabeça e voltaram a andar. Entraram no cercado ajardinado da estátua, dando os últimos toques de limpeza, e tiraram o plástico azul para colocar o pano que cobriria até o momento da inauguração. Olhando fixamente para um banco à frente, Miguel disse que queria se sentar, não estava se sentindo bem. Assim que se sentou, teve uma ânsia de vômito.

— Guel, vamos para o hospital — falou Fernando.

— É, acho que estou precisando. Não estou bem mesmo — admitiu, tombando e arriando o corpo no banco. — Meu amigo, acho que cheguei ao fim. Sinto uma dor forte, acho que vou morrer. Se for isso mesmo, peça que Emílio mande entregar as cinzas à minha família, mas diga para deixar um pouco e você espalha no pé da nossa estátua. Se eu morrer, peça que Amarildo toque o realejo aqui na nossa obra. Fernando, está tudo ficando escuro. Quero ver a estátua mais uma vez.

Olhando para sua criação, disse:

— Obrigado, amigo. Você ajudou muito e aprendeu. Olhe para ela. Ah, que beleza! Segure minha mão. O homem que fiz parece meu pai.

Ao proferir tais palavras, calou-se, com os olhos fixos em sua obra. Segurando seu pulso, Fernando sentiu o silêncio de suas veias. O artista acabara de morrer. A luz do sol banhou o honestão, a estátua que, no limite da praça, olhava para a cidade, para a rua Amazonas que seguia para o leste.

Foi chegando gente. Logo uma pequena multidão se aglomerou e Emílio deu as ordens para os procedimentos necessários ao óbito, aos preparativos para o velório e à cremação no fim da tarde.

A festa de inauguração não mais aconteceria. Miguel já a havia inaugurado ao descer a lona azul nas primeiras luzes da manhã, e o monumento recebeu visitas o dia todo. Ao lado, Emílio providenciou uma tenda onde o corpo foi velado. Após a cremação, o povo aumentou ao redor da obra de Guel, a estátua da praça. Alguns chegavam com cervejas; outros, com cachaça e drogas; havia os vendedores de lanches, pipocas e churrasquinho de gato. As conversas rolaram por horas.

Amarildo tocava o realejo, o papagaio estava lá, mas não vendia raspadinha nem bilhete da sorte. O que mais o povo falava era sobre o artista, sua obra e sua cara. Fernando não arredou pé. Andava por ali remoendo sua tristeza, misturando satisfação, vazio e frustração. Comeu alguns salgados e tomou cervejas. Cachaça, de vez em quando.

Com o passar do tempo, a noite chegou triste. Muito depois do pôr do sol, o povo foi saindo, esvaziando o local, e lá pelas duas da manhã Fernando estava quase só, acompanhado apenas por Amarildo e Gera, um ladrão que virou religioso e agora se apegara por demais a Deus, talvez por uma doença de dor doída de dentro da barriga, por isso estava quase sempre gemendo.

Fernando já cochilava no banco e Gera gemia. Amarildo dava uma pausa, cochilava e voltava a manivelar o realejo com suas músicas do passado. Gera gemia e olhava para a estátua com a cara de Guel. Cochilava, gemia, olhava e, de repente, deu um grito que acordou Fernando:

— A estátua piscou! Piscou, sim. Era o Guel! Não estou mentindo. Piscou e minha dor passou. Não sinto nada de dor.

Ao falar tais palavras, caiu de joelhos, chorando e falando que fora um milagre de Deus por intermédio de Miguel, que deveria ter chegado no céu. O religioso chorava copiosamente. Amarildo acordou da letargia das músicas do realejo, olhou longamente para o homem chorando e foi embora. Fernando ficou parado um instante e achou melhor caminhar na madrugada pela solidão das ruas, curtindo sua dor silenciosa. Olhou para as guaritas onde os guardas estavam sentados e imaginou que eles estivessem dormindo.

Depois dos guardas, a grande floresta, de onde vinham ruídos noturnos. Estava só e numa nova encruzilhada; a arte de Miguel estava em suas mãos. Não dormiria aquela noite. Caminhou pelas ruas desertas da madrugada relembrando o que Miguel falava sempre:

— Essa estátua é uma homenagem aos pais de família que estão lá fora e que, sem saída, veem seus filhos se degradarem. Sem saída, veem suas filhas se prostituírem e seus filhos se perderem no crime em busca de vida. São apenas massa de manobra dos privilegiados. Sentem uma felicidade ilusória no princípio da vida, na juventude, quando multiplicam os filhos, colocando-os no mundo, sem perceber a armadilha em que estão entrando. Quando se dão conta, veem o tamanho do abismo, mas não há mais nada a fazer. O moinho da vida os tritura, e a tristeza é o que resta. Depois muitos virão parar aqui, tateando um rumo para a libertação, a busca da liberdade perdida, a travessia da volta.

Andando pelas ruas desertas, Fernando chegou ao jardim do mirante. Sentado num banco, ouviu uma música distante. Prestou atenção e percebeu que Amarildo estava no alto do Mirante, com seu realejo, tocando "La vie en rose", um som que parecia vir do fundo dos tempos.

— O TÚNEL UM MÊS DEPOIS —

Depois de um mês de escavação, cem metros de túnel já estavam prontos. A terra vinda do buraco era espalhada durante as noites pelos espaços possíveis, onde não chamasse a atenção, como no jardim em que Anésio cortava as placas de grama, jogava a terra e voltava a placa para o lugar. Também levavam sacos de terra para o bosque quando iam buscar tábuas. Tinham sempre muita cautela com o campo de visão das câmeras. Para o lado que se movimentavam, os guardas da muralha não conseguiam ver. De vez em quando, algum vizinho via a atitude estranha, mas ignorava. Era melhor não saber nada.

Tenório coordenava os trabalhos para que tudo fosse feito discretamente. Não se poderia ter o mínimo erro. Todos concordaram que, nos momentos de folga, estariam sempre juntos. Nas poucas idas aos bares, deveriam voltar todos juntos e ficarem pouco tempo. Não se podia andar sozinho. A disciplina era fundamental para o sigilo e o sucesso do que estavam fazendo.

Numa tarde de chuva, Emílio e Felício caminharam para os fundos da cidade, do outro lado do bosque. As ruas estavam desertas. Não demorou para depararem com o local de trabalho.

— Está vendo, Felício? Estão agindo. É Tenório e seus amigos. Isso que estão fazendo vai servir de lição para toda a cidade, porque não conseguirão atravessar a mata, não têm o preparo necessário. São muitos. É difícil conseguir o de comer, fora todos os perigos. Se escaparem, morrem logo. Mas esses não irão longe.

— O MARUJO —

A conversa era animada numa mesa do bar Noite Alegre, onde estavam Marujo, Galego, Sorvete e outros. Marujo era um cara divertido, de pele queimada do sol, cor de chocolate passado, sorridente, estatura mediana, tipo esperto, sagaz e às vezes atrevido, com trejeitos que desenvolveu na luta pela vida. Em suas buscas, foi longe.

— Que merda o Miguel morrer sem curtir a satisfação do povo com sua obra! — lamentou Marujo. — A vida é mesmo um desarranjo, mas segue para os vivos. A minha foi uma esparrela: teve partes boas e um monte de desconfortos e peripécias. Quando era bem jovem, não me entendia com meus pais. Tive chance, mas não queria estudar de jeito nenhum. Para terminar o colégio foi a purso. Fui pra cidade grande e me virei como pude no corre-corre: "malemprego", bicos, desemprego, pequenos furtos, traficância, exploração de mulheres e escapulidas da polícia.

"Eu era bicho solto. Quando vi que o caminho, mais cedo ou mais tarde, era prisão ou morte, procurei cair fora e embarquei num navio, sosseguei o facho e trabalhei sério. Até me estranhei. Gostei daquilo, e por uns três anos levei a vida de mar em mar, de porto em porto. Primeiro foi num navio cargueiro, mas era muito parado aquilo. Só tinha animação quando estava nos portos e a maior parte do tempo estava no mar. Uma coisa demorada, navio pesado, vagaroso. Lembro-me de uma viagem em que estávamos vindo da Índia contornando a África e paramos na Costa do Marfim. Primeiro, desembarcamos produtos em Abdjan, depois fomos para o porto de São Pedro, a fim de embarcar uma quantidade de toras. Foram seis dias de madeira entrando no navio. Todas as noites a gente saía para a cidade, eu e mais quatro amigos. Foram noites inesquecíveis, de boas alegrias, muitas histórias e risadas. Mas, no penúltimo dia, já quase completando a carga, nosso passeio deu errado e um dos companheiros foi morto num destempero de cachaça, mulher, tiros e correrias.

"Pronto! No dia seguinte, o navio estava carregado, e tivemos que ficar ali mais quatro dias para os desembaraços. Continuamos contornando a África, parando em vários portos. Entrando no Mediterrâneo, paramos em Ceuta, depois aportamos em Argel, onde trabalhamos duro, mas passeamos legal. Numa madrugada, vimos o dia clarear curtindo os bares do centro da cidade. Daquele fim de noite, já quase amanhecendo, nunca esqueço da imagem de uma moça entrando no bar acompanhada por um homem. Ela estava com uma roupa branca, aquela vestimenta árabe, da cabeça aos pés, inteira coberta, também o rosto. Só os olhos negros brilhavam como dois olhos de fera naquela branca neblina que eram seus trajes. Quem seria para chegar com aquela beleza naquelas horas: uma namorada, uma noiva, uma prostituta, ou só uma tentação encoberta para mexer com a imaginação dos homens?

"Chegamos ao navio quase na hora de partir, então atravessamos o mar e aportamos em Marselha, na França, onde consegui arrumar trabalho num navio de passageiros. Trampo pesado no dia a dia, mas com muitas horas de trabalho leve e alegrias nas festas, além de chances de aventuras escondidas. Aqueles momentos de o coração delirar. Minha vida era ouro sobre veludo azul, tudo o que eu queria. Alegrias que povoaram de festa minha imaginação. Mas, depois de várias viagens pelo Mediterrâneo e pela costa norte da Europa, derrapei no tapete da vida, exagerei nos limites e tive que deixar aquele belo navio. Com a felicidade escapada, voltei para o cargueiro."

Marujo era um sujeito alegre, cativante, e sabia contar as muitas histórias que viveu no mar e fora dele. Falava gesticulando bastante, dando entonação na conversa. Era animado, e continuou a falar de sua vida de marinheiro:

— Meus dias ficaram mais calmos, mais duros e mais divertidos no trabalho, só mesmo nos portos. Naquele cargueiro com tantos homens, às vezes a diversão era dançar homem com homem, credo, gosto nem de lembrar — falou o marinheiro dando três toques na madeira do balcão. — Tive também grandes momentos de alegria nessas viagens. Mas, como dizem, tudo acaba, então aconteceram dias terríveis.

"A viagem fatídica aconteceu no Pacífico cinco dias depois de a gente sair de Xangai, na China, rumo ao México. A manhã clara se mostrava normal, com nuvens altas, num céu azul muito forte, bonito de ver. Lá embaixo, na quilha, os golfinhos pareciam apostar corrida com a embarcação, e vários deles brincavam em velocidade. Eu me debruçava na frente, na pontinha do navio, para ver o avanço mar adentro e a diversão dos golfinhos. Naquela tarde, notei a embarcação balançando mais que o normal. Percebi que o vento soprava forte e as águas ondulavam bastante. O tempo estava se alterando rapidamente. No céu, nuvens escuras prenunciavam mais agitação. Aquilo foi aumentando, e escureceu de vez. O vento ficou forte e não demorou a vir a tempestade. Desabou o mundo. Vento nervoso, trovões, raios: São Pedro despejou água sem dó. Ondas enormes chacoalhavam o pesado barco, que empinava e balançava de todos os lados. Se desse para olhar de cima, provavelmente pareceria um brinquedo no meio daquelas ondas enormes. Quem não sabe o que é medo, ali aprende. Ah, mas não aguentou mesmo! Tinha entrado na noite quando o naufrágio aconteceu.

"Todas as luzes do mundo se apagaram, e naquela confusão me perdi. Jogado para lá e para cá, caí na água e me apavorei. Quando agarrei algo, segurei firme, como se segura a vida nos momentos terríveis. Aquilo balançava e eu não largava. No vai e vem da água e no clarão furtivo dos relâmpagos, vi que estava agarrado num bote. Consegui pular para dentro e me segurei com todas as forças para não ser jogado para fora. Depois de tempos, horas, sei lá, as ondas foram se acalmando e adormeci.

"Acordei com o dia clareando. Vi logo onde era o leste, pois o vermelho da barra anunciava que o sol viria por ali. Mas também tanto fazia ser leste ou sul. Eu estava sem motor, sem breque e sem remo, numa completa impotência. Já com o dia mais claro, olhei em volta e só vi água e céu, um azul em minha vida. Só mar demais por todos os lados. Firmei a vista buscando alguém boiando. Nada. Nem por perto nem por longe. Aí pensei: 'Se o mundo tem um cu, tô dentro'. Tanta gente está em lugar bonito e diz que está no cu do mundo! Não sabem de nada. Ali é que o cabra se sente no cu verdadeiro. Só céu, mar, sede, fome, baleia, tubarão, desamparo e medo. O cara chora e não tem mãe que dê jeito. Muita luz de dia, e o reino das trevas com a escuridão solitária à noite. As estrelas por companhia.

"As horas passaram e se transformaram em dias. Tempo lento, água, céu e esperança renovada a cada manhã, para logo ser perdida pela sensação do desamparo total. Na solidão completa, eu me sentia no meio de um mundo azul. Parecia o centro mesmo. Em volta era tudo igual: uma abóboda azul por cima e por baixo água da mesma cor. Eu garrei a pensar, era a única coisa que dava para fazer: pensar. Nunca tinha pensado em Deus, então pensei. Eu não conhecia Deus e achei que a culpa era d'Ele. Comecei a achar que Ele tinha preparado aquilo pra mim, como vingança por eu ser daquele jeito, sem acreditar em nada, não gostar de ninguém, não me apegar. Era eu pagando por minhas estripulias, mas era uma puta sacanagem me deixar sozinho naquele ermo de mundo, sem comida e sem água. Eu nem pensava nos outros do navio, se sofriam ou se tinham morrido. Nesse momento, vi uns peixes pulando em volta do barco, até que um deles pulou para dentro. Agarrei o baita, que não era pequeno e falei pra ele: 'nós dois tamo fudido, mas sua morte pode ser minha vida' e, assim que ele bateu a cassuleta, comecei a comê-lo.

"Estava com muita fome. Aquele peixe foi uma alegria, rezei pela alma dele. Deixei de pensar em Deus e comecei a falar com Ele. Mas o silêncio de Deus me deixava revoltado. Se Ele queria me provar, por que não falava comigo? Em meio a essas conversas, de repente vi peixes pulando em volta do barco e pensei que fosse Deus querendo falar comigo. Imaginei que o peixe fosse pular no barco. Mas que esperança, pulou nenhum não. Aí fiquei na dúvida de novo, pois precisava de água, comida, e não chegava a lugar algum. Quando comi o peixe, acreditei que Deus tinha colocado aquela comida ali. Depois fiquei em dúvida. Pensando assim, adormeci e acordei com uma grande chuva. Tomei muita água e o barco armazenou uma boa quantidade. A fé em Deus voltou.

"Mais dias se passaram e eu continuava flutuando no meio do mundo, com a cara toda lanhada, queimada, os lábios rachados e o corpo dolorido. Tentava entender o mundo e meu papel nele. Ficava bravo com Deus ou falava que Ele não existia. Depois, pensava no peixe que podia ter caído no barco por vontade de Deus, na chuva que veio me aliviar a sede e que podia também ser por vontade d'Ele. Mas, em seguida, eu me lembrava da tempestade cruel que afundara o navio, motivo pelo qual eu estava ali, naquela situação tão terrível. Eu falava com Deus o dia inteiro. Com quem mais iria falar? Não existia mais nada, ninguém, mas parecia que Ele existia e estava me ouvindo. Não podia ser que um Deus à semelhança dos homens quisesse fazer uma tempestade como aquela e nem precisasse jogar peixe no meu barco.

"Na vastidão daquela situação, pensava nessas coisas que dizem acontecer pela vontade de Deus e fui imaginando que a tempestade, os raios, os trovões, o vento e o mar formam a natureza. O peixe e a chuva que me aliviaram são partes da natureza, e tudo isso junto é o que os antigos chamavam de Deus.

"Na solidão que me envolvia, achei que tinha chegado ao fim. Já estava variando. Deitado no barco, olhando aquela imensidão do mesmo azul que misturava céu e mar, adormeci. Sonhei que tinha morrido e estava chegando ao céu. Tudo era azul e eu flutuava. Na verdade, não sei se dormi e sonhei ou se estava delirando, achava que estava chegando ao céu. Depois tudo ficou preto, e quando acordei o dia estava clareando.

"Mais um dia amanheceu quente. Pensem numa solidão, acrescente fome, sede e medo. Eu poderia acabar com o sofrimento. Era só pular na água, mas não queria morrer. Pensei em tudo que dava e não tinha mais o que pensar. Gastei meus pensamentos. Aquele mundo tão silencioso e eu ali, ao sabor da natureza, sem nada poder fazer. No fim do dia, quando o sol abrandava e coloria o céu com rajadas de vermelho e amarelo, eu sentia o frescor da noite.

"Com a chegada do escuro, acompanhavam-me as estrelas, que luziam no alto céu. Eu ali deitado, de costas, olhando para cada uma e pensando na imensidão do universo. Vinha-me um resto de imaginação sobre a fragilidade de viver, a inutilidade de muitas coisas, a desimportância de ser, a estupidez da arrogância. Lembrava, então, minhas bravatas, muitos caras que conhecia e que eram um nojo na convivência. Queria vê-los ali, naquela situação de extrema fragilidade, facim de endoidar.

"O silêncio imenso daqueles dias de sol e noites escuras estreladas demais ou clara de lua grande me fez pensar coisas que antes não imaginava. Revivi cada dia de minha vida. Tive todo o tempo. Até que um navio passou perto e me viu. Foi minha salvação. Foi a mão de Deus que levou o navio até mim, ou o balanço do mar que me levou até a rota do navio? De qualquer modo, sobrevivi. Eu já estava no pau da rabiola, magro no último. No hospital, parecia uma caveira deitada na cama.

"Alguns falam que foi milagre, outros dizem que Deus quis que eu passasse por aquela provação e que eu deveria me tornar um religioso, um dirigente pastoral. Voltei para a casa da família e continuei a recuperação. Aqueles dias foram ficando longe. Fui diminuindo as idas à igreja e comecei a procurar trabalho. Ia sempre ao porto ver os navios chegando ou partindo."

— Mas fala aí Marujo, como foi que você veio parar aqui? — perguntou Sorvete.

— Foi outro tempo da minha vida. É uma história igual a de muitos: mulher, paixão, loucuras, meus tempos de escapada pelos becos em procura de escuros amores. Aí a gente acaba aqui, esperando um terceiro tempo. Como muitos desta cidade, sou vítima das fraquezas humanas. Quando sair, quero morar numa cidade que tenha um porto, para ver o navios e estar perto dos meus companheiros de viagem: o azul do mar e do céu, o sol, a lua e as estrelas. Meu sonho é ter uma moradia no alto de um morro com a visão que me acompanha, pois o infinito do mar e do céu nunca morre. Não vou esquecer os dias ruins, mas sempre vou lembrar como foi bela a vida nos meus verdes anos.

* * *

Maria desembarcou com malas, baús e muitas coisas mais para deixar agradável e acolhedor seu pequeno lar. Emílio estava feliz por ter ali, fora da muralha, a mulher que amava e com quem poderia compartilhar os dias de labuta na cidade, mas manteria seu lugar no apartamento, onde continuaria a convivência com os companheiros, dormindo alguns dias da semana.

Maria chegou numa quinta-feira e começaria a trabalhar na segunda.

—— O TÚNEL SOB A MURALHA ——

Mais um mês de trabalho e o túnel chegava à muralha, onde o fosso não tinha água. Em conversas e sondagens, Tenório ficou sabendo que ali não tinha jacaré. Mas Ricardo, o especialista em túneis, por precaução, orientou que a escavação fosse feita para baixo, pois tinha o alicerce da muralha. Logo, porém, ordenou que poderiam começar a cavar com inclinação para cima. Ele media o túnel cavado e, ao passear aos domingos, andava até perto da muralha e fazia os cálculos. Tinha certeza de que estavam do outro lado e de que, em mais uns vinte dias, poderiam furar a superfície no meio do mato.

Tenório ao longo dos trabalhos de escavação detalhava os preparativos para a saída. Orientou a todos que adquirissem de outros presos algumas coisas que precisassem, apenas algumas mochilas não foram encontradas e tinham sido encomendadas. Seria preciso levar uma muda de roupa, água e comidas concentradas. Todos deveriam levar faca, farolete, fósforo, isqueiro, anzol, linha, repelente... Foi feita uma lista comum e alguns itens específicos para cada um dos homens.

—— O PLANO ——

Chovia. Ao olhar pela janela, João Medeiros comentou com Colibri:

— Cara, faz dezesseis meses que estamos em Renascença e nossa produção de mel já está forte nas caixas. O que coletamos dos ninhos selvagens está dando um bom dinheirinho e fazendo a pontuação crescer. Por nosso desempenho, vamos comemorar a produção com Emílio no bar Castanheira.

Mais tarde, no bar, eles conversavam:

— Emílio, você sempre diz que quer ir com a gente à mata, mas nunca arruma tempo. Precisa ir para conhecer aquilo, é muito bonito lá fora.

— Qualquer dia, vou. O difícil é sair, o trabalho não deixa. E vocês estão produzindo bem, né?! Parabéns!

— Sim. Queremos encomendar mais caixas, e por essas vamos pagar. Assim que chegar, vamos pedir autorização para mais uma pessoa ir trabalhar com a gente.

— Passe amanhã lá no escritório para a gente encomendar as caixas e vermos quem pode ir com vocês. Já tem alguém em mente?

— Não falamos com ninguém, mas já sondei uns dois. Quando você me der sinal verde, a gente vê quem aceita ir.

— Tá bom, pode ir adiantando a conversa.

— Sabe, Emílio, a gente caminha muito, demora a chegar aos pontos distantes e logo precisa voltar para cumprir o horário. Será que tem jeito de a gente dormir pelo menos uma noite lá? Isso vai adiantar muito nossa produção. Lembra que lhe pedi isso há um tempos e você ficou de ver? Mas a decisão foi negativa. Quero voltar a insistir. Às vezes, estamos longe. É só dormir e de manhã já estamos no local, sem perder o tempo de vir até a cidade e voltar. Já temos redes e os equipamentos necessários.

— Olha, Medeiros, coloquei seu pedido na reunião. Para ser sincero, eu mesmo votei contra. Mas vários membros acham que vocês estão fazendo um bom trabalho, merecem confiança e que não vão ser loucos de fugir. Na votação, vocês perderam por um voto. Prometo levantar de novo a questão, pois agora estão produzindo bastante e deve aumentar. Talvez sejam liberados.

— Se isso acontecer, vai ser muito bom.

Colibri olhou curioso para João, mas não falou nada. No caminho para casa, puxou o assunto:

— João, você já está pensando em alguém mesmo?

— A cabeça da gente não para, e há umas coisas que vou lhe falar, mas só depois de amanhã, lá na mata. A roda da vida não para, e minha cabeça gira igual, acompanhando.

Na mata, dois dias depois, os dois estavam conversando na rede, depois do almoço.

— Colibri, já tenho certeza de que posso confiar em você, até porque estamos no mesmo barco. Vou abrir o jogo sobre o que está desconfiado faz tempo: tenho, sim, um plano de fuga.

Colibri se sentou na rede e falou:

— Cara, o que você tem em mente? Não é possível fugir por esta mata. É muito grande e muito perigoso, é impossível, você mesmo falou.

— Nunca fale que alguma coisa que você não conhece seja impossível. Só o fato de todo mundo achar que é impossível já permite sonhar em fugir. O resto é planejamento, conhecimento e disposição. Eu falei que não tinha essa ideia de fugir porque não estava na hora de falar. Mas, na minha cabeça, o plano está se aperfeiçoando desde que entrei no avião com papel e caneta, lembra?

— Lembro-me de você olhando os rios e anotando. Eu vou junto?

— Vontade e coragem. Você tem? Você quer?

— Quero muito ser livre. Mas você pode me falar seu plano?

— Toda essa história de abelha tem dois objetivos. Um é ir passando o tempo de forma mais livre, além de render dinheiro e pontos, sem chefia em cima da gente. O outro é preparar muito lentamente a fuga. Isso de vir mais um cara é porque em três fica mais viável a travessia. Mas falta algum tempo para a saída definitiva. É preciso planejar e preparar tudo detalhadamente e sem pressa. Já venho sondando dois caras, e nós dois vamos ver qual deles é o melhor. Um é aquele Chico Macarrão e o outro é o Zacarias. Depois que a gente sentir firmeza, abre o jogo com o escolhido.

— Mas e quando chegar a hora, para onde vamos?

— Vamos no rumo do sol; onde ele nasce, é o leste.

— Por que essa certeza? E vamos sair onde?

— Quando viemos, sentei-me ao lado da janela e não tirei os olhos da paisagem. Tive sorte, era um dia limpo, com poucas nuvens. Vi grandes rios, mas vi um enorme: o Amazonas. Não notei, porém, outro muito grande que também existe: o rio Negro. Acho que está difícil para você entender assim de chofre. Quero dizer que, se você olhar o mapa, vai perceber que o rio Negro só pode estar para lá — João apontou com o queixo.

"Observei também, naquele dia, a posição do sol durante a viagem, e pelo tempo que o avião voou depois do rio Amazonas, devemos estar perto da Colômbia ou do Peru. Então, se andarmos para o leste, chegaremos a São Gabriel da Cachoeira, Santa Izabel, Barcelos ou Moura, cidades às margens do rio Negro. Quer dizer, Moura ainda não é cidade, mas um dia vai ser. Na biblioteca, vou lhe mostrar no mapa."

— Mas se a gente chegar a uma cidade dessas a polícia já pega.

— A gente não vai chegar à cidade. Vamos ficar perto, acampar e, cuidadosamente, encontrar o núcleo urbano. Não vamos deixar a cidade encontrar a gente. Por isso temos que pensar em todos os detalhes, até na tesoura e no aparelho de barbear, para estar com boa aparência nos primeiros encontros lá fora.

— Cara, você pensa em tudo.

— Só lhe falei um tantinho de nada. O plano é bem complexo e vou lhe explicando devagar.

— Mas você tem noção de quantos dias vão ser necessários?

— Não. Não tenho noção da distância. E pior que a distância é o imponderável da floresta.

— Impo, o quê? Tem hora que você fala umas coisas que não entendo.

— Eu quis dizer que há surpresas na floresta, que situações difíceis vão surgindo inesperadamente e tendo que ser superadas. Às vezes, pequenas distâncias são difíceis de atravessar.

— E as tornozeleiras?

— Na hora certa, a gente vai se livrar delas. Depois que o novo camarada tiver firme em nosso plano, já aqui no mato, vamos fazer um esconderijo para começar a trazer tudo o que precisaremos para a fuga. Aos poucos.

— Falar em fuga, estou sempre me lembrando da fuga com o helicóptero. Que sinistro!

— É, as famílias receberam só as cinzas dos fujões.

— E a do piloto, também.

— Aqui não dá para vacilar. Posso estar errado, mas sinto no ar que não demora e uma nova tentativa vai acontecer, e acho que com vários homens.

— Bobagem dessa gente querer fugir em bando! Aqui não tem chance — opinou Colibri. — O que leva as pessoas a correrem tantos riscos?

— Até parece que você não sabe. É o ser humano, cara. Metabolismos na cabeça tomam dimensões que dominam as atitudes sem chance da razão segurar certas vontades. As forças são maiores que o controle. Aquilo cresce e domina a vontade, não importando as consequências. É preciso ir em frente e pronto. É o domínio de uma necessidade incontrolável. Só arrefece quando quebra a cara.

— Arrefece? Bem, deixe para lá. É por isso que tanta coisa acontece e só depois do acontecido chega a razão. Aí já era, a merda está feita.

— Falou o filósofo Colibri. Senti firmeza.

— O CONTO DO VIGÁRIO —

Era fim de tarde e alguns homens conversavam pela cidade. Os últimos raios de sol desapareciam atrás da mata, e não tardaria para a noite chegar calma. Algumas estrelas já surgiam. Ao longe, macacos gritavam. Um dos homens comentou sobre o barulho dos animais dos fossos. Quando passaram próximos ao Espaço das Religiões, encontraram uns amigos e se juntaram para conversar.

Marujo disse:

— Vocês conhecem o que é conto do vigário? Paulinho, conta aquela do falso padre.

Os homens se sentaram num banco do pátio e Paulinho Canivete começou a falar:

— Foi lá no interior, cidade pequena, tempo das missões, quando apareciam muitos padres, muitas missas, rezas, orações, confissões, procissões, casamentos, batizados, enfim, o povo pondo a vida religiosa em dia. O movimento era grande, e o agito, próprio para os aproveitadores que agem assim desde a Idade Média. Passados alguns dias, as rezas foram chegando ao fim. Para encerrar as atividades, combinaram de carregar uma imensa cruz. Trazendo de longe, aquele bruto peso bento nos ombros, sob o forte calor, como sinal de devoção. Depois daquela agitação toda, a missão acabou e os padres foram embora, com exceção de um.

"Era um padre alegre, animado, mas enérgico em suas convicções, e mais firme ainda na hora de passar a sacolinha, a qual ele mesmo fazia questão de girar entre os cristãos. Gostava de benzer os lares e almoçar nas casas dos fiéis, também apreciava um pequeno aperitivo. Às vezes, gostava de dançar umas músicas nos forrós da comunidade. Alguns não achavam muito apropriado, mas ele foi tomando conta da paróquia com muita organização. Fazia confissões e visitas aos doentes. Não demorou, começou a vender espinhos da coroa de Cristo, também lascas da cruz do crucificado e medalhinhas bentas de santos variados."

— Sabem quem era o padre? — indagou o Marujo. — Está aqui esse cara de pau, o tal de Paulinho Canivete. É mole? Conte aí uma daquelas histórias, padrinho. Esse safado tem várias, é o verdadeiro vigarista.

— Eu não fazia por mal. Minha intenção era boa. É que não tive chance de estudar, mas eu queria ser padre para ajudar as pessoas, fazer o bem. Não conto muitos casos de confissão, só falo de alguns que são positivos para todos. Vou contar um caso que foi assim: o cara chegou ao confessionário todo tímido, devagar, como se deve, e se benzeu, humildezinho.

"Você pecou, meu filho?", perguntei.

"Coisa pouca, seu padre."

"Desabafe, alivie sua alma."

"Uns pensamentos errados que às vezes tenho."

"Pensamentos não são tão pesados. Você cuida bem de sua família?"

"Sim, claro. Como posso."

"Você bebe?"

"Um pouco. Com os amigos e também em casa, para relaxar, mas pouca coisa."

"Quer dizer que gasta dinheiro com bebida?"

"Dinheirinho, coisa pouca."

"Tem TV em casa?"

"Sim."

"Tem celular?"

"Sim."

"Tem carro?"

"Sim, uma caminhonetezinha."

"Vai à praia com a família?"

"Sim, todos os anos. Coitadinho de meus filhos! Eles precisam."

"Então faz tudo direitinho na vida?"

"Procuro fazer, para não cometer pecado."

"Cuida bem de sua casa?"

"Graças a Deus, sim."

"Sua casa está ligada à rede de esgoto?"

"Hum... Acho que não."

"Ah! Eu o peguei num pecado mortal!"

"Crendiospai, desconjuro! — espantou-se o homem, fazendo o sinal da cruz e com os olhos arregalados."

"Você está poluindo os rios, a natureza, desrespeitando sua vizinhança, sua comunidade, seu país, a humanidade, nosso planeta..." O homem esbugalhou ainda mais os olhos, assustado. "Se continuar assim, você não terá salvação. Sua penitência não é nem rezar aqui na igreja hoje. Vá loguinho até a empresa de água e esgoto e peça a ligação. Ainda dá tempo de salvar você e sua família. Depois que tiver ligado sua casa à rede, volte aqui para a gente tentar salvar sua alma e ensine seus filhos como eles devem fazer no futuro."

"O homem saiu da igreja. Olhei pela janela e vi que a caminhonete dele era daquelas grandes."

Os presos deram risada, voltaram a caminhar e entraram no bar Fornalha. Pediram cervejas e incentivaram Paulinho Canivete a contar outra de suas histórias de padre. Ele, depois de emborcar uma cerva rebatendo o calorão, resolveu contar outra.

— A pequena cidade era vez por outra castigada por fortes enchentes, os moradores perdiam seus bens, gerando uma tristeza imensa, além do risco de doenças. Era um sofrimento quase programado, pois eles construíam as casas em áreas baixas, próximo a rios e valas e não tem como a água não subir, mas esquecem logo e muitos estão sempre achando que não vai mais encher.

"As beatas me solicitaram que fizesse uma procissão, como outros padres já haviam feito, para, entre rezas e promessas, pedir que Deus não deixasse acontecer enchente, porque estava chegando o período crítico das chuvas. Pior que uns tempos atrás tinham feito procissão para chover, fiquei sabendo. Mas tudo bem. Organizamos e convidamos os fiéis, e num sábado quente, à tarde, se deu a procissão. Era eu na frente puxando e o povaréu rezando e cantando, olhando para cima e pedindo que São Pedro controlasse as torneiras do céu.

"No lugar apropriado, parei e fiz umas rezas. Falei forte, pedi e supliquei que Deus tivesse piedade, que não deixasse faltar água, mas que não precisava exagerar, que não deixasse o povo sofrer. Apelei também a São Pedro, falando mais alto ainda: 'Vamos agora fazer uma grande promessa, com a força de vocês que acreditam no todo-

-poderoso. Juntos, falem comigo!' E a multidão repetiu: 'Prometo, ó, meu Deus, não jogar lixo na rua, não jogar lixo nos terrenos baldios, não jogar nada dentro das valas nem do rio. Não jogar geladeira, fogão velho, colchão usado, nem sofá. Prometo, meu Deus, não contribuir para a sujeira do rio e das valas da cidade, para que as águas corram livremente, sem se enroscarem em nada, evitando as enchentes.'

"Então, falei bem alto, quase gritei: 'A limpeza do ambiente é a alegria da vida.' Em seguida, disse amém e o povo repetiu. 'E agora, gritem comigo: eu prometo!' O povo gritou, mas foi um grito sem muita fé. Muitos não gritaram, percebi. Eu disse amém de novo, eles repetiram e se dispersaram.

"Notei que o povo falou amém meio chocho, e desse dia em diante os fiéis começaram a me olhar meio diferente. Já não vendia tanto espinho, nem lasca, nem medalhas, e foram diminuindo os convites para almoço, até que fuçaram minha vida e tive que fugir. São os reveses da vida! Eu era um falso padre, mas quando preguei a verdade foi pior, o povo não gostou."

— A verdade incomoda — falou Marujo, acenando para Sorvete, que passava em frente ao bar.

Os companheiros se divertiam com as histórias de Padrinho.

— Vamos tomar outra — propôs Canivete.

— Padrinho, conte outra — pediu Marujo. — Uma daquelas de vender passagens para excursões, aquela de Foz.

— Vou falar sobre aquilo de vender lascas da cruz — cortou Canivete.

* * *

Na cidade, Medeiros tem conversado longamente com Zacarias e Macarrão. Sentiu firmeza nos dois, mas acabou optando pelo primeiro, em razão da vontade maior de liberdade, então chegou o momento de fazer o convite. Caminhando pela praça Manaus, João falou:

— Zacarias, pelo que temos conversado, você gosta do mato. Topa vir trabalhar com a gente? A produção de mel está forte, chegaram mais caixas e veio também mais uma roupa de apicultor.

— Sério, cara? Você está me convidando para trabalhar com vocês? Mas e a direção, vai aprovar?

— Só depende de você, já está tudo conversado.

— Se topo? Já topei! Só de atravessar a muralha e entrar no frescor do mato, deixando o calor da cidade, é uma alegria. Quando começo?

— Vou passar seus dados para a diretoria e, assim que eles liberarem sua tornozeleira, você vai. Ah, uma coisa importante: às vezes a gente vai ter que ficar vários dias no mato, então, é preciso fazer uma consulta ao dentista urgente, porque é fundamental para esse trabalho — advertiu João Medeiros. — Amanhã cedo eu o acompanho para agilizar o agendamento. Fiquei de levar um litro de mel para o doutor.

— Mas vocês não têm dormido lá.

— Mas o plano, com o trabalho aumentando, é dormir. Estamos aguardando autorização.

— A FUGA PELO TÚNEL —

Nas reuniões sobre a fuga, no início, o foco era o túnel. Agora, a conversa era a travessia da floresta. Os prisioneiros se indagavam sobre como seria vencer o desconhecido, que rumo tomar, como seria dormir em rede; trocavam ideias ansiosas, cheias de expectativas. Aproximava-se o dia da saída.

— O mais fácil já está sendo superado — falou Tenório na presença de todos, enquanto tomavam uma cerveja e comiam salgadinhos. — O túnel já está quase pronto. Está dando um pouco de trabalho no final, pois tivemos que fazer um desvio para não sair bem debaixo de uma baita árvore. O trabalho foi grande. Foram muitos esforços por parte de todos. Mas estávamos sempre aqui no conforto, tomando uma cerva. Se desse errado, ainda teríamos a proteção de nossa casa. Só perderíamos os privilégios que não estamos dando importância. Mas na floresta as coisas vão mudar. É um ambiente que não dominamos, pois não somos índios. Não sabemos direito que rumo tomar nem aonde chegar. Sabemos que vamos sair da cidade e, depois, da floresta, que é a última barreira. Ela é grande, mas tem um fim. A travessia não vai ser fácil. Temos que continuar com disciplina, como foi até agora. Será mais difícil, porque pode bater o desespero quando a gente sentir que está perdido e sem saber se está indo ou voltando. O mato é um mundo que não dominamos, por isso alguns que convidei não quiseram vir. Mas nós, que estamos nessa, vamos enfrentar tudo buscando nossa liberdade. Se tivermos que morrer, que seja lá fora, por ela.

— Melhor do que morrer aqui esfaqueado por um zé ruela qualquer — opinou Piolho.

— Já andei muito no mato — garantiu Catarino. — Era mato diferente, mas me viro bem. Só temos um caminho, vamos enfrentar.

— Acho que já juntamos tudo da lista feita para levar — disse Jesus Preto — e como nos orientar no rumo da tal cidade que existe por aí. Só está faltando rede pro China e pro Catarino, mas o Raposa está sabendo de uns caras que podem vender.

— Fácil não vai ser — admitiu Tenório. — Todos já sabiam disso. O sonho de liberdade é mais bonito e fácil que a luta por ela.

— Só partindo é que vamos saber — emendou Zé Pimenta, e perguntou: — Tenório, tem ideia do dia da partida?

— Hoje é dia 28, próximo domingo é 5, aí vem o pagamento. No sábado, 11, sairemos. Até lá, o túnel vai estar pronto. Com o dinheiro que todos economizaram e mais o pagamento do mês, essa grana vai ajudar lá fora. Não deixem dívidas para trás, pois se der uma merda e a gente voltar, temos que estar de cabeça erguida, bem recebidos, não o contrário. Continuem trocando seus valores por papel-moeda. O cartão lá fora não vale nada, temos que levar dinheiro.

"Todos receberemos o dinheiro até o dia 8 e vamos embora no sábado, quando o controle digital é feito ao meio-dia. Depois, será feito novamente na segunda-feira, às 8 horas. Só então visitarão nossa casa e verão o túnel, mas já estaremos longe. Como nunca fugiu ninguém, não sabemos o que farão."

— Acho que vão caçar a gente de helicóptero — falou Jesus Preto.

— Não tem como ver a gente debaixo do mato, ainda mais com o barulho do aparelho.

— Quando o camburão de ferro chegar para procurar a gente em casa, estaremos a mais de quarenta horas da saída.

— Vai ser uma experiência nova para eles também. Vamos contribuir para o sistema — ironizou Tenório, fazendo todos rirem. — Na fuga de helicóptero, já sabemos o que acontece. Raposa, hoje você vai ver os caras das redes que faltam. Veja se resolve logo isso junto com os dois, pra encerrar essa parte, porque mochilas todos já têm.

Em outra parte da cidade, Emílio conversava com Alberto, fechados os dois no escritório.

— Então, é isso, doutor Alberto: a fuga é iminente, não demora.

— Tenho falado que por essa floresta ninguém consegue escapar — frisou o diretor. — Acho válido eles fazerem um teste, já que fizeram o túnel, e pior, derrubaram árvores. Deixe-os andar uns dias e sentir o sabor da liberdade. Vão acabar voltando e servindo de exemplo de como não é possível fugir. O que você acha?

— Acho que, se perguntar a eles, concordarão que devem tentar.

— É, vamos deixá-los fazer o que querem.

* * *

Nos dias seguintes, a ansiedade do grupo foi aumentando. Estavam mais nervosos. A expectativa crescia e a hora marcada se aproximava.

Enfim chegou a manhã do dia 11. Estava quente, com sol e nuvens, como quase sempre. Os homens dormiram mal naquela noite.

As mochilas estavam prontas, com comida, água, e quase todas com uma garrafinha de cachaça, cigarro e tudo o que foi discutido levar.

Com o que havia em casa para a despedida, fizeram um almoço reforçado, porque a próxima refeição iria demorar.

O almoço foi mais cedo do que o habitual para um sábado. Ao meio-dia, passaram pelo controle digital e, reunidos na sala, se abraçaram, desejando sucesso uns aos outros. Tenório falou:

— Nas emoções é que está o calor da vida. Há um túnel no fim da luz. Vamos para o outro lado, um mundo maior nos espera.

Começaram a entrar no buraco, e Piolho falou:

— Conforme o combinado, o China vai por último.

Alguns riram, nervosos. O China enfiou um duro olhar no Piolho e soprou forte o bigode.

À medida que entravam no túnel, sentiam mais rápidas as batidas do coração; uma emoção forte envolvia a todos.

Arrastaram as mochilas pelo túnel e foram saindo do outro lado, no meio do mato. O primeiro a sair foi Sabonete; o último, Anésio China. Todos pingando de suor.

Os cachorros mais próximos daquele ponto se alvoroçaram e latiram muito, mas para os soldados das guaritas próximas isso não quis dizer nada, haja vista que sempre acontecia quando algum animal selvagem estava por perto.

Os homens, sem demora, foram se embrenhando na mata fechada, se afastando da muralha e se refrescando do calor do túnel pela sombra aprazível. Caminharam longo tempo em silêncio. Depois de andarem com dificuldade por três horas, pararam para um pequeno descanso e trocar ideias. Todos se deitaram sobre as folhas secas e a terra úmida.

Estavam exaustos, pela caminhada puxada e pela tensão. Nenhum ruído se ouvia. Piolho abriu os olhos para o alto das árvores e falou:

— O cheiro do mato é bom demais, e o silêncio nesta floresta é grandioso.

— Aqui tudo é grandioso — falou Tenório.

— Acho que também nossa ousadia é grandiosa — acrescentou Raposa. — Mas vale a pena.

Ninguém falou mais nada e alguns cochilaram. Não demorou muito e, após lancharem, se preparavam para voltar a andar. Tenório perguntou:

— Piolho, estamos no rumo certo?

— Olha, Tenório, falei que tinha que seguir o rumo de onde o sol nasce, conforme me falaram na biblioteca. Agora, aqui debaixo desta mata, você, que é o chefe, que pilote para o rumo do sol.

Tenório fixou o olhar em Piolho, tirou o chapéu, coçou a cabeça, olhou para todos, que olhavam para ele. Voltou o olhar para o alto das árvores procurando, sem achar o sol. Caminharam.

A mata era alta e seu interior, escuro. Passava um pouco das quatro da tarde e a luminosidade diminuía rapidamente. Era ainda dia, mas os faroletes foram acesos. Só então ouviram o trovão, e o vento logo começou a movimentar as folhas lá no alto. De repente era noite fechada, a mata balançou forte e os homens pararam. O barulho do trovão que havia pouco estava distante chegou ao topo das árvores e muita água desceu do céu, em meio à escuridão iluminada por raios e estalos. Não deu nem tempo de entender direito.

Malemá conseguiram se cobrir com os plásticos que trouxeram. Molhados, ajeitaram-se apavorados, com os raios partindo árvores não muito longe, despencando e provocando um barulhão com galharia que ia quebrando outros galhos. Os homens, calados, esperaram passar a chuva. Com os trovões se distanciando, a luz começou a voltar.

— Caraca meu, lua de mel mais rápida! — exclamou Piolho e acrescentou: — Tempinho nervoso e agitado, mano!

Tenório emendou:

— Como falei, a floresta é imprevisível. Ou melhor, tudo isso e muito mais é previsível. Não estamos aqui passeando; temos que aguentar a barra, e isso é só o começo.

— Foi falado um monte de perigos, mas ninguém disse que a gente podia morrer de raios — esbravejou Raposa.

— É mesmo. E no primeiro dia! — gargalhou Sabonete.

— Estamos indo no rumo certo? — quis saber Jesus.

— Estamos indo pra longe da prisão — falou Tenório.

— Tá bom. E agora, sem sol, qual é o rumo, Piolho?— perguntou Jesus.

— Se Jesus não sabe, eu vou saber? — resmungou o Piolho.

— Só temos que torcer para o tempo clarear sempre — disse Catarino. — Com a mata deste jeito, assim fechada, se nublar, a gente corre o risco de perder o rumo. Se bobear, volta para a prisão com as próprias pernas.

— Escuto falar que no mato a gente se perde muito e toca de roda sem saber — esclareceu Raposa.

— A gente tem que achar um rio — aconselhou Tenório. — Qualquer rio leva a outro maior, e o último chega ao mar. Então, vamos andar conforme o sol do Piolho e dormir à noite, até achar um rio.

Andaram mais duas horas e tiveram que acampar para dormir. Com a noite anterior mal dormida, o estresse e a caminhada ligeira do primeiro dia, estavam precisando se deitar. Antes, fizeram um fogo com certa dificuldade com a madeira úmida e cada um fez seu lanche com o que havia trazido de mais prático, como pão e mortadela. Não faltaram as latinhas de cerveja para comemorar a saída da prisão.

— Esta noite será a primeira na mata — lembrou Tenório. — O certo é nos revezarmos e cada um ficar uma hora acordado. Aqui não temos inimigos, mas não há nada combinado com onça e cobra. Fico a primeira hora. Vocês dormem e eu tomo conta. É preciso manter os olhos abertos e o fogo aceso.

— Vou ficar também. Quando der sono, durmo — declarou Piolho.

— Olhem! — pediu Tenório, mostrando um papel. — Aqui está a lista da escala, para cada um saber quem chamar, evitando acordar o cara errado.

Não demorou e os dois estavam ali em volta do fogo, conversando baixo e quebrando uns gravetos. Ao lado, um monte de lenha que fora recolhida para manter o fogo aceso à noite toda.

— Piolho, por que você tem esse apelido?

— Foi por causa do futebol. Eu era bom de bola e miúdo, aí começaram a me chamar assim.

— E no futebol não deu para continuar?

— Parei logo, como a maioria da rapaziada. O cara para ir longe precisa ser bom, ter sorte, ter padrinho, amparo da família, ser persistente e não fazer cagada na vida. Eu e a maioria temos ao nosso lado quase só o futebol bom, o resto é tudo contra. A gente não tem padrinho, a família é uma brigaiada, muitos filhos, falta orientação, é só confusão. A gente não é persistente porque entra mulherada, bebida, droga, e aí vem o mau caminho. É briga, roubos pequenos que vão aumentando. Quando vê, não tem mais volta. É assalto à mão armada e assassinatos de bobeira. A gente se acostuma e, quando vê, nada mais tem valor, a não ser o respeito entre bandidos, é só o que sobra.

— É, somos chamados de marginais porque estamos à margem do sistema, mas sabemos respeitar — falou Tenório mexendo nas brasas. — Existe respeito entre nós. Só não respeitamos o sistema da ordem estabelecida. Ficamos de fora, mas não estamos mortos. Gostaríamos de participar, mas ficamos sem espaço.

— Que barulho estranho é esse? — indagou Piolho.

— É o pio da coruja, que vem lá do fundão, mas não deve estar longe.

Passado um tempo, Piolho arregalou o olho, ficou em pé, procurou escutar melhor e perguntou:

— Tenório, escutou esse barulho?

— O mato faz muito barulho, são galhos caindo.

— Não, cara. Foi um bicho. Olhe, de novo!

— É, ouvi agora. Parece longe, mas forte.

— Será que é onça? Vou acordar a turma.

— Não, deixe quieto. Se for onça, ela não deve chegar até aqui. Dizem que tem medo de fogo. Pior é se for queixada. Aí, sim, é perigoso. Vem de bando, quebrando tudo por onde passa.

— Pelo jeito que falam, esses queixadas são bandos de revoltados. Piolho emudeceu.

O rosnar do bicho se aproximava e pelo jeito estava muito perto. Os dois homens ficaram quietos, com os ouvidos apurados e os olhares querendo entender a escuridão. Sabiam que havia um animal ali ao redor, e pequenos ruídos de gravetos quebrando denunciava a proximidade de um bicho que os estava vendo. Tinha tudo para ser uma onça.

Nesse instante, China, na rede, de barriga para cima, soltou um baita ronco e o animal correu para longe naquele breu imenso.

Os dois aumentaram o fogo e mal se falavam. Era medo do desconhecido. Estavam cada um com uma faca na mão e preparados para pegar com a outra o tição com fogo para uma possível defesa.

Longos minutos se passaram até se acalmarem e, então, ouvirem o esturro já distante.

— Rapaz, levei um puta susto com o ronco do China — disse Piolho. — Quase caí sentado. Estava com medo da onça e esse porco faz esse barulho. Quem controla? O cara apavorou a onça.

— O bicho foi embora. Mas, se for onça e sentiu o cheiro de comida, ou seja, nós, vai voltar. Agora minha hora acabou e vou chamar o Catarino para o turno. Ou você quer já fazer sua vez?

— Vou ficar um pouco mais, ainda estou sem sono. Mas melhor chamar o Catarino para não bagunçar a escala.

— Está com medo de ficar sozinho, seu puto? Fala sério!

— Acha que vou dormir com esse cara roncando assim?

Catarino, que dormia profundamente, demorou um pouco para entender que precisava levantar.

— Cacete! Fugir não é fácil. Não é melhor todo mundo dormir?

— A gente até pode dormir todo mundo, mas o fogo apaga e a onça come um — respondeu Tenório.

Piolho emendou, gargalhando:

— Se for uma onça só. Porque, se forem várias, come todo mundo.

— Vá à merda, Piolho! Com seu fedor, não tem onça que chegue aqui perto.

— Daqui a uns dez dias pode ser que não chegue, porque vai estar todo mundo fedendo. Mas hoje estamos correndo risco

Ele contou ao companheiro o que havia acontecido.

Catarino tomou um gole de cachaça e anunciou que no dia seguinte tentaria achar uma árvore cuja casca se cozinha e dá um bom chá: a imburana.

— É bom passar a noite na beira do fogo, tomando alguma coisa quente. Como não temos café, um chazinho vai bem. Depois a gente dá uma fumadinha, curte a escuridão e os ruídos dessa mata que não dorme.

— Catarino, hoje é sábado e nós estamos aqui nessa situação. Não dá nem vontade de lembrar que, a essa hora, lá na civilização, o povo está se esbaldando e nós, aqui, envolvidos com onça, cobra, queixada e o China roncando.

— É mesmo. Acho que queixada é o pior. Cobra só ataca se a gente pisar nela; onça vem sozinha, e com um tição aceso a gente espanta. Já o queixada vem nervoso na força do coletivo, sem raciocínio e é aquele bando deseducado, desrespeitoso, sem medo nenhum. Não dá nem tempo de subir em árvore.

— Porra! Quando estávamos planejando fugir, foi falado sobre um monte de perigo, mas não falaram nos malucos desses queixadas. Crendiospai! Nem sei pra onde tô indo. Só me fodo.

— Como não sabe, cara? Você que falou desse rumo do sol, esqueceu?

— Caraca, meu, a vida é cheia de armadilhas. Pode crê!

Passada uma hora, venceu o tempo de Catarino e era a vez de Piolho, que ficou sozinho no silêncio de seu turno, ouvindo os sons da floresta. Cada pequeno galho que despencava, o sussurrar das folhas caindo do alto das árvores, formava um conjunto desconfortável de ouvir. O ronco de China dormindo ali do lado chegava a ser um consolo.

Piolho procurou prestar mais atenção aos estralos da lenha verde que colocava no fogo, na beleza das faíscas coloridas e das labaredas amarelas tingidas de um vermelho forte com línguas azuladas. Da mesma forma, mantinha os olhos nas chamas e os ouvidos nas árvores.

Quando o dia estava amanhecendo, todos haviam se revezado e estavam comendo alguma coisa para levantar acampamento. Saíram, deixando para trás as cinzas e as latas de cerveja. Anésio permaneceu pensativo, com os olhos no chão, parado um tempo, observando os restos do fogo. O que era brasa, agora carvão. Sentiu nas narinas um cheiro de cinzas molhadas. Todos se foram, e Raposa voltou para despertar o colega de seu estranho torpor.

— Vamos, China! Fica aí que a onça te come.

Às nove horas, o dia ficou mais claro, mas o sol não estava forte. Havia muitas nuvens e logo começou a chover. Tenório ficou preocupado com o rumo da caminhada, pois, sem sol, o risco de erro de direção aumentava. Mato fechado, cipoal e árvores caídas provocavam desvios da rota traçada.

Catarino ia na frente, sempre manejando um facão. Caminharam horas sob uma chuva miudinha que caía sem parar. Não tinham prática de andar entre raízes e folhas lisas, de modo que caminhavam entre tropeções, escorregões, quedas e palavrões. Tentavam agilizar a caminhada antes que começasse a escurecer de vez, parece que mais cedo nesse domingo. Tenório imaginava que ainda não haviam descoberto a fuga e eles estariam longe.

Acamparam num espaço firme, limpo por Zé Pimenta e Catarino com os facões. Alguns foram juntar lenha mais grossa, outros catavam gravetos e tentavam achar a melhor forma de acender o fogo com aquela umidade da chuva, que não era grossa mas não parava, pois mesmo quando parava de cair do céu, continuava caindo das árvores. Pelo menos a água que foi consumida foi reposta.

Estavam cansados e famintos. Em silêncio, cada um preparou sua refeição, e todos comeram o palmito que Catarino tirou mais cedo. Deitaram-se sobre os plásticos, protegendo-se das gotas. Alguns estavam nas redes, outros preferiam dormir no chão. Catarino ficou um pouco mais na beira do fogo, pois achara a casca de árvore para fazer chá. Todos fumaram seu baseado e uns já foram dormindo. A escala tinha que ser a mesma da noite anterior.

Catarino ficou com Tenório um bom tempo e esperou dar a hora de seu turno, que seria na sequência. Tudo era silêncio, só quebrado pelo ruído da própria floresta, que se mostrava viva e sempre acordada. Era um ruído intermitente, pois as folhas não caíam como chuva, e sim de maneira esporádica. De repente, um galho quebrava, um pássaro noturno voava, um roedor cortava um galho mais grosso e o barulho parecia mais alto. Animais corriam pelo chão. O que deixava todos preocupados eram cobras e aranhas.

Catarino acordou Piolho, que, vencendo seu tempo, chamou o próximo do turno. Ele, porém, não se deitou logo. Ficou ali, de cócoras, ainda um tempo, remexendo no fogo. Tomou do chá quente, ofereceu ao parceiro, e os dois fumaram um baseado na mansidão da noite. Conversavam sobre os bichos com os quais toparam durante o dia.

— Se eu estiver deitado e acordar com uma cobra dessas grandes passando em cima de mim, acho que me cago todo — confessou Raposa.

Piolho emendou:

— Você vai se cagar mesmo é se uma onça der uma bocada no seu saco.

— Sai fora! Ô meu, conversinha!

Deram uma risada alta em plena madrugada.

— A vida da gente é uma grande aventura. Olha só onde viemos nos meter: nesse cu de mundo. Só nós oito, sem riscos de ataque de gente e com mais medo do que quando estávamos lá no meio daquela perigosa bandidagem.

— Falar nisso, eles estão lá sem saber onde estamos.

— Nem nós sabemos onde estamos — lembrou Piolho, mexendo nas brasas.

— Verdade! Só sabemos que estamos na liberdade. Gozado, estamos de acordo com as constituições dos países democráticos quando trata do direito de ir e vir, mas nesta liberdade tão grande aonde estamos não sabemos direito o que fazer.

— Mas soubemos como conquistar este espaço, nos preparamos, trabalhamos duro, cavoucamos tenazmente, nos colocamos na chuva, e o sol há de brilhar para nós. Vamos encontrar o caminho.

— Às vezes, fico pensando nas armadilhas das ilusões da vida.

— Mas, Raposa, você acha que estamos vivendo uma ilusão? Que não temos chance?

— Acho que nossa chance é de cinquenta por cento. A sensação é a de que vai dar certo, por isso viemos. O que seria da vida sem as boas sensações? Temos que ir em frente.

— É mesmo. Perdido, perdido e meio. Só não quero ir para o Polo Sul. Prefiro morrer.

— É, lá na cidade, amanhã, a coisa vai explodir.

— Raposa, está ouvindo um tropé de bichos?

— Sim, mas parece longe.

— Será que é porco do mato? O cateto ou o queixada?

— O tropé é grande. Vai ver alguma onça assustou os bichos. Tomara que não venham pro nosso lado, principalmente a onça. Mas, se for queixada, trate de escolher uma árvore, porque eles passam barbarizando.

— Como escolher árvore nesse escuro? Tem que trepar na primeira.

— Acho que não vai faltar árvore para todos. Só não sei se dá tempo de o cristão subir.

— Pior se forem todos pra a mesma árvore.

— Piolho, o barulho está alto. Será que é bom acordar a turma?

— Está naquele rumo, parece que passando longe de nós.

— Ainda bem. Mas estou ouvindo um urro que parece ser onça.

— Aí fedeu, mano! Vamos aumentar o fogo.

Logo tudo se acalmou e o ruído do mato voltou ao normal, sem sobressaltos.

Nos primeiros sinais do amanhecer, Jesus Preto acordou, dominado pelo voo da imaginação. Um poeta baixou nele. Estava com poesia no couro e declamou, ainda na rede pendurada, o mais alto que pôde:

— Quando a noite vai se transformando em manhã e o canto dos pássaros desperta o mundo próximo, eu, abrindo os olhos, penso em você, liberdade. Você existe, e isso é motivo para meu sorriso, ainda aqui, nesta rede pendurada nas árvores em meio a esta imensa floresta. Ir à sua procura é motivo de minha luta e dessa vontade de vencer. Quando a noite vai se tornando passado e a luz do sol cria um novo dia, meu corpo descansado se mexe, e no mesmo ritmo meus olhos se abrem para a vida que continua. Uma luz se acende em mim, dando forças para continuar. Meu novo dia fica forte para combater, transformando em frutos a ilusão que era flor. Assim, estico a vida cantando a antiga canção "Liberdade, abre as asas sobre nós". Quero viver plenamente a liberdade, depois da travessia.

— Caraca, meu, o que deu em você? Recebeu um poeta enquanto dormia? — disse um dos que acordaram com aquela falação.

Piolho, coçando os olhos, debochou:

— Acho que o Caboclinho da Mata entrou nele.

— Vai se lascá, ô Curupira! Vê se me erra! — assim falando, Jesus pulou da rede e acordou quem ainda dormia: — Vamos, gente, é segunda-feira e a jornada é longa

Em seguida, fez sua pequena refeição, com chá de casca de imburana e bolachas.

O dia clareava. Piolho estava deitado de costas, olhando o movimentar das copas das árvores balançando lá no alto, indiferentes ao que acontecia com os passantes. Enquanto não se levantava, pensa: "O vento balança as folhas como a vida joga a gente de um lado para outro, parece que sem a menor importância. Isso me faz sentir a força da banalidade da vida. É de doer a indiferença com que a floresta recebe estes pequenos intrusos, que somos nós, vítimas inocentes de nós mesmos."

Piolho, então, após sair da rede, se ajoelhou para não rezar.

— Você reza sempre? — perguntou Jesus.

— Nunca.

— E pra que ajoelha?

— Pra não rezar. Desde criança faço isso, só pra contrariar o ditado.

— A gente morre e não vê tudo mesmo. Onde já se viu ajoelhar pra não rezar? Só por Deus!

O dia amanhecia e o povo da cidade-prisão estava acordando. Não demoraria para a descoberta.

Catarino pediu que cada um carregasse um pouco da casca da árvore para o chá. Levaram também três lanças feitas por ele, de uma madeira bem resistente e devidamente apontadas para o caso de algum animal surgir, tanto para defesa quanto para alimentação, pois no dia anterior surgiu oportunidade com uns macacos.

Apesar de mais claro que o dia anterior, não estava fácil saber a posição do sol, se caminhavam mais ou menos no rumo que achavam certo.

Era a metade do terceiro dia de fuga. A topografia seguia plana, sempre a mesma, e ainda não haviam encontrado nenhum rio. O terreno, sempre escorregadio e com árvores caídas, dificultava o caminhar. Lá pelas duas da tarde ouviram o ronco do avião chegando à cidade.

Tenório estranhou um pouco e disse que, no dia seguinte, não queria ouvir mais aquele barulho de avião, e sim estar bem longe. Na cidade, o sistema de alarme foi acionado quando o prédio em que moravam detectou a falta de oito moradores. O síndico foi imediatamente comunicado para verificar e constatou que nenhum deles estava presente e que a casa parecia ter sido abandonada.

Imediatamente, dois camburões de ferro se deslocaram para o local. Soldados entraram na residência e confirmaram o sumiço, logo achando o túnel. Alguns soldados entraram por ele e saíram na mata. Estava descoberta a primeira fuga da cidade.

A administração, em reunião, preparou o plano de busca aos fugitivos. Um grupo especializado em florestas seguiria na pista deixada, procurando com os cachorros as marcas da passagem. Um helicóptero faria voos seguindo a trilha, baseando-se nos avisos sinalizadores lançados pelos soldados. A caçada começara e foi denominada de Equipe de Salvamento dos Perdidos na Mata.

O povo da cidade ficou em polvorosa querendo saber o desenrolar dos acontecimentos. Era um agito, aquela novidade, animando as conversas e aguardando o desfecho. Todos os presos torciam para que os fugitivos tivessem sucesso, mas no fundo sabiam ser quase impossível ou mesmo impossível.

Nos bares, a prosa era uma só: a fuga. Surgiam, então, as histórias de fugas espetaculares acontecidas ao longo do tempo em vários lugares, algumas que viraram livros e filmes. Até que alguém falava:

— Mas prisão igual a esta que estamos nunca existiu.

— Tudo bem. É do jeito que é, mas os caras escaparam. Estão falando que mataram um jacaré para se alimentarem na fuga.

— Fala besteira, não, ô mané!

— Falar besteira é maneiro e não paga imposto.

— Escapar daqui é uma etapa. Atravessar a floresta, chegar lá fora e estar livre, é outra.

— Os caras caparam o gato e estão lá no frescor da floresta, e nós, aqui, derretendo neste calor.

— Na próxima excursão, você vai.

Fervilhavam essas e muitas outras conversas pelos bares e pelas residências sobre a espetacular fuga.

Começaram as apostas sobre a captura: em quantos dias seriam pegos, quantos voltariam, quais morreriam e muitas outras variáveis.

—— PROMOÇÃO PARA A LIBERDADE ——

Na TV, a programação de segunda-feira à tarde foi interrompida para um comunicado: "Atenção! Em breve, anunciaremos o lançamento de uma promoção que vai possibilitar a liberdade para várias pessoas. Aguardem! No sábado, a tarefa e as regras serão conhecidas. Vários de vocês terão chance."

Aquelas palavras alvoroçaram todos os ambientes, já agitados com a fuga. Era como uma loteria: todos acreditavam ter chance de ganhar.

***

A segunda-feira passou e a noite chegou para os fugitivos. Um novo acampamento estava armado, dessa vez sem chuva. Uns se deitaram em redes, outros se ajeitaram no chão, ao lado da fogueira. Fizeram uma refeição racionada, basicamente pão com mortadela, preocupados pois não sabiam até quando teriam comida. O único alimento que ainda tinha em grande quantidade era palmito, com o qual se alimentaram ao longo do dia. Ainda não haviam encontrado nenhum rio para pescar, e caçar sem arma de fogo era difícil.

No meio da noite, Zé Pimenta, deitado na rede, deu um grito horrível, acordando a todos.

— Um bicho me picou! Acho que foi cobra. Acenda um farolete aqui pra mim.

Anésio, que estava no turno, veio rápido com o farolete e iluminou tudo em volta. Piolho pulou da rede e também veio com o farolete. Zé levantou e a luz mostrou, parada na rede, uma enorme aranha, a qual havia picado a perna dele, que se contorcia de dor. Que fazer? Esperar passar a força do veneno, mas não dormiria mais aquela noite, a dor não permitiu.

Em Renascença, no dia seguinte, logo pela manhã, além da fuga, a TV voltou a falar sobre a promoção: "Os livros são importantes, pois a leitura traz a liberdade. É possível que a tarefa seja a leitura de um livro. Não é certeza ainda, mas, se for, muita gente vai gostar. Há pessoas que não gostam de ler, mas para um prêmio desses vai valer a pena ter vontade."

Essa e outras falas semelhantes se reproduziam na TV, entremeadas com lances da fuga, imagens do helicóptero subindo ou descendo, militares superarmados e cachorros treinados. Detalhavam sobre os fugitivos, quem eram, onde moravam, o túnel, as árvores derrubadas e a força empreendida na busca de salvamento.

Na selva, os homens que haviam levantado com as primeiras luzes da manhã andavam agora com uma preocupação a mais: sabiam que haviam sido descobertos e que provavelmente havia alguém atrás deles. Era preciso caminhar mais rápido.

Zé Pimenta sofria com as dores e tinha febre, mas era preciso ir em frente.

Depois de umas duas horas de caminhada, Piolho deu um grito e um pulo. Todos pararam. Ele bateu na roupa, derrubando uma perereca que caíra da árvore e grudara em seu peito pois estava com a camisa aberta. Foi um pequeno susto, que rendeu várias risadas. Piolho, todavia, não achou graça. O susto e aquela coisa gelada no peito foram desagradáveis e repugnantes. Era só mais um detalhe para entender a vida na mata, onde não caem só folhas, galhos e gotas d'água, caem bichos também, os mais diversos.

— Na floresta, cabe bem o ditado: "O preço da liberdade é a constante vigilância." Esse deve ser nosso lema — constatou Tenório, com um jeito zombeteiro e sério.

Os homens seguiam em marcha quando alguém falou:

— São umas duas horas. Escutem o barulho do avião.

Mais tarde, já quase no escurecer, viram correr um tatu, que logo entrou num buraco. Foram até lá e cavaram com a ferramenta que abriram o início do túnel, uma cavadeira chata que trouxeram, para ajudar em alguma necessidade. A ação foi rápida e logo Sabonete alcançou o animal que proporcionou uns três quilos de carne. Naquela noite, o jantar foi quase uma festa. Pena que a cachaça tinha acabado!

Passar a noite não foi fácil. Onças estavam muito perto e fizeram barulho o tempo todo, aproximando-se do acampamento, a ponto de serem vistas em posição de observação. Em nenhum momento, ficou um sozinho acordado. Hora houve em que todos estavam acordados, prestando atenção aos dois felinos, que pareciam mais em razão do barulho que faziam ao se afastar um pouco. Quando voltavam a se aproximar, pareciam dispostas a atacar.

— O problema foi o tatu — falou o Catarino.

— Por que o tatu? — perguntou Jesus Preto.

— O cheiro do sangue e da carne, a carcaça dele jogada ali, isso despertou o faro das onças. Elas sabem que tem carne aqui.

Ricardo, que estava deitado, falou.

— Piolho, explique pra elas que já comemos o tatu. Aproveite e diga para irem embora que quero dormir.

Alguns deram risadas e fizeram outras piadas. Nem pareciam homens perigosos e violentos fugindo de um presídio.

— Essas onças, acho que estão de lua de mel, pra ficarem nessa zoeira. Querem que a gente vá embora — afirmou Piolho.

Dois dos homens, quando as onças estavam muito perto, pegaram tições acesos e, numa ação só, jogaram os paus de fogo em direção a elas, que deram um grande urro e correram pro fundo da mata escura.

A noite estava enorme, duradoura, parecia não ter fim. Zé Pimenta gemia e teve um sono agitado no pouco que conseguia dormir, em cochilos intermitentes. Quando finalmente o dia começou a clarear, os homens já estavam andando rumo ao que parecia ser o clarão do sol.

Depois de uma pequena parada para descansar e comer alguma coisa, voltaram a caminhar. Avançava-se pouco. A mata era muito fechada, intricada. Zé Pimenta não falava nada. Sua febre aumentara e ele mancava. Os outros falaram para ele tomar bastante água, que era a única coisa à mão, além de uns comprimidos contra dor que pouco ajudaram.

Ouviram de novo o barulho do avião, que devia estar chegando. Tenório, que andava à frente, opinou:

— Estamos no rumo certo. O avião vem do lado pra onde estamos indo.

A animação foi quebrada quando, poucos minutos depois, um grito denunciou o que poderia ser um problema grave: uma cobra deu um bote e picou a perna do China, que andava atrás de Tenório. A dor aumentava e a perna inchava. Logo sua vista começou a escurecer, e ele precisou se sentar numa raiz.

Tenório sempre alertou para a possibilidade de essas coisas acontecerem, mas quando se está longe são só palavras. Agora é a real.

Os homens continuaram a caminhada, e China passou a ser escorado pelos outros.

Quando escureceu, resolveram parar para comer, descansar e dormir. Os dois feridos gemiam de dor e febre. A perna do China estava muito inchada. Foi outra noite difícil e mal dormida para todos.

Ao amanhecer, a dor que Zé Pimenta sentia diminuíra. Ao seu lado, entretanto, Anésio gemia, ardia em febre alta e repetia que iria morrer. Seus companheiros tentavam confortá-lo, dizendo que o veneno era passageiro, como o da aranha do Pimenta. No entanto, todos tinham em mente que, de fato, não haveria escapatória. A perna estava muito inchada, a febre alta não cedia e eles tinham dificuldade para encontrar cipós d'água, a fim de amenizar a sede do moribundo.

* * *

Na cidade, Medeiros e Colibri estavam preocupados. Após a fuga dos oito prisioneiros, suas idas à floresta haviam sido temporariamente suspensas.

— Taí, Colibri — começou João Medeiros. — Não lhe falei que havia fuga no ar? Os caras pinotaram e, enquanto não regularizar a situação, nosso trabalho está prejudicado.

— Nem fale! Só falta a gente não poder mais sair.

— Não vamos esquentar. O tumulto vai passar e a vida voltará ao normal. É questão de tempo.

— Já estou sentindo falta da floresta.

— Enquanto não pudermos sair, vamos à biblioteca ver alguns livros e aprender o que pode ser importante para nós.

— Boa ideia. Vamos nessa! — concordou Colibri. — Mas como você desconfiou que estava acontecendo um lance de fuga?

— Conversando um dia, um cara me falou que vira uns moradores carregando tábuas de madrugada. Fiquei com aquilo na cabeça, matutando por que presidiários estariam trabalhando pesado de madrugada. Pensei em túnel, mas certos pensamentos a gente deixa quieto.

Chegando à biblioteca, os dois procuraram livros sobre a Amazônia.

Colibri foi virando as páginas e conhecendo coisas que ainda não aprendera. Ficou impressionado com a violência dos queixadas quando correm, em fúria devastadora, pela mata em noites de lua cheia. Preocupou-se com o poraquê, o peixe-elétrico, e com a cobra-cipó, a voadora, e comentou com o amigo:

— Cobra que rasteja já é muito ruim saber que existe na mata. Agora, cobra que voa, aí é sinistro demais.

Admirou-se com as fotos de onça-pintada, jaguatirica, suçuarana, cachorro-vinagre, gato-maracajá, aranhas e pássaros como araras, pipira-azul, papagaio-maracanã, corujas, cigana, rouxinol-do-rio-negro e tantos outros. Sempre que estavam na cidade, os dois iam à biblioteca. Colibri se encantava com as lendas. João se aprofundava nos livros, principalmente sobre plantas medicinais e comestíveis. Estava pesquisando muito sobre cogumelos da Amazônia próprios para consumo.

— SUCURI ATACA JESUS —

Depois de outra noite mal dormida, todos se levantaram de mau humor, falando pouco e preocupados com os doentes. Zé Pimenta amanheceu melhor, já sem febre e com a perna menos inchada. Anésio, por sua vez, nem levantou. Continuou gemendo entre seus panos e falou, num tom doloroso, que poderiam deixá-lo ali mesmo, porque tinha certeza de que morreria e não queria atrapalhar a fuga dos outros. Falou todas essas palavras olhando para Jesus, com aqueles olhos amarelos, consciente de que a situação não era boa.

— Nada disso. Você vai com a gente. Somos bandidos, mas não desleais — teimou Tenório.

Fizeram uma pequena refeição com um chá ralo e se prepararam para a caminhada.

— Vamos levar o Anésio numa rede e revezar dois de cada vez. Não podemos deixá-lo aqui — insistiu Tenório.

— E vamos levar pra onde, se nem sabemos onde estamos? Todos sabiam que isso poderia acontecer, e quem não aguentasse tinha que ficar — protestou Jesus Preto.

— Até tu, Jesus? — brincou Piolho.

— Sai dessa, ô cacete, eu não sou o da cruz. Nessa porra deste mato não sei o que ele ia fazer.

— Mas é complicado deixar um pra trás, vivo — ponderou Zé Pimenta.

— Fique quieto, Zé! O próximo que vai ficar é você, com essa perna fodida — emendou Raposa.

— Olhe, deem um tiro em mim, igual nos filmes — clamou China, quase rindo.

— Se for depender de um tiro nosso, você tá fodido — declarou Piolho. — Vai ter que ficar vivo.

Enquanto Catarino procurava um pau para pendurar a rede de China, encontrou um cipó d'água. Todos mataram a sede e encheram seus cantis. Ele cortou um pau comprido e, com a ajuda de Sabonete, colocou nele a rede. Assim, os homens iniciaram a caminhada do dia com aquele pau nos ombros levando o China e seus gemidos, que de vez em quando rogava para que o deixassem morrer na mata.

    As duplas foram se revezando no transporte da rede e a caminhada ficou mais lenta. Por volta das dez horas, escutaram um barulho diferente. Todos pararam e silenciaram para observar o ruído, que vinha do alto. Era um helicóptero, que sobrevoava as bandas da esquerda. Ao terem certeza de que não haviam sido notados, Tenório ponderou:

— Os homens estão vindo! Esses filhos da puta têm uns esquemas danados! Se a gente não achar uma saída, daqui a uns dois dias eles nos alcançam.

— Temos que ir mais depressa — recomendou Raposa, já aflito.

— Qualé, mano? Acha que vamos sair correndo com esse pau da rede nas costas, caralho? Está ruim de andar sozinho. Imagine com esse pau esfolando o ombro! É cada coisa! Onde fui me meter em nome da liberdade!

— O que está resmungando aí, Piolho? — perguntou Jesus, na outra ponta do pau.

— Cara, acho que joguei merda na cruz. Mas entendo que pior foi você, que da outra vez a carregou sozinho.

— Pior que o Barrabás está aí, deitadão. Cara, você tá empurrando?

— Não, meu. É que estamos descendo o terreno e está escorregando. Puta que pariu! Que merda de fuga! Só comendo pão com mortadela, e agora esse pau nas costas, é mole?

— Também tô com o saco cheio de mortadela — falou Jesus. — Mas você vai ver quando nem mortadela tiver.

— Meu bonje! Isso tudo depois de ficar aquele tempo todo que nem tatu furando o túnel. Cada ideia!

Depois de uma descida de meia hora, chegaram a um pequeno rio. Pararam e ouviram novamente o helicóptero, agora mais próximo e parecendo sobrevoar o riacho. Foi para um lado, depois voltou. Os homens, muito preocupados, procuravam se abrigar sob as áreas mais fechadas, uns recomendando aos outros cuidado com cobras e outros bichos. Ficaram um bom tempo imóveis. Piolho ficou bem escondido, mas por uma brecha olhou para cima e achou o céu sem graça, era o helicóptero passando. Dias depois, ele comentaria: "Naquela hora estava fugindo de mim a última esperança".

— O helicóptero foi embora — alertou Catarino, esperando o que Tenório tinha a dizer. Ele, por sua vez, pareceu um pouco desanimado ou cansado. Afinal, com dois homens doentes e uma aeronave em seu encalço, a situação não era mesmo animadora. Alguma saída, contudo, teria de existir, como nos filmes sempre tem. Esqueceu que não era mocinho.

A boa notícia é que haviam localizado um rio. Antes de entrarem, Raposa recomendou que tomassem cuidado com piranhas e sucuris.

Piolho, que cavava para achar minhocas, parou, coçou o queixo e falou baixinho:

— Caraca, onde vim parar? Piranha, sucuri, helicóptero e ombro esfolado.

Tomaram banho com todo o cuidado, para não se depararem com piranhas. Descansaram na beira da água e pegaram bons peixes.

Anésio China já não falava, delirava. O veneno tomara conta de suas entranhas. Ele gemia alto enquanto os outros comiam, pescavam e tomavam banho.

De repente, mais uma vez, para chamá-los à realidade, a aeronave voltou a emitir seu ruído desagradável.

— Cacete! Esses filhos da puta não vão deixar a gente sossegado? — irritou-se Raposa.

— Temos que continuar a caminhada — falou Tenório. — Agora, beirando o rio, pois esse é o rumo para um rio maior. Acho que a jornada vai ficar mais difícil nesses terrenos mais úmidos, com mato mais denso de carrascal, mas não podemos nos afastar muito da água.

A caminhada ficou mais pesada, às vezes dolorida, com aquela rede sacolejando e por vezes caindo, diante da irregularidade e dos escorregões na umidade após uma chuva que desabou. Estava tudo muito ruim: água por cima, lama, cipós, raízes, um embaraço que atrasava demais.

Enfim, a luz começava a diminuir e foi preciso parar. Voltaram para mais perto do rio. Os mosquitos estavam particularmente atacados naquela tarde.

— Piolho, como está o China? — perguntou Tenório.

— Está quieto, faz tempo que não geme. Deve estar dormindo. O Ricardo falou que ele não passa desta noite.

Arrearam a rede e viram Anésio com os olhos abertos, parados. Piolho lhe pôs a mão na testa e falou alto:

— O cara tá gelado, meu. Morreu faz tempo, e nós carregando o bruto!

— Puta que pariu, China! Isso é coisa que se faça? — protestou Sabonete.

— Cara, e era o mais gordo da turma! — emendou Piolho.

— Puta que pariu! E agora, o que vamos fazer? — perguntou Catarino, fazendo o sinal da cruz.

— Temos que enterrar, ué! Não é assim que se faz? A liberdade dele chegou ao fim. Ou ao começo, sei lá. Paciência! Temos que continuar.

— Mas fique contente! — caçoou Tenório. — Se a cobra tivesse mordido o mais magro, quem estaria na rede seria você, Piolho.

— Fuja, loco! — disse Piolho — Vamos acender uma vela na mão dele nessa hora derradeira.

Tirando da mochila a vela, Piolho a colocou nas mãos do defunto. Raposa falou baixo:

— Agora já era, não adianta mais, a hora derradeira foi lá pra trás, aonde ficou a alma.

— Imagine uma alma sozinha perdida numa mata dessas — falou Piolho. — Será que se acha?

— Ela pode estar junto com a sua, que estava lá atrás na hora que ele apagou.

— Não fale isso, não, cara. Eu me arrepiei inteiro — confessou Raposa. — Vamos enterrar ele agora ou amanhã cedo?

— Amanhã cedo. Se os soldados chegarem antes, eles que enterrem — sugeriu Sabonete.

— Inocente! — exclamou Piolho, olhando para o Sabonete. — Se eles chegarem, você acha que vão cavar o buraco e nós vamos ficar sentados, olhando? Acorda, meu!

— Não sei o que é pior: ele passar a noite aí na rede ao nosso lado ou enterrado — admitiu Tenório.

— Vamos cuidar de descansar um pouco e comer um peixinho. Depois, cada um pega a cavadeira e trabalha um pouco fazendo a cova. Logo o Anésio estará enterradinho e nós, dormindo. Quando clarear, vamos estar longe.

Enquanto uns ajeitavam as coisas, outros abriram a cova, colocaram Anésio e cobriram o corpo com a rede e folhas de uma palmeira que cortaram para aproveitar o palmito. A terra foi por cima.

Feito o sepultamento, ao lado do fogo, Catarino fez uma cruz amarrada com cipó e pensou: "Se os soldados vierem atrás de nós, eles que se virem! Se quiserem o corpo, está aí."

Raposa estava sério, fechou os olhos ao lado da sepultura e parecia fazer uma oração. Em seguida, olhou para cima e fez o sinal da cruz, resmungando alguma coisa. Os outros prestaram atenção, mas ninguém perguntou nada. Todos em volta da sepultura fizeram o sinal da cruz. Piolho ajoelhou ao lado da cova. Jesus, vendo aquilo perguntou, quando ele ficou de pé:

— Agora você rezou, né?

— Não — respondeu Piolho.

— Você é um grosope mesmo — irritou-se Jesus.

Quando quase todos estavam dormindo, Jesus e Piolho remexiam o fogo, tentando lembrar orações para o repouso da alma de Anésio. Mas não conseguiram nada.

— Coitado do China! — lamentou Jesus. — Foi ele que a cobra pegou, mas podia ter sido qualquer um de nós.

— É, como o Pimenta, que a aranha picou. Mas quem sabe o que se reserva pra nós? O que será pior: ele ter morrido ou a gente ter ficado vivo? Ele parou de sofrer e nós queremos continuar sofrendo. Porque morrer ninguém quer, né que é?

— Não fale bobeira, cara. O que sei é que amanhã não tem rede pra carregar — falou Jesus, contemplando as brasas e olhando para o túmulo de Anésio e concluiu baixinho: — Puta alívio!

— Jesus, você falou que sou grosope. Que diabo é isso?

— É a mistura de groselha com xarope. Gostou?

Piolho, com a boca aberta, olhou para Jesus. Ia falar algo, mas foi fechando a boca devagar e não falou nada.

Raposa era o último da escala. Ao ver Piolho se mexer na rede, falou: "já vem rompendo a aurora, tá na hora de levantar e pôr o pé no mundo, fugir daquele helicóptero".

Assim que terminou de falar, ouviu o grito desesperado de Jesus Preto sendo enrolado por uma enorme coisa grossa e preta. Foi aquele desespero, todo mundo correndo para cima da sucuri. Jesus, enrolado, se debatia.

Sabonete esfregou um tição nos olhos dela, Raposa atravessou um pau na boca e Piolho começou a cortar o pescoço grosso e duro da serpente. Logo chegou Tenório e também passou a cortar o animal pelo outro lado. A baita cobra foi afrouxando as rodilhas. Aos poucos, azul e tossindo, Jesus conseguia voltar a respirar. Todos estavam mudos.

— Não sei o que falar. Não vi nada nem ouvi barulho nenhum. Cada coisa! Eu estava esperando uma onça e vem isso — falou, desolado, Raposa, o vigia de plantão.

Catarino dava água para Jesus, que já parara de tossir mas não falava nada. Até que, devagar, proferiu as seguintes palavras:

— Pense num medo pavor! Isso é pior do que morrer.

— O LIVRO —

Na cidade, a semana passou num piscar de olhos. Todos queriam saber do que se tratava a tarefa que daria a chance de alguns prisioneiros terem a pena perdoada. Uns falavam que sempre gostaram de ler, outros que não gostavam, mas que iriam ler. A biblioteca teve uma movimentação nunca vista ainda. Os homens passavam horas olhando as estantes, tentando adivinhar qual seria o livro. Alguns se sentiam injustiçados por não saberem ler direito, o que era motivo de vergonha quando alguém dizia:

— Cara, você é ruim de leitura, já está eliminado. É igual a quem não compra loteria: sem chance.

— Qualé, ô meu, vai zoar com minha cara?

— Calma, mano, é só brincadeira. Não fique bravo, não. Olhe a câmera.

Finalmente chegou o sábado e para os que queriam saber do livro as horas passavam lentas, arrastando-se. Às dezesseis horas, a tarefa seria anunciada pela TV. Os bares estavam cheios, outros aguardavam nos telões das praças e dos demais logradouros. Parecia final de Copa do Mundo.

Exatamente na hora marcada, a TV Renascença liberou uma música alegre e o comunicador anunciou:

"Muito boa tarde a todos! É com alegria que a direção da cidade de Renascença vem até vocês para proporcionar a possibilidade de liberdade aos que participarem e cumprirem com êxito a seguinte tarefa..." Aí rolou mais um pouco de música clássica e a voz disse: "Ganhará a liberdade aquele ou aqueles que leram ou lerem o livro *Ulisses*, do escritor irlandês James Joyce. O trabalho da leitura pode ser feito individualmente ou em grupo de até três pessoas. Vocês terão quatro meses. No dia 1º de maio, será feita a apresentação para a banca examinadora avaliar. Na biblioteca, há muitos exemplares da obra."

Sem esperar a conclusão da fala, uma multidão saiu em disparada, de todas as partes, em busca do livro da libertação. A voz concluiu que a biblioteca abriria segunda-feira, às oito horas, para atender a todos.

A biblioteca fechada foi a primeira decepção dos afoitos. Era preciso esperar passar o fim de semana e acordar cedo na segunda-feira.

—Não te falei que era bobeira? Já desanimei, tô fora.

— Pô, cara, é preciso ter esperança!

— Esperança? Você me fez vir correndo nesse calor e agora esta merda está fechada! Vá tomar no cu! Isso é uma mancha na minha biografia: sair correndo pra pegar um livro! Onde já se viu? Me inclua fora dessa. Vou é pitar um baseado e tomar uma gelada para esfriar minha cabeça, porque fiquei foi é puto. Nessa já perdi.

As conversas eram desencontradas e ansiosas. Alguns estavam bravos por encontrarem a biblioteca fechada. Quem conhecia tal livro? Ninguém nunca havia lido. Os mais procurados eram os que frequentavam a biblioteca, mas não se achava ninguém que conhecesse. Uns arriscavam que era sobre a história de um homem da Grécia. No bar Castanheiras, alguns homens conversavam calmamente numa mesa do canto e entraram no assunto.

— A tarefa não vai ser fácil. Conheço esse livro, é bem complicado.

— Você já leu, doutor?

— Pior que não, mas ouvi falar alguma coisa. Osso duro de roer.

— Ih, cara! Não desanime, é uma chance.

— Também acho. Se o livro é difícil, mais difícil foi escrever. Se o cara escreveu, a gente só precisa ler.

— Verdade! Bem colocado.

No bar Noite Alegre, o papo na mesa de Sorvete era o mesmo.

— Eu tô lembrando que, lá na minha cidade, tinha um cara que conheceu um rapaz, que o avô dele já morto em outra cidade e parece que tinha um tio que leu um pedaço, que acho que era desse livro.

— Caralho! Tô fora!

— Não seja pessimista. Vamos encarar.

— É mesmo. Está em nossas mãos o caminho da liberdade. Melhor ler esse livro do que atravessar a floresta.

— Assim é que se fala! Na segunda-feira, quem fica na fila na biblioteca?

— Hummm, fila? Começou pesado.

— Que nada! Deixe a turma ir pegar o livro. Depois de uns três dias vai ter livro sobrando.

— Pode crê, meu!

— A VOLTA —

Piolho fazia o chá e logo levou para Jesus, que continuava sentado, olhando os homens tirarem o couro da enorme cobra para aproveitar a carne. Pouco depois, estavam se fartando com a carne da serpente. Até Jesus comeu. Meio contrariado, desabafou:

— É, dona cobra, são os revezes da vida: você ia me comer e eu estou te comendo.

Tão logo se alimentaram, partiram. Todos olhavam para o céu, à espera de um ruído. Mas Jesus mantinha o olhar fixo no chão, ainda constrangido, com um ar sombrio e triste.

— Tomara que essa carne não dê uma dor de barriga em todo mundo — desejou Piolho.

— Você só pensa merda! Por que não fecha essa boca? — enraiveceu-se Raposa.

— É dela mesmo que estou falando — retrucou Piolho, sem sorrir.

Por volta das nove horas, já haviam andado bastante quando Sabonete chamou a atenção para um ruído diferente. Tenório falou:

— Esses pios são diferentes, são muitos. Só faltava essa. Acho que são índios. Eles viram a gente. Vamos continuar andando, mas deixem as facas no jeito. Quem está com os dois paus pontudos, deixem à mão.

— Ih, carai, são os donos da mata, só faltava essa — lamentou Piolho, lembrando o que falaram seus antigos colegas de apê: "Piolho, capaz de você encontrar uns índios com a espada em riste" — Crendiospai!

Os pios imitando pássaros ou bichos da floresta continuavam. Os índios estavam acompanhando os fugitivos. Tenório ordenou que parassem e disse:

— Vamos esperar um pouco e ver o que acontece. Vamos cada um sentar virados para um lado e observar se eles estão perto.

Pios e assobios diminuíram, mas logo os fugitivos começaram a ver vultos passando de uma árvore para outra. Silhuetas escuras se mexiam rápido por entre as grossas árvores. Era arrepiante; dava a impressão de que uma flecha viria a qualquer momento.

Por meia hora a dança das sombras aconteceu. Já estavam bem próximos quando outro barulho aconteceu. Era o helicóptero passando no topo da mata. Os nativos saíram em desabalada corrida e sumiram pela floresta, margeando rio abaixo, no sentido em que iam os fugitivos.

— Puta que pariu! Estamos é fodidos com cobra, índio, helicóptero, mosquito, sucuri, aranha, defunto. Quero é que tenha índias gostosas, que já sapeco uma — irritou-se Sabonete.

— Vai, machão! Os índios é que vão sapecar você — brincou Piolho. — E aí, se um indião gostar, o Sabonete vai ficar morando aqui, em liberdade: sem lenço, sem documentos, sem nada. Nem as pregas.

— Que isso, moleque?! Tá maluco, perdendo o medo?

— Brincadeirinha! Nête, é que acho que a coisa está ficando feia mesmo. Veja! É índio na frente, helicóptero por cima, se bobear é soldado por trás... E, à noite, onça, cobrinha, queixada e cobrona. É mole essa bocada?

— Não queria liberdade?

— Parem! Escutem! — gritou Tenório, que ia mais à frente. Eram latidos de cachorro. — Estão longe, mas vindo. Eles vêm farejando nossa pista e o helicóptero dá apoio. A aeronave vem um pouco à frente para apavorar a gente. Eles sabem que estamos por aqui.

Continuaram a caminhar, agora com mais vontade, mas sem a esperança de liberdade que tinham antes. Raposa estava amuado, já abatido por uma sensação de desânimo.

Após percorrerem por duas horas o mato fechado, ouvindo de vez em quando o latido dos cachorros, passaram a ouvir novamente os assobios dos índios, com suas imitações de pássaros e bichos do mato. Uma linguagem lá deles. E vez em quando viam vultos.

— Tenório, estamos entre os índios e os soldados com seus cachorros. Como vai ser? — perguntou Piolho.

— Escutem! Estão ouvindo esse barulho? — gritou Zé Pimenta.

— O que é?

Todos pararam e Raposa falou:

— É trovão! Puta que pariu! Só faltava essa!

Continuaram a andar e a trovoada se aproximava rápido. Os fugitivos não sabiam ao certo o que fazer. Não queriam parar, mas não dava para ir adiante. A tempestade chegou com muito vento, raios e um barulhão enorme de trovões.

Sem proteção, foram inundados, juntamente com mochilas, redes e tudo o mais. O desânimo bateu, e logo caiu a noite.

Quando a chuva já havia diminuído, Tenório indagou para Raposa:

— Como vamos fazer fogo nesta situação: molhados e no escuro?

— É mesmo, vacilamos na lerdeza.

— Mas como podíamos pensar em índio, soldados com cachorros, helicóptero, trovoada, cobra, aranha, sucuri? Vai tomar no cu! Quem dá conta disso?

— E agora?

— Melhor pedir uma trégua pra dormir — arriscou Piolho.

— Que trégua, mané? Nessa guerra não tem disso, carai!

— Pode não ter, mas acho que o inimigo foi dormir. Amanhã continuaremos a batalha.

— É a batalha do sanduíche, e nós somos o recheio: entre os soldados e os índios — ironizou Sabonete.

— É mesmo — disse Catarino. — E dormir de que jeito?

— Ê, situação filha da puta! — esbravejou Jesus Preto.

Com seus faroletes, conseguiram a lenha necessária para o fogo, comeram o que foi possível e pouco dormiram, esperando um ataque a qualquer momento, o que não aconteceu.

No clarear do dia, Zé Pimenta esquentou água e fez mais um chá. Comeram um pouco da carne da cobra, umas bolachas e voltaram a caminhar no rumo que estavam na tarde anterior.

— Jesus, perto dessa carne de cobra, aquela mortadela era uma delícia, né? — lembrou Piolho.

— Cara, nunca mais quero cobra nem mortadela.

— Agora dá para entender por que fizeram esta cidade aqui, neste fim de mundo — disse Raposa.

— É, nem precisava daqueles fossos, cachorros, leões, torres — lamentou Catarino. — Esta floresta é como uma teia de aranha: um emaranhado que não tem quem escape dessa merda. A gente acha que saiu de uma coisa e cai em outra.

— E nem sabemos onde estamos. É um pesadelo — completou Jesus Preto.

— Acho que estamos na rede, sem saída — arriscou Catarino, pensativo.

Zé Pimenta perguntou:

— Por que você está assim, pensativo?

— Cara — respondeu o outro —, acho que vão pegar a gente e vão querer saber quem foi que cortou aquelas árvores. Estou mais fodido que vocês, que também estão. Mas...

Não demorou muito e perceberam que os índios rondavam o grupo. Tenório, então, parou, esperou todos se aproximarem e disse:

— A gente tem que acreditar no que estamos fazendo, mas tem o outro lado do jogo, os que estão querendo atrapalhar. Os soldados, que estão trabalhando para pegar a gente, e esses índios, porque estamos na terra deles. Eles estão aqui em volta, dá para perceber que estão nos acompanhando. Pior, prestem atenção: tem cachorros latindo lá na frente. São dos índios, sinal de que estamos próximos da aldeia.

— E devem ser cachorros selvagens. Acho que estamos sem saída mesmo — desanimou-se Piolho. — Todo mundo nos querendo: é soldado, é índio, é onça, é cobra, é cachorro... Como vamos sair dessa?

— Vamos continuar a andar — sugeriu Tenório.

Nesse instante, os índios, em grande número, foram se aproximando.

Os nativos pararam de emitir sons e assobios. Em silêncio, cercaram os homens, todos armados com seus instrumentos de lutas e caças, pintados para a guerra.

Os dois grupos ficaram em silêncio, um medindo o outro. A tensão estava no ar e se percebia a dificuldade daquela situação.

Um dos nativos se aproximou mais e, em sua língua, falou, com jeito bravo, inquiridor. Mas os homens, porém, não entenderam nada. Tenório procurou responder, de forma mansa e amistosa, mostrando que não tinham armas. Ficaram naquele impasse, um grupo sem entender o outro, esse era o único entendimento. Um dos índios cravou os olhos em Piolho. "Ali estava um olhar selvagem", pensou Piolho e levantando a mão direita, disse:

— Mim não querer briga.

O índio, num gesto rápido, tomou o boné do Piolho e, com um olhar penetrante, virou-se para Tenório, perguntando:

— *Speak english*?

Depois de um momento em silêncio, Tenório falou, encarando forte o indião:

— Já ouvi essa merda, isso é língua de gringo. Que porra é essa de *espique ingrich*? Fale nossa língua, cacete!

O índio ficou olhando, meio espantado.

— É mesmo o cacete, seu índio! — reforçou Tenório, meio ríspido. — Neste cu do Judas e vem você com essa de inglês? A gente não fala essa língua e vem esse porra verde e quer falar com a gente em inglês? Só faltava essa. É para acabar mesmo. Situação do caralho! Seria gozado se não fosse sério. É onça, piranha, cobra, candiru, cachorro, helicóptero, e agora esse índio, com o olhar de lua cheia na carona larga, querendo falar inglês. Tá de gozação mesmo. Só falta uma chuva de chumbo em cima da gente.

— Tenório, já tô vendo, nóis pelados, num caldeirão de água fervendo. Acho que vou torcer para os soldados chegarem logo.

— Você é burro, Piolho? Aqui neste fim de mundo não existe caldeirão. Vamos é pro espeto. Acho que aqui é canibal.

— Crendiospai, que situação! Dá pra tomar uma cachacinha antes?

Tenório, com sinais, sugeriu que continuassem a caminhar. O índio de contato, que deveria ser o chefe, deu permissão e a caminhada prosseguiu, agora com brancos cercados por índios por todos os lados. Mas, quando se ouviam os latidos dos cachorros dos soldados, os índios paravam, olhando para trás e para os fugitivos, intrigados, e logo voltavam a caminhar.

Depois de andarem por quase meia hora, os índios encaminharam a trajetória um pouco para a direita, afastando-se do rio e seguindo para um terreno mais alto, logo chegando à aldeia. Agora mais índios, homens, mulheres e crianças, se juntaram para ver a novidade. Nesse instante, o barulho do helicóptero ficou mais alto, e a maior parte dos nativos se escondeu. A aeronave flutuou um pouco sobre a aldeia, para a admiração de todos, e se foi.

Não longe dali, os cachorros dos soldados latiam.

— Tenório, e agora? — perguntou, muito ansioso, Raposa.

— Rapaz, situação do caralho! Não sei o que dizer. Não estava no programa. Estou entendendo mais o latido daqueles cachorros policias do que esses indígenas.

Raposa se expressou:

— Não temos pra onde correr. Depois de todos esses dias, os caras já estão no nosso pé, e agora esses índios! Vamos nos esconder onde?

— É, a casa caiu — reconheceu Catarino.

— Que merda! — exclamou Sabonete. — O passeio valeu, mas foi muito trabalho naquele túnel.

— Bom, passear na floresta enquanto seu Lobo não vem — brincou Piolho.

— É, mas e a morte do Anésio?

— Eu me lembrei agora de um filme muito antigo: *Sete homens e um destino*. Sabem qual é o nosso, né?

Enquanto isso, os índios tentavam conversar com alguns, sem sucesso. Eles inspecionavam bagagens e olhavam detalhadamente cada uma das coisas. Admiravam mochilas, facões, canivetes, roupas, até as barbas compridas de alguns. Um índio pelado pegou a mochila do Piolho, que quis reagir, mas Tenório falou para deixar quieto. Mas o índio, que era fortão, passou uma das mãos na barba rala do Piolho que esbravejou:

— Epa!

— Calma, Piolho! — clamou Raposa. — De repente, você é nossa salvação.

— Tá loco, meu, prefiro morrer.

— Calma! Os soldados não deixam você ficar, não.

— Deus me defenda. É capaz de eu dar um beijo no soldado.

O latido dos cachorros policiais aumentava de volume, estavam perto.

— Tenório, o que você acha? Adianta a gente continuar? — perguntou Raposa.

— Eu gostaria muito, mas acho que estamos cercados. Se a gente pelo menos falasse inglês para conversar com o chefe aí... Não sabemos onde estamos, e, nesse sufoco, não dá para sondar esses índios, descobrir se tem brancos por perto, cidade ou garimpeiro. Estamos num momento difícil. Lutar com os soldados não vai dar. Estamos desarmados. Piolho, o que você acha?

— A jiripoca vai piar — falou o Piolho. — Somos os únicos no mato sem cachorro. Estamos sem saída.

Não demorou e os soldados chegaram com as armas apontadas. Eram oito, com três cachorros irritados, mas sob controle. Os índios estavam assustados, mas um dos soldados conversou na língua deles e se entenderam. Os fugitivos não esboçaram nenhuma resistência, e logo as pulseiras brilhavam em seus punhos.

Um dos soldados falou para os fugitivos:

— Viemos salvá-los.

O sargento reforçou:

— Somos da Equipe de Salvamento dos Perdidos na Mata e viemos proteger e resgatar vocês.

Os homens não sabiam se agradeciam ou se mandava o sargento à merda, diante daquela humilhação. Frente ao silêncio que se fez, o militar prosseguiu:

— Se não levarmos vocês para casa, a floresta engole todos e não demora, a não ser que virem amantes dos indiãos.

— Leve a gente logo, cacete! — implorou Piolho.

Quatro presos foram içados e levados de volta, enquanto os outros três foram numa segunda viagem.

— Um frio me percorreu inteiro e veloz por dentro — relatou Piolho, mais tarde. — Quando o helicóptero apareceu girando suas hélices sobre nós, era um sentimento confuso de prisão e libertação.

Zé Pimenta foi para o hospital e os outros seguiram para a uma cela situada na base de uma das torres, na entrada da cidade. Ficariam ali alguns dias para serem medicados e para interrogatório sobre o ocorrido e sobre a morte de Anésio China.

No fim do domingo, a notícia de que os fugitivos haviam sido capturados se espalhou rapidinho e agitou os bares na noite.

—— A LEITURA ——

A segunda-feira amanheceu cheia de expectativas sobre a volta dos capturados e a promoção do livro, cujos exemplares eram insuficientes para atender a todos os detentos, o que gerou muita impaciência em frente à biblioteca. Depois de umas duas horas, muitos já haviam deixado o livro sobre a mesa.

No bar Fornalha, a conversa rolava solta:

— Cara, fui à biblioteca pegar o tal livro. Quando vi a grossura, desanimei. Mesmo assim, fui em frente, li umas poucas páginas e fiquei meio zonzo. Nunca li um livro na vida. Quando tento, é logo um daquela grossura e comecei não entendendo nada. Larguei aberto lá na mesa e dei o fora.

— E eu? Bati o pé que ia ler. Já li muitos livros. Pensei comigo: "No meio desse monte de ignorantes, vou ganhar fácil a liberdade." Mergulhei na leitura. Fui que fui e deu uma certa hora, aquilo tudo enrolou na minha cabeça e parecia que estava escrito em grego, árabe, sei lá. Devolvi.

— Se depender desse livro pra sairmos daqui, estamos é fodidos. Não saímos é nunca!

No bar Serenata, o assunto era o mesmo.

— Ler *Ulisses* é como ter um sonho em que você está num lugar estranho, com várias pessoas, e de repente está com outras, em outro lugar, e as pessoas vão passando, passando...

— É mesmo. Há passagens que me lembram estações do metrô, com aquela quantidade de pessoas passando e que você não vê mais. É muito louco, pirado. Doidão. Os caras falando umas coisas iradas, sem sequência, pelo menos pra mim. Acabo não entendendo nada. Franqueza: ou eu sou burro, ou o cara que escreveu desparafusava de vez em quando.

— Ou os dois! — riu Etelvino.

— É um livro para poucos, para os letrados, os entendidos. É uma obra não para ler, mas para estudar.

— Não vejo graça — rebateu Etelvino, apelidado Paçoca.

— Na vida, há de tudo: o que gostamos e o que não gostamos. Mas para o que não gostamos, há quem goste — disse Eufrásio para Archimedes, com cara de estudioso. Na verdade, os dois devem ser diplomados enrustidos.

— O pessoal que se envolve nesse tipo de coisa, nesses livros, quando aparece um assim, complicadão para entender, os estudiosos, entendidos ou envolvidos têm que falar que é bom, isso e aquilo, mesmo se não entender. Mesmo que não gostou tem que falar que é bom, se falar que é ruim, fica queimado com a turma lá dele. Embora haja mesmo os que entendem de verdade. Mas, de qualquer forma, são sempre motivos de discussões e boas conversas.

— É assim nas artes em geral — explicou Aristides. — Veja na pintura: há cada quadro que nem Deus entende. Mas o sujeito fica ali em frente babando, achando aqueles rabiscos lindos e entendendo a mensagem que o artista passou em seus traços.

— Vocês são uns ignorantes mesmo. Precisa respeitar o gosto de cada um — opinou Eufrásio.

— Tudo bem, mas tem que respeitar o meu gosto também. Para mim é feio ou é bonito, me agrada ou não me agrada. Ponto.

— É preciso respeitar a obra do artista na literatura, na pintura, na escultura, na música, na dança ou no teatro — articulou Eufrásio. — O autor coloca ali sua paixão, seu amor, seu entendimento das coisas, do mundo. Embute uma mensagem que as pessoas podem alcançar ou não. Depende da evolução de cada um para interpretar e entender e, entendendo, usufruir a arte como uma dádiva de Deus, que significa a perfeição. O filósofo Kant diz, numa de suas obras, que "para apreciar o belo, há que possuir um espírito cultivado".

— Não entendo nada, mas acho que ele exagerou. Quem é pobre, sem estudos, não sabe ver a beleza?

— Não se melindre, cara, todos sabem ver o belo, mas apreciar as profundezas da arte requer um entendimento maior, mais profundo, muito estudo e compreensão das mensagens mais complexas.

— Ou, como disse Tolstói: "A arte é um ornamento da vida" — explicou Archimedes.

— Sei lá de arte! Só sei que, se depender de entender esse livro, não saio daqui nunca. Eu e quase todos.

— É, ouvi falar que há uns caras aí estudando o livro.

— Só estudando mesmo. Precisa gostar, ter saco e cabeça, claro.

— Não sei o que precisa, só sei que tem gente que vai alcançar a liberdade, que é a arte de viver — disse Eufrásio.

Desde que fora descoberta a fuga, o assunto predominante na cidade só podia ser esse. Com a volta dos fugitivos, a agitação nos bares se intensificou. No Castanheiras, Galego e os amigos queriam detalhes.

— Cara, os homens voltaram, não deu mesmo — Galego falou para Marujo.

— Não falei que não dava? Está na cara, essa porra aqui é complicada.

— É, estamos no fim do mundo.

— Não, é no cu do mundo, e cercado de dificuldades.

— Deve ser mais fácil e tranquilo sair do inferno do que sair daqui fugindo no meio desse matão.

— Os caras não queriam passear? Agora vão pular quadradinho.

— Vamos ver o que vão contar.

— Está ruim de saber. Eles vão pegar uma cana braba.

— Ah! A gente vai saber, sim. Sempre se sabe.

— Diz que morreram alguns — lembrou Galego.

— Não, vi falar de um só que morreu. Parece que aquele gordo, o China.

— Ouvi falar que foram dois — disse Abel, que estava no balcão.

— Duvido. Os meganhas devem ter matado uns mais — falou o Lagartixa, na mesa ao lado, com outros chegados.

— Porra! — berrou Genivaldo. — Vocês parecem um bando de comadres: estão falando merda, não sabem nada e ficam nessa prosa estúpida. Vamos esperar alguém que saiba mesmo, aí, sim, teremos conhecimento do que se passou.

— Calma! Não fica nervoso, não. É gostoso ficar nesse reme-reme, jogando conversa fora. Não está prejudicando ninguém. Você tem alguma coisa útil para a gente fazer? — indagou Galego.

— Vá ler o livro para o concurso! — sugeriu Evereste, que acabara de chegar e ouviu a conversa.

— Ui! Tá brincando? Ler livro? Aí, sim, hein?! Pegou pesado. Melhor falar merda dos fugitivos — zombou Zoim.

Nesse momento, Emílio entrou no bar.

— Ei, Emílio, conte para nós: quantos voltaram? Estão quebrados? — inquiriu Galego.

— Não sabemos ainda. As autoridades lá fora estão com todos no hospital. Parece que morreu um, e não foi pela segurança, foi picado por cobra. Mas assim que eles estiverem em condições, contarão tudo, em reunião que vai ser transmitida pela TV.

— O que morreu vai ficar lá na mata? — perguntou Marujo. — Aí é cruel. Pense numa cova rasa no meio dessa floresta. Rapidinho para a bicharada papar o finado.

— Parece que vão fazer uma pesquisa, e os dois caras que forem considerados os mais curiosos vão com a polícia lá desenterrar o China — explicou Emílio.

— Quero mais saber de nada — falou Galego.

— Nem eu — disse, rápido, Marujo.

E no bar todo mundo ficou quieto.

— Agora falando sério: é provável que alguns dos que fugiram tenham de voltar de helicóptero com a polícia para resgatar o corpo — continuou Emílio, dando risada.

— Tá louco? Deixe lá — opinou Genivaldo. — Mas, Emílio, você já sabe quem morreu?

— Não. Sei que fugiram oito e voltaram sete. É preciso buscar, fazer autópsia, cremar, mandar as cinzas para a família... É assim que tem que ser.

— Aí piorou. Desenterrar o cara? — resmungou Marujo, balançando a cabeça.

— Desenterrar? — comentou Genivaldo. — Isso não é nada. Se estiver longe no mato, tem que carregar dentro de uma rede até onde estiver o helicóptero. E a catinga do cara se decompondo?

— Pior pra quem vai atrás — falou Galego.

— Quem quer ir na próxima fuga? Tem inscrição aberta — zombou Marujo.

— Cara, você é um debochado mesmo! Conversinha mais besta — bradou o Anão Evereste.

Numa mesa junto à janela, João Medeiros e Colibri tomavam um lanche e tentavam ouvir as conversas sobre o acontecido. Emílio, que procurava por Felício, fez um aceno de mão para os dois e saiu do bar.

— DEPOIS DA FUGA —

Um dia após os exames médicos, Tenório e Raposa voltaram de helicóptero, junto com policiais, para localizar China. Os dois fizeram todo o trabalho de remover a terra da cova, recolher o corpo em recipiente apropriado e transportá-lo até uma clareira, a fim de que a aeronave pudesse içá-lo.

Depois de três dias de descanso, os fugitivos participaram de uma grande reunião, à qual compareceram síndicos de todos os prédios, presidentes de associações, dirigentes de agremiações, religiões, enfim, todos que representassem algum tipo de organização. Após todos se acomodarem, foi permitida a entrada de populares, que lotaram as dependências. Muita gente ficou do lado de fora, assistindo ao telão ou às TVs dos bares. João Medeiros e Colibri conseguiram entrar. Os fugitivos entraram por uma porta lateral e se sentaram no palco, fechado por uma grade, isolados e de frente para o público. No telão, doutor Alberto iniciou sua fala:

— Tivemos uma fuga de oito habitantes, que merecem os cumprimentos pela engenhosidade, pelo empenho e pela vontade de liberdade. Mas, se eles tiveram êxito em sair da cidade, não tiveram a mesma sorte para escapar da floresta. Voltaram. Infelizmente, um morreu picado por cobra, outro sofreu uma picadura de aranha venenosa e um terceiro sentiu o horror de ser abraçado por uma sucuri. Só não sendo moído e engolido devido à valentia de seus companheiros, que lutaram com a fera e a mataram. Para comemorar, comeram a carne da grande cobra, pois já estavam sem comida. Vale ressaltar que todos sofreram no revezamento, em duplas, para carregar o ferido deitado na rede. Dois deles tiveram que voltar para buscar o que morreu.

"Esses homens que participaram da tentativa de fuga não vão ficar em solitárias nem no fundão. Vão permanecer em liberdade, entre vocês, como uma lembrança constante de que não é possível fugir daqui. Como mandam as regras: quem tinha pontos, perdeu todos. Mas dá para recuperar, é só ter vontade. É bom lembrar que o maior pecado deles não foi fugir, e sim terem derrubado árvores do bosque para fazer o túnel. Por esse motivo, seis deles terão a pena acrescida em um ano, enquanto o maluco da motosserra terá a pena aumentada em dois anos, que serão cumpridos no Polo Sul devido a gravidade do crime cometido. Derrubar árvores como as que foram derrubadas é crime Lesa Terra. Os outros seis não poderão mais morar juntos e terão que se espalhar por prédios diferentes.

"Vamos agora ouvir alguns dos personagens dessa história, começando pelo cabeça. Por favor, senhor Tenório, fale sobre a experiência vivida."

Tenório se levantou lentamente, olhou para todos no grande salão e começou:

— Hoje, quando amanheceu, senti minha vida forrada de nuvens escuras, um peso enorme no coração, e fiquei pensando nos motivos. Um deles era a frustração de não ter podido escapar da floresta, o outro é ter colocado mais gente nessa aventura, embora a causa da liberdade seja sempre nobre e cada um tenha ido por livre vontade. Mesmo assim, sinto-me culpado por ter incentivado. E há outro motivo que me deixou triste: não é possível fugir daqui. Só me resta um caminho, se eu quiser sair antes do tempo: batalhar por pontos. Se o diretor me permite, quero reivindicar que seja anulado esse acréscimo na pena, pois deixamos claro para todos que não dá para fugir. Prestamos um serviço que deve ser reconhecido. Mais que isso, nosso exemplo mostra que o governo pode parar de gastar dinheiro alimentando esses bichos nos fossos.

No telão, doutor Alberto agradeceu às palavras de Tenório e perguntou se Raposa queria falar algo.

— Minhas nuvens ficaram mais negras ainda, não tenho o que falar — respondeu ele.

Piolho levantou a mão, pedindo a palavra.

— Às vezes, a vida nos leva para um mundo de magias, onde tudo ou nada pode acontecer. É preciso exercitar o cérebro, o que dá beleza à nossa vida, para seguirmos em frente. Quero sair antes daqui por outro caminho, trabalhar e participar da vida de Renascença, buscar minha travessia por um caminho longo, mas seguro.

Na vez de Jesus Preto, ele falou:

— Mergulhado no abismo da escuridão profunda, o oco por dentro me levou ao comprido túnel em busca de luz, e por momentos senti o paraíso da liberdade. Quando, no entanto, me vi abraçado pela sucuri, tateei as beiradas do inferno, e por meio da coragem de meus companheiros entendi o que é Renascença.

Os outros presos não quiseram falar, então o doutor Alberto continuou:

— Antes de encerrar, quero aqui lhes apresentar os heróis que salvaram nossos sete moradores dos perigos mortais da floresta. São os integrantes da Equipe de Salvamento dos Perdidos na Mata.

No telão, apareceram os soldados e os cachorros. Doutor Alberto prosseguiu:

— Vamos mostrar agora um pequeno filme do fim dessa aventura, que foi quase um passeio pela selva. Na verdade, um aprendizado que esses homens podem ensinar a todos os moradores de Renascença.

No mesmo momento, começaram a aparecer imagens dos troncos de árvores cortados, do apartamento abandonado, da motosserra confiscada e do túnel. Na sequência, mostraram os soldados e os cachorros na floresta, o helicóptero sobrevoando a mata, o momento da prisão, os fugitivos sendo algemados próximos aos índios pintados para a guerra — com olhares ferozes e armas nas mãos —, os prisioneiros entrando no helicóptero, a chegada ao hospital, a exumação de Anésio, Renascença com sua vida de liberdade e Amarildo tocando realejo junto ao honestão. Por último, uma música suave acompanhava as cenas aéreas da cidade, os fossos e os leões urrando e um avião chegando a um lugar muito branco de neve.

 Dois dias depois, Tenório, Raposa e Piolho estavam no bar Zico, que não tinha outros clientes. Os dois últimos conversavam baixo, mas Tenório estava quieto, distante. Um profundo desgosto o abatera com a frustração da fuga e a humilhação com essa conversa de que foram salvos pelos soldados e como "os perdidos na mata". Tinha o olhar perdido, fixo em lugar nenhum. Aqueles olhos, donos de tanta tristeza e ruindade, estavam agora sem rumo. De repente, porém, ele quebrou o próprio silêncio:

 — Estamos recolhidos, cara, minha pessoa está mal, cansado. Sinto-me uma fera enfurnada, enfiada nas areias movediças do tempo. Não estou nem achando jeito de ver as coisas. Estou sem esperanças, sem expectativas, sem pontos, sem emprego.

 Fez uma pausa e continuou:

 — Lembro-me do trabalho todo do túnel, da mata, da morte do China... Tudo acabou, restando só a tristeza do que poderia ter sido e não foi. Fico pior quando imagino Catarino indo para o Polo Sul. Tento nem imaginar o avião chegando àquele frio.

 — Calma, Tenório! — implorou Piolho. — Agora a gente tem que dar um tempo, esperar a poeira baixar. Logo as coisas se acomodam.

 — Nem lembre! — clamou Raposa. — Comecei a ficar triste ao carregar aquela rede pesada, com o pau esfolando os ombros, escorregando, tropeçando. Depois vieram os latidos daqueles cachorros. Misericórdia! Aquilo só fazia crescer minha tristeza.

 — E carregar o finado na rede com aquele fedor? — recordou Tenório.

— Meu bonje! Fui atrás primeiro e logo revezamos. Credo, que que era aquilo, mano?

— Acho que meu anjo da guarda está triste — falou, desanimado, Tenório.

— A gente queria as coisas do nosso jeito, mas temos que dar um tempo, recuperar as vontades e ir pelo caminho mais fácil de sair daqui. Se pensar que poderíamos estar na solitária do fundão e estamos soltos, já é uma vantagem. Com os dias passando, logo vamos estar melhores — opinou Raposa.

— Acho que aprendi que, em certos momentos, a gente deve levar a vida em fogo baixo — filosofou Piolho. — Estou pensando seriamente em enfrentar um trabalho, ir à biblioteca. Preciso juntar pontos, jogar bola, rezar, o que for. Estou me preparando para ir à luta.

— Que disposição! — exclamou Tenório. — A minha vai demorar.

— Você começando a falar já é um bom sinal. Precisamos tomar umas num bar lá do centro, enfrentar a vida normalmente e falar de nossa fuga. Para muitos, fizemos uma grande coisa.

— É, mas para outros fizemos uma grande merda. O pior é que até eu acho isso.

— Que se fodam! Esses vão ficar mais distantes — disse Piolho e emendou. — Vamos falar de nossa experiência. O povo está louco pra saber, mas só vamos contar para os que estão simpáticos a nós. Estou pensando em fazer umas palestras sobre a fuga e cobrar ingresso. Vou recuperar meus pontos e ganhar uma grana. Como diz o dito popular: "Na crise, não chore, venda lenço". Dizem que palestra dá um bom dinheiro.

— Não estou com vontade de falar nada — afirmou Tenório, indo para o banheiro.

— O Tenório está muito abatido — notou Piolho.

— É, caiu a ficha dele.

— Caiu a ficha, não. Caiu a crista.

— E você, Piolho? O que vai falar nas palestras sobre aqueles índios que te deixaram com um grande cagaço?

— Nem me lembre do cacique com aquele olhar selvagem!

— Como você queria que fosse o olhar dele?

— Esqueça isso! Você viu a novidade, a tal da promoção de um livro que dá direito a ir embora?

— Nem me fale em ir embora! Dê um tempo! Não temos direito nem de fazer a inscrição.

— Vou à biblioteca ler esse livro para espairecer. Eles não podem me negar isso.

Nesse momento, entraram o colombiano Heitor e seus camaradas. Ele trazia nas mãos um ramalhete de rosas para Eupídio, o dono do bar, e deu uma para cada um dos fujões, deixando o ambiente mais leve. Depois, disse:

— Nos momentos de grande aflição, é reconfortante abraçar uma pequena felicidade.

Todos se abraçaram, e a prosa ganhou o fim do dia com eles contando passagens do giro pela floresta. Ao se despedirem na porta, Heitor falou para os três:

— É preciso ter um trabalho, porque, quando a necessidade dá uma ocupação, o homem se sente feliz.

Piolho correu de volta e perguntou para o dono do bar:

— Estou vendo seu nome ali naquele papel, mas Eupídio não é com L?

— Não, meu nome é com U mesmo, Eupídio.

Piolho coçou a cabeça e logo correu alcançando os outros.

— A PROMOÇÃO E O SONHO —

Três amigos estavam na biblioteca e discutiam sobre a leitura de *Ulisses*.

— Cara — disse Santana —, estou mergulhado nesse livro dia e noite. Vou acabar enlouquecendo. Não é que sonhei ter chegado à Grécia Antiga e encontrado Homero e Ulisses? Aquele dizia a este que estava escrevendo um livro sobre ele. Um livro complicado, que quase ninguém entenderia. Mas era de propósito, afinal era para ser lido pelos deuses do Olimpo. Os mortais não teriam conhecimento para entender.

"De repente, no sonho, apareceu um cara com uma garrafa de absinto. Eu bebi, exagerei. Homero e Ulisses também tomaram. Naquela cidade de ruas apertadas, ficamos a andar de um lado para outro, numa confusão de gente. Algumas eu conhecia, mas a maioria era desconhecida. Subimos e descemos as ruas. Deparamos com gente correndo, brigas, policiais, putas, ladrões, jogadores... Uma confusão sem pé nem cabeça, como são os sonhos. Eu estava ali, naquele emaranhado todo. Quando vi, havia amanhecido e eu estava debaixo de uma mesa, onde Homero e Ulisses dormiam debruçados.

"Sem mais nem menos, voltamos a andar e chegamos a uma larga praça, na qual, num dos lados, subia uma colina que tinha no topo figuras esplêndidas de homens e mulheres pomposos. Todos tinham em mãos um volumoso livro que liam e comentavam. Espalhado na praça, o povo andava de um lado para outro, calado e cabisbaixo. No Olimpo, os deuses continuavam a ler, conversavam, e alguns riam. Mas quando alguém da multidão se aproximava e falava algo que os contrariava, eles ficavam irados."

— Que sonho mais louco! — disse Mário.

— Nem queira entender os sonhos. É difícil ter conexão com a realidade — julgou o Correia.

— Não concordo. Muitos sonhos são frutos de alguma realidade vivida. Esse sonho mesmo do Santana só foi desse jeito pelo seu envolvimento na leitura do livro e está impressionado com o nome Ulisses e as lembranças de filmes sobre a Grécia.

— Sim, mas daí até ter clareza é difícil — considerou Santana. — Esse livro da promoção pode me levar à liberdade ou à loucura. Se eu dedicar meu tempo e no fim não ganhar, vou ficar muito puto. Capaz até de endoidar.

— Não pense assim. Só de você ler o livro, o ganho já está garantido.

—— EMÍLIO ANDA PELA CIDADE ——

Emílio estava inquieto, sentindo falta de Maria, que fora passar o fim de semana com a família na capital. Saiu a andar pela cidade. Era uma tarde abafada. Caminhava pelas ruas abarrotadas de gente, que iam e vinham em busca de vida.

Passava por algumas pessoas e sentia olhares tristes, maldosos, vazios, de ódio. Passou pela sua cabeça que alguns homens não mudavam, porque a maldade estava em sua natureza. Continuou andando. Havia semblantes sorumbáticos, com jeito misterioso, com cara de ébrio, sorridentes, agradáveis, tristes e outros aspectos.

Chegando ao jardim do mirante, encontrou Amarildo e seu realejo. Comprou do papagaio o bilhete da sorte, que era amarelo e tinha a seguinte descrição: "Na vida, tudo tem seu tempo, e o seu chegará". Agradeceu ao Loro e foi pagar a Amarildo, que não quis receber e disse que era um presente para Emílio, que retrucou:

— Negativo! Cada coisa no seu lugar: comprei, tenho que pagar. Conheço seu valor. Você levanta cedo para trabalhar, não tem que dar nada a ninguém. Dê meu troco.

Passou pelo prédio do mirante, entrou na biblioteca e encontrou Eugênio.

— E aí, sarou da constipação?

— Sim, estou quase bom — respondeu o Professor.

Em seguida, foi ao museu. No silêncio daquela hora, admirou as estátuas do folclore e outras maravilhas. Leu uma pequena placa na parede, perto da porta, na qual estava escrito: "O sentimento da beleza entra na gente e alegra a alma." Ficou olhando a placa e pensando na frase. Inquieto, voltou a caminhar. Numa rua distante, passou por um homem só, de bicicleta, que parou e fez menção de falar algo, mas mudou de ideia e seguiu seu caminho.

Emílio retornou ao prédio do mirante. No café Cultura, tomou uma água e um café. Pelo elevador, subiu ao topo e ficou um tempo a contemplar a cidade, a floresta. Pensou em como estava gostando da cidade e se imaginou morando ali para sempre, depois que a pena terminasse. Não seria ruim, se ainda pudesse sair para passear de vez em quando.

Pensando essas coisas, ouviu uma trovoada, que em seguida se transformou em chuva, branquejando as copas das árvores e cobrindo toda a cidade naquele fim de tarde. O silêncio trazia um jeito triste de acabar o dia.

Após a chuva, seguiu para o bar Castanheira. Precisava conversar com alguém. Estava ansioso e angustiado. Encontrou Jango conversando com Pachola e Padrinho, que o convidaram para se sentar. Eles falavam de passagens de suas vidas.

Jango contava sobre sua prisão. Seu nome verdadeiro era Josinaldo das Neves. Um negro forte, de ombros largos, mãos grandes, dentes bons e lábios grossos, que carregava um olhar assustado, parecendo pronto para dar o bote. Era um cara bom, que a prisão deixou arisco e acabou se tornando perigoso.

—— A CAMPINA DO ENCANTADO ——

— Estou curtindo pena aqui por bobeira. Matei um guarda-florestal. Um não, dois. Eu me senti acuado no meio da mata, foi tudo muito rápido. Nem pensei nada, não deu tempo. Só senti que seria preso com as caças nas mãos. No calor da aproximação, mandei fogo. Dois empacotaram e dois correram dando uns tiros a esmo. Não esperavam aquela reação. Era noite, escutei o tropel deles se afastando e logo tudo ficou quieto. Um silêncio grande invadiu a mata. Parei, meu ouvido cresceu buscando algum ruído no silêncio pesado. Saquei que eles não haviam ido embora. Senti o estalar de um galho pisado de um lado, depois do outro.

"Eles estavam me cercando. Juntei as caças e fui saindo rápido pelas trilhas que conhecia bem. Não ia demorar para o dia clarear, era preciso sumir dali. Mas sentia que os caras estavam por perto. Deixei o rumo da saída do mato e me embrenhei para dentro. Inverti a intenção, amarrei minhas coisas e as caças nas costas, mergulhei no rio Pariquera e fui nadando, lento, sem ruídos e com os olhos nas margens, distanciando-me dentro da escuridão.

"Entrei num rio maior, o Ribeira, atravessei suave uns trezentos metros e sumi do outro lado, numa mata grande, já no município de Iguape. Eu gostava de andar naquelas matas todas da região do rio Ribeira, de caçar e passear. Mas gostava mais mesmo era da Campina. O crepúsculo parecia ser encantado; o negror da noite e suas lendas pareciam aflorar. Era um lugar de muitas histórias, a Campina do Encantado, lugar misterioso encravado nas matas de Pariquera. Desde criança ouvia aqueles contos e lendas que me pareciam fantásticos. Meu pai sempre falava do fogo que saía do chão, do barulho encantado, sempre próximo. Aquilo tudo me fascinava.

"Depois de uns dias escondido, atravessei o rio de volta e fiquei um tempo entocado na mata da Campina, sempre mudando de lugar. Eu me alimentava de palmito, frutas, às vezes ia até o rio e pegava alguns peixes. Até jacaré matei. Com as armadilhas pegava caças. De longe, eu pressentia a vinda da polícia. Eu conhecia o ruído da mata e seus habitantes; quando chegava um barulho, de longe percebia as mudanças no comportamento do lugar, o voar dos pássaros, os animais. Um dia a polícia chegou perto. Estavam com cachorros. Alcancei o rio, entrei na água e busquei abrigo entre os aguapés debaixo de um ingazeiro grande, sombreado, depois de ter mergulhado me afastando de onde estavam. Os cachorros perderam meu rastro. Foi por pouco. Eu estava vivendo já como um bicho. Tomava meus banhos, mas o cheiro de bicho estava grudando em mim. A gente vai se acostumando.

"Era o dia todo só pensando em como fazer para comer. Quando as sombras da noite caíam, a solidão trazia um princípio de desespero. Aquelas foram as noites desertas de minha vida. Então, comecei a pensar que era preciso sair dali. Estava emagrecendo, pintou uma dor de dente e aquela solidão prolongada estava pegando forte. Ia acabar sendo preso. Era conveniente me afastar da floresta e buscar outro rumo. Saí da Campina dos meus encantos, aproveitei uma noite de muita chuva e fui para a cidade. Cheguei à casa da minha mãe, que ficou muito feliz.

"Eu não podia ficar ali. Depois de uns dez dias, fui levado pelo meu irmão para a casa de um primo do meu pai, lá para as bandas da Caverna do Diabo, e fiquei trabalhando num bananal. Um dia, vacilei numa briga num boteco do bairro André Lopes, perto do rio Ribeira, bem de onde a estrada começa a subida para a caverna, a polícia estava na área e aquele domingo alegre encerrou minha liberdade."

— Você falou das lendas dessa Campina do Encantado. Sabe contar alguma? — perguntou Padrinho.

— Sei várias. Nosso país é cheio de lendas. Essa não é forte, mas merece registro, porque a Campina do Encantado existe e hoje é um Parque Estadual, uma floresta linda a apenas duzentos quilômetros da capital do estado. A ganância do desmatamento não a atingiu porque estava cercada por pântanos. Lá dentro é tudo firme e exuberante, com árvores enormes e imensos sambaquis, uma grandeza.

— Conte logo a lenda — pediu Pachola.

— Vocês já foram ao museu? Lá existe um painel grande, com pinturas que retratam as lendas da Campina do Encantado. Sempre vou lá e fico admirando, matando a saudade dos matagais de minha vida. Lembro sempre como o latido dos cães e o canto dos galos se perdiam na lendária Campina, onde se escutam muitos barulhos estranhos. Lá não mora ninguém e o galo canta pertinho. O boi berra ao lado. O porco ronca grosso. De repente é aquele barulhão de fogo. É graveto estralando, labaredas ardendo. Fumaça não tem. O barulho para, seco.

"Vêm de longe as histórias que o povo conta sobre aquele pedaço de chão. Como é um terreno plano, o som se propaga muito, e isso foi gerando então as lendas através dos tempos. Contam que ali existiu, muito antigamente, uma cidade que ficava bem no meio da Campina. O povo era muito libertino. Em certa ocasião, dançavam todos, era quaresma, tempo proibido para danças. Mas o baile estava agitado, então veio o fogaréu. A música tocava alto. Buraco foi abrindo, a cidade 'surucando'. O povo dançando e a cidade 'sorvetendo'. Num local da grande campina, tem a cidade enterrada. Casais de almas penadas bailam ainda hoje por entre as árvores. Quem vai lá, ouve madrugada adentro o arrastar dos pés e o vup-vup do rodopio dos corpos. Sente o arrepiante que é a travessia da noite. E tem a lenda do cavalo negro que surge nas noites de luar, correndo nas bordas da floresta que cerca a Campina.

"A maioria dos que vão caçar não quer voltar lá. O que se fala é que a Campina se protege, pois nem a polícia florestal vai lá passar a noite. Quando vai, como aquela vez, dá desgraça. Como demorou para eu ser preso, muitos achavam que os guardas tinham sido mortos pelos fantasmas da Campina."

— Mas me fale uma coisa, Jango — pergunta Emílio —, essas histórias todas aí de assombrações e medos não são uma artimanha que inventaram para diminuir a concorrência de caçadores e a fiscalização?

— Como? — perguntou Pachola. — Ainda tem gente que caça no estado de São Paulo com a legislação e a fiscalização rigorosas?

— Acha que não? Está no DNA do ser humano ser caçador. A maioria mudou o tipo de caça, mas os de instinto mais primitivos continuam caçando tatu, paca, cateto, jacaré, capivara e outros bichos.

— Essa rodada é minha. Gostei dessas histórias. Você sabe outras? Conte aí — solicitou Emílio, pedindo cervejas.

— Que bom molhar as palavras com essa geladinha! Agradeço. Vou contar a lenda do Canto da Urutáua, que lá nós chamamos de

Urutágua. Um pequeno grupo acampava nas fraldas da Campina, lá no centro da mata. As estrelas já tomavam conta da noite. O fogo estava aceso e a prosa, solta. Essas conversas de beira de fogo, entre um gole e o outro um pedaço de carne, causos, risadas. De repente, num piscar, tudo ficou quieto. Nem fogo chiava. Todo mundo prestou atenção, mas ninguém entendeu o silêncio pesado. Aí, de supetão, disparou o canto da Urutágua : FUI EU, FUI EU, FUI EU. Silêncio de novo. A sanfona abriu num som bonito e entraram pandeiro, rabeca, viola e violão, surdo e tamborim. Um chiado no chão, o arrasta-pé puxado. Era o baile na Campina. Aquilo foi alto, pertinho. Mas foi baixando, baixando, baixinho, surdo, sumindo. Silêncio. Um silêncio escuro. Desses enormes. Um grito alto saiu da garganta da Urutágua: FUI EU. As estrelas tinham se apagado e, na escuridão da noite, só restou o forte canto da Urutágua: FUI EU, FUI EU, FUI EU, FUI EU... Lá longe, por trás do mato, roncou um trovão dos grandes, e logo o chiado forte da chuva bateu nas folhas parecendo que era perto, mas foi demorado a chegar. Depois que veio não parou mais, por três dias.

— Muito bem, Jango — disse Emílio. — São histórias interessantes. Pena que você não voltou mais à sua Campina. Mas se juntar bastantes pontos o tempo vai passar rápido, e logo você estará lá.

— Estou batalhando para isso, mas não sei se tenho condições de voltar lá. Fiquei marcado. Acho que tenho que fazer a vida em outro lugar quando sair daqui. Mas um dia, na surdina, volto lá e vou dormir no macio chão da Campina do Encantado, enfiar a vara no solo e ver o fogo brotando do fundo da terra.

— Tem muitas formas de juntar pontos para acelerar a travessia, e uma delas é muito rápida: ganhar na Mega-Sena.

— Nem me fale! — falou Pachola. — Está tendo muita fila na lotérica, o prêmio está acumulado.

— Verdade! — disse Emílio — Vale a pena arriscar. Já fiz meu jogo.

—— A MEGA-SENA ——

Na cidade, como em todo o país, a vontade de ganhar na Mega-Sena aumentava à medida que aumentava o valor do prêmio. As filas da lotérica de Renascença eram quilométricas. No dia do sorteio, ficou-se sabendo que um morador da região Norte havia ganhado o prêmio sozinho.

No fim de tarde, Wilson, Euzébio e Zeferino, antigos colegas de apartamento de Piolho, estavam no bar Serenata, conversando sobre qual seria a cidade do ganhador, e o primeiro perguntou:

— E aí, Piolho? Conte pra nós como foi o passeio na mata. Encontrou aqueles índios com a espada pronta?

— Sei nada de espada, não, meu, mas vi uns índios prontos pra destruir a gente. Nossa sorte foi chegar a cavalaria, quer dizer, a polícia com a cachorrada. Caraca, meu, vi a viola em cacos.

— Não lhe falamos que não dava, que era fria?

— Mas a cabeça do ser humano é ali marreando, querendo porque querendo; enquanto não entorta o chifre, não sossega.

— Fiquei sabendo que você escapou por pouco do indião que queria incendiar seu fiofó.

— Qualé, malandro, desafasta essa ideia, ninguém segura a língua do povo, falar é esporte universal, deixa rolar. Eu sei de mim, teve nada de amor com índio, não.

— E vai tentar de novo?

— Não, vou ficar quieto aqui, correr atrás de pontos para ir embora de avião. Chega de mato. Fui à biblioteca para ler aquele livro grosso da promoção, mas sem chance, nem deu pra começar. Desanimei só de olhar. Mas me deu uma ideia: vou estudar, terminar o ensino médio a distância e escrever um livro sobre essa nossa fuga. Isso vai me dar pontos. Ah! Deixe-me aproveitar e convidar vocês para a palestra que vou fazer sobre a fuga. É baratinho. Aproveitem enquanto não sou famoso.

— E você acha que alguém mais vai tentar fugir?

— O ser humano é vida. Qualquer hora dessas um mais esperto tenta um caminho diferente e vai se surucá num avião desses e limpar a área de sua presença.

Piolho se foi e Euzébio falou:

— Ele já está com alguma coisa na cabeça.

— Não creio, voltaram muito decepcionados — arriscou Zeferino.

— Só falta o cara agora virar palestrante e em cima de nós, danado esse Piolho.

— Bom de lábia ele é.

— O CAVALO DE AGADEZ —

Num banco da praça Ovo de Colombo, alguns amigos conversavam:

— Aqui é legal, tem quase tudo, mas uma coisa que falta é cavalo — falou Indalécio.

— Sai dessa, cara! Só falta esta mesmo: uns cavalos cagando aí pelas ruas e esse calorão fazendo o cheiro de merda se espalhar.

— Não pense assim, suja e tem gente pra limpar uai — disse Moringa.

— Concordo que tenha cavalo — afirmou Jangão. — Vamos fazer um movimento pedindo?

— Eu topo — expressou Galego. — Primeira coisa: vamos preparar o abaixo-assinado. No sábado, a gente sobe na Tribuna e começa o movimento coletando assinaturas.

— Quem fala na tribuna? A Gigi de novo?

— Deixe comigo — ofereceu-se Moringa. — Desde pequeno, sempre gostei de cavalos. Para mim, é um dos animais mais bonitos. Vou contar uma passagem de minha vida de mais jovem. Eu era mochileiro e andei pela África, onde atravessei o deserto do Saara do norte para o sul. No fim da travessia, o caminhão em que eu viajava de carona chegou a uma cidade no meio da noite. Desci e andei procurando um lugar. Logo me ajeitei com as coisas num pé de trave do campo de futebol, sem cercado nenhum. Agadez... Sim, Agadez o nome da cidade, era bem diferente com suas construções à base de adobe, mas arquitetura bonita e interessante. As casas todas eram feitas de um barro vermelho, sem perigo de desmanchar, porque quase não chovia. Era uma cidade grandinha, bonita, bem movimentada, tudo diferente do que conhecemos por aqui.

"Passei uma cordinha nas alças de meus pertences, amarrei no braço, forrei o chão com o saco de dormir e deitei de frente para o céu, forrado de estrelas muito brilhantes. Logo peguei no sono. Ali, no pé da trave, fui despertado pelo tropel de um cavalo. Ainda estava escuro, mas a aurora despontava longe. Firmei os olhos e vi o enorme animal branco, sendo cavalgado por um homem todo vestido de negro, em trajes árabes. Corria em volta do campo, em treinamento. Era bonito de ver a cena, daquelas que não se esquece. Impressionante ver aquela figura, com a capa negra esvoaçante, e o lindo cavalo branco galopando enquanto a luz suave da manhã começava a iluminar o deserto. Soprava um vento friozinho."

Os homens ouviam atentamente e ficaram um tempo em silêncio, como que esperando a continuação da história. Um deles perguntou:

— E aí? Falou com ele, andou no cavalo branco?

— Não, ele estava lá fazendo o treino e eu, registrando cenas para minha memória, enriquecendo meu viver. Nós aqui, falando de cavalos, me fez lembrar o momento. Topo fazer o movimento para a vinda de cavalos.

— Pachola, você frequentou rodeios. Já foi peão de boiadeiro?

— Sim, na mocidade, tempos de sangue quente. Curti muito a festa de peão de Barretos. As vantagens de ser peão de boiadeiro é que se entra a galope no céu.

— Crendiospai! — exclamou Paulinho. — Nem sabia que cavalo entrava no céu de gente. Mas, Moringa andou em camelo lá no deserto?

— Não, só comi.

— Vixi, é alto, como você fez? — indagou Pachola.

— Fala besteira, ô animal, comi na panela.

— Credo! E a carne daquilo é boa? Deve ser dura e seca.

— Por que dura? Se o animal for jovem, a carne é macia.

— Ah, eu não comeria.

— Comeria, sim. E ia ficar satisfeito. Sua fome é maior que sua frescura. E você sabe o que come com esses embutidos e latarias com que foi criado e está forte?

— Vamos mudar de assunto e voltar pro cavalo — propôs Galego.

— É isso aí. Vamos começar um abaixo-assinado — animou-se Pachola. — Moringa, nessas andanças você tem mais histórias de cavalos?

— Não que me lembre. Ah, sim! Há uns cavalos diferentes que vi numa passagem que fiz pelos Emirados Árabes, no Oriente Médio. Era Dubai, um lugar que parece ter saído das histórias das *Mil e uma noites*. Na entrada de um hotel de luxo, num jardim circundado pelo acesso de entrada e saída, havia estátuas de uns vinte cavalos em tamanho natural, banhados a ouro.

— O quê? Banhados a ouro? E ficavam lá sem ninguém roubar? — impressionou-se Galego.

— Isso mesmo, sem ninguém roubar aquela fortuna.

— Acho que isso é mais uma das histórias das *Mil e uma noites* — brincou Paulinho.

— Estou falando porque vi.

— Então é um desaforo pra ladrão, uma provocação — indignou-se Paulinho.

— E como você foi parar lá nesse lugar rico sendo mochileiro?

— Trabalhei num navio que atravessou o mar Arábico, entrou no Golfo Pérsico e atracou em Dubai.

— Mas como esse povo conseguiu tanto dinheiro?

— É um lugar de muito dinheiro mesmo, que veio do petróleo. Os dirigentes, para não ficarem dependendo de um só produto, investiram na infraestrutura, preparando-se para o turismo. É muito luxo por todo lado, atraindo os endinheirados do mundo todo.

— Mas naquelas terras áridas não tem só histórias ricas, amorosas e divertidas das *Mil e uma noites* — falou Moringa — pois na África, na travessia do Saara, a pobreza era profunda já naqueles tempos. Vi muitos retirantes do sul do deserto atravessando a pé dois, três mil quilômetros, sob a luz quente do sol, andando lentamente rumo ao Mar Mediterrâneo. Caminhavam também à noite, sob o frio intenso daquelas terras peladas de vegetação. Iam a pé porque não tinham dinheiro e por serem de outros países. Fugiam dos postos de fronteiras, evitando contato com autoridades, numa caminhada clandestina. Por centenas de quilômetros não havia estrada; era só o rumo nas trilhas pelas areias infindáveis, o que facilitava para os tristes caminhantes.

— E onde era o fim da viagem para eles? — quis saber Galego.

— Queriam fugir da pobreza, da miséria e daquelas terras secas onde viviam nas franjas do sul do Saara. O sonho era chegar às cidades do litoral do Mediterrâneo e, quem sabe, a próxima geração atravessar para a Europa.

— E como eles faziam para comer e beber nessa travessia? — quer saber o Paulinho.

— Eles iniciavam a caminhada com provisões e, sempre que possível, por meio de sinais, se aproximavam de caminhões que lhes forneciam alguns alimentos e água. Comiam principalmente tâmaras. O caminhão em que eu viajava fez isso.

— E essa travessia deles era demorada?

— Muitos e muitos meses. Trechos de trezentos, quinhentos quilômetros sem uma única fonte de água, sem moradia, sem nada, a não ser areia e pedras. Numa das paradas, conversei com um grupo e perguntei:

"'Vocês estão indo pra onde?'

"'Para a Europa, qualquer país, respondeu o homem com o olhar triste.'

"'Não vão conseguir, é muito longe', respondi.

"'Vamos para perto, à beira-mar, depois nossos filhos chegarão. Os europeus vieram explorar as riquezas da mãe África, agora é hora de a gente participar da riqueza acumulada por eles. Não importa a demora, vamos chegar. Nos tempos antigos, nossos povos eram fortes, mas com a invenção das armas de fogo nossa gente foi derrotada e nossas aldeias, arrasadas. Nossa história é muito triste.'

"Enquanto a gente conversava, armou uma tempestade de areia. Na verdade, o motorista já havia percebido que estava se formando e parou ali para esperar passar o mal tempo e abrigar os caminhantes. Quando o vento chegou, foi impressionante a nuvem de poeira. Tudo escureceu. As pessoas tinham que proteger todos os buracos da cara, senão entupia daquela poeira fininha. Esse é um dos motivos de aqueles povos do deserto andarem sempre embrulhados com muitos panos. Aquelas criaturas nada podiam fazer, a não ser deitar no solo e esperar a tempestade passar. Uma verdadeira doideira aquela terra voando. E é demorado para voltar ao normal, diferente de nossas tempestades de água que quando acaba a atmosfera fica limpa. Quem vive numa terra daquela não acredita que possa existir uma floresta como esta nossa, e quem está aqui não acredita que possa haver um lugar tão grande sem vegetação."

— E se um veículo quebrar num lugar desses?

— É abandonado e vai sendo depenado até ficar só a carcaça.

— O que é pior lá, ou este matão aqui onde estamos?

— Depende do ponto de vista. Não queremos ir para lá e acho que eles não querem vir para cá. Se a gente fosse, morreria esturricado naquele calor bruto e seco. Se eles viessem, morreriam empalamados aqui nesse calorão úmido. Então, é cada um na sua. Imagine nós numa prisão desta lá no meio daquele deserto.

— Nem pense nisso!

— Que mundo estranho! Você, que andou por lá, tem mais histórias para contar? — perguntou Galego.

— Ah, muitas histórias! Só aí dessa travessia do deserto tenho várias. Um dia gravei o discurso do rei do Marrocos, logo depois fui para a Argélia. Os dois países estavam em litígio pelo Saara espanhol, terras próximas dos dois países. Aquela gravação levantou suspeita de que eu fosse espião. Fui preso no meio do deserto, me le...

Nesse momento, entrou no bar o Curió, todo afobado, dizendo que alguém da cidade havia ganhado na Mega-Sena. O alvoroço interrompeu a conversa, e todos saíram à procura de mais notícias e para conferir os bilhetes.

O sistema de comunicação prontamente lançou um aviso, pedindo que o ganhador não falasse com ninguém sobre o prêmio e aguardasse as instruções, que viriam de fora. Dentro de alguns instantes seriam divulgados os números sorteados.

A cidade virou um agito de expectativa, ansiedade e curiosidade. Quem seria o ganhador? A maioria das pessoas estava com as apostas nas mãos, prontas para a conferência. No vai e vem daquele momento, João Medeiros encontrou Emílio e disse:

— Foi bom encontrá-lo. Agora, que o caso da fuga foi resolvido, quando será liberado para voltarmos ao trabalho com as abelhas?

— Loguinho a vida voltará ao normal. Deixe a poeira baixar. No comecinho do mês, vocês voltam para o mato. Agora estou indo para um chamado urgente na diretoria.

Para João, foi um alívio ouvir aquilo.

Emílio chega ao escritório, que, além de Alberto, contava com Almeida, Vasco e dois homens elegantemente vestidos em seus ternos bem-cortados. Haviam chegado no avião do dia.

— Senhor Emílio, já nos conhecemos. Estes dois senhores são da casa bancária que cuida da Mega-Sena. Temos uma novidade que não sabemos se é boa ou ruim neste momento. Como o senhor acabou de saber, o ganhador do prêmio é um presidiário. É preciso uma ação para saber quem é o contemplado. Vamos fazer uma campanha pelas comunicações internas para que o ganhador não dê bandeira, não fale para ninguém até passar o comprovante aqui na diretoria, com toda a segurança. É preciso que todos saibam o risco que está correndo o ganhador. Na divulgação, vamos pedir que o sorteado fale somente com o senhor, discretamente. Depois disso, vamos cuidar de outros detalhes. A campanha vai começar na rede interna de TV. Vamos assistir.

No aparelho ligado, teve início o comunicado. "Atenção para esta informação! Não dê alarme para o que vamos falar. Um dos moradores é a pessoa que estamos procurando. Se esta pessoa é você, não tenha nenhuma reação, mantenha a calma, não fale nada com ninguém e, assim que possível, entre hoje e amanhã, faça contato com o senhor Emílio. O ganhador da Mega-Sena é aqui da cidade. Confiram bem seus jogos, não fale para ninguém e não se afobe. Estes são os números sorteados: 01-02-03-05-44-54."

Um alvoroço! Uma animação de gente correndo para casa em busca de bilhetes. Agora era só aguardar o ganhador. O comunicado se repetia a cada meia hora.

Quando foram divulgados os três primeiros números, noventa por cento ou mais dos moradores que acompanhavam já haviam jogado as apostas fora, decepcionados e falando em marmelada com palavrões.

O dia estava acabando e nada de ganhador. A tensão aumentava. Onde estava Emílio, uma multidão de olhos o seguiam. Curiosidade, inveja, ansiedade: a cidade vivia uma energia desconhecida. A noite chegou e os bares estavam lotados. Aquela situação merecia uma comemoração. Não importava quem fosse o ganhador, a cidade se sentia ganhadora. Aquilo parece ter criado um sentimento novo: minha cidade ganhou um grande prêmio. Era ruim ir dormir com aquela angustia de não saber quem era o felizardo. E se a pessoa tivesse perdido o comprovante? E se tivesse sido roubada? E se fosse um drogado que estivesse dormindo? Quantos anos esse milionário vai ficar aqui? E se a pena estiver acabando? E se faltarem muitos anos? E se foi alguém do hospital ou qualquer outro de fora das muralhas? As horas passavam lentamente naquelas especulações cheias de "e se".

— O GANHADOR —

No dia seguinte, logo pela manhã, os olhos acompanhavam Emílio. De maneira estratégica, ele circulava pelas ruas e voltava para o escritório, dando a dica de que o ganhador poderia falar com ele nas proximidades. E foi o que aconteceu.

Enquanto atravessava a praça Manaus, viu que um homem o fitava insistentemente, do outro lado da rua Amazonas. Na Solimões, os dois se emparelharam, entraram juntos no prédio e foram para o escritório. O homem estava pálido e disse:

— Estou com o bilhete ganhador.

Emílio o cumprimentou com um abraço e pediu que tivesse calma.

Quando ficaram a sós, Zé Bundinha mostrou a Emílio o comprovante do jogo e perguntou o que precisava fazer. Foi, então, convidado para entrar em outra sala, onde lhe foram oferecidos água e café, que aceitou, nervoso.

— Baita sorte, hein?! Como é seu nome mesmo?

— Meu nome é Florisvaldo Agripino Ferro.

— Quanto você tem ainda para cumprir?

— Quinze anos.

— Acalme-se! Fique tranquilo. É o único jeito de enfrentar situações novas. Você tem noção de quanto dinheiro tem?

— Será que ganhei sozinho?

— Foi sozinho, sim. É muito dinheiro. Também, com esses números...

— Estava bêbado quando fiz a aposta. De que adianta, se estou preso aqui nestas distâncias?

— Acabou o tempo das vacas magras.

Com aquelas palavras, a alma de Ferro sorriu feliz.

— É, as coisas boas são remédios que alegram a alma e animam a vida — continuou Emílio. — Agora é ter cautela para ver como dar cada passo. O diretor e os representantes do banco vão fazer uma reunião com você e passar as primeiras instruções.

Iniciada a reunião, os homens cumprimentaram Florisvaldo, e o doutor Almeida disse:

— Senhor Florisvaldo, sendo dono dessa imensa fortuna que o destino lhe reservou, você não pode mais ficar em Renascença, porque corre risco de vida. Temos instruções de levá-lo conosco para a capital, onde tomará posse do dinheiro e receberá orientações necessárias. Encontrará alguns membros de sua família, conforme o senhor determinar, e ficará numa prisão especial, podendo contratar um escritório que analisará se é possível reabrir seu caso. Receberá todas as instruções para administrar sua fortuna. Como está preso por roubos, não será mais um homem perigoso, pois agora tem grana.

"Hoje, vamos liberar dinheiro para sua despedida discreta, num restaurante. Emílio vai lhe dizer onde. Você convida seus colegas de casa e mais algum amigo que queira. Irão também todos os encarregados da sua segurança. Se o senhor aceitar, Emílio fará os convites sem contar o motivo para ninguém, o que deve acontecer no fim do jantar, quando você virá para dormir no alojamento aqui fora. O comunicado na TV procurando o ganhador vai continuar até o senhor vir para fora após o jantar."

— E minhas coisas que estão na casa? Meus trecos, quero comigo.

— Deixe tudo no jeito que, durante o jantar, alguém vai buscar. Emílio cuida disso.

— Quer falar alguma coisa?

— Tô zonzo!

— Entendo. Sua vida mudou, portanto, no jantar, beba moderadamente. De preferência, sucos. Sua despedida é para dar uma satisfação à cidade, aos seus amigos, e para que todos tenham esperança de que a vida pode melhorar.

— Não sei o que falar. Só agradeço a Deus e a vocês por estarem me tratando com respeito.

— O dinheiro muda a vida das pessoas.

— Mas aqui em Renascença senti o respeito desde o começo. Deus está me dando uma nova chance e vou agarrar com muita força.

— O senhor é religioso praticante? Tem rezado?

— Não rezo nunca, mas acho que vou começar para agradecer.

Despediram-se e Emílio continuou com Zé Bundinha, tentando acalmá-lo em seu nervosismo, que era um agito diferente: antes era porque não tinha dinheiro que se metia em encrencas e barcos furados, agora era porque tinha muito dinheiro.

— Sabe, Florisvaldo, cada um recebe a sorte que lhe cabe. O destino o jogou para lá e para cá. Veja agora...

— O tar do pobre só se fode mesmo. Agora, no meio dessa gente de todo tipo aqui dentro, corro o risco de ser morto só porque sou rico. A inveja é um perigo, mata. A vida chega a ser engraçada e cruel. Antes, na ação de roubar, porque precisava de dinheiro, eu tinha medo de ser morto. Agora estou com medo de ser morto ou roubado porque tenho dinheiro. Verdade que o paraíso e o inferno existem, mas às vezes invertem as posições. A vida da gente vira um parafuso.

— Dinheiro agora você tem, e muito. Vai ver o que é ter dor de cabeça porque tem dinheiro.

— Carai, meu, tô sempre fodido. Agora vou ser atacado de todos os lados.

— Não pense assim. Você agora tem que pensar com outra cabeça, se tornou um cara importante.

— Como pensar com outra cabeça? Só tenho essa. O que devo fazer? Estou perdido.

— Calma! Você só está chocado e nervoso, mas logo vai se acalmar e dominar a situação.

— Estou "se" sentindo pequeno. Estou até vendo um bando de gente vindo pra cima de mim a fim de tomar o meu dinheiro.

— Agora você é um homem importante e tem que falar certo: estou *me* sentindo, e não *se* sentindo.

— Viu? Estou lascado mesmo. Posso sair da pobreza, mas a pobreza não sai de mim.

— Isso é o de menos, vá em frente que tudo vai dar certo. Agora você está do outro lado. Os homens do banco e os advogados vão dar um jeito para levar você daqui, mudar de prisão, usar chip, tornozeleira, essas coisas, facilidades que o dinheiro pode ajudar pois com essa grana toda você vai passar a ser um homem de negócios, não é mais um cara perigoso lá fora e precisa ir-se daqui.

— Você falou que quem vai me levar são os homens do banco e advogados? Conheço essa raça. Tô fudido mesmo.

— Você não tem saída. Vai embora amanhã no primeiro avião. Desejo-lhe boa sorte. Agora vá para casa normalmente, não dê nenhuma bandeira, tome seu banho, arrume as coisas e deixe debaixo da cama. Assim que fizer isso, volte para cá que alguém vai buscar seus trecos. Mais tarde, vamos jantar para você se despedir dos seus amigos e vir dormir aqui, se é que vai conseguir.

O jantar transcorreu tranquilo e só no final foi dito que o Zé Bundinha era o ganhador e no meio da alegria ele se despediu, pagou a conta e deixou uma enorme quantidade de bebidas pagas para os que estavam no restaurante Tacacá.

"O dinheiro transforma muitos rudes em verdadeiras sedas — pensou Emílio — o Zé Bundinha já está mudando."

A TV continuou a propagar a chamada sobre o ganhador, só parando após o jantar, quando, então, anunciou o nome do felizardo.

No dia seguinte, o avião subia levando um milionário de Renascença. A atmosfera estava limpa, seria uma travessia tranquila.

— A PRIMEIRA NOITE NA FLORESTA —

No mês seguinte, lá estavam os dois apicultores entrando na mata, com autorização para pernoitarem.

— Como foi isso de liberarem pra gente dormir depois da fuga?

— A fuga só reforçou a convicção deles de que não é possível fugir daqui. O cara pode até sair da cidade, mas não sai da selva.

— Isso não o assusta?

— O que pode nos assustar? Para nós, o poço não tem mais fundo, já estamos nele. É preciso não se desesperar, equilibrar-se e buscar saídas que alimentem a vida. O segredo está aí: objetivos a alcançar, fazer planos, ir à luta. A vontade de viver supera tudo.

— Não vejo a hora de chegar o anoitecer. Será nossa primeira noite fora da cidade.

— Temos que continuar trabalhando forte, mostrar produção, que tudo será facilitado. Lá na frente, estaremos dormindo duas noites, depois três, quatro... O importante é produzir e ganhar a confiança.

— Tudo isso já ajuda a vida, a gente até esquece outros querer.

— Estamos fazendo isso por aqueles que estão lá fora, depois do que será a nossa travessia.

— Entendi. Mas essa liberdade já é muito gostosa.

— Temos que conversar muito de leve com o Piolho para saber como foi a experiência deles. Uma conversa assim, sem interesse e sem ser repetitiva, como ele é brincalhão, levar a prosa na galhofa.

Conversando e seguindo o caminho conhecido, chegaram ao ponto onde seria o acampamento de dois dias. Trabalharam as caixas, localizaram mais enxames e, no meio da tarde, voltaram para onde estavam as redes, já armadas desde a hora do almoço. Próximo, corria um pequeno regato, o que possibilitava o abastecimento de água. Acenderam o fogo e fizeram fumaça para espantar os carapanãs, mosquitos que incomodam demais. Quando se está andando, o movimento diminui seu ataque, mas parado é ruim, amolante. A fumaça espantou um pouco e também o uso de repelentes. A floresta estava quieta, o calor era forte e trovões roncavam longe. Recolheram bastante lenha para o fogo da noite.

— Pelo jeitão do tempo vai chover antes do escurecer — falou Colibri.

— Também acho. Melhor comer logo, deitar na rede, proteger-se com o mosquiteiro e deixar o plástico no jeito. Se cair a água, a gente não se molha. Só temos que recolher tudo que está no chão, pois não sabemos o volume d'água.

A trovoada se aproximava, o vento movimentava as copas das árvores, a luz do dia estava embaçada. Os homens comeram rapidinho, recolheram tudo nas mochilas e as penduraram nos galhos. Quando já estavam deitando, o vento era forte e havia um barulho ensurdecedor nas copas das árvores, que se jogavam de um lado para outro, sob o uivo da tempestade. Trovões, relâmpagos e raios completavam um cenário maluco. Só faltava a chuva, que despencou com vontade, numa velocidade em que os pingos doíam na pele, protegida pelo plástico. Raios caíam nas altas árvores, que perdiam galhos rasgados. Era a natureza em fúria.

Depois de uns minutos, a tormenta arrefeceu, com o ronco dos trovões indo para longe, mas ainda não era possível sair de debaixo do plástico, porque as águas nas folhas continuavam a cair. Era preciso esperar até o vento enxugar as árvores. O dia estava indo embora e era urgente acender outro fogo.

— O batismo de passar a noite na mata não está fraco, né que não?

— Verdade — concordou João. — A gente vai aprender muito.

— E agora, como vamos acender o fogo?

— Cada dia uma lição. Veja, guardei gravetos no saco plástico. Com eles fazemos o fogo, e com a machadinha é fácil conseguir lenha para passar a noite. É só tirar a casca molhada.

— Para as próximas vezes, vamos providenciar uma lona pequena para cobrir a lenha.

— Boa ideia, Colibri. Já está entendendo. Sempre que chegarmos para acampar, é preciso ter gravetos protegidos no saco plástico.

— Bem, os mosquitos se foram com o vento. Sempre há as vantagens.

E ali, conversando e assoprando, o fogo foi se acendendo com muita fumaça. Os dois estavam curiosos sobre os ruídos que a floresta produziria na travessia da noite.

Colibri estava na rede, próximo ao fogo, com os olhos perdidos nas chamas. Seu rosto era iluminado pelo clarão das brasas. Ele falou:

— João, estou pensando no cara que ganhou na Mega-Sena. É muita sorte. Foi só se encher de dinheiro e rapou fora.

— O dinheiro tem uma energia muito forte.

— Às vezes, me bate uma saudade do dinheiro. Mas parece que ele não gosta de mim e sempre me abandona. É melhor eu dormir.

— Isso! Chega de saudosismo. Durma. Daqui a umas três horas, eu o acordo para o revezamento.

Ao falar isso, João se pôs a colocar mais lenha no fogo e, encarando as labaredas, ficou a pensar em Emílio, que vira conversando com uma enfermeira na porta do hospital no dia anterior e sentiu que não era clima de doença.

—— A ETERNIDADE ——

Era uma noite tranquila e quatro amigos estavam no bar Serenata, comentando sobre a sorte de Zé Bundinha e como seria agora sua vida com tanto dinheiro.

— O homem não precisa de tanto dinheiro pra viver bem — disse Wilson. — O que precisa mais é de paz e entender o mecanismo do mundo.

— Não sei nada de mecanismo. Só sei que estamos ralados aqui, longe de tudo — opinou Leocádio.

— O que o homem precisa sempre é ter ocupação na cabeça pra não endoidar — disse Severino.

Wilson, um homem da Amazônia, natural de Rondônia, explicou seu ponto de vista sobre a ocupação da mente, nossa passagem aqui na Terra e a eternidade.

— Vocês estão entendendo o que quero dizer?

— Não — responderam ao mesmo tempo os outros três.

Leocádio acrescentou:

— Você pensou, mas não explicou.

— Vou tentar explicar. A vida inteira vejo o sol nascendo de um lado. Sobe pelo céu e, no fim do dia, vai sumindo do outro lado, atravessa a noite e de novo vem o sol, trazendo o dia e é a mesma coisa sempre, sempre, sempre.

— E o que tem isso, tchê? — perguntou Gaúcho Leocádio, dando uma chupada na bomba do chimarrão.

— Isso para mim significa o eterno, algo sem começo e sem fim. Concorda, Severino?

— Tô querendo entender essa prosa.

— Bah, tchê, pra mim isso é normal. Falar de eternidade agora, eternidade é pra quem morre!

— Estou entendendo o que o Wilson está dizendo — esclareceu Alfonso, o boliviano. — Acho interessante perceber dessa forma, olhando a eternidade passar na frente de nossos olhos todos os dias.

— Você é filósofo também, agora? — ironizou Gaúcho mais sereno.

Wilson, tomando um bom gole da gelada, expôs o que tinha em mente:

— Estou aqui pensando: e se fôssemos passar uma noite no mirante, para ver o sol indo para a cordilheira do Alfonso e observar a Terra girar? Ver o dia clareando, com a luz vindo das bandas do Nordeste, terra do Severino, sentindo o tempo passar, sem desgrudar os olhos desse movimento que é a eternidade?

— Eu topo — bradou boliviano.

Severino também concordou, mas Leocádio ficou cismadão, olhando para os companheiros, torcendo a bomba na cuia e chupando o chimarrão quente.

— Mas passar a noite inteira acordados, fazendo o quê?— perguntou então o Gaúcho.

— Além de observar o giro da eternidade, vamos comer, beber e conversar.

— Gaúcho, pense: a gente no mirante, no fim do dia, olhando para onde o sol se põe, e durante as trevas da noite entender isso como o que passou e que depois da escuridão a luz vai voltar e tudo se repete. A escuridão da noite vem para o repouso — revelou o boliviano. — Quando amanhece, a vida tem que pulsar e tocar adiante. Pense nisso se repetindo sempre e vai sentir a eternidade. Isso vem acontecendo igual desde o princípio dos tempos e vai continuar infinitamente. Coincidiu de estarmos juntos nesse momento, que é nosso tempo, e participar disso com o coração leve torna a vida mais agradável. Será um momento que não esqueceremos.

— Depois desse discurso, eu topo, mas temos que fazer um churrasco — falou rápido o Gaúcho.

— Não pode churrasco lá em cima, só comida pronta.

— Tome, Severino, pegue a bomba e chupe um chimarrão. Está quentinho.

— Não quero, não. Está louco? Um calor desses! Acha que vou tomar água quente? Fuja, tchê!

— Topo ir se vocês tomarem chimarrão comigo.

— Aí lascou — falou o nordestino. — Tudo bem, Gaúcho, nós tomamos, mas quando a vida do dia estiver retomando, no frescor da madrugada.

— Mas passar a noite inteirinha sem dormir? — repetiu Leocádio. — Sem nenhuma prenda?

— Claro — respondeu o nordestino. — Para sentir o fim do dia, com o sol se pondo, e olhando a floresta lá do alto. Ter a percepção do sol passando por baixo de nós, para depois aparecer no outro lado.

— Mas como é ter a percepção disso? Não estou entendendo.

— Vou ver se consigo trazer o globo terrestre da biblioteca, aí vamos acompanhando.

— Mas seria bom numa noite de lua cheia — propôs Wilson.

Ficou combinado que iriam convidar o Professor Eugênio e talvez mais alguém bom de prosa.

Gaúcho pediu um calendário para Juca e definiram o dia, que seria na semana seguinte. Começaram a fazer a lista do que providenciar para passar a noite, os que seriam convidados e o que deveriam trazer.

No dia combinado, os quatro estavam no supermercado Gaiola fazendo as compras e, em seguida, pararam no ponto de encontro, o bar Serenata, em frente à praça Ovo de Colombo. O relógio marcava quatro da tarde. Tomavam uma geladinha, falando sobre o que estavam levando: isopor com cervejas, cachaça e conhaque, água, pão, salame, mortadela, queijo, presunto, bolachas, biscoitos e chimarrão para o Gaúcho, que teimara em trazer carne para churrasco. Como foi impedido, estava levando quarenta e oito ovos cozidos e sal. Logo se juntaram a eles o Professor Eugênio e Asdrúbal, o Príncipe. O Gaúcho trouxe a garrafa térmica com água quente.

O sol ainda estava alto, mas não demorou e tomaram o elevador. Queriam prestar atenção à floresta com o dia ainda claro e marcar alguns pontos para observação com o clarão da lua. O objetivo era registrar a trajetória do sol bem acima do horizonte.

Chegando ao espaço circular do mirante, ajeitaram as coisas no centro e deram um primeiro giro, observando com os olhos de quem veio não só para ver, mas para entender a cidade, a floresta, o sol, o escuro com os astros da noite e a eternidade.

— É bem bonito isso aqui, pena que é uma prisão — falou o boliviano. — E essa torre? Um espetáculo de arquitetura. É lindo observar a mata dessa altura. No andar de baixo, há outro espaço como este aqui, mas só para quem quer meditar. Ali não se pode nem conversar.

— E quem toma conta? — perguntou Wilson.

— As câmeras cuidam disso — falou o Gaúcho. — Rapidinho elas passam a ficha de quem aprontar, e, em pouco tempo, o cara está sendo enquadrado no Conselho de Convivência.

— Credo! Caiu ali, o cara está fodido, porque desrespeitou os companheiros de prisão.

— Lembra o Corvo, que barbarizou na meditação e foi pro Polo Sul? Vai ficar lá dois anos.

— Antes daquele, teve um que só começou a perturbar e foi enquadrado rapidinho. É um cara que não quer saber de contar ponto, quer nem saber quem pintou a zebra. Aí o Conselho aumentou a pena dele em seis meses. Se voltar a fazer merda, vão mandá-lo para o fundão e, de lá, já sabe: Polo!

Nesse momento chegaram Marujo, Piolho e Galego. Comentavam sobre a sorte de Zé Bundinha, que foi embora podre de rico. Piolho falou:

— Foi o destino que sorriu pra ele.

— Gaúcho, você acredita em destino? — perguntou o nordestino.

— Acreditar mesmo não acredito, mas sei que não dá para escapar dele.

— Ih, entendi nada!

— Tá vendo, você não entende o que falo e quer que eu entenda de destino.

— Posso falar o que acho do destino? — perguntou Marujo. — Pra mim, destino é o sem saída. Se o cara morre novo, é o destino. Se morre velho, é o destino. Se fica, é o destino. Se vai, é o destino. É o tipo de coisa que não tem explicação nem escapatória. É bom para engabelar, ajuda a pessoa a se conformar com o ruim.

— Estou com você — assentiu o boliviano. — Acho que é assim: se o cara está destinado a fazer uma coisa, traça um rumo e vai, então é o destino que ele está seguindo. Mas se acontece uma merda e ele tem que voltar, é o destino que o fez voltar. O cara não escapa do destino nem se quiser. A gente fica enredado na teia do destino e diz: o destino me conduz, e põe a vida na banguela.

— Cara, não entendi nada de novo — confessou Severino. — Mas acho que o destino é que nem sombra: cada um tem a sua, e ela só some quando acaba a luz. Quando apagar a luz de sua vida, seu destino já era.

— Olha, meu — disse o Wilson —, agora você foi fundo, quer dizer que o destino é que nem a sombra?

— É o que penso. Agora me passe esta garrafa de cachaça que meu destino é tomar um gole.

— E se a garrafa cair e quebrar, o destino estava errado?

— Não, porque o mau destino determinou que eu não tomaria a cachaça. Nessa prosa, você vê que não dá para escapar. Pode espernear, mas ele vai sempre se amoldar ao seu momento. Se é, é porque é; se não é, é porque não foi.

— Agora, sim, fiquei tonto. Vamos mudar o rumo dessa prosa que desidratou meu cérebro — recomendou Alfonso, pegando uma geladinha do isopor. — Isso é para hidratar meus neurônios.

— O destino pode ser de um jeito ou de outro — falou Eugênio —, pode ser comprido ou curto. A pessoa que leva a vida com cuidado, se organiza, se trata, se alimenta bem, não se expõe muito, acaba tendo um destino esticado.

— Não entendi isso de destino esticado — disse o Piolho.

— Deixe-me ver se explico melhor. Quem tem chance de ter o destino mais comprido: o cara que fica trocando tiros ou o cara que fica trocando livros?

— Claro que é o cara do livro.

— Então! Ele, na vida de paz, tem chance de demorar muito mais a morrer do que o cara que fica no tiroteio. O do livro leva seu destino para a frente, vai esticando. O do tiro tem mais chance de morrer logo e acabar com o destino.

— Como assim? Ele morreu, mas seu destino foi junto.

— Junto pra onde, ô mané? — perguntou o Galego. — O destino era morrer ali, pronto, acabou. Foi!

— Não concordo — interveio Marujo. — Se o destino era o céu, foi pra lá; se era o inferno, é porque o destino era o inferno. Pra qualquer lugar que ele tenha ido, só foi porque o destino levou.

— Não foi pra lugar nenhum. Morreu e pronto, acabou — estabeleceu Galego.

— Mas o cara foi pro cemitério, o destino o levou para lá — rebateu Marujo.

— Ah, claro! O destino está sentadão no túmulo dele — riu Galego. — Se o cara é cremado, o destino fica tomando conta da latinha de cinzas.

— Papinho desajeitado, tô fora — falou o Piolho..

— Ô Gaúcho, já que estamos com tempo — falou Severino —, conte lá de sua terra. Como era no seu tempo?

— Nem lhe falo a diferença, tchê! — falou, baixando o queixo pra dar uma chupada na bomba do mate quente — Nas manhãs frias, às vezes, o dia vinha branco de geada. Olhando da janela, era bonito demais. Aquilo trazia uma calma ao sabor do chimarrão. Aquela foi a paz que perdi, que a vida me fez perder. Naquelas madrugadinhas, era um gelo quando saía de casa para recolher as vacas ao estábulo da ordenha. Com o cavalo encilhado, correndo nos campos, os olhos piscavam gelado, tão frios que pareciam doer na alma. Ah, deixei aquelas manhãs brancas! Hoje, são apenas minhas neblinas do passado. Fui para a cidade grande e a vida me trouxe até aqui, nesse calorão, onde pisco quente, mas sem o calor da família, dos amigos, das belas prendas, de ninguém. Naqueles tempos era frio lá fora, mas havia os calores humanos. Mesmo assim, para mim não estava bom, então descambei para o mundo.

— Isso me lembra o ditado popular "só se dá valor ao poço quando seca a água" — falou o Professor.

— Nem me lembre! Agora estou aqui, na encruzilhada da minha vida. Ou me recupero ou vou para o fim. Pior que essa situação é a prisão que sinto por dentro, com as lembranças que não me saem da cabeça e daquilo que não poderá voltar jamais: as cenas de minha terra, os campos verdes de pastagens com os rebanhos se espalhando pelos pampas, ou lá onde se vê o trigo passando do verde para o dourado, brilhando sob o sol do Rio Grande. Hoje me dói lembrar as belezas de minha terra. Tudo aquilo não se apaga. Era bonito demais e me fazia bem. Mas eu não sabia, era chucro, ingênuo e cheio de sonhos. Fui destemido pelo mundo. Resultado: estou aqui sem nada, e meus sonhos são de desesperança, pois os que agora tenho são do que já passou, e essas recordações me matam aos poucos. Acho que vou enlouquecer de saudade do que não tem mais jeito.

— Que isso, cara? — brincou Piolho. — Quem fica tomando esse troço que você toma aí não enlouquece, só cozinha o miolo.

— Ei tchê, troço não, é chimarrão. Olhe lá o sol já quase se indo. No fim do dia, a natureza nos brinda com um barrado púrpuro embelezando o horizonte na mata ao longe.

— Ué, baixou um poeta em você? — espantou-se Wilson.

— De poeta não sei, mas de louco todo mundo tem um pouco. Fale você uma coisa bonita que quero ver.

— O fim de tarde chegando, a luz do dia já fraca, o céu azul pouco a pouco se escondendo e logo o manto escuro da noite nos cobrirá — falou o de Rondônia.

— Viu?! E agora tu, nordestino.

— Chega mansamente o entardecer, e o reflexo do sol vespertino mostra que vêm da natureza as tintas que embelezam o mundo, e logo o ar morno da noite aguardará a chegada da lua.

— Caraca! Você não é fraco, não, hein?! E tu, Severino, de que lugar do Nordeste é?

— Espere um pouco, Severino — pediu Wilson. — Antes de falar, vamos registrar bem este momento pelo qual viemos aqui, pois o dia está se acabando. Ei, Príncipe e vocês aí: venham, vamos brindar.

Wilson chamou os outros que estavam espalhados, admirando coisas na cidade e na mata. Então, Príncipe se encostou no vidro, dizendo:

— Vem daqui a pouco o lusco-fusco quando o sol estiver desaparecendo lá para as bandas do Peru. Com o fim do dia, o céu vai se alaranjando. Logo o dourado jogará um manto de ouro sobre o verde da floresta, e depois tomará conta um vermelho-sangue, que vem das penas do Tié Fogo. Então, a bola em brasas descerá lentamente, fechando a claridade do dia, desembocando na noite, que vai se bordar de estrelas esperando o pratear da lua.

— Esse é o Príncipe, meu poeta, que veio abrilhantar esses momentos em que estamos registrando a eternidade ao vivo, pelo movimento dos astros! — encantou-se Wilson. — Vamos todos fazer um brinde aos últimos raios de sol que nos iluminaram neste dia, lembrando que ele segue ali adiante, iluminando outros trechos, outras árvores, outras casas, outros povos, e cada momento que ele desaparece em algum lugar aparece em outro. É contínuo, eterno, isso é a eternidade!

Todos levantaram os copos brindando e aplaudindo o tempo.

— Agora estamos na passagem — continuou Wilson. — Daqui a pouco vamos brindar o escurão da noite, e lá embaixo a sombra já desceu sobre a cidade. Então, Severino, é sua vez de falar.

— Respondendo à pergunta do Gaúcho, digo que venho lá do sertão, saudade do meu Cariri, de onde saí para a cidade buscando melhorar de vida, para voltar, e caí aqui do outro lado deste mar de árvores.

— Como andam as coisas por lá no meio de tantas secas? Parece que está bem melhor, é verdade?

— Ah! Nem me lembre daqueles tempos! Os dias luminosos com o sol dourando as tardes do meu sertão seco e que está mudando de cor. O verde tem chegado com mais força. Olha, lá estão acontecendo umas coisas interessantes já faz alguns anos. As águas desviadas do rio São Francisco têm ajudado uma parte. Na verdade, desenvolve-se um programa muito amplo para acabar com a seca na região, desde a recuperação das matas nas beiras dos afluentes do São Francisco, em Minas Gerais.

"Pelo que fiquei sabendo, em várias partes do sertão estão expandindo o verde das matas de dentro para fora, nos locais que têm umidade, e vão plantando mais árvores. Os drones fazem provocar a chuva com a umidade que sobe. É bem interessante essa nova tecnologia. É chamada de Projeto Manda-Chuva, o homem fazendo chover. Quanto mais árvores e açudes, mais umidade e chuvas. E, com essa umidade aumentando, estão ampliando as áreas de cultivos."

— Ah! Não estou acreditando nessa história de drone fazer chover no Nordeste — duvidou Leocádio.

— Então, vá lá e veja. Vai se espantar com o tanto de gente que está saindo das cidades, onde colocação de emprego não dá para todos, e indo aos programas que eles chamam de "agricultura familiar e agrofloresta". Não sei bem como é, mas parece que os drones, na hora apropriada, pulverizam o ar com uma cortina de neblina e logo se forma a chuva.

— Sei não, será?

— Você é daquela turma que demorou a acreditar que o homem chegou à lua. Veja, hoje, aonde já está. Pois bem, se o homem pode explorar o espaço, ir tão longe gastando tanto dinheiro, por que não investir em três setores aqui na Terra: reflorestamentos, mares e regiões áridas? As duas últimas são as grandes fronteiras a serem exploradas. E há mais. Em toda a costa nordestina estão instalando grandes usinas de dessalinização. Por meio de redes de tubos, a água já está chegando a uma distância de trezentos quilômetros ou mais para o interior. Há várias funcionando, e uma das primeiras foi a da foz do rio São Francisco, com um custo bem mais baixo, porque pega a água que está chegando ao mar e está com pouco sal. A instalação dessas usinas ficou mais viável com o avanço de tecnologias na filtragem da água do mar, com a utilização do grafeno, que tem grande produção em nosso país.

— Está claro... — ia falando o Professor, mas Galego interferiu:

— Posso perguntar uma coisa? Falar em água do mar para irrigação me faz pensar o seguinte: por que Deus, que tudo sabe e sabia das futuras necessidades dos homens para essa irrigação, colocou sal na água do mar? Precisava? Não podia ter facilitado? E pior, dizem que sal faz mal à saúde. Vai entender!

Ninguém falou nada por um tempo, e Galego concluiu:

— Deixe pra lá. Continue o que você ia falar, Professor.

— Está claro que investir nessas áreas dá retorno de imediato, pois ocupa gente e produz comida — falou o Professor Eugênio. — O processo de dessalinização da água do mar consiste em bombeá-la para o interior, promovendo a vida vegetal e animal, alimentos, empregos e toda uma tecnologia de reaproveitamento que era impensável antes. A ramificação é fantástica. Essa quantidade de água que vem do mar para o interior alimenta o sistema e evapora, e aí entra um trabalho importante dos drones naquelas áreas. Um mundo novo está acontecendo. Se existe uma coisa de que se precisa todos os dias, é alimento, e a base da comida é a terra, daí a preocupação com o meio ambiente. Medidas radicais foram tomadas pelas autoridades internacionais, haja vista que ficou evidente há tempos que o desmatamento da Amazônia provocaria a desertificação de grande parte do continente e influenciaria negativamente o clima de todo o planeta. Após reuniões e acordos, todas as nações da Terra passaram a pagar taxa de conservação aos países que têm Floresta Amazônica. Assim, estabeleceu-se a guerra contra o desmatamento, e há uma verdadeira caçada em cima dos desmatadores.

— É assim? — espantou-se o Gaúcho. — Não concordo com outros países metendo o bico em nossa terra.

— O mundo está sempre mudando, avançando — explicou o Professor. — A inter-relação entre as nações é uma prática que se aperfeiçoa. Existe um colegiado entre todas as nações do mundo que toma decisões sobre todo o planeta, o que tem proporcionado um nível de paz nunca antes alcançado pela humanidade, assim como também alimentação com uma logística revolucionária na distribuição. Está acabando a fome sobre a Terra. A boa vontade entre os homens e a tecnologia estão proporcionando isso.

— Viu, Gaúcho? O pessoal que ganhava o sustento com a derrubada e a comercialização da floresta pode agora se engajar no processo de reflorestamento da Amazônia, do Nordeste e de outras partes do país e dos países vizinhos, porque o aporte de dinheiro que vem do mundo inteiro vai alimentar todos que queiram trabalhar para deixar o mundo mais verde e respirável.

— Poxa! O mundo nesse agito e nós aqui, nesse marasmo, esperando o tempo passar para ficar velho!

— Gaúcho, consiga bastante pontos e saia antes; encaixe-se no mundo novo lá de fora.

— Dá pra tomar um chimarrão antes? Mas fale você, boliviano. Diga alguma coisa de seu país. Como é a vida naquelas terras tão altas?

Alfonso era um homem forte, entroncado, mais para baixo do que para alto, de rosto redondo, cabelos pretos e lisos, olhos pequenos e apertados. Ao ser solicitado, seus pensamentos voaram como o condor para o alto da Cordilheira dos Andes, onde deixou seu passado, as dificuldades do viver e o sentimento de estar entre os explorados da Terra.

Assim, suas lembranças correram pelos belos vales andinos e, por entre as poucas alegres e muitas tristes lembranças, pensa, por alguns segundos, em sua família. Ele disse:

— A gente não consegue sair de baixo. Sempre foi assim. Meus antepassados já mineiravam montanhas da cordilheira. Uma vida terrível na exploração de estanho, uma riqueza que foi levada embora. Para nosso povo, sobrou nada mais do que tristes recordações. Houve um mineiro boliviano que se deu bem. Vocês, que são estudados, conhecem a história dos Patiño?

— Não. Que história é essa? — perguntou Príncipe.

— Um mineiro que, no fim do século XIX, descobriu um grande veio de estanho nas altas terras de Potosí. Expandiu sua mina, cresceu na mineração adquirindo outras e ficou entre os cinco homens mais ricos do mundo na primeira metade do século XX. Tornou-se embaixador da Bolívia em Paris e chegou a investir no Brasil, no setor industrial, em São Paulo. Mas essa é uma história de sucesso entre muitas outras de explorações violentas de mineiros das montanhas de Potosí e em outras partes da América do Sul.

— Meu amigo, isso aconteceu e acontece em toda parte na história humana — advertiu Príncipe. — Pelo que se sabe do passado, antes era ainda pior. Com a evolução e o desenvolvimento, as formas de trabalhar vão sendo alteradas e facilitando a vida, de maneira que o sofrimento físico e mental sejam atenuados.

— Eu sei. Com a tecnologia, tudo vai melhorando, mas acaba que cresce o problema de ter menos empregos. Por isso, vêm muitos bolivianos para este país e são explorados pelas confecções, como minha família.

— O pobre não tem escapatória mesmo. Mas o que é melhor: ficar na mineração lá ou na confecção em São Paulo? — perguntou Wilson.

— Nenhum dos dois.

— E como faz para viver?

— Só roubando mesmo, é o que acaba sobrando.

— Você está aqui por causa de roubo?

— Não. Se fosse, de repente nem estaria aqui. Na verdade, matei quem estava roubando minha família. A gente se sente muito explorado e perde a cabeça, depois perde o rumo e vai perdendo muita coisa. Só espero não perder o que me resta de dignidade.

— Um brinde à esperança! Que não se perca — propôs Wilson. — Vamos lembrar que o sol deve estar ainda iluminando Potosí, na bela Bolívia.

— Sim — emendou Príncipe. — O sol espalhando luz sobre a cordilheira, com suas montanhas brancas de neves eternas e seus vales tão lindos e férteis, de gente trabalhadora, com seus rebanhos de lhamas tão altaneiras!

Olharam no globo a posição da Bolívia.

— E este sol, daqui a pouco, vai se despedindo também das terras do Peru e do Chile e iluminando o Pacífico — explicou Eugênio. — Passará por Havaí, Austrália, Ásia, Índico, África, Europa, Atlântico, Nordeste e chegará aqui novamente. Isso todos os dias, por todos os anos, sempre. Isso é a eternidade. Vamos brindar à eternidade e lembrar a todo momento que estamos aqui esta noite para marcar a passagem do tempo em que vivemos. Um dia partiremos, mas tudo vai continuar como sempre foi. O tim-tim alegre de nossos copos, um pequeno ruído num Universo silencioso, será o registro de nossa passagem por este planeta bonito. Vamos fazer um minuto de silêncio.

Todos ficaram quietos, e o imenso silêncio recebeu o ruído dos copos num brinde. Na cidade, as luzes estavam acesas; as guaritas, na quietude da noite, iluminadas por toda a muralha; em volta, a floresta no escuro total.

— Ao conversarmos — disse Eugênio —, uma coisa puxa a outra e me chegam lembranças da cordilheira onde vivi dias marcantes, em meus anos de juventude, quando atravessei os Andes. Foram momentos especiais, que acontecem na vida da gente e não se apagam nunca. Ficam marcados como momentos eternos enquanto a gente vive. Faz muito tempo, mas para mim parece que não passou a imagem, continua igual.

"Conto como foi naquela travessia: depois de chegar à cidade de Copacabana, no Lago Titicaca, e passar da Bolívia para o Peru, segui rumo a Machu Picchu, em Cuzco, de carona num caminhão que ia serpenteando pela estrada, em meio às belas montanhas. Era noite alta e clara, de lua cheia. O frio daquelas altitudes me fazia tremer na carroceria, entre cobertores que mal me protegiam, porque o vento gelado acabava sempre entrando por alguma parte que se levantava com o movimento.

"De vez em quando, eu descobria a cabeça e olhava o lindo cenário, diferente de tudo que conhecera. O caminhão gemia, chacoalhava e seguia ziguezagueando pela estrada estreita. Às vezes, eu sentia que estava subindo e, na sequência, descendo. E logo tudo se repetia. O vento, o frio e o tremer no balanço infindável naquele meio de mundo. Num momento único, olhando terra e céu, deparei com um cenário maravilhoso. Era a lua, muito grande, redonda e bela, sobre uma montanha esguia coberta de neve. Lembrou uma hóstia sobre um lindo cálice.

"Daí a alguns segundos, aquele encanto ia se desfazer em outra visão, com o rodar do caminhão. Então pensei, 'vou fechar os olhos.' Eu me enfiei sob as cobertas; queria guardar aquela imagem para sempre, não ver a alteração daquele cenário. Fiquei quieto, com os olhos fechados, sob a força daquela lua iluminando a montanha nevada. Guardei em meus olhos aquela paisagem marcante. Guardei para sempre aquele instante mágico. É a isso que chamo de momento eterno: aquele que a pessoa não esquece jamais. Adormeci, sentindo o balançar do caminhão, ouvindo o barulho do motor, que foi ficando baixo, baixinho, sumindo. Acordei com o sol já iluminando os vales entre os picos brancos. Acho que vou me lembrar disso até em outra vida."

— É bom ter recordações que valem a pena viver — avaliou Severino. — Mas você falou que vai se lembrar até em outra vida. Você acredita em reencarnação?

— Não querendo ser chato e cortar essa conversa, mas vejam lá o clarão vindo. É a lua — chamou a atenção Galego.

Daí a pouco, a mata, que estava no escuro, começou a aparecer na claridade da lua, que subia majestosa.

— Parece que a lua vem espiar a cidade — concluiu Piolho.

— Renascença é bonita, acho que a lua tem uma ponta de inveja — brincou Marujo.

— A lua grande nos traz noites brancas neste mundo silencioso — filosofou Príncipe.

— Ei, gurizada — falou o Gaúcho. — Vão zelando da lua aí que vou lá no bar buscar água quente. Piolho, desce comigo?

Os dois desceram.

O silêncio dominou aqueles homens, que, absortos, admiravam a luz pálida da lua, que começava a jogar nuances de prata nas copas mais altas. Era a lua caminhando céu acima, na noite linda de estrelas.

— A eternidade vem na noite clara da lua — falou Príncipe. — Sempre foi assim e assim será sempre. É fascinante sentir daqui o pulsar da natureza, a vida indo e vindo, o sol se pondo, a lua subindo, a floresta numa atividade silenciosa e intensa, durante o dia e a noite. Só seus habitantes percebem.

Nisso as badaladas fortes do relógio da torre acima deles marcaram a passagem do tempo.

As horas passam e os homens observam e conversam baixo tentando ouvir algum ruído da mata.

— Piolho, conte aquela história de como surgiu o peão — pediu Marujo.

— Vou contar. Mas, falando em lua, me lembrei de sua história quando estava perdido no mar e conversava com a lua. Sente saudade?

— Nem me lembre. É verdade, ela foi ótima companhia. Mas fale aí do peão.

— É a história de como surgiu o nome de peão para muitos trabalhadores braçais de nosso país. Deu-se há muito tempo, com um cara que trabalhava em todas as partes: no norte, depois no leste, no noroeste, no sul... E revirava por toda parte. Um dia, o patrão lhe perguntou qual era sua função na vida, já que não se firmava em parte nenhuma. Diante daquela indagação, ele pensou, coçou a cabeça e respondeu, meio sem saber o que falar: "Sou um pião". "Pião? Por que isso de pião?" perguntou o fazendeiro. E o outro respondeu: "Porque estou sempre rodando, parecendo um pião".

"Assim passaram a ser chamados muitos de nossos trabalhadores, como peão de boiadeiro, peão de obra e outros por este país afora."

— Interessante esta explicação — admitiu Asdrúbal. — Mas, Professor, outro dia vi o senhor falando na biblioteca sobre a maldade humana. Como você vê isso?

— Ah, sim. Eu falava que o ser humano é o mais inteligente dos animais, mas também faz muitas barbaridades e, às vezes, coisas que depois se arrependem. É um animal inquieto desde o começo dos tempos. "O homem é o lobo do homem", já dizia, antes de Cristo, um pensador romano de nome Plauto. Ele defendia esta tese que significa o homem sendo o maior inimigo do próprio homem. Se o homem é assim, esse comportamento muito atrapalha sua vida. Então, para ajudá-lo, é preciso amansá-lo, e é isso que acontece nesta cidade. Na maciota, sendo bem-tratado, vemos os homens mudando o comportamento.

— Posso interromper um pouco? — indagou Marujo. — Estão falando que este lugar é enfeitiçado, porque os homens chegam aqui e mudam de comportamento.

— Dizem que é o feitiço da lua, uma força sobrenatural — completou Galego.

— Olha — continuou Eugênio —, essas coisas do sobrenatural ficam no campo dos mistérios. O que ajuda aqui é a atuação do coletivo. Lembra o caso do Zé do Ferro, um cara que chegou cheio de marra e andou falando um monte? Que ia fazer isso e aquilo, que batia, que matava mesmo, que ele era assim e que ninguém ia mudá-lo. Querendo se impor. Chegando com essa prosa perto do Querosene, levou logo um tapão na orelha e se estatelou no chão. Levantou, estonteado, levou outro e escutou o educador falar: "Lá fora você era uma coisa, aqui a coisa é outra. Não há valentia, não. Se ainda não entendeu, fique sabendo que, se você matar um aqui, o coletivo o mata rapidinho, só que devagarinho. Enquadre-se e viva bem. Não se enquadre e loguinho vai se foder, passeando nas trilhas que chega aos subúrbios do inferno, porque para o céu você não vai, que está impuro."

"O cara se recompôs, ainda com aquele zumbido no ouvido, olhou em volta e sentiu todos aqueles olhares fixos nele. A cidade parecia rodar. Sentiu-se só e saiu andando pela rua sob o calor escaldante. Entrou no primeiro bar e pediu uma cachaça. Procurou uma mesa no canto e ficou ali amuado, procurando entender seu novo mundo. Menos de vinte dias depois, estava nas orações e trabalhando. Para quem acredita em milagre, pode afirmar que o Querosene fez um."

— É mesmo, o São Querosene — riu Piolho.

— Falando em orações e mudanças, vocês sabem o pastor Ananias? — perguntou Príncipe. — Se o conhecessem antes, não iriam acreditar na mudança. O homem era um capeta puro, o demo encarnado, judiava demais de suas vítimas. O cara barbarizava, era um sádico torturador. Hoje, é um homem religioso, de voz macia e cativante.

Como pode acontecer tal mudança? Um sujeito com tanta maldade e extensa lista de crimes virar agora essa bondade e ainda ser conselheiro! Como se operou tal transformação? Ele diz que foi milagre, depois de ter visto uma luz muito forte.

— Pela experiência que acumulou, o Ananias sabe bem o que está falando. A diferença é que mudou de lado — falou Piolho.

— Luz forte! Luz forte? Luz forte porra nenhuma — esbravejou Galego. — O cara é um espertão, como tantos por aí. Sabe que sua cana é dura e duradoura, dá uma de bonzinho para reduzir seu tempo. Mas tá é fodido. Tem que rezar pra caralho, trabalhar muito, correr atrás dos pontos e não pisar na bola.

— Acho que ele tá é comendo aquele ajudante dele, o Loiola — falou o Marujo.

— Isso não interessa, não tira pontos — advertiu Galego.

— Mas também não conta — replicou Marujo.

Na torre, as badaladas avisavam que o tempo estava passando. Sempre alguém olhava o globo e falava sobre o avanço do sol por baixo da Terra.

— Deve estar no Japão. Não foi lá perto seu naufrágio? — perguntou Piolho para Marujo.

— Nem me lembre — respondeu o ex-marinheiro, chegando para olhar no globo o oceano Pacífico e colocou o dedo num ponto.

— Não acredito em milagre — disse Galego. — No meio do sofrimento desse mundo, não acredito em nada a não ser no sofrimento das pessoas. Penso nisso desde criança, quando conheci um cego que andava pela cidade em que nasci. Eu o via passar sempre sozinho. Andava em volta do quarteirão e se guiava por uma vara grande que passava no meio-fio. Andava sempre assim, escorregando aquela vara na beira da calçada, e resmungava cuspindo no chão. Gostava de cachaça e era cego de nascença. Uma vida de sofrimentos, só sofrimentos. Deus quis assim? Duvido! Nasceu assim porque nasceu. Ponto. Foi o tal do azar filho da puta.

— Calma, Galego! — disse Piolho. — A maioria da humanidade sofre muito.

— Por que é assim? É a vontade de Deus? Por que os que têm mais dinheiro sofrem menos? Alguém me explica? Pode me explicar, mas não me convence. O povão sofre e é enganado, engabelado.

— Talvez o segredo esteja aí: a necessidade de ser engabelado, pois não tem saída. Melhor aceitar como conforto — falou Eugênio.

— Pronto! Lá vem o destino — falou Piolho, balançando a cabeça.

— Entendo que religião é preciso. O céu e o inferno são necessários para as pessoas terem chance de entrar no que quiserem.

— Mas quem não acredita em Deus, em santos, em nada disso, como vai se segurar na precisão final, no desamparo da solidão dos últimos dias?

— Quem enxerga as coisas dessa forma que você coloca deve se apegar também no que se baseou durante a vida: o conhecimento, a filosofia, a natureza das coisas, a beleza que soube ver, o entendimento do mundo que viveu — explicou Eugênio.

— Mas se o cara é cheio de conhecimento e está lá naquela situação em que fiquei quando naufraguei, o conhecimento não vai adiantar, pois vem o desespero.

— E o para onde vai quando morrer? Como fica? — pergunta Galego.

— Com conhecimento, enfrenta melhor as situações difíceis — explica o Professor. — Quando estiver no fim, não estará preocupado para onde vai, pois sabe que não vai para lugar nenhum, mas, sim, que está indo embora de onde já veio antes, quando chegou pequenininho e fez sua trajetória, participando com sua família, amigos e entre erros e acertos chegou ao fim. Por uns tempos, ficam seus legados, suas lembranças cada dia mais distantes e a Terra a girar na solidão do Universo sem fim. As vidas sendo geradas e depois deixando de existir — levantando a mão, diz: — Escute o relógio.

E no alto da torre o tempo segue dom, dom, dom....

— Só concluindo — disse Eugênio —, depois de uns cem anos que a pessoa morre, poucos são os que serão lembrados.

— Professor, explique — falou o Gaúcho — como neste mundo se cria tanto bandido, tanto ladrão?

— As fontes de tanta gente na marginalidade são miséria, despreparo, desocupação, desestruturação da família, gravidez precoce, prostituição, descaminhos, necessidades criadas...

— Que é isso de necessidade criada? — interrompe Galego.

— Necessidade criada pela propaganda, que faz o sujeito querer coisas de que não precisa.

— Ué, se não precisa, por que compra?

— É que nasce nele a vontade de precisar. Há um lado ruim, que é passar a querer coisas além do que necessita. Mas também estimula a pessoa a trabalhar mais, correr atrás de seus sonhos criados. Tudo isso gera mais trabalho, mais empregos, mais consumo, e é a roda da vida a girar. Há pessoas que, não tendo como trabalhar para ter o dinheiro necessário, se frustram ou caem no desvio, roubando, trapaceando, pintando o sete por esse mundão afora.

— Mas antigamente não havia propaganda e também havia roubo — pondera o Gaúcho.

— Sim. Na história da humanidade, sempre houve os que trabalham e os amigos do alheio. Aqui nesta cidade, o que mais existe são estes. Mas há os honestos também, que estão aqui por outros motivos.

— Acho que as pessoas — falou Marujo — vão por esses caminhos porque a vontade de ter as coisas é grande, mas as possibilidades são menores. A propaganda da bela vida é muito forte na mídia toda. Quem não fica tentado a conquistar tudo aquilo? Querer tudo e a chance de ter quase nada leva a pessoa a uma situação insustentável. Se não se tem nem dinheiro nem preparo, como conquistar aqueles objetos de desejos? Pelo trabalho, o caminho é longo, duro, cheio de frustrações.

"Aí entra o caminho do crime — continua Marujo — Parece estar mais à mão, pois ainda é cheio de aventuras, beleza, adrenalina, é atraente e as vezes divertido e perigoso também. A aparência de dinheiro traz muitos amigos e mulheres. Esse é o caminho para muitos: o crime, que começa com pequenos assaltos e depois tráfico, assassinatos, fugas espetaculares, prisões, e o fim a qualquer momento. Quando o cara não tem nada a perder a não ser a vida, fica mais perigoso, não ligando para mais nada, pois se perder a vida não vai sentir."

— Mas a vida poderia ser melhor — falou Galego.

— A vida já foi pior e vai melhorar — disse Severino — mas é muito difícil sair do rodamoinho que envolve a maior parte da população, que carece de melhor formação educacional. Como superar isso, se a mão de obra que deve fazer essa transformação sai dessa população que não tem os mecanismos para implantar as reformas, embora esteja em suas mãos as ferramentas para fazer isso acontecer?

— Não entendi aonde você quer chegar. Afinal, consegue, quer, não quer? Como é isso? — perguntou Marujo.

— Pelo sistema em que vivemos — disse o Professor — as coisas acontecem pela vontade política. É preciso ter clareza nos momentos de escolher os que vão fazer as leis e os que vão administrar a coisa pública.

"Como o povo vai estar interessado em política, em administração, se tem que correr todos os dias pelo pouco que ganha, pelo pouco que come, pelo pouco que tem e pelo pouco que vive? Como ser consciente do mundo em que vive se não tem tempo, tendo em vista que a fome dos filhos não espera? Como ter o ideal se o real sufoca? Como fazer o certo se a realidade não dá trégua? — e continuou o Professor: — A vida vem aos borbotões: o encanto, o amor, os filhos, as carências..."

— Concordo — disse o Príncipe. — A vida, para a maioria da população, parece longa, mas é muito rápida quando se percebe que não vai dar tempo de que ela seja melhor. Nos sonhos, a gente gostaria de ter um carro para o conforto da família, mas mal consegue ter uma bicicleta para ir ao trabalho. Aí se sente a crueza de não ter como ter. Fica claro que não é possível. Não tem como pagar. O sonho indo pelos vãos dos dedos. Nosso amor com tantos filhos multiplicou nossa impossibilidade. A vida voando e não deu tempo de ser inteiro feliz. Pense em tantas pessoas tristes, zanzando sem moradias pelas cidades, ou arrastando trapos pelas beiras das rodovias. Quem são eles? Pessoas no papel de zumbis, o que é incompatível com a riqueza de um país de dimensões continentais.

— E onde está a falha? — indaga Marujo.

— Incompetência em gestão — responde o Professor.

— Nos momentos de escolhas pelos votos, a educação do eleitor acaba não influenciando muito, pois às vezes a opção é difícil em razão do despreparo de muitos candidatos — falou Gaúcho.

— Mas há muitos políticos bem-preparados, com boa formação — falou Severino.

— São poucos para o tamanho do país. E se a maioria puxar a corda para o próprio interesse...

— País pobre, só a educação salva — falou Eugênio.

— Nosso país já melhorou. Mas se a educação de um povo for aprimorada, haverá pessoas mais preparadas para concorrer em candidaturas, e a tendência é melhorar — ponderou Wilson.

— Até lá, estaremos todos mortos — concluiu Piolho.

Após isso, uns foram ao banheiro, outros a dar uma mirada na lua prateando a mata, e lá e no alto da torre as badaladas do tempo.

Daí a pouco se juntavam novamente, uns tomando cachaça, outros cerveja, conhaque, e todos fizeram uma boquinha comendo salame, queijo, pão, mortadela, sardinha, ovo cozido, azeitona e tantas outras coisas, até rapadura com farinha servida por Severino que se animou para contar uma passagem:

— Ontem tive um sonho estranho. Bem, os sonhos são sempre estranhos, mas esse me deixou pensando bastante, por isso não esqueci. Apois, sonhei que estava na Dinamarca, numa propriedade rural lá deles e aqueles homens muito brancos, sem camisa, suados de mexer a farinha num forno redondo grande, puxando rápido o rodo. Dum lado, no forno menor, duas mulheres também brancas dinamarquesas, faziam beiju; me ofereceram um pedaço. Elas tinham caras tristes. Os homens no rodo sempre mexendo, suados. Por baixo o fogo aceso e uns meninos colocando mais lenha. Todo mundo trabalhava. Os homens não paravam de puxar o rodo, mexendo a massa de um lado pro outro, levando e puxando a farinha, que tinha perdido a brancura e eles esperando dar o ponto, aí acordei e fiquei pensando: será que tem plantação de mandioca na Dinamarca? Será que tem gaúcho?

— Claro que não, tchê! Mandioca é de terra quente e lá é um gelo. Isso que para você é um sonho, para eles é um pesadelo. Imagine só dinamarquês mexendo com mandioca, torrando farinha! Para ter um sonho desses, só pode ter ido dormir bêbado ou chapado demais — falou o Gaúcho rindo e perguntou: — Professor, você já veio aqui no andar de baixo onde se faz meditação? — Severino ficou lá com a boca aberta, coçando a cabeça e olhando pro Gaúcho desaforado, armando um troco.

— Sim, já estive ali — respondeu o Professor. — É um ambiente agradável, tranquilo, enfim um salão preparado para meditação. Não há ninguém fazendo sermão, entendendo de nada e explicando tudo. Há folhetos na entrada para orientação em ioga e outras meditações. Queimam-se incensos, para que o ambiente tenha um clima apropriado às quietudes. É todo emparedado em vidro, que é para os frequentadores terem a oportunidade de observar a floresta na posição que lhes interessar. Outro dia passei lá e vi um cara plantando bananeira. Dizem que é muito bom, sempre há gente. Ouvi dizer que é o caminho mais curto para falar com Deus. Lá sentimos uma coisa diferente, um ambiente de imenso silêncio e profunda enlevação.

— Cara — falou indignado o Galego —, mas pra falar com Deus, precisa plantar bananeira?

— Meditar não é falar com Deus, mas com nós mesmos.

Galego olhou bem para Marujo e falou:

— Eu hein? Plantar bananeira, tô fora meu!

Nesse momento chegou Juca, que fechara o bar Serenata e veio trazer água quente para o Gaúcho, que agradeceu e o convidou para ficar um pouco, já lhe abrindo uma cerveja. Ele sentou na roda.

O relógio deu as badaladas da meia-noite e Wilson pediu que todos refletissem sobre a eternidade:

— Estamos aqui acompanhando a passagem do tempo. Nas badaladas da mudança de um dia para o outro, vamos trocar umas ideias sobre a eternidade e sentir o espírito do tempo. Concordam?

— Sim, claro — assentiu Príncipe. — Vou falar da inexistência do tempo, posso? — tendo anuência, continuou: — O que, para mim, não existe. Tudo é o universo de astros e espaços vazios, nonada. O universo é algo infinito, portanto um espaço sem fim. O tempo, como o conhecemos, com as badaladas do relógio, é invenção humana, uma situação para nosso planeta, apenas uma medida para orientar os terráqueos.

— Concordo com o Príncipe. Conforme ensinou Platão — explica Eugênio — "o tempo é a imagem móvel da eternidade imóvel. A eternidade é uma duração sem alterações ou sucessões". O eterno é algo sem começo e sem fim.

— Bobei — confessou Piolho.

— Calma, cara! Essas coisas se aprende lentamente, sobretudo indo à biblioteca. — falou manso o Professor Eugênio.

— Garanto que não fui só eu — reforçou Piolho, querendo apoio dos outros que estavam de bocas abertas pelas palavras ditas.

— O que você entendeu, Marujo? — pergunta Galego.

— Boiei legal! Do jeito que eles falaram aí, nem sei se existo mesmo.

— É só questão de ler um pouco. A biblioteca é grande e funciona bem. As pessoas que trabalham lá foram preparadas, fizeram cursos. Aliás, é impressionante como esses doze caras conseguem tocar esta cidade da forma que tocam.

— Concordo — disse o Gaúcho, segurando a cuia. — Fazer esse bando de homens maus, vagabundos e revoltados trabalhar, e ainda conviver numa boa, é uma proeza, e numa cidade sem prefeito.

— Mas tem o Emílio — falou o Marujo.

— Meu chapa, um dirigente é só um dirigente. Os assessores é que fazem o serviço — falou Severino.

— É mesmo — emendou o Professor. — Comparo com a história do cristianismo. Cristo só deu o pontapé inicial, mas os doze apóstolos é que fizeram a história acontecer, estimulando os que vieram depois. A Igreja surgiu e cresceu.

— Cara, você conhece de religião, né que é? — admirou-se Galego.

— Não estou falando de religião, falo de História. Sei que, nos anos 300 de nossa era, o imperador romano aceitou o cristianismo, acabando a perseguição aos cristãos. Séculos depois, quando o papa já era muito forte e aconteceu a queda do império, criou-se um vazio no poder político na Europa, então a Igreja ocupou o espaço, fortalecendo o catolicismo, que cresceu por mais de mil anos, até os exageros serem questionados e acontecer a Reforma Protestante, no século XVI.

— Gostei de sua aula sobre assessoria — riu Alfonso. — O que estranho um pouco é que Jesus, sendo um cara tão adiantado para seu tempo e excepcional entre os judeus, não tenha deixado nada escrito.

— Sim, mas os discípulos registraram seus ensinamentos — emendou Wilson.

— Tudo bem — continuou Alfonso. — Muito já se escreveu sobre ele, e continuam a ganhar dinheiro escrevendo. Mas o ponto é: por que não há nada escrito por ele, que veio bem depois dos filósofos gregos e tantos outros homens brilhantes que deixaram muitos escritos? Não estou falando que está errado, só queria entender.

— Verdade, também concordo — falou o Príncipe. — Se ele era filho de Deus, por que não se casou, para dar bons exemplos de família? E por que, sendo o filho do homem, morreu tão cedo? Sei também que, passado muito tempo dos fatos ocorridos, as coisas vão ficando embaçadas, principalmente porque a história é contada pelos vencedores, do jeito mais conveniente. Só nos resta acreditar em tudo, desconfiando de muitas coisas.

— É, o tal Maomé também não era fraco — lembrou Gaúcho, chupando o chimarrão. — Dizem que naquele tempo havia gente que se convertia só de olhar para a espada dele.

— Que que é a fé? — exclamou Piolho e concluiu: — A fé destrói montanhas.

— Fala besteira, não, ô capiau, é a fé move montanhas que se fala — explicou o Marujo.

— Tá certo, o que destrói montanhas são mineradoras e seus explosivos — ironizou Alfonso. — Quantos casos tristes aconteceram mundo afora; nesse trabalho de mineração, inclusive...

De repente, Marujo gritou:

— Olhe lá a estrela cadente!

Todos se voltaram rápido para ver o meteoro descendo rumo ao horizonte.

O relógio bateu as horas e todos se mexeram, uns para o banheiro, outros nas bebidas e também os que foram preparar lanches e em seguida estavam todos junto ao vidro observando a cidade, a mata, a lua e as estrelas. Uns olhavam o globo deduzindo onde o sol estaria chegando naquele momento. No clarão da madrugada, se via a mata inteira, e o aroma selvagem vindo da floresta parecia trazer um luar perfumado.

Juca foi embora, alegando que aquela conversa o estava deixando mais tonto do que a cachaça.

— Na noite quente, vejo aqueles prédios banhados ao luar e sinto uma liberdade dentro de mim — falou Príncipe para Marujo ali a seu lado, grudado no vidro, e que ficou com a boca aberta e disse nada.

Na muralha, os guardas se distinguiam nas torres, alguns em pé e outros sentados, parecendo cochilar.

Piolho olhava para a mata quando Galego perguntou:

— Quando olha para a floresta e se lembra daquela fuga, o que você sente?

— Um arrepio.

— Verdade que um índio quis sapecar seu fiofó?

— Ih, carai, de novo essa prosa? Precisa sapecar a língua duns xibungos boca largas. Tô longe.

Os homens voltaram para o centro do salão, uns para suas cadeiras, outros se sentaram no piso e continuaram a conversar sobre suas vidas, a cidade, a noite. Às vezes, apagavam as luzes para ver melhor o clarão da lua e davam uns tapas no baseado. Vez em quando um deles mostra no globo onde o sol estava brilhando, na parte de trás e na frente já avançando novamente para a América. Entremeado com tudo isso, o relógio sempre anunciando a marcha das horas. De vez em quando, alguém se lembrava de Zé Bundinha e de seu grosso dinheirão.

— Vem cá, Piolho — chamou Galego —, vamos comer um ovo.

— Sai fora, meu, já comi tanto ovo esta noite que minha barriga parece um ninho, posso nem ver mais ovo, vou ficar uns dois anos sem comer isso. Olho para o Gaúcho e ele me lembra uma galinha.

E assim, de história em história, as horas passavam. Galego havia bebido além da conta e cochilava.

Em meio àquela solidão enorme da floresta, a lua estava imensa demais. A cidade quieta, as feras fora e as feras dentro. Tudo muito forte neste meio de silêncio da madrugada morna.

Descia mansa, buscando o horizonte. Uma bruma leve foi se espalhando por uma parte da floresta. Nuvens ralas foram se formando, e de repente o mundo se tingiu de um vermelho lindo no alto céu. O relógio bateu cinco vezes. Aquelas cores todas pintando o dia que estava chegando foi motivo de um novo brinde comemorando as belas cores do mundo e o próximo seria na chegada do rei, com sua luz e calor que criou a vida na Terra.

Príncipe, olhando através do vidro, falou:

— Este momento me lembra Guimarães Rosa: "Só aos poucos que o escuro é claro". Quando a lua já se foi e o sol está a chegar, as estrelas do céu vão se apagando até sumir a última. Já vem rompendo o dia, com fracas luzes muito longe no horizonte, e logo a aurora da mata se iniciará. E aí, Alfonso, o que me diz?

— A certeza é que o sol vai aparecer e tudo vai clarear.

O sol já estava quase chegando, os homens sentiam a Terra rodar, um clarão apareceu no horizonte, uma energia forte foi aumentando e, de repente, um raio pareceu jogar ouro sobre a floresta. Por um instante, tudo se calou na mata, até que a luz chegou dando o sinal que a vida continua.

Príncipe voltou a falar:

— O sol, surgindo por trás da mata como um fogo, faz amanhecer o dia, trazendo um esplendor de luz que parece amansar esses homens. A Terra girando, o dia nascendo, banhando com luz dourada a floresta e a cidade. É ele iluminando, embelezando, dando calor e vida ao nosso mundo. A floresta estala com a energia que chega, e outros barulhos miúdos vão surgindo enquanto tudo clareia. São os ruídos da natureza. O despertar é lento, cheio de canto dos pássaros, e a brisa suave da manhã beija a copa das árvores.

— Você fala bonito, é cheio de conhecimentos. Lá nas prisões por onde passei nunca ouvi ninguém falar assim.

— Lá naqueles infernos sufocantes e fedidos, um emburrece o outro. Aqui, nesta largueza, há chance de um passar boas coisas para os outros. Aqui o preso que entra burro pode sair sabendo das coisas que fará a vida dele melhorar. Lá entrava sabido e emburrecia.

— Ah, naquelas prisões era o inferno! Aqui é o purgatório a caminho do paraíso, pois tem as ferramentas para a melhor travessia.

— O que me anima — fala Severino — é que a gente vê o sol nascer e sente que a Terra não para de girar. Cada vez que o sol nasce, diminui o tempo que se fica aqui no seio da Terra, a Mãe que nunca morre.

Os homens olharam para baixo e viram que a cidade começava a acordar. Wilson falou:

— Acho bonito o despertar da cidade, lentamente as pessoas surgindo e a vida se renovando.

— Wilson! — gritou Marujo, já passadão de sono e mé. — Vamos marcar um próximo encontro lá no bosque pra receber uns óvnis. Vai ser bem maneiro, sei das manhas.

— Vamos, sim. Acho que vimos o que queríamos ver: o movimento de Terra, sol, lua e estrelas, todos girando como sempre, num equilíbrio eterno. Nossa vida aqui se deve ao processo da criação. Viemos depois de muitos, logo nos iremos e outros continuarão a chegar.

"Um brinde à eternidade! Em seguida, vamos para casa. Ficará marcado em nossas vidas que esta noite vivemos um momento eterno, que jamais esqueceremos."

Acordaram Galego, fizeram o último brinde, agora em homenagem ao vazio do Universo, aos astros, à eternidade, à floresta, à Renascença e a eles.

Entraram no elevador. Lá fora o céu estava quase azul.

—— UMA BOMBA NO MEIO DA NOITE ——

Alguns dias depois, três homens entravam na mata para pernoitar. Zacarias estava encantado, mas ressabiado pela novidade. Mochila nas costas e facão na mão, seguia em fila entre João Medeiros e Colibri, já experientes, dos quais recebia os macetes para caminhar na mata. Era manhã, o calor já se sentia forte. Andaram cerca de uma hora e o novato já demonstrava cansaço, depois de várias escorregadas e tropeços nas raízes, mas não reclamava. Olhava para o chão, para os lados e para cima quando, de repente, deu um grito ao sentir uma coisa fria grudada em seu pescoço. Passou a mão e puxou pela perna a pererera com sua barriga gelada que pulara de uma árvore e o encontrou no caminho. Ele sapateou nas folhas secas, de gastura, nojo e repugnância. Gritou no silêncio já quebrado:

— Puta que pariu! Eu aqui, pronto para enfrentar uma onça, e já tô me cagando com uma pererera, é mole? Quando aparecer a onça, vou subir numa árvore feito um foguete.

— Esse é seu batismo — riu Colibri.

Aproveitando a parada, tomaram água e um gole de café da garrafa térmica de João.

— Zacarias, está gostando? — perguntou Medeiros.

— Demais, cara. Agradeço terem me convidado. Só acho um pouco forçado, não estou acostumado. O calor grande e o corpo sua demais, mas me fale, é sempre assim, chovendo perereca em cima da gente?

— Não, que esperança — falou Colibri. — Pra nós, nunca teve isso de perereca.

— Cara, quase me borrei! Quero esquecer aquela coisa gelada grudada em mim, que nojo!

— Prepare-se! A floresta é um mundo.

— O local onde vamos acampar está perto. A gente chega, se instala, acende o fogo, almoça e vamos colocar duas caixas. Amanhã damos um jeito de colocar mais duas.

Continuaram a caminhada sem incidentes, em silêncio. Só se ouviam os passos nas folhas mortas e o ruído do facão limpando a passagem e, de vez em quando, marcando um tronco. Vez por outra, um pássaro cantava ou um galho despencava das alturas.

Zacarias estava encantado e percorria a mata com os olhos em busca de flores.

— A alma se alegra com a beleza das flores — ele disse, olhando uma orquídea.

— João, a floresta pariu um poeta. — falou Colibri com seu olhar matreiro.

Na beira da água se instalaram, fizeram o fogo e armaram as redes. Zacarias estava feliz armando a sua e falou, animado:

— Estou gostando da vida na natureza. — Depois que amarrou os dois lados em duas árvores, um pouco retiradas, Colibri lhe chamou a atenção.

— Zacarias, coloque a rede aqui junto das nossas. Se você ficar meio separado, é do jeito que a onça gosta.

— Aqui tem onça? — perguntou Zacarias, já desamarrando a rede e resmungou: — Falei cedo demais.

— Algumas. Não dormimos muitas noites aqui, não, mas já sentimos o cheiro delas por perto e o esturro longe ouvimos várias vezes — olhou Colibri, apontando para um lado nas profundezas da mata quase escura.

— A gente tinha que ter arma de fogo aqui no mato.

— Não dá pra preso andar atirando por aí, né? Matando onça, então? Nem pensar! Pesa mais do que matar gente.

— E elas nos comer, pode?

— É só você não vir aqui, no terreiro delas.

— O pior é que a onça — falou João — é um caçador solitário, traiçoeiro, que não ataca pela frente. Quando a gente for dormir, sempre vai ter que ficar um de vigia com os sentidos muito aguçados, principalmente para perceber o cheiro dela, porque barulho ela não faz. Vem rondando a presa por longe, sondando, sentindo e se aproximando sem pressa. Ela sente que tem comida.

— Caraca, quer dizer que, além de presos, a gente é presa, comida de onça?

— É a lei da selva. Como lá entre os homens, aqui todos precisam e lutam pra sobreviver.

— E se ela atacar, como a gente se defende?

— A defesa é não deixar a fera atacar. É preciso perceber que ela está próxima, atiçar o fogo sem acordar os que estão dormindo e correr o farolete para perceber o brilho dos olhos dela. Se estiver perto, é só soltar essas bombas que a gente traz para esses momentos.

— Rapaaá, quer dizer que se o cara cochilar vai pro beleléu?

— Se cochilar, o cachimbo cai — falou Colibri, dando seu rizinho estridente.

— A onça é animal bonito e cheio de manha. Ela matando sua presa, come primeiro a cabeça, para ter certeza de que está morta mesmo. Depois fica rondando meio por longe, tomando conta e depois de umas seis, sete horas, conforme a fome, volta para uma refeição mais completa. Come bem e vai tomar água pra logo dormir o sono dos justos.

— Muito justo mesmo, eu, hein?! Onde vim parar? — exclamou Zacarias.

— Olha, cara, se a onça não for ruim da vista, vai querer é você mesmo, que é o mais gordinho — brincou Colibri.

— Vou fazer regime loguinho. Eu escutava histórias dos antigos sobre onças que comiam bezerros, porcos e, de vez em quando, um homem que se aventurava sozinho pelo mato. Nunca pensei que estaria perto de ser refeição de uma pintada.

— Mas também não é assim, uma coisa certa. É preciso que uma delas esteja por perto. A floresta é muito grande — afirmou João.

— É grande, mas os animais ocupam seus espaços e estamos no terreno deles — ponderou Zacarias.

— Sim. E não há só onça, não. Existem outros animais perigosos. Se aparecer um bando de queixadas, a gente escuta o barulho de longe e tem que subir nas árvores, pois, se passam nervosos deixam um rastro de destruição. Por isso, quando a gente sai ou vai dormir, tem que deixar tudo no alto.

— Mas esses bandos de malucos correm mais é no tempo da lua cheia. Li sobre eles na biblioteca — explicou Colibri.

— Que animador, esse papo! Vocês não me falaram nada disso antes.

— Você queria o quê? Aquela história de "vamos passear na floresta enquanto seu Lobo não vem"? Ou achou que vinha passear no jardim da Branca de Neve? Aqui é o bicho! Estamos na maior floresta do mundo. Acorde!

— Vai me falar que há lobos também?

— Não sei. Mas quando os macacos se aproximam com a gritaria deles, dá mais medo do que de onça. São os enormes bugios. Eles atacam no psicológico, maior barulheira.

Enquanto conversavam, prepararam o almoço e logo saíram para a labuta.

Na parte da tarde, montaram e instalaram as caixas para captar mais abelhas. O trabalho era minucioso e não muito próximo do acampamento. Quando o dia ia perdendo a luz, acendiam o fogo, batiam-se para espantar os mosquitos, colocavam folhas verdes nas labaredas para aumentar a fumaça que espanta os infernizantes alados, lavavam-se no regato e preparavam, sob a luz do lampião, o que comer, organizando o necessário para passar a noite.

Os homens conversavam à beira do fogo. De vez em quando, tomavam um gole de cachaça e davam um tapa no baseado, deixando os mosquitos zonzos.

— Cara — fala Zacarias —, vem um perfume gostoso ali do lado do rego.

— São flores de perfumes delicados, muito bom mesmo — comenta João tomando um gole de cachaça.

Estavam encantados com a melodia dos pássaros no alto das árvores. João explicou:

— Escutem o canto desse pássaro. É o mutum. Quando ele canta no fim da tarde é sinal de que vai ter sol no dia seguinte.

— Que bom! Tomara que dê certo — disse Zacarias e perguntou: — E esse perfume mais forte desse lado de cá, de que flor é?

— É do pau-rosa — responde João. — É um perfume maravilhoso, que parece encantar a floresta. Outro perfume muito agradável é o da preciosa, uma árvore que valoriza o que está ao seu redor. A floresta tem suas dificuldades, seus perigos, suas armadilhas, seus mosquitos, mas também tem seus encantos, suas frutas, o perfume de muitas flores e frutas. Além disso, há palmito, raízes alimentícias, muitos tipos de chá de cascas, folhas e, muito importante, cipós que contêm água. E a floresta tem ainda seus mistérios e lendas. Como eu disse, a floresta é um mundo.

— Mas há mais perfumes se misturando, de outras flores — falou Colibri.

— Olhe ali, naquela árvore, uma orquídea cheirosa. É a baunilha — mostrou João, indicando a planta um pouco afastada.

— Muito bom o cheiro puro da natureza, essa mistura de plantas. Tantas folhas, flores, frutas e terra úmida coberta por folhas velhas se decompondo — Zacarias se encantava com tudo isso.

— O cheiro de terra molhada — disse João —, cheiro das árvores, folhas úmidas, calor e umidade, misturado com o odor dos pássaros e outros animais, faz entrar nas narinas um perfume selvagem, mas sensível.

— Os pássaros pararam de cantar. Esse barulho, o que é? — pergunta Zacarias.

— Está escurecendo. É a hora da cantoria de sapos e grilos, do passeio dos vaga-lumes. Preste atenção, veja lá, mais ali, aquelas pequenas luzes piscando. — E ficaram os três vendo o piscar dos vagalumes enquanto nas águas do regato os sapos coaxavam e os grilos davam mais vida ao mundo na noite da floresta.

— João, o que está fazendo nessa panela?

— Um chá. Cortei uns pedaços de cipó-cravo e coloquei para ferver na água. Vocês vão sentir o cheiro gostoso.

— Ah, foi aquele cipó que você estava cortando?! Achei que tivesse procurando água neles.

— Não, o cipó-d'água é o ambé. E tem o cipó vermelho que guarda boa água. Há também outros cipós e raízes. Conforme formos vivendo aqui, vou explicando o que eu souber, pra vocês conhecerem. Se a pessoa conhece bem o mato, não morre de fome nem de sede.

— Morre de onça! — falou o Zacarias.

— Nem tudo são perfumes — disse Colibri. — Não precisa muito esforço para perceber que existem mais espinhos do que rosas na travessia da vida.

— Concordo, mas é preciso superar os espinhos. Aqui, o que incomoda mesmo são esses mosquitos — disse Medeiros. — É o carapanã, tem também o pernilongo, o pium; pra mim, o pior é a mutuca jacaré, quando está muito infestado se passa uma água de fumo no pescoço e nas mãos, ajuda espantar. De resto, é entender que esse é um tipo de vida. Com o tempo, vocês vão aprender uma porção de coisas, como saber quais são as árvores frutíferas comestíveis, achar água, fazer armadilhas para caças, de onde tirar cascas e folhas para fazer chá... raízes aproveitáveis. Enfim, saber sobreviver na selva.

— Mas não pretendo ficar muito tempo dentro do mato. Não sou o Tarzan. Pra que aprender tudo isso? — pergunta Zacarias, com a sobrancelha esquerda levantada.

— Olha, cara, queira ou não, estamos vivendo numa cidade dentro do mato. Quanto mais se souber das coisas que nos cercam, mais fácil será a vida.

Colibri, percebendo o caminho da conversa, emendou:

— Quero saber tudo. Acho muito bom ter condições de entender os mistérios da floresta, suas coisas difíceis e o que tem de bom. Se eu aprender bem, quem sabe um grupo de fuga queira me contratar como guia.

— Quem é que vai se meter a fugir de novo? — falou Zacarias. — Aqueles caras foram e se ralaram, morreu gente, e os outros que foram estão lá passando o maior carão, dando palestras em botecos.

— Eles fizeram um belo túnel, muito bem engenhado, mas não sabiam nada do mato. Não prepararam essa parte fundamental. O pior de tudo foi derrubar árvores, que é pior do que matar gente. Agora está lá o Catarino esperando o próximo embarque para o Polo Sul.

— Muito triste isso tudo que aconteceu. Mostrou que é difícil fugir, principalmente se não souber os segredos da floresta — falou Medeiros. — Muitos prisioneiros fogem de prisões complicadas, cercadas de mares com tubarões ou de lugares gelados, sem vida em volta. Aqui há vida e perigo, é só arriscar. Olhe, o chá está pronto. Experimentem. Se gostarem, peguem mais e aprendam a fazer. Amanhã vamos preparar o chá de outra planta.

— Humm, gostoso mesmo. E de cheiro muito bom esse chá de cipó-cravo — falou Zacarias.

— Também acho — disse o Colibri. — Mas o que gosto mesmo é de tomar o chá assim na beira do fogo, ajeitando os tições e remexendo as brasas, sentindo o calor. Eu passaria muitos meses andando pelo mato só pra curtir o fogo no escuro da floresta. Outro dia li na biblioteca que o ser humano até hoje gosta de ficar à noite na beira do fogo porque isso está em suas raízes mais antigas, na história da sua formação, quando passou a dominar o fogo. Olhando assim as labaredas, fico pensando na quantidade de homens que andaram por estas matas da Amazônia para trabalhar tirando o látex das seringueiras.

— Mas é verdade que eles ficavam andando de uma árvore a outra? — pergunta Zacarias. — No mesmo caminho?

— Sim — explica Medeiros —, andavam pelo que chamavam de estrada. Começavam às duas horas da madrugada, iluminando o caminho com a Poranga, uma lamparina com protetor atrás para não atrapalhar a visão. Mas curtiam as labaredas ao voltarem para os barracos no fim da tarde, quando iam processar o látex recolhido. Então, acendiam o fogo sob o buião, um forninho que era aquecido com matá-matá ou maçaranduba, as melhores lenhas para defumar o látex tirando-o do estado líquido e transformando em pelas, as bolas de borracha que eram entregues aos seringalistas. Às vezes, vários se juntavam na beira do fogo para comer, conversar e beber, uma vez que era a única diversão naquele regime de escravidão em que se amarraram e não podiam sair. Sem perceber, estavam sempre gastando mais do que o dinheiro que recebiam. O controle do que eles tinham a receber e a pagar era sempre do seringalista, que fazia isso por intermédio de seu homem de confiança, o materio. O abastecimento era feito pelos barcos chamados de regatão, que traziam os produtos necessários para os seringueiros trabalharem e viverem.

— Cara, como você sabe isso tudo?

— Já te falei, Colibri, minha família viveu nisso. Esses trabalhadores eram os soldados da borracha — disse Medeiros. — Eram principalmente nordestinos, que, atraídos pela propaganda, eram trazidos em barcos pelos rios durante dias e até semanas, depois não conseguiam sair, haja vista que, se saíssem, divulgariam a realidade que viviam, dificultando a vinda de mais gente. E assim foi por décadas, na solidão daqueles tempos. Muitos que tentavam sair morriam pelo caminho.

— Aí sim, que era feio, hein?! — se espantou Colibri.

— Meu avô contava muitas histórias. Algumas ele vivenciou e outras, a maioria, o pai dele contava. Ouvi muitas histórias contadas ao pé do fogo. Acho que é por isso que também gosto de conversar aqui, sentindo o calor das brasas e olhando esse amarelo-vermelho das labaredas dançando e, conforme a madeira, sobem umas línguas finas de chamas de cor azul esverdeadas. Nelas, parece que vejo o passado daqueles homens, que eram chamados de arigós. Existe até uma canção que meu pai cantava e que antes era entoada por aqueles trabalhadores perdidos nas selvas:

"Os arigós agora estão sem sorte
Na boca da morte
Onde vêm parar
Olha bem, viu, assim é melhor
Olha, arigó, que a Amazônia não é Mossoró."

Após entoar a cantiga, João prosseguiu:

— Fico imaginando aqueles homens reunidos na beira do fogo, tomando cachaça e cantando a triste melodia.

— João, que grito foi esse? — perguntou Zacarias

— É o grito da surucucu-bico-de-jaca, cobra feroz e mortal.

— E ela pode vir pra cá?

— Aqui tudo pode. O fogo assusta alguns bichos, mas nem todos. Nas noites escuras, os animais se aproximam muito de gente, mas nas de lua cheia passam longe, espreitam atentamente e não se aproximam, a não ser os queixadas, que gostam da correria exatamente na lua cheia. Existem macacos da noite que gritam, são ferozes e chegam às redes para morder as pessoas. Há outro tipo que não grita nem faz barulho algum: simplesmente, chega sorrateiro e, quando a pessoa vê, ele está do lado da rede, olhando com aquela cara de macaco. Precisa sempre estar atento. Por isso, é bom vir em três. Assim, dois dormem enquanto um fica de vigia. Vocês dois podem dormir agora. São oito horas. Às onze, eu vou dormir e o Zacarias cuida até as duas, quando será a vez do Colibri, que fica até as cinco. Depois eu fico até clarear, tudo bem?

— Se você, que entende mais, acha que é assim, pra mim está bom. Esse Colibri parece que já está dormindo — falou, deitando-se na rede e puxando o mosquiteiro, sentindo o silêncio repousante.

Sem ninguém conversar, o ruído da floresta parecia mais vivo. À medida que o tempo passava, uma coruja piava ao longe, um galho caía, um pássaro noturno batia as asas de um lado, um sapo coaxava do outro. Os vaga-lumes pontilhavam de luzes por entre as árvores. Um macaco-guariba gritava nervoso, chacoalhando galhos, já mais perto.

O homem acordado apurava os olhos e os ouvidos, atento aos ruídos próximos. Olhava para cima e via raras estrelas no fim das árvores. Assim cuidando, o tempo passou sem sobressaltos.

— Zacarias, ô Zacarias, acorde que já são onze horas.

— Já? Parece que me deitei agora. Teve algum problema? Algum bicho? Tem muito mosquito?

— Não, nada, só uns barulhos distantes. Tem um café ali no fogo. Tome um gole que o sono passa. Mosquitos, a essa hora, tem poucos. Não vá cochilar!

— Tudo bem. Vou molhar a cara aí nesse rego e tomar um café. Pode dormir sossegado.

— Cuidado com cobra aí no rego — falou João já deitando em sua rede.

Após lavar o rosto e tomar o café, Zacarias pôs a faca na cintura e segurou firme o facão. Ajeitou lenha no fogo e ouviu o ronco de Medeiros. Ali, olhando o fogo, ficou a lembrar as conversas sobre cobra, onça e queixadas. Em voz baixa, começou a conversar consigo mesmo:

"É cada merda que a gente faz! Demorei a pegar no sono. Tinha que falar essas coisas bem na hora de dormir? Além disso, não estou acostumado a dormir em rede. Só quero ver amanhã a dor no corpo."

Passado algum tempo, sentiu um pisado nas folhas secas, ficou em pé e apurou os ouvidos. Seus olhos se esticaram pela escuridão, mas não via nada. Se preocupou, ficou longo tempo querendo entender, fazendo um movimento de rotação, Aquele pisado não saía de sua cabeça. Já estava achando que havia onça por perto. Uns minutos mais, e foi se acalmando. Sentou num pau ao lado do fogo, tomou outro gole de café e fumou um cigarro. Pegou a caixa de bombas e deixou no jeito. Com tudo calmo, pensou: "Será que por perto tem onça de verdade ou será onça de minha cabeça?"

Já passava da meia-noite quando percebeu as folhas das árvores mais altas farfalharem e aquele ruído foi aumentando, um rumor crescendo e parecendo que não era vento não e aquele barulho foi rodeando de um lado para outro e crescendo e descendo, se aproximando. O homem ficou de pé e redobrou a atenção. Agora, pareciam vozes que se aproximavam e foram se transformando em gritos cada vez mais fortes. Zacarias não sabia o que fazer. Acordar os amigos? Soltar uma bomba? Dar um grito? Correr? Pra onde? Olhou para a caixa de bombas, para o fogo e não teve dúvidas: acendeu duas bombas tapou os ouvidos e esperou o pipoco que foi muito alto e que fez os companheiros acordarem assustados, achando que tinha onça atacando e levantaram rápido com punhais nas mãos.

Não era onça.

— Que isso, cara? Quer matar a gente?

Colibri gritou:

— Tá loco, cara, quase caí da rede, porra!

— Ah, não sei, tava vindo uma quadrilha de macacos, achei que eles iam assaltar a gente e fiz o que deu, mandei bomba. E eles bateram em retirada.

— Uma quadrilha? Tá bom, era um assalto — esbravejou Colibri, bem puto da vida e com o coração ainda pulando.

— É capaz de eles voltarem. Às vezes, fazem isso a noite toda — disse Medeiros.

— Se voltarem, mando bomba de novo, eu hein?!

— É melhor não. Eles fazem barulho, mas dificilmente chegam muito perto.

— Mas você não falou que tem os que chegam até na rede para morder?

— Não acredito que sejam desses. Fique tranquilo! Vou dormir.

— Tranquilo, tá bom! — resmungou baixinho Zacarias. — Então, se eles vierem pergunto se são dos que mordem, tá bom, deixa comigo.

Poucos depois, ouviu alguns assobios no alto das árvores. Eram macacos-prego. Em seguida, escutou outro som, que já conhecia do começo da noite: a surucucu-bico-de-jaca. Era arrepiante e parecia estar perto. Aquilo o levou a pensar: "Mais essa agora?! Onde vim parar!" Exclamando baixinho, com uma ponta de arrependimento por ter vindo:

— Que venha, com esse facão, eu me arranjo. Se se aproximar, eu a corto em pedacinhos.

— O que é isso, maluco? Está falando com quem? — perguntou Colibri, para azucrinar Zacarias.

— Dorme aí, carai, vê se me erra! — falou irritado Zacarias.

Zacarias foi se acostumando aos sons da floresta e, quando percebeu, seu turno havia acabado. Tomou uma talagada de cachaça e logo estava dormindo, até esqueceu que a rede era ruim. Colibri tomou café e acompanhou os ruídos noturnos, ouvindo o barulho dos guaribas lá pelas três horas, quando um bando passou ao longe e ele pensou "Estão indo para outro bairro". Já quase às cinco horas, ouviu o cantar do jacu, que é um pássaro madrugador. Olhou para o alto das árvores e viu os primeiros tons de claridade. Chamou João, que retomou a guarda para assistir ao alvorecer e ouvir o cantar da passarada: promovendo a sinfonia das araras, papagaios, periquitos, jacus, cujubins, mutuns, japins. Os passarinhos cantando vão amanhecendo a floresta. Com os cantares a alegria vem radiante no novo dia. A Terra deu mais uma volta e a vida se repete.

Às sete horas, todos estavam tomando o café que Colibri preparou com leite em pó, sanduiches com pão de forma, queijo e presunto. Para completar, tomaram açaí.

— Você deu um baita susto em nós essa noite — disse Colibri para Zacarias.

— Susto levei eu com aquele bando de desordeiros vindo pra cima, além de cobra gritando e macacos assobiando. Foi um batismo forte. Da próxima vez já estarei mais preparado. Sinceramente, tive vontade de ir embora. Mas foi uma vontade ligeira, passou na hora.

— Imagine você indo sozinho pela madrugada — riu Colibri.

— Nem de dia acho o caminho de volta.

— Mas aquela bomba foi o cu da cobra — falou João.

— Ué, comprou as bombas pra quê? Melhor acordar vocês do que aqueles macacos me comerem.

— Se eles te comessem, nós não iríamos contar pra ninguém — debochou Colibri.

— Qualé, jacaré? Sai fora, tô longe dos carinhos desses macacos, fuja loco!

— Você que falou.

E assim, brincando, eles foram ao trabalho com as abelhas. No fim da tarde estavam voltando para a cidade, já perto mas ainda dentro da mata, Zacarias falou:

— Escutem!

Todos pararam, eram os sinos. Ficaram um tempo ouvindo o badalar que soava bonito vindo de longe pelo meio das árvores e João falou:

— São seis horas, estamos atrasados.

— O FARINHA E O SONHO DO CÉU —

Muitos homens chegavam à Renascença com o miolo mole depois de tanto sofrer naquelas prisões horrorosas e de tantas drogas. A administração colocou muitos deles no mesmo prédio por questão de afinidade. Não eram violentos, apenas tinham surtos em que ficavam muito quietos ou muito falantes e agitados. Às vezes, eram divertidos, como o Farinha, um sujeito que andava cantando pelas ruas e pelas praças, quase sempre alegre e com um jeito agradável de conversar. Quando estava quieto, seus olhos ainda pareciam falar. Certa tarde, chegou ao Bar Castanheiras e disse, alto:

— Boa tarde, gente!

Quase todos responderam. Ele pediu uma cerveja e se sentou a uma mesa na qual estavam três pessoas.

— Que calor faz hoje, hein, Farinha?!

— Hoje? É direto. Estou derretendo e só tomando umas.

— A gente toma e nem faz efeito, só refresca um pouco — reclamou Lagartão.

— Fale aí, Farinha: tem sonhado muito com o céu? — indagou Polaco.

— Ué, como sabe que sonhei?

— Escutei você contando lá no Fornalha outro dia. Me fale, você que sabe de sonhos, depois que a gente morre, a gente sonha, quer dizer, a alma da gente sonha?

— Não sei, nunca morri. Mas depois de morto é coisa de anjo.

— Mas você sonhou que morreu. Não dá para saber se morto sonha?

Farinha pensou um pouco, encheu novamente o copo e respondeu:

— Nunca falei essa parte pra ninguém — olhando para os lados falou mais baixo — como vocês três são meus chegados, posso contar. — Aquilo deixou os três sérios, com ares de interessados e fixos no Farinha, que assim contou:

— Naquele tempo que fiquei no céu até dá para contar o sonho que tive, foi assim, eu morto sonhei que estava vivo e cheguei na Terra acompanhado de outros anjos e fomos escolher um lugar para morar. Olhamos todos os quatro cantos da Terra e vimos que os melhores lugares eram muito frios. Os lugares quentes eram muito pobres, sujos, injustos, com povos despreparados, nos maiores sofrimentos. Outros lugares, além de pobres, eram habitados por muitas pessoas fanáticas e cruéis, promovendo grandes matanças de inocentes. Então, os anjos e eu, achamos que seria melhor continuarmos mortos.

— E vocês voltaram pro céu? — perguntou Sabiá.

— Sim, claro. Rapidinho acordamos e ficamos mortando no céu.

— Mortando? E como é isso? — inquiriu Lagartão.

— Acorda, meu, se quem está vivo está vivendo, quem está morto, está mortando, né que é?

— Claro que é — concordou Lagartão. — E fala, como é lá?

— Vou contar, mas só se vocês acreditarem.

— Claro que acreditamos, pode contar.

— Quando o cara morre, ele vai subindo, subindo...

— Vai todo mundo para o céu?

— Escute que eu conto, cacete, deixa chegar a essa parte. Vai subindo, flutuando claro, porque todo mundo que morre sobe. Você nunca escutou dizer que alguém morreu e desceu, né?! É sempre subindo.

— É, dizem que todo mundo sobe. Então, o céu é misturado com o azul? — questiona Lagartão.

— Tem que ter paciência para entender o que sonhei. É que todos sobem e, depois de certa altura, quando a fila está bem gorda, com gente chegando de todos os lados, começa a separação. É gente do mundo inteiro, falando tudo que é língua diferente. Só os anjos entendem. Já bem no alto, as filas vão se emparelhando e formando uma grande procissão, que vai se afunilando, diminuindo a velocidade. Quando você percebe, não está mais flutuando: a multidão está engrossada e quase parando, todo mundo com cara de cansado e desanimado, na sua fila, sem se misturar.

— Mas, se não flutua, pisa em quê? — questiona Polaco.

— No caminho para o céu não se pensa nesses detalhes. Se pisa, se não pisa: nada interessa, a não ser entrar. Quase ninguém fala, e se falar quase ninguém entende. A maioria tem cabelos brancos ou cabelo quase nenhum. Há também pessoas novas, com muito cabelo pretos, mas todo fudido, furadas de balas, rasgadas de facas, quebradas de acidentes de carros e moídas por acidentes de motos, ou despedaçadinhos, são os homens bombas chegando aos retalhos. Estes chegam até animados querendo saber onde estão as setenta virgens. Alguns chegam tossindo e soltando fumaça por tudo que é buraco. Por cima daquela defuntaiada, quer dizer, almas, surgem anjos voando, separando todos e indicando as entradas por continentes. Todos vão entrando pelos portões indicados, sem algazarra nem barulho, com muito respeito. Se há algum marrento e reclamão, um anjo o agarra pelo cangote, leva-o para o fim da fila e ele se acalma; enquanto não se acalmar, vai ficar indo e voltando até se enquadrar.

"Há anjos cansados também. Vi um encostado numa nuvem, de braços cruzados e pernas em posição de xis, acho que cochilando. Um pouco mais para trás, estava um anjão caído com as pernas abertas, parecendo dormir, com sua trombeta pendurada no pescoço. Perguntei a um anjo loiro, de cabelo encaracolado, com cara de cansado:

"'O que aconteceu com ele?'

"'Acho que estourou o saco de tanto tocar trombeta para as almas que chegam.'

"'Tocou muito?'

"'Desde os tempos de Jericó.' — respondeu o anjo.

— Maenga, não é pra menos: não tem saco que aguenta essa imensidão de tempo. uma hora estoura mesmo."

— Aí é ruim, hein?! — afirmou Lagartão.

— Você não viu nada ainda, espere — prosseguiu Farinha. — Passando o primeiro portão, começa a separação por países, e às vezes tem confusão armada, veja bem, armada aqui quer dizer barraco, não é arma mesmo, que lá não pode. Tudo isso porque tem gente que não aceita o lugar do país para onde está sendo mandado. Mas as ordens celestes não são discutíveis, tem que ir, pois o Registro Geral Celestial não tem erro. A pessoa que não sabe direito de sua procedência, esqueceu, foi enganado, ou vai lá saber o que aconteceu na puta da vida dela que nem o cara sabia ou tá dando uma de migué. Depois que o finado entra na porta do país dele, há outra seleção: rico, pobre ou meia-boca. Cada um vai para seu novo portão.

Tem uns Zé ruelas metidos a rico que acham que vão entrar no portão dos bacanas, levam uma carraspana e aí acham o rumo de onde nunca deviam ter saído, em vida . No portão dos ricos, logo se resolvem os procedimentos, pois são poucos finados. Na sequência de pobres e meia-boca, a seleção é por atividade exercida. Então tem as portas dos trabalhadores, dos patrões, dos funcionários públicos normais, dos barnabés e dos funcionários fantasmas, de sindicalistas, políticos, desocupados, chupins, criminosos e tantas outras especialidades.

"Depois que entra, aí tem a apuração para saber se a alma, quando vivente, foi honesta ou não. Sei que o finado fica rodando muito tempo naquela multidão. Ele entra numa fila demorada e, quando acha que acertou, a porra do nome dele não está na porta, vai pra outra fila e no final dela o nome não está na lista porque tinha outra classificação. Às vezes, o desinfeliz curte uma demora para lá de grande até achar ao lugar certo, pois é patrão, político, corrupto, ladrão e outras merdas aí roda roda e sofre na demorada procura. Mas quem mais pena mesmo é funcionário fantasma. Pense numa alma penada. É o fantasma. Eles rodam, rodam, e é muito difícil entrar no céu. Existe desse tipo rondando por lá desde o Império Romano, uma verdadeira multidão. Esses têm muitas restrições na ficha, que nem suja é, é imunda. Tem ficha que já está carimbada: imperdoável, aí babau!"

— Pô, meu, mas isso já é o inferno. O cara entrou e não sabe, tão enrolando ele — irritou-se Lagartão.

— Ainda não. Quando o cara acha o verdadeiro lugar, aí que vem o tal purgatório, paraíso e inferno.

— Mas o cara não havia chegado ao céu, porra? — indignou-se Polaco.

— Tudo nos reinos da Terra e do céu são etapas. No céu, a chegada é uma etapa, mas há os encaminhamentos.

— Existe burocracia assim? — perguntou Sabiá.

— Dizem que, no começo, não tinha. Mas com tanta gente chegando, se não houver essa organização, como seria? Ninguém ia querer respeitar fila e os mais velhos iriam se foder de novo.

— Mas não existe fila prioritária?

— Não. Isso é coisa de país pobre, onde as pessoas ficam velhas e não aguentam ficar em pé. Lá é democracia mesmo, além do que não precisa pressa. Na recepção, o setor dos que eram dirigentes religiosos aqui na Terra estava com filas enormes, entupetada de gente, alguns reclamavam porque tinha alma passando à frente, furando fila até no céu.

"Ali estavam também alguns enganadores do povo humilde, desonestos, ludibriadores. Ao lado, não longe, a entrada de bandidos, ferozes criminosos com a fila rápida, sem parar, pois eram pessoas honestas do ponto de vista do caráter ou seja era bandido e não tinha essa de disfarçar, era o que era e pronto, chega e já resolve a parada e entra logo, ou é céu ou inferno e vai. Quer dizer, já escorregavam logo pro inferno e tchau."

— Mas como é o depois, a chegada no final? Tô ansioso pra saber — falou o Pereba, que tinha chegado e estava ouvindo e tomando uma cerveja ali ao lado. Pediu mais uma pra ele e pro contador de história.

Farinha aprovou a pedida, agradeceu e continuou:

— Como falei, há paraíso, purgatório e inferno. Poucos vão direto para o céu, que é o paraíso. Só mesmo os anjinhos, as crianças, os sem pecados nenhum, nascidos na inocência total. Mas passou de anjinho, as pessoinhas começam a fazer merdinha, pequenas malvadezas. Na escola, colam na hora da prova, fazem *bullying* e iniciam assim a sujeira na ficha. Até pensamento vai para a balança. Com o volume de gente e a modernização, celular, internet, essas coisas, caiu um pouco a idade de anjo.

— Mas pensamento? Então, nós aqui tamo fudido duma vez? — questiona Lagartão.

— Não falei nada ainda. A maioria vai para o purgatório por uns tempos, fazer estágio. Os que têm carga mais pesada, vão direto para o inferno a certar as contas, pagar o tempo expiando os mal feitos, coisa duradoura.

— E me fale, os homens bombas, acharam as setenta virgens? — perguntou Pereba.

— Setenta? Nenhuminha! O cacete que acharam virgens e nem sem ser virgem que o céu não é lugar pra putaria e no inferno não tem virgem e mulher nenhuma pra esses babacas, que o Diabo não é otário.

— Cara, mas aí é cruel demais isso de morrer e ir para esse lugar aí — falou Lagartão

— Ué, você queria que fosse fácil? Inferno é inferno!

— Mas você não falou do capeta.

— Precisa? O capeta orquestra tudo isso e joga uns contra os outros, apimentando o sofrimento. O serviço do capeta é infernizar quem chega lá ao seu terreiro. Anda galopando de um lado para outro.

— Existe cavalo no céu? — perguntaram Sabiá e Pereba ao mesmo tempo.

— Ele galopa nas costas das almas de funcionários fantasmas, pois estão em débito pelos serviços não prestados. E ele galopa, mete reio e carca a espora.

— Mas depois de tanto tempo ele não se cansa, não enjoa, não se aposenta?

— Ele está nessa função porque fez alguma merda gorda e não tem saída. Acabou se acostumando e se diverte com isso tudo e faz o papel dele. E você sabe que a diversão remoça sempre e dá fôlego para ir adiante.

— Lá em cima ninguém dorme? — perguntou Sabiá.

— Capaz! Lá não existe dia e noite, é sempre amanhecendo ou anoitecendo. Não dá para saber nem se é em cima ou embaixo. É só um lugar sem ser.

— Mas depois de passar uns tempos no inferno e no purgatório as pessoas vão para o céu?

— É demorado demais. Quando começa a melhorar e o cara vai se aproximando do céu, tem que passar por etapas de purificação. O cara que gosta de rap tem que ficar tempos ouvindo bolero. Os que gostam de boa música clássica ou outras suaves, têm que ouvir rap. Quem é cristão, fica ouvindo citações do alcorão. Quem é mulçumano, fica ouvindo aquelas gritarias dos pentecostais, uma tortura de dar dó dos muçulmanos.

— Mas lá no céu não são separados os deuses? Por exemplo, nós com o nosso, os muçulmanos com Alá, os orientais com os deles, os gregos com seus antigos?

— Na na ni na não, isso é tudo propaganda enganosa, enrolação dos espertos terráqueos. Lá, no Além, é tudo um comando só. Esses outros são assessores: Jesus, Maomé, Buda, Zara, Tao; cada um com seu departamento, mas no geral não mandam em nada. Seguem as regras estabelecidas e ponto. Como aqui na Terra é uma grande zoeira, quem fica mais contente é o Diabo, que só se diverte com quem vai chegando desanimado, cansado e rabisbaixo.

— Mas o capeta não se cansa de receber tanta gente cheia de pecados?

— O Diabo não é besta, só trabalha quando quer. Quando está de saco cheio, manda os assessores trabalhar e se manda pras quintas dos infernos, que ficam lá no fundão.

— E aí fica mais tranquilo para os coitados que estão se esfolando no dia a dia?

— Tranquilo? Muito pior. Os assessores querem mostrar serviços ou desabafar os recalques, então o pau canta forte mesmo. Sádicos no último, põem a turma para girar a roda do inferno a todo vapor na maior velocidade. O sofrimento nota dez é a meta. Se são novinhos, esses encarregados querem mostrar serviço para ficar no lugar do chefe. Pura ilusão!

— Mas quem paga no inferno, passa pelo purgatório e depois chega ao céu, né que é? — pergunta o Pereba. — Quero saber é dessa parte, porque é lá que quero chegar. Quando tiver que morrer, sem pressa, claro.

— Ah, meu chapa! Não quero desanimá-lo, mas a caminhada é longa. Quando o sujeito chega lá, está no pau da rabiola, cansado, desinteressado. Fica lá no jardim bem desanimadão, naquele sossego chato, só a velharada resmungando. Uns rezam murmurando, outros cantarolam hinos religiosos. Anjos velhos voando lentos de um lado para outro, com as asas arriadas.

— Farinha, você falando assim não dá nem vontade de morrer, credo — disse Lagartão.

— É a vida. Ou melhor, é a morte: bem mais duradoura. Na noite que tive esse sonho estava era desmaiado.

— Quer saber, ô Farinha, já que não dá para mudar as coisas do além, vamos mudar o rumo desta prosa e tomar outra geladinha. Você vai cantar uma música para nós. Costela, traga o violão aqui para nosso cantor. Mas, cara, fale para nós: o que você acha que é o sonho?

— É a realização do absurdo. Vejo esses meus sonhos como um aviso, uma mensagem. Já me falaram para desenvolver, ser um religioso, um pregador de um novo tempo. Mas não sei. Com esse meu nome, acho que não vai pegar. Imagine: Profeta Farinha. Ah, não vai dar certo! Outros me falam que o que tenho é loucura. Pode ser também, mas certas loucuras é que ajudam a gente na travessia dessa vida tão difícil — encerrou Farinha, dedilhando o violão. — E agora vou cantar aquela da burocracia.

— Nãoooo! — gritaram todos. — A da burocracia, não. Cante outra.

— O CONVITE —

Depois de um mês e várias incursões, os apicultores estavam novamente na mata. Haviam jantado e se preparavam para dormir. Os companheiros estavam nas redes e João colocava mais lenha no fogo, que estava baixo, com uma luz pálida amarelada. Falou para Zacarias:

— Você se entrosou bem com a gente e aprendeu bastante de abelhas, bichos e mato. Vocês dois já sabem muito, como sobreviver na floresta e temos trocado ideias sobre esta liberdade gostosa que temos, além de ganhar dinheiro e pontos. Mas e se falarmos de uma liberdade maior, libertadora mesmo, de varar este matão e sair do outro lado? O que você acha? Tem coragem? Já pensou nisso?

— Aqui não tem bobo. Venho observando todas essas conversas e tinha quase certeza de que você ia me falar isso. Tenho pensado, sim, nesse treinamento que você faz com a gente. O Colibri vai topar?

— Sim. Desde o começo percebi que ele toparia, depois ficou entre dois e optei por você, que demonstrou mais aptidão para esse meu objetivo, que também é o do Colibri.

— Não descarto e agradeço ter me escolhido, mas preciso saber dos detalhes, para onde vamos e quando.

— Se você aceitar, os preparativos maiores já passaram, portanto não vai demorar muito. Mas é um trabalho que estamos fazendo sem pressa, porque não pode haver erro. Vou detalhar o plano de maneira bem curta.

Medeiros explicou o plano e deu o prazo de uma semana para Zacarias decidir.

— O VAGABUNDO —

O Pirata estava num banco da praça conversando com Chupim, que dizia não ter interesse em nada na cidade. Não queria saber de esporte, de reza nem de trabalho.

— Cara — falou Pirata — o dinheiro que entra todo mês é pouco para ter mais conforto, comer melhor.

— Quero nem saber. Nunca trabalhei lá fora quando não tinha salário. Vou trampar aqui?

— Mas você nunca trabalhou?

— Nunca, e não vou trabalhar nunca mesmo. Sou adepto do ócio. Li sobre isso e gostei.

— E como você se sente sem nunca produzir nada só vivendo do trabalho dos outros?

— "Se sinto" bem.

— Você poderia pelo menos estudar para não falar tão errado. É "me sinto bem" que se fala.

— Vai dar uma de professor para cima de mim?

— Mas você é um parasita para todos, um inútil neste mundo. Não tem vergonha?

— Também não precisa ofender.

— Que diferença faz pra você ouvir ofensas?

— Tenho meus direitos, e se for ofendido vou à justiça pedir reparação.

— Justiça pra você? Tome cuidado. Estou sabendo que há uns caras aí armando uma para você ir fazer nada lá no Polo Sul.

— Aí ficou ruim. O que você sabe sobre isso?

— Não sei de nada, não. Mas fique esperto. A jiripoca vai piar para o seu lado.

Nesse instante, passou um cara de bicicleta e gritou:

— Pirata, o que está fazendo aí com esse vagabundo?

Pirata foi embora e deixou Chupim, o vagabundo, com um trabalho na cabeça.

* * *

Os três apicultores chegaram à floresta com programação para ficar quatro noites. Conversavam ao pé do fogo quando João Medeiros perguntou:

— E, então, Zacarias, tem sua decisão?

— Sim. Pensei os prós e os contras, também a companheiragem e o que aprendi com vocês. Tenho confiança de que vai dar certo e me agrada muito lutar pela liberdade. A força da vida está na expectativa.

— É, a liberdade está dentro da gente.

— E você, vem pensando isso tudo há muito tempo?

— Sim. Ao redor de mim, nada é por acaso. As ideias da gente, é preciso ferver em fogo brando, esperar, esperar, ter paciência e agir na hora certa. Antes de chegar aqui eu já vinha elaborando o plano. Você aceitando, vamos para a última etapa. Quando começou com a gente, só dormíamos uma noite na floresta. Agora já dormimos quatro. Se ficarmos mais uma, não vão se preocupar. É preciso ter boa produção nos dias que antecederem a fuga, o que reforçará a confiança.

— Mas, se formos no auge da produção, todo esse trabalho será perdido?

— Não adianta deixar para ninguém, porque depois de nós não deixarão mais ninguém sair, a não ser que sejamos derrotados pela floresta e recapturados.

— Em nossa próxima vinda, vamos começar a trazer o que precisaremos usar na fuga, fazer um esconderijo, e, em todas as demais, traremos um pouco de coisas, como equipamentos, soro antiofídico, medicamentos e outras coisas. Ah! Precisamos comprar mais três limas e uma pedra de amolar. Plásticos, barracas e redes já vamos deixar aqui na moita. Desta vez, trouxemos as ferramentas para fazer o buraco no qual vamos guardar tudo.

— Ah! Agora entendi por que vieram pás e enxadão e você disse que era para caçar tatu.

— Outra coisa que quero falar para vocês: hoje, vamos ficar aqui, mas amanhã vamos sair cedo, rumo ao ponto leste, e iremos nos afastar mais da cidade. Daremos a volta inteira em dois dias de caminhada, até chegarmos ao trilho pelo qual sempre passamos para voltar à cidade.

E assim fizeram no dia seguinte: um giro de trezentos e sessenta graus contornando a cidade e chegando ao ponto de entrada.

Na próxima ida à floresta, fizeram uma buraco, o qual forraram com um plástico grosso, e começaram a guardar os itens que levariam na fuga, um pouco de cada vez.

João Medeiros conversava com os dois:

— Não podemos deixar transparecer nada de diferente em nossas vidas, em nosso cotidiano. Temos que participar da vida da cidade normalmente, frequentando as atividades, principalmente as que dão condicionamento físico. A esperança que se mostra luminosa para nossa fuga pode nos trair. Devemos tomar todo o cuidado e viver todos os dias pensando na fuga e como não nos trair.

— Achei bonito você falar em esperança luminosa.

— Li num livro de um escritor russo, faz tempo, lá na biblioteca. Acho que foi Dostoiévski. Uma coisa que é preciso cuidar é de levar na fuga só roupas claras, porque as escuras atraem mais mosquitos.

Ao dizer isso, João ficou mexendo nas brasas e colocando mais lenha no fogo. Lembrou que precisava pegar na cidade o anzol para fisgar jacaré que havia encomendado com Cleiton, o mecânico habilidoso de uma oficina de bicicletas.

—— ALEMÃO E JACARÉ ——

Na praça Ovo de Colombo, num banco sombreado, três amigos conversavam sobre as prisões do país.

— A tendência é ir reduzindo a população carcerária — opinou Alemão. — As drogas foram liberadas; o jogo do bicho e os cassinos, legalizados. Ninguém é preso por trabalhar nisso nem precisa molhar a mão da polícia. As crianças são muito mais bem encaminhadas e estudam o dia inteiro. Nenhuma é mais coagida para o crime desde cedo. A justiça é mais ágil e não se fica muito tempo sem processo concluído. Uma parte que é condenada fica no sistema de chip, tornozeleira ou outras penas alternativas. Quem vem para cá, se se enquadrar e esforçar, sai na metade do tempo.

— Acho também que, se o cara for esperto, vai embora com emprego e sai da vida torta — advogou Jacaré.

— Dizem que tem até esquema para arranjar casamento — emendou Taíde.

— Não fale bobeira, não. Estamos falando que a tendência é diminuir a quantidade de presos no país.

— O que diminui mesmo o crime é a melhora na economia do país, criando possibilidades.

— Mas a pena máxima passou de trinta para quarenta anos.

— Isso é para evitar que pessoas muito ruins, fora da conta e sem recuperação, fiquem só quinze anos e voltem para praticar barbaridades. Tem que ficar pelo menos mais cinco anos se fizer tudo certinho — explicou Alemão.

— Esses tipos não se enquadram. Eles acabam aprontando aqui dentro e vão ficando — argumentou Jacaré.

— Não sei, não. Tem pessoas que se acham fera e correm mais riscos. Conheço valentões que estão pianinho aqui, porque cada um está cuidando dos próprios pontos. Quem era forte porque tinha turma, está só. A valentia já era. Ninguém pode nem ouvir falar em Polo.

— Só sei que está ruim aqui nessas distâncias: sem família, sem mulheres. Tempo bom era aqueles da roubalheira total — disse o Jacaré.

— Nem me lembre como era bom aquele tempo! O povo estava solto, era uma roubalheira geral. A gente corria frouxo — concordou o Alemão.

— Não dá para viver do passado, não adianta mais.

— Acho bom lembrar aqueles dias. A gente não precisava viver escondido, era só dar umas merrecas pra polícia.

— A vida da gente é uma vida bandida, mas mais bandido ainda é policial que é bandido.

— Os que estão aqui com a gente não podem ser discriminados porque eram policiais. Eles são é malandros finos. Eram bandidos e foram contratados para ser polícia.

Alemão gargalhou e disse:

— O danado do bandido que vira polícia passa a trabalhar do nosso lado, armado, dentro da lei, protege a gente e recebe salário do dinheiro público. É mesmo uma gozação em cima da sociedade que paga o cara. A gente só se ferrava quando pintava um tira honesto.

— Nem fale! E o pior é que a maioria era honesta, mas a rapaziada dormia com um olho aberto. Agora isso mudou e o bicho pegou, ferrou geral.

— Não é só na polícia que existem os tortos. Em toda profissão há os ovelhas negras: em banco, empresas, médicos, professor, até padre e pastor. O ser humano é confusão no ajuntamento.

— É, o Jacaré tem razão. Bons tempos aqueles! Era todo mundo roubando: políticos, empresários, pessoal do futebol, juízes, administrativos, subalternos, cada um no seu nível. Também polícia, postos de combustível, médicos. Fiscais então... Quase uma piada. No descontrole do egoísmo, o ser humano chega a um grau de desordem inaceitável. Os honestos só se ferravam, carregavam o piano e pagavam a conta.

— Era uma farra. Deu no que deu, todo mundo se fodeu. Pior: criaram esta cidade e estamos aqui no cu do mundo. Ficamos no prejú — desabafou Alemão.

— O pior mesmo foi a guerra. Estamos aqui, mas muita gente morreu, outros fugiram do país ou estão com chip na bunda — riu Taíde.

— Calma! Não é na bunda, é na orelha.

— Sei, não. Dizem que colocam o chip em tudo que é lugar, escondidinho.

— Que avacalhação! A meninada foi crescendo naquele meio descontrolado, sem freio, com muita droga proibida, assaltos, e foi se pegando o gosto em matar por nada. As famílias ficaram no medo, sendo assaltadas, assassinadas e pagando altos impostos, só tinha que explodir.

— Mas tudo tem um fim, até a maldade.

— Um fim não. — corrigiu Taíde. — Tem um freio. É que nem aqui. Acha que esses homens ficaram bonzinhos? Eles têm é medo, então se enquadram para não morrer e juntam pontos.

— É, mas há muita gente trabalhando sério.

— Jacaré, você mesmo, quando for embora, vai se enquadrar e trabalhar? — perguntou Alemão.

— Não sei ainda o que vai ser. Mas quem não se enquadrar lá fora, volta para uma vida pior aqui.

— Estou sabendo, vai lá para o fundão. E de lá para o fim do mundo mesmo, no gelo.

— Nem fale isso que me arrepia! Se aqui já é o fim do mundo, imagine lá!

— Dizem que lá é pior que o inferno, porque onde comanda o capeta existem fogo e luz. Lá não, é só gelo e escuridão, uma noite que não acaba.

— Não há mais como piorar o coração dessa gente. Está perdendo a graça ser bandido.

— Tudo está perdendo a graça. Até as drogas, agora liberadas, perderam o encanto.

— Verdade!

— A ONÇA PINTADA —

Depois de várias vezes indo à floresta, os três estavam no acampamento-base embalando mel para levar uma boa quantidade, demonstrando que estavam num bom período de produção. Na verdade, já vinham estocando o produto, e essa ida à mata era mais para organizar a última volta à cidade. Finalmente irão se despedir de Renascença. A ansiedade aumenta.

— Hoje não dormiremos aqui — disse João — Vai ser em outro lugar. O mel para a cidade está pronto. Iremos acampar no lado leste, que fica no rumo da fuga. Vamos conhecer o trecho que pudermos caminhando dois dias, usando o facão o mínimo possível, fazer a marcação com os retalhos vermelhos. No dia da fuga, a gente segue este caminho e vai tirando as marcas. Isso nos dará uma boa dianteira. Juntando com os cinco dias que eles vão demorar para descobrir nossa escapada, significa um avanço ainda maior. Além disso, a pista que eles vão seguir serão nossas pegadas, que sairão do portão direto para o rio, que é o lado oposto de onde estaremos indo. Deixaremos as tornozeleiras na margem e entraremos na água. Nossas pegadas sumirão. Voltando do rio, tenho um plano que não posso falar ainda, pois não tenho certeza, mas fiquem tranquilos porque um deles vai acontecer.

— Mas os cachorros vão sentir o caminho que faremos por último.

— Espero que chova até começarem a perseguição dificultando para os cachorros. No início, vão nos procurar pela pista oposta. Depois, irão pela pista que já preparamos contornando a cidade e voltarão para o ponto de partida no portão da cidade. Isso vai nos dar mais tempo ainda.

— Você tem ideia de quantos quilômetros vamos andar e quanto a gente consegue andar por dia?

— Aqui é muito longe de tudo e não dá para saber quantos quilômetros se percorre no dia. No mato, as dificuldades para a caminhada vão surgindo a cada passo. Dão-se muitas voltas, não se consegue andar em linha reta. E vai haver dias em que não dará para andar por falta de sol ou por chuva intensa.

— Mas você tem o equipamento que dá a direção, é só seguir.

— Quero confiar na tecnologia, na antiga bússola e no velho sol. Não quero correr riscos, a floresta é um mistério. As energias que existem fazem acontecer coisas estranhas. Os antigos conhecedores das matas falam de um cipó, do qual se a pessoa passar perto se desorienta, perdendo o rumo, o que não é difícil nesse mundo que parece de pura imaginação. Ande cinquenta metros e se volte pra cá e pra lá e pronto está perdido. Na mata não há clareza de direção.

"Há também o cipó-jiboia, atraente, que faz a pessoa voltar ao mesmo lugar depois de muito andar. E dizem que existe o pau-ferro, que desorienta a bússola e qualquer parafernália tecnológica. Já o sol não sai do rumo leste-oeste com pequenas variações, nas altas latitudes, o que não é nosso caso."

— Onde você aprendeu essas coisas? — perguntou Zacarias.

— Durante a vida. E muitos detalhes aprendi recentemente, estudando na biblioteca em Renascença.

— Mas muitas dessas coisas da mata são lendas. Você acredita nelas?

— Olha, Zacarias, se acredito ou não é outra história, mas que se perde, isso eu acredito.

— Você acredita em Mãe da Mata, Pai da Mata, Curupira? — perguntou Colibri.

— São lendas que se criaram baseadas nos acontecimentos que as pessoas vão vivenciando, aprendendo e transmitindo sobre as correções que a natureza impõe aos exageros. Se o cara faz muitas vezes uma coisa errada, chega uma hora que acontece um revés, então dizem que a punição foi feita por alguma entidade. Há também o Caboclinho da Mata. A floresta tem seus protetores. A Mãe da Mata deixa certos lugares muito limpos sob as árvores, parece que foi varridinho. Vamos ver se encontramos um lugar desses nessa nossa caminhada.

— Prefiro não encontrar — falou ligeiro Colibri.

— Também não quero ver. Pelo que sei, onde fica bem limpinho assim é lugar de sucuri se enrolar e ficar tomando uma luz do sol.

— A sucuri pode ser uma Mãe da Mata.

— É assim que funciona nesse mundo cheio de mistérios, que podemos chamar de mundo encantado.

— Outro dia falamos de sucuri perto de Jesus Preto e ele se mandou, foi embora rapidinho.

Após fazerem uma boa refeição, organizaram-se para avançar. Medeiros tirou um mapa da grande região norte, sem detalhes, mostrando apenas os rios maiores e, então disse:

— Acho que estamos desse lado e seguiremos nesse rumo para chegar àquele rio grande ali, o Negro. Vamos topar com vários rios, mas temos que atravessar todos até chegar ao maior.

Os outros dois olharam, sem dizer nada. João guardou o mapa e seguiram para o lado oposto ao portão da saída da cidade.

Chegando ao ponto leste, acamparam. Ao alvorecer do dia seguinte, com a mochila nas costas, uma sacola com pedaços de pano vermelho a tiracolo, preguinhos no bolso e um martelo na mão, João pregou na árvore próxima dois pedaços de pano, um vermelho e outro branco, e mencionou:

— No retorno, esses dois e o sinal da fogueira indicarão que voltamos ao ponto de partida.

Caminharam o dia todo, de vez em quando colocando o retalho vermelho numa árvore, e foram seguindo sem muitos embaraços, só encontrando algumas cobras; mosquitos, como mutuca, mutucão, meruim e pium; formigas de vários tipos; árvores com muitas lagartas-de-fogo. Não faltava o canto da cigarra. Viram correr alguns animais grandes, como veado-mateiro, pacas, tamanduás e catetos. Muitos pássaros voavam, cantavam, outros pareciam gritar, saudando os passantes. De vez em quando, macacos pulando nas árvores provocavam um ruído assombroso.

Por várias vezes tiveram que sair do rumo para contornar enormes moitas que se formavam com a queda de grandes árvores. Era preciso contornar e retomar o rumo a seguir.

Na luminosidade fraca da mata, o fim do dia já se anunciava, com a floresta escurecendo devagar. Os homens, já cansados, chegaram a uma verdadeira cortina de cipó-timbó, que fecha tudo num longo trecho. Resolveram, então, pernoitar, haja vista que, além de estar difícil seguir em frente, ali seria uma proteção contra algum possível ataque noturno. Acamparam ao lado de uma preciosa, de onde tiraram pedaços de cascas para fazer um chá com água extraída das grossas raízes de um tipo de embaúba, que João orientou Zacarias a cavar com o pequeno enxadão e a machadinha.

Colibri acendeu o fogo. Estava escuro quando roncou a trovoada, anunciando aguaceiro, mas ainda não havia vento movimentando as copas. Fizeram uma refeição rápida para evitar comer com chuva, estenderam a lona — amarrando bem as pontas, de forma a facilitar a coleta de água —, deixaram os cantis e as vasilhas no jeito. Colibri cuidava de fazer o chá com as cascas.

— Quanto menos açúcar utilizarmos, melhor para a saúde. Sente-se mais o sabor do chá e precisamos carregar menos peso — explicou João.

— E quando acabar o açúcar? — perguntou Zacarias.

— Açúcar é pesado, não dá para levar muito. Mas existem plantas no mato que dão açúcar.

— Você conhece alguma?

— Fora o mel, que estaremos preparados para coletar, tem a palmeira-buriti. Em nossa viagem, quando a gente for acampar, se localizar uma por perto, faz um furo no tronco e deixa escorrer uma seiva durante a noite. Em seguida, deixa cristalizar e se tem o açúcar. É um produto bom para quem tem diabetes.

— Falou, doutor!

— Não estou brincando, não, Colibri. Assim é a natureza: de onde saem as bases de todos os medicamentos que existem.

— O João entende bem das coisas do mato. Isso dá segurança para nossa empreitada.

— Mas há coisas que podem fugir ao controle, como um animal feroz, cobra, índios bravos, acidente em tempestades, machucar-se numa raiz aérea, alguma doença, inundações quando chegar nas partes mais baixas, igarapés volumosos, extensas áreas de igapó, e nessas águas jacarés e sucuris. Não dá para esquecer o caso do finado China, aquele da fuga frustrada.

— Há ainda a travessia de rios fundos, que certamente estarão em nosso caminho — emendou Colibri.

— São todos esses riscos que correremos — falou Zacarias. — Para mim, só por eles já vale a pena viver.

— Um tempo atrás você deu um apelido para esses riscos. Como era mesmo o nome? — perguntou Colibri.

— Você lembra de cada coisa, hein, cara?! Acho que se refere ao imponderável.

— É isso mesmo. Quero lembrar, mas nunca consigo aprender esta palavra bonita: im... Nem sei falar. Esqueça! O chá tá pronto e com pouco açúcar. Vamos tomar quentinho e espichar na rede, porque o trovão está chegando. Nas árvores, o vento já está chacoalhando as folhas. Os mosquitos loguinho vão dar o pinote.

— Tomara que nenhum raio derrube galho para o nosso lado — disse pensativo Zacarias.

Era alto o barulho de trovões, raios e vento, cada vez mais fortes. A natureza se agitando.

— Nessas horas a bicharada toda se recolhe. É cada um no seu canto, esperando a vida voltar ao normal. Eles entendem de crises.

— Cara, se existe uma coisa chata no mato é isso: temporal — disse Colibri. — Não há onde se segurar, e o mundo desaba em volta, com trovão, água, raios, vento, folhas, bichos que despencam com galho e tudo num barulhão assustador. É o cachorro gritando e a peia comendo. Pra quem não vive isso, o contar não esclarece. O cara se sente frágil, impotente perante as forças da natureza. É muito assustador. Quem acha que tempestade em cidade é feio, não tem noção do que seja isso na mata.

— Colibri — pergunta Zacarias — o que é isso de cachorro comendo que você falou?

— Ih, cara, agora você me apertou na explicação! Aprendi com ele aí. João, explique de novo, mas acho que quem estava comendo não era o cachorro, não.

— É uma expressão da região Norte para os apuros que as pessoas passam, a vida e suas dificuldades, e a peia não é bem no cachorro, é a dureza da vida— tentou esclarecer Medeiros.

— Mas nesse momento, a água bateu forte e não demorou para o vento amainar, os raios diminuírem, os trovões ficarem mais longe, indo para o fundo da mata e levando junto o calorão do dia passado. Um ar fresco deixou tudo mais leve, e dois dos homens dormiam. Medeiros atiçou o fogo e ficou fora da tenda de lona grossa que protege o fogo da chuva. Recolheu a panela com água que caiu na lona e encheu os cantis. Olhou para o alto das copas e viu nesgas de céu por onde as folhas deixavam passar, de forma intermitente, e o brilho de algumas estrelas. A água retida nas árvores desciam em pingos grossos e lerdos, batendo em outras folhas ou caindo direto no chão forrado de folhas velhas, provocando um barulho que se estendia pelo escuro.

João fez café, que estava quente e forte, fumegando na caneca. Ele assoprava e tomava lentamente. Ao mexer no fogo, ruminava seu plano. Era a parte final para a escapada, o que aumentava a tensão e a preocupação com os detalhes para que não houvesse falha nessa fase da operação, sem poder esquecer nada que precisasse levar na fuga. A mata estava calma, estranhamente calma. Nem um pio de pássaros, nem macacos, nada se movimentava. Ele tateou as folhas com os pés e andou olhando a escuridão, testando seus limites para os detalhes do desconhecido. Caminhou na direção do fogo e se acomodou um tempo. Às onze horas, acordou Zacarias para o revezamento.

— Parou de chover? — perguntou o Zacarias.

— Sim, sem chuva nem vento. Tudo calmo essa noite, mas não vá dormir, tem café quente ali na beira do fogo.

Enquanto João se ajeitava na rede, Zacarias lavou o rosto e tomou café, remexendo os tições, atiçando as brasas. Em seu pensamento, voltava sempre a preocupação de estar num mato daqueles e não ter arma de fogo.

Na mais silenciosa madrugada, ao longe, um animal emitiu um som rouco, arrepiante, difícil de definir. Zacarias se levantou num pulo. Seus olhos e ouvidos vasculharam a escuridão em busca de um sinal, um vulto. Mas nada, só o silêncio inquietante no ar escuro da noite. Ele sentiu uma sensação ruim que pensou ser medo. Esteve a ponto de chamar os colegas, mas refletiu e achou melhor deixar assim. Não se sentou junto ao fogo. Seus pés estavam inquietos e seus olhos se enfiavam pela escuridão. Enfiou a mão no bolso direito e acariciou as bombas. Um cheiro forte invadiu suas narinas, mas não era das árvores, e sim um odor diferente. Das folhagens, já não caíam os pingos restados da chuva.

A cortina de cipós protegia um lado do acampamento, e o homem parecia ter ouvido um leve ruído vindo do outro lado. Sentiu o cheiro do bicho no mato com os olhos escondidos, bateu a luz do farolete lentamente, tentando encontrar. De repente, os olhos brilharam no foco luminoso: a onça estava quieta, paralisada pelo facho de luz. Ele travou, mas foi tudo muito rápido. Uma bomba ecoou na floresta com ele gritando palavrões contra a visitante, que disparou pelo mato. Os outros dois acordaram assustados, pulando da rede, segurando seus punhais.

Zacarias estava trêmulo e, na ponta dos pés, procurava enxergar algo por onde o barulho se afastou. Falou, alto e nervoso:

— A pintada estava aquizinho, atrás da cortina.

— Você tem certeza que era uma onça? — perguntou João.

— Certeza? Quando bati a lanterna, os olhos da bicha pareciam dois faróis. Fiquei inteiro arrepiado, mas dei um susto nela.

— Só nela? Quase me matou, cacete! — esbravejou Colibri.

— Você queria o quê? Que eu falasse para ela: "Dona onça, dá para a senhora ir embora que meu amigo Colibri está dormindo?"

— Tá bom Zacarias. Você fez certo, e melhor ainda é que viu o animal — afirmou João.

— A sorte foi essa parede de cipó, mas se estivessem todos dormindo a chance de ela ter atacado era total.

— Amanhã, vamos marcar o caminho até meio-dia e voltar para acampar aqui de novo. Esse cortinado é muito bom. Vamos fazer duas fogueiras, porque a onça vai nos rondar. Não podemos vacilar, ela sentiu nosso cheiro.

— Já são quase duas horas. Depois dessa ação, já fiz minha parte. Você assume agora — falou, olhando para Colibri. — Mas veja se não deixa a onça comê-lo e não me acorde com bombas.

— Vou falar para a onça comer você.

— Só eu mesmo. Vocês, magrelos assim, ela não vai querer, não, fui!

Colibri, depois de examinar tudo em volta, acocorou-se perto do fogo, colocou mais lenha, pegou o bule e serviu café na caneca, cantarolando uma canção antiga, enquanto bebericava lentamente. Por seu pensamento, passava como era gostoso ficar assim, na liberdade. Só faltava não ter perigo. Mas tinha, em todos os lugares. Talvez na mata fosse até menos perigoso.

"É", pensou, "só que não dá para passar a vida toda na mata. Viajar pela floresta é bom, mas morar é outra história", concluiu. De repente, um grito de surucucu-pico-de-jaca o fez levantar e ficar atento aos ruídos vindos do escuro. Ele varreu com o olhar o chão em volta do acampamento e perguntou a si mesmo, baixinho: "Essa cobra vem pelo chão ou pelas árvores?" Passou a luz do farolete pelas ramagens próximas, examinando tudo.

Colibri, quase cochilando na beira do fogo, olhava as brasas de farol baixo. Percebeu o romper da aurora e a luz pálida da manhã, trazendo o novo dia. A cantoria dos pássaros dava vida ao ambiente. Enquanto tomavam a primeira refeição com café, rapadura, carne-seca, farinha e pão de forma, ele perguntou:

— João, lá na cidade, os homens não estão vendo pelas tornozeleiras que estamos nos afastando muito em linha reta? Não podem desconfiar?

— O que andamos aqui parece muito, mas lá para eles não significa tanto. Creio que não se preocupem. Vamos andar até meio-dia, o que vai dar no máximo mais alguns poucos quilômetros. Além do mais, se acontecer isso que você está falando, quando eles acharem que há algo errado vão perceber que estamos voltando, só procurando abelhas.

Ao acabarem de comer, levantaram acampamento e continuaram a pregar as fitas vermelhas até o meio-dia, quando pararam para almoçar e conversaram sobre esse ponto:

— Vocês lembram que falei, há tempos, da necessidade de sermos muito rápidos no início da fuga? Temos que nos distanciar o mais rapidamente possível da cidade, para depois levar a caminhada sem pressa, cuidando da alimentação e evitando acidentes e os tantos perigos que a floresta tem.

"Para chegarmos até aqui, a caminhada será mais rápida no dia da fuga. Seguindo a marcação, vamos nos adiantar muito, andando rápido, sem preocupação com rumo, descansando pouco. No fim do dia, enquanto der para vermos a marcação, vamos em frente, acordando muito cedo para não perder tempo. Ninguém vai conseguir nos alcançar. Nossa dianteira será muito grande. Além do mais, temos uma motivação; eles, não. Quem tem mais motivos são os chefes, mas eles não virão numa bocada dessas. Isto aqui, para quem não está bem-preparado, é suicídio. Preparei nossa fuga por quase dois anos."

— Mas eles têm cachorros e helicóptero.

— O helicóptero não consegue ver ninguém aqui embaixo. Os cachorros só vêm com os soldados, mas não vão nos achar. Depois de uns dez dias se batendo na mata, no meio da mosquitada e de outros bichos, eles vão desistir e falarão que a gente morreu por aí.

— Bem — falou Zacarias — A vida é um jogo, e nele estamos perdendo, já num ponto que tanto faz, então vamos jogar tudo no campo da liberdade. A gente nasceu com ela e a perdeu nesse campeonato bruto que é o jeito de pobre viver, mas competição tão leve para uma parte pequena de gente, os bafejados pela sorte.

— Bem, rapazes, esse é o ponto. Daqui para a frente é o desconhecido e a possibilidade de escaparmos. Está feita a marcação. Vamos voltar para chegarmos à cidade dentro do programado.

A mata estava clara. Bandos de araras passavam em algazarras, vermelhas e amarelas. Havia muitos papagaios, tucanos e outros pássaros. De vez em quando, surgia uma turma de macacos. Pelo chão, não faltavam as formigas, lagartas, aranhas e cobras. Quando estavam se aproximando do acampamento da noite anterior, redobraram a atenção, haja vista que o felino poderia estar por perto. Era preciso andar muito próximo um do outro, com o último da fila sempre olhando para trás. Também com o olhar esperto nas árvores grossas, gigantescas, envoltas em galharias e cipós, criando ambiente propício para a moradia de animais. Era preciso cautela, porque uma onça poderia vir até pelo alto.

Chegaram ao acampamento do cipoal no fim do dia, ainda com luz suficiente para tirar água de um cipó vermelho e encher a panela.

A preocupação com a onça tirou a tranquilidade do sono de todos eles. Um dormiu e dois ficaram acordados, proseando baixo e atentos a qualquer cheiro de bicho e ruídos.

— Temos que ficar esperto, mas acho que ela não vem. Aquela bomba assustou a pintada.

— Sei, não! Animal é igual gente: quando tem fome, esquece o perigo.

— Sim, é melhor ficarmos em dupla. Se ela vier do lado que não tem cortina, não sei que merda vai dar.

— Ela tem medo do fogo. O negócio é alimentar bem as chamas e torcer para não chover forte.

— Acontece que estamos com pouca lenha, e se afastar para procurar não é muito inteligente.

— Vamos os dois com os faroletes. Lenha aqui nunca está longe.

— Aí ela come o Colibri.

— Come só a cabeça, ele está muito magrelo.

— Melhor deixar quieto; ou vamos procurar lenha os três juntos, quando ele acordar para o turno.

— Sabe, Zacarias, a onça é um animal tinhoso. Temos que tomar o máximo de cuidado hoje e amanhã e no dia que passarmos aqui, porque às vezes a danada segue as pessoas por dias, sabe que é comida que está perto.

E assim passaram a noite, com sono e com medo, dormindo com um olho aberto. Mas a onça, se esteve por perto, ficou preocupada com a movimentação e não se manifestou.

Antes de entrar na cidade, João Medeiros combinou com os companheiros: se perguntassem por que eles haviam se afastado mais do que o normal, diriam que apareceu um ser estranho, com aparência da Mãe da Mata, que lhes disse para acompanhá-la a fim de ver um tesouro. Caso os guardas perguntassem a roupa, o cabelo, a cor e outros detalhes do hipotético ser, responderiam que não conseguiram ver, pois se tratava de um vulto que ia e vinha.

Ninguém, no entanto, perguntou nada.

Mais tarde, Colibri explicou:

— Viu como nascem os bichos e as lendas? É como esse bicho que a gente criou para uma possível necessidade.

— O VITALINO —

Vitalino, num estado contemplativo, via junto à janela o fim da tarde, com o sol se pondo no calor abafado do dia úmido. Era um homem de idade avançada para estar numa prisão. Tinha cabelos brancos, rosto vincado pelo tempo e olhos cansados. Escondeu o máximo que pôde sua doença quando soube que iria para uma cidade na selva.

Tinha certeza de que a morte estava próxima e ficou feliz ao saber que estaria num lugar mais livre e humano do que aquelas prisões imundas.

Agora estava ali, nos finalmentes. Com febre, olhava sem ânimo o jarro de água sobre a mesinha.

Maurício chega em casa vindo do trabalho e encontra Vitalino a gemer em suas dores.

— Como está, Vita?

— Foi bom o senhor chegar, doutor. Acho que estou com febre. Dê-me um copo de água.

— Você quer tomar um remédio para cortar a febre?

— Não quero mais remédios. Está vendo aquela caixa ali na mesa? Jogue fora, não me serve mais — em seguida tossiu e falou com voz baixa: — Vou aqui arrastando que sobrou de minha vida, no roteiro de Deus, por ele deixado pra mim. Não estou bem. Saí do hospital, deixaram-me vir para casa, mas sinto que estou no fim. Prefiro aqui, fico na janela olhando o movimento da cidade, a floresta, os pássaros. Mesmo assim, nos sofrimentos da gente, o dia demora a passar. Assim, vou indo para o crepúsculo de meus dias — depois de um silêncio, Vitalino continuou:

"Sabe, Maurício, é hora de partir. Chega desse mundo. Sou do tempo da lamparina. As novidades de hoje não me cabem, eu era feliz daquele jeito. A vida foi perdendo as cores, perdendo as graças. É bom eu ir. Na verdade, é necessário e normal. Às vezes, me baixa uma tristeza quando penso que não vou mais ver a lua, mas logo faço isso escapulir de meus pensamentos."

— Que isso? Logo vai estar com a gente lá no bar. Também vence seu tempo de prisioneiro e vai nos deixar em breve. Vai lá fora organizar a vida de novo.

— Conversa fiada! Já curti muita cadeia. Estou velho tanto para regenerar quanto para continuar no crime. As paixões há muito não me perturbam mais, a vida murchou, vem o peso dos anos e os maltratos acumulados. Minha ampulheta virou faz tempo e sinto que a areia está acabando, a vida é muito difícil mesmo. Estou aqui sem prazer nenhum, num reme-reme sem fim e inútil.

— Você tem rezado? Acredita em Deus?

— Veja esse céu azul tão lindo! Dizem que Deus está lá, só que esse azul é imaginário, não existe, é o espaço vazio do Universo. Deus não está lá, e sim mais perto, aqui dentro de minha cabeça, da sua. Na crueldade que se vive e com todas as dificuldades que aparecem, é difícil entender o significado da vida e por que tudo é assim. Então, a busca de Deus se torna um caminho possível de trilhar, mesmo sabendo que é difícil vê-Lo. Mas a esperança de encontrá-Lo vale a busca, principalmente quando está chegando o fim. Aí a possibilidade aumenta. E é necessário que aumente, pois na proximidade da morte é que Deus é mais necessário. A fé leva a esse caminho com serenidade. A hora do só é a hora de Deus.

Vitalino tossiu e pediu um pouco de água e depois falou com uma voz cansada e pousada, quase não podia, mas queria falar, fez uma pausa e continuou:

— Tem pessoas que levam a vida cor-de-rosa, enquanto para outros só há desencontros, tragédias e tristezas. Para uns, é tudo muito difícil na passagem por esse planeta bonito. A vida é um caminhar constante, que começa doce e alegre e, de repente, tende a perder esse sabor e o amargor vai dominando, parece que quanto mais avança mais amargo fica. Na morte, a gente não devia sofrer doente, a gente devia tornar-se bruma, evaporar.

— São os desígnios de Deus — disse Maurício..

— Eu aqui com meus fantasmas, vou vivendo os finalmentes, olhando os pra trás e os pra frente. Sabe, doutor, eu guardei aquela frase que o senhor me falou: "No começo, vem um longo futuro diante de nós, no fim, um longo passado atrás de nós".

— Gostei de saber que você guardou essa frase de Schopenhauer.

— Vejo as mudanças trazidas pelo tempo e matuto, com meus

botões, a necessidade da morte. Mas a boa morte, essa que vem no tempo certo, cercada pelos confortos, homenageando os dias vividos. O que não se pode é aceitar a morte de jovem. Mas quem já viveu, passou, tem que se finar.

— Como você acha que a velhice pode ser melhor?

— Eu acho que o cara caminhando para a velhice tinha era que fumar muito, tomar todas e cair na esbórnia, sentir forte os sabores da vida, aí logo se findava para não sofrer as doenças e o abandono no fundo de uma cama. A solidão é triste para quem teve a vida agitada, sofrida, mas muitas vezes alegre. Não se merece sofrer tanto assim no fim. Cada um podia comandar sua vida até o derradeiro dia. Perdeu o comando, ficou dependente, acabou a beleza do viver.

— É — disse o advogado Maurício. — A busca da felicidade é uma corrente que não pode se romper. Todo mundo se bate na busca e ela está bem perto, dentro da cabeça da gente; o problema é a cegueira.

— Pois é, um horizonte que encontramos por caminhos fáceis e tranquilos, ou complexos e difíceis. A pessoa traça seu rumo. A felicidade depende daquilo que somos, de nossa individualidade e de nossos limites. Tem gente que, por mais que consiga avançar nos objetivos, não alcança a felicidade. No livro da vida, minha história está chegando ao fim. Estou tranquilo, pois vivi o que tinha que ser vivido.

"Arrastei minha coragem e meus medos pela vida. Agora, que estou indo embora, não tenho medo. Não me revolto. Sou fruto do meu meio, andei pelo caminho que escolhi, não culpo ninguém. Tive que viver minha vida e vivi; foi boa e ruim, como a da maioria. Não vejo muito segredo. Nasci, cresci, vivi e morro. Simples assim. Nunca fui um homem bom, em coisa nenhuma. Só fui um homem como tantos. Nunca me iludi nem acreditei em muitas coisas que dizem por aí sobre o Além, destino, crenças... Não precisei. Vou em paz, sem receio. Pelo menos, nessa hora, posso dizer que sou um forte, pronto para enfrentar o último momento."

— Admiro você. Quando chegar minha hora, quero ter sua coragem.

Vitalino dormiu mal e, apesar da insistência dos colegas, não quis ir ao hospital. Pela manhã, Vitalino levantou quando as barras do clarear vinha inundando o mundo lá fora. Maurício ajudou a amigo a ir ao banheiro e depois o colocou junto à janela.

Coou o café, colocou na caneca e levou para ele que olhava a imensa floresta se inundando com a luz dourada jorrada pelo sol que lentamente foi surgindo. Aquilo tão belo encheu Vitalino de emoção. A janela aberta deixava entrar o facho de luz do sol.

— Sabe, Maurício — falou Vitalino com a voz muito fraca — Quando era jovem, sempre gostei de ver o dia nascer; o frescor da manhã me fazia bem. Agora vejo o sol por cima das árvores e isso me dá uma sensação boa. Apesar de tudo que fiz, estou indo embora em paz. Sinto as forças se acabando, o fim está chegando.

— Você não quer mesmo ir ao hospital?

— Bobagem! Já vim de lá desenganado, agora é só esperar.

Maurício saiu de perto de Vitalino e foi falar com Sorvete, colega de quarto:

— Sorvete, pegue seu celular e vá rapidinho falar com o Leandro. Peça a chave para entrar na torre do sino e aguarde que vou ligar no momento certo para você badalar. Se ele puder estar junto, melhor. Sorvete saiu correndo.

— Vitalino, você está com medo?

— Não Maurício, com medo não, sinto paz, mas também um pouco de solidão, acho que por não ter tido família.

— Mas estou aqui, sou seu amigo.

— Obrigado. Segure minha mão.

— Você quer um padre ou um pastor?

— Não quero reza nenhuma. Quero falar das flores que alegraram meus olhos pela vida a fora. As flores que vi nos campos. — Vitalino falava agora mais devagar.

"A beleza simples de muitas delas, as flores silvestres, suas cores, os encantos, as quantidades, as diferenças. As flores nativas são tantas e muita gente não vê, outros não percebem, não tem tempo de enxergar. São tão lindas espalhadas na vegetação que parece um mato qualquer, mas você se aproximando vê as amarelas, brancas, azul forte, azul clarinho, vermelhas. Algumas são rasteiras, outras com hastes. São pequenas e outras menores ainda, quase só um ponto colorido meio escondido no verde rasteiro. São redondas, compridas, achatadas, em cones, em cachos. São lindas cores enfeitando o chão da Terra. Eu, assim falando das flores, esqueço minhas dores e minhas maldades e me vou tranquilo... Apesar de tudo, a vida tem lampejos de ser bonita, uma ilusão bonita."

—Isso — disse Maurício. — Lembre-se agora das coisas boas que aconteceram em sua vida. Você está num lugar bonito, uma bela floresta e cheia de pássaros, de flores.

— Estou vendo as cores, são muitas flores, que caminho bonito, suave, cheio de pássaros coloridos, estou indo — falou ainda com um fio de voz, num sussurro abafado.

Maurício ligou para Sorvete e o sino começou a tocar.

— Maurício, estou ouvindo o badalar do sino, que bonito que é, uma luz se abre em meu coração, uma luz de paz. Tão lindo é, tão lindo!

Lá fora as araras passaram, amarelas, azuis, vermelhas, com a algazarra de sempre.

— As araras estão cantando, Vitalino, você está entrando no reino dos céus, está indo pros braços de Deus. Vá em paz, que os sons dos sinos o acompanhe.

Com seus olhos cansados, mirou de frente a grande mata para os lados da nascente, viu a luz do dia e o brilho de seus olhos foi sendo substituído pela calma da paz. Segundos depois, o restinho do café derramou sobre a perna direita, Maurício segurou a caneca. Na ampulheta, a areia do tempo não caía mais.

— Ô Honório, acorda aí, me ajuda a deitar o Vitalino na cama, ele acabou de morrer.

O companheiro de quarto ajudou a deitar o finado. O sino batia ainda, e Maurício ligou para Sorvete parar e depois para o serviço de atendimento para buscar o corpo. Enquanto aguardavam, ficaram na cozinha tomando o café da manhã, e Maurício fala:

— Cara, o homem era forte, de uma fortaleza sofrida como muitos de nossa gente.

Honório então pergunta:

— Maurício, você que tem estudo, o que me fala sobre a eutanásia? Você é a favor ou contra?

— Esse assunto foi muito discutido e agora está ultrapassado, porque já está em vigor, embora muita gente seja contra. Mas, quem é contra, é só não praticar. O importante é que a lei ampara quem quer. Quem não quer, que morra à moda antiga. Tudo evoluiu, a morte não pode ficar para trás.

"Quando eu assistia a um debate sobre esse assunto na empresa em que trabalhava, a discussão se desenrolava entre os favoráveis e os contrários à eutanásia. Um senhor, que já beirava os noventa anos, começou dizendo como fizera sua empresa crescer e se fortalecer. Assim falou:

"'Levanto-me às quatro e meia da manhã, preparo-me para a ginástica e saio correndo de casa até a porta da academia. Como está fechada, volto para casa trotando e não gasto nada. Tomo um banho, e faço meu desjejum, com suco, frutas, cereais, iogurte, queijo e, às vezes, um caracu com ovo e casca batido no liquidificador. Em seguida, dou uma lida rápida no jornal e vejo notícias na TV enquanto faço a barba. Às sete horas estou no escritório. Retomo o que fazia no dia anterior, vejo mensagens e preparo a próxima jornada dentro de um padrão lógico, para que não haja perda de tempo dos funcionários.

"O dia todo passa-se no pique. Às sete da noite, saio do escritório e passo na casa da massagista. Ela, muito jovem e bonita, me recebe com um tesouro de sorriso, que representa serenidade e a paz das nuvens brancas. Eu me transporto. Mergulho na serenidade de seus olhos e descanso. Sinto uma paz profunda. Ela não reclama de nada, não se lamenta de nada. Na mágica daquele momento, recomponho as forças e volto para minha casa, onde me espera a companheira da vida toda.

"'Esta é minha vida, sempre foi assim. Caminhando para o fim, não admito definhar na cama em sofrimento, por isso sou a favor da eutanásia, o que a lei não permite. Mas quem faz a lei se não todos nós? Por isso, não concordo com a lei em vigor. Minha última intimidade diz respeito a mim, eu é que devo saber sobre meu fim, antes de perder todos os controles. Ninguém pode tirar a dignidade do meu fim. A contribuição que dei para o meu país, os impostos que paguei, a família que criei, o tipo de vida agitada que me moveu não podem no fim ser determinados por pessoas que pensam exatamente o contrário do que é melhor para mim. Quero morrer como vivi, feliz, sem o sofrimento do definhamento doloroso.'

"O homem era porreta! Numa idade daquela, falando com fibra, assombrou a plateia, que explodiu em aplausos. Depois daquele dia achei que a eutanásia era o caminho certo."

— Cara, eu... Chegou o pessoal para levar o Vitalino.
— Não, é o Sorvete. Muito bom o seu trabalho com o sino.
— O Leandro ajudou, ele que é bom no sino.

— O ANDAR ONDULANTE —

Chegava o dia da fuga, a tensão foi aumentando, João Medeiros se preocupava com sua lista de detalhes. Não poderia esquecer nada: medicamentos básicos, linhas e anzóis, pilhas para os faroletes, fumo de corda para fazer cigarros e espantar mosquitos, sal, pimenta-do-reino, anzol para jacaré e fisga de ferro. Enfim, uma grande quantidade de miudezas que já estavam todas no esconderijo na floresta e agora era só se estivesse faltando alguma coisinha que a cabeça tinha deixado escapar, e todo o dinheiro que tinham economizado para gastar quando saíssem da mata. Economias dos salários e do mel.

Fugiriam três dias antes da lua cheia. Conforme o tempo se aproximava, a ansiedade aumentava. Era um fim de tarde quando, no bar Castanheiras, os três conversavam em voz baixa, tomando cervejas.

— Cara, só de estar vivenciando isso já é uma alegria — disse satisfeito Zacarias.

— Nem me fale! — emendou Colibri. — Não vejo a hora de sair para a liberdade definitiva.

— Muito cuidado nessa hora. Não podemos fazer nada que chame a atenção. Tudo deve ser normal. Faltam apenas dois dias. Estamos todos bem de saúde, dentes tratados. Vamos comer o melhor possível enquanto estamos aqui, com bastante proteínas para fazer reservas, mas lá no mato vamos nos virar bem, é que não sabemos quanto tempo vai demorar a travessia.

— João, você acha que nessa época vamos ter menos chuvas?

— É o período certo. Não que não vá chover, mas é menos do que em outros períodos. Espero que, quando voltar o tempo das chuvas mais pesadas e constantes, que enchem as várzeas, dificultando a caminhada, a gente já tenha atravessado.

— O que vale é que vamos sair! — exclamou Zacarias, levantando o copo para um brinde, no que foi sutilmente acompanhado pelos parceiros.

— Só de pensar que logo estaremos com as mulheres, fico arrepiado — disse Colibri.

— Nem me fale! — disse Medeiros — As mulheres belas dão doçura à vida.

— Tenho grandes saudades das mulheres. Fecho os olhos e vejo imagens de andar ondulante, cabelos esvoaçantes, correndo e sorrindo para mim. Às vezes, sonho que estou beijando aquele sorriso lindo.

— Está aí um cara se derretendo nas chamas de um amor invisível — riu Zacarias.

Lá fora o calor era normal, o dia era úmido e uma trovoada se aproximava.

—— FRANGO NO NINHO ——

Era mais um dia bonito em Renascença, um sábado de sol, animado, com muitas bicicletas circulando pela cidade. Passava das onze horas, algumas pessoas estavam no restaurante Tucunaré, tomando um aperitivo e esperando a caldeirada ficar pronta. A conversa rolava solta, descontraída, quando entrou Juvenal, que, esfregando as mãos, já foi falando com Fabiano, que estava na mesa com Polaco:

— Rapaaá, essa noite tive um sonho que me deixou de boca aguada. Logo depois do sonho, acordei com uma baita fome, querendo comer um frango gostoso, igualzinho o do sonho. Acho que tive esse sonho porque tomei umas e nem jantei. Sonhei que estava chovendo e eu via um frangão bonito, encolhido num ninho, protegendo-se das goteiras. Quando ele me viu, pulou para mim com as asas abertas, parecendo querer me abraçar. Daí a pouco, já era eu comendo o danado, bem temperadinho, uma delícia!

Juvenal era um cara avantajado em altura, mas magrão e bom de garfo. Estava ali um cara de grande apetite.

— Por isso que chegou cedo para o almoço? — perguntou Fabiano.

— Não jantei ontem nem comi nada no café da manhã. Estou azul de fome. Quero comer um penoso. Deixe-me ver esse cardápio aí, Darci! — falou alto para o garçom.

O cara foi lendo devagar, procurando o personagem de seu sonho e achou lá embaixo onde estavam vários pratos a base de frango, mas o derradeiro chamou mais sua atenção, onde se lia: frango no ninho. Seus olhos brilharam e pensou: "É esse!" Então, todo animado falou para o Darci:

— Ô bonitão, é esse — apontando com o dedo o escolhido e dizendo — Me traga o baita, isso mesmo, me dá logo uma cerva seiscentas, geladíssima e de quebra gelo um rabo de galo. Me venha esse frango no ninho e que "venga caliente", os amigos vão almoçar também? —perguntou animado para os da mesa ali perto.

— Ainda não — respondeu Fabiano. — Estamos esperando a caldeirada.

O garçom perguntou:

— Você quer bem passado, malpassado ou ao ponto?

— Ao ponto — respondeu sorrindo, cheio de alegria, esfregando as mãos, até salivava, quase babando. Pelo jeito estava dominado pela fome, pois não comia desde a tarde anterior, tinha dormido bem bêbado, mas estava animado

O garçom trouxe a cerveja bem gelada, e Juvenal virou o primeiro copo de uma só vez, emendando:

— Vê se não demora muito com meu frangão. Mas, antes, traga uma cachacinha pura, da boa, pra quebrar o gelo dessa cerveja e falou para os da mesa ao lado escutar:

— Se está quente a gente bebe pra esfriar, se está gelada a cerva a gente bebe pra esquentar, tudo anima.

O garçom trouxe a cachaça e uma garrafinha de plástico com a parte superior cheia de furinhos, por onde exalava o gostoso aroma da fritura de alho com cebola e outros condimentos, uma arte da casa para excitar o paladar.

Ao sentir aquele cheiro invadir o ambiente, Fabiano falou:

— Cara acho que vou embarcar no seu frango, me bateu uma fome de lascá.

— Não é que este restaurante é estimulante? Me dá vontade de nem sair daqui — falou Juvenal e acrescentou — Depois capaz de eu dar um beijo na testa do chef — e sorriu alegre.

Na sequência, uma onda de sabores misturados acompanhou o garçom, que carregava um recipiente fumegando. Era um prato colorido, em cuja base estava um forro de miúdas verdes vagens cozidas envolta de um lado por repolho roxo fatiado fininho e do outro couve bem cozidinha, ainda uma porção diminuta de arroz colorido de açafrão, deixando lindo e fofo o ninho por cima do qual estavam fritos três amarelos ovos cercados de brancas claras.

Juvenal, com o guardanapo pendurado no alto da camisa, garfo e faca nas mãos viu aquilo e seus olhos se esbugalharam, estavam arregalados e flamejantes e pousando rápidos no garçom. Então, falou com voz baixa e cortante:

— Que que é isso, cadê meu frango?

O garçom, após pôr a travessa na mesa, deu um passo para trás e respondeu, gaguejando:

— É esse o frango no ninho.

— Tá brincando? Isso é ovo, porra!

— Mas é no ninho. Frango no ninho é ovo — explicou Darci, dando outro passo para trás.

O homem deu um urro:

— Qualé, mané, tá me enrolando? Frango no ninho é a puta que o pariu, caralho! — e emendou um ponta pé por baixo da mesa de metal e os ovos voaram pelo bar misturados com vagens, repolho e cerveja.

Um ovo grudou no teto, deixando escorrer um fio de amarelo até o piso. Darci, o garçom, correu para o meio da rua. Virgulino, o dono do restaurante, que era o cozinheiro, veio correndo com uma facona na mão e reagiu:

— "Qualé, mané" falo eu, veio o que você escolheu. Frango no ninho é isso aí, você leu o cardápio, tinha vários tipos de frango, você quis o mais barato. Com esse preço, queria o quê? Carne? Nesse preço, é ovo mesmo. Ainda coloquei um a mais porque você é um bom freguês. Acalme-se e escolha outro frango!

O Juvenal estava bufando de raiva, mas a facona na mão do Virgulino tinha feito retrair seu ímpeto mais violento e, então, falou:

— O caralho que quero mais frango! Essa porra estragou meu apetite e pior, meu sonho.

— Calma, cara! Vou lhe fazer uma sugestão e você vai gostar. Esse aí que você não apreciou não vai precisar pagar.

— Não vou pagar, tô vendo. Você vai é cobrar mais caro no outro. Tá querendo me engambelá.

— Fique tranquilo, hoje você vai comer e pagar quanto achar que vale. Veja, você me ensinou que devemos explicar melhor aos clientes o que é o frango no ninho — e assim falando olhou para o Darci, que abaixou o olhar disfarçando.

— Nem me fale mais nesse nome. Eu tô achando que você inventou esse prato só pra se divertir com a gente.

— Que que é isso, mano, acha que faria uma coisas dessas? Fiz cursos de culinária, e esse prato aí copiei de um restaurante de Paris.

O dono do restaurante olhou para a porta, onde juntara muitas pessoas, e viu Darci lá fora, olhando para ele e sorrindo.

— Ei, Darci! Venha e sirva outra cerveja para nosso Juvenal, que está com sede. Vocês aí de fora, entrem. Vamos comer e beber que a vida continua. E pagar, claro! Angelina, coloque uma música que as almas querem dançar — falou o dono do restaurante para o rapaz que era funcionário.

Angelina olhou de soslaio e disse:

— Meu Deus, cara mais nervoso, credo, eu hein?! Mi salve!

—— FAROL DE PRATA ——

A noite estava abafada. Seria a última dos três amigos na cidade. Quando o dia amanhecesse, estariam saindo para o maior desafio de suas vidas, entrariam num mundo do qual conheciam apenas uma parte pequena, sem saber onde iriam parar e o tamanho dos obstáculos que enfrentariam. Estavam os três no restaurante Boto Azul para fazer uma forte refeição, a derradeira: salada, filé, fritas, arroz, feijão e ovos. Comeram muito, tomaram cervejas e, de sobremesa, pediram pudim de leite.

O jantar transcorreu num clima um tanto pesado, graças à ansiedade. Pouco se conversou. Após a sobremesa, João perguntou:

— E aí, Colibri, comeu bem?

— Bem e muito, mais que investigador em filme.

Quando iam pedir a conta, apareceu Emílio, que, após cumprimentar a todos, pediu uma cerveja e puxando uma cadeira disse:

— Tenho uma boa notícia. Finalmente, amanhã vou com vocês para conhecer essa mata. Quero lamber o mel e mastigar os favos.

Os três levaram um choque, mas em segundos João Medeiros se recobrou e falou alto:

— Até que enfim você aceitou nosso convite! Por um instante achei que fosse piada. Você vai gostar muito. Está preparado? Vamos fazer um brinde!

João pediu outra rodada de cervejas.

— Acho que estou. O que preciso levar?

— Você não tem medo de onça, né? — perguntou Colibri.

— Essa parte que trata de onça é com vocês. Sou convidado e só vou passear. O que tenho mais medo é de abelha, mas quero o mel.

— Sem problema — falou Zacarias. — Só leve repelente e uma mochila com comida e água.

— O Raposa me emprestou a mochila. A gente sai às sete horas, né? Vocês voltam amanhã mesmo ou vão dormir?

— Sim, lá pelas seis e meia a gente costuma estar esperando as tornozeleiras. Estamos programados para dormir, mas se você vai a gente volta amanhã mesmo, a não ser que você queira dormir.

— Não. Dormir não posso. Um dia está bom. Vamos brindar.

Nesse momento, Felício entrou no restaurante e foi dizendo:

— Eu o estava procurando, Emílio. O doutor Alberto quer uma reunião com você e os encarregados amanhã, às nove horas, porque à tarde ele toma o avião para a capital.

— Pronto! Meu passeio doce azedou — lamentou Emílio. — Minha ida com vocês vai ficar para outro dia.

— Que pena! — mentiu João Medeiros, seguido pelos outros dois.
— Garçom, traga a saideira! Cinco latas, uma para o Felício. Sente aí, cara. Você também tem que ir com a gente um dia.

Assim falando, brindaram. Emílio quis pagar a rodada, mas os três não permitiram.

Após Emílio e Felício irem embora, João, Colibri e Zacarias se entreolharam, aliviados, e concordaram em pedir a saideira de novo, a terceira, para saborear o último gole em Renascença.

Quando voltavam para casa, lentamente, João falou:

— Foi por pouco.

— Meu, quase tive uma vertigem. Aquilo foi mais forte do que a cachaça que eu tinha tomado — disse Colibri.

— Quase beijei o Felício. Que alívio! — bradou Zacarias, olhando para o céu. — Deus é pai!

Às cinco da manhã, Medeiros e Colibri já estavam acordados preparando o café e conversavam:

— João, dormi mal essa noite.

— Deve ser o nervoso.

— Não, foi a barriga muito cheia.

Zacarias se juntou aos dois para tomarem café. Com tudo pronto, saíram de casa e se sentaram na praça Manaus, próximo à estátua do honestão. Comentaram mais uma vez sobre o belo trabalho de Guel e lamentaram sua morte. João falou:

— O Zé Bundinha fez a travessia dele montado na grana. O Miguel se foi também, mas de outra forma. Agora é nossa vez de buscar a travessia, e do nosso jeito.

Lembraram ainda outros que se foram, por morte ou para o Polo Sul.

Esperaram o tempo passar e na luz suave da manhã ainda fresca soprava um vento leve e agradável. Por eles, passaram vários moradores. O sol iluminava tudo em volta. Às sete horas, atravessaram o portão, como sempre faziam. Dessa vez, porém, seus corações pulavam, como que querendo denunciar aquelas intenções. Refrearam seus ímpetos e logo estavam trilhando o caminho rotineiro. Andaram um tanto em silêncio, tensos, até que Colibri parou e disse:

— João, a primeira vez que saímos, fizemos um brinde. Agora, vamos brindar à última saída e pensar forte no brinde da travessia que faremos lá do outro lado.

— Bem lembrado, Colibri! O pensamento da gente é algo poderoso e vai nos conduzir para a travessia da liberdade.

Abriram uma lata de cerveja e fizeram o brinde. Continuaram a marcha, até que João Medeiros pediu que os outros esperassem, foi até um grande mogno e, de trás de uma moita, trouxe a sacola verde que havia deixado lá dias antes. Depois seguiram viagem.

Não foram para o local do esconderijo, e sim direto para o oeste, chegando ao rio que abastece a cidade. Ali, removeram as tornozeleiras de forma que não acusaria na central de controle. Junto delas, deixaram um pequeno cartaz dentro de um plástico, com os dizeres: "Amigos, relevem os transtornos e, para não os aumentar, desistam de nos alcançar, pois aqui Judas perdeu as botas e estamos para lá de onde ele perdeu as meias. Abraços a todos." Em seguida, entraram na água e Medeiros falou:

— Agora vem o plano Curupira.

Os outros não entenderam, então ele tirou da sacola verde três pares de botinas com o solado invertido, algo que ele havia providenciado sem os amigos saberem. Calçaram as novas botinas e saíram da água, seguindo para o acampamento-base da apicultura, porém com suas pegadas mostrando o sentido contrário.

Ao chegarem ao esconderijo, rapidamente tiraram a galhada que encimava o buraco, removeram a terra e encontraram todo o material armazenado. Tudo foi minuciosamente acondicionado nas três grandes mochilas, separando-se em cada uma delas o que estava escrito nos papéis de Medeiros para nas necessidades ser fácil a localização. Enquanto preparavam as mochilas, conversavam.

— João, fico impressionado com sua organização e detalhamento de tudo isso — falou Zacarias.

— O que você quer? Sempre fui um planejador de grandes assaltos, em que tudo tem que estar minuciosamente detalhado. O conjunto arquitetado é que vai dar o resultado, fui treinado nisso.

Não demorou e tudo estava acondicionado, os três com mochilas nas costas, levando ainda nas mãos uma sacola de lona com algumas preciosidades, aliás a partir de então tudo era preciosidade, tudo era vida.

Com as mochilas nas costas, João Medeiros explicou:

— Amigos, na floresta é preciso ter calma e paciência, é muito extensa e por ela faremos a travessia para a liberdade.

Zacarias incentivou:

— Vamos em frente que a caminhada é longa!

— Vamos vencer essa mata enorme — concluiu Colibri e os três se abraçaram, iniciando a caminhada e seguiram pelo caminho conhecido, contornando a cidade até o ponto leste. João emendou:

— Vejam, agora nós vamos virar para a esquerda bem devagar, sem ferir galhos, folhas, e camuflando as pegadas, para os soldados seguirem o caminho que fizemos outro dia contornando a cidade.

Só depois de se afastarem um pouco é que pararam para um lanche rápido, sem perder muito tempo.

A partir daí, começaram a marcha pelo caminho já demarcado. Medeiros ia à frente, seguindo a trilha e tirando as fitas vermelhas pregadas nas árvores.

— Vou tirando as fitas. Fiquem atentos! Se eu pular alguma, arranquem.

— Duvido você não ver.

— Todos cometemos falhas, então devem ficar atentos. A vida está nos detalhes e é constituída de um conjunto de erros e acertos. Prevalece o que tiver mais. Atenção: todo erro tem seu preço.

— Nunca levei a vida e uma empreitada tão a sério — disse Colibri.

— É o entusiasmo pela liberdade.

— Sim. Por ela, muitos já deram a vida.

O dia estava luminoso e a trilha conhecida facilitava a caminhada, apesar dos mosquitos, das raízes que exigiam atenção redobrada e do peso que carregavam. Quem andava à frente tinha o cuidado especial para detectar animais venenosos, principalmente cobras. Quando a tarde foi caindo e escurecendo a floresta, os fugitivos pararam sob grossas árvores, com um bom espaço para o acampamento.

— Já não dá para andar mais. O dia foi muito proveitoso, nós nos adiantamos bem.

No fim do dia, o alto da floresta se agita, com os pássaros se organizando para o repouso da noite e outros animais se movimentando, uns para dormir e outros saindo para a luta da sobrevivência. Em baixo, é mais silencioso, pois enquanto lá em cima tem luz junto ao chão já está escuro, mas assim mesmo tem as cigarras, sapos e grilos fazendo seus sons.

Acenderam o fogo e renovaram nos pescoços a água de fumo para afastar os mosquitos. As redes em triângulo, com a fogueira ao meio, aqueceria a madrugada e afugentaria possíveis intrusos.

— Aqui estamos abrigados com o manto protetor da noite, a primeira de muitas que virão até sairmos do outro lado.

Fizeram um brinde à liberdade. Após a bebida, Medeiros pegou seu pote e encheu uma colher de mel, dizendo:

— O mel da liberdade nos trouxe até aqui e vai nos alimentar pelo caminho.

Às oito da noite, já haviam jantado e dois deles estavam deitados nas redes, quietos pelo cansaço. Logo o sono chegou. O ruído miúdo da mata era repousante. Zacarias, no primeiro turno, estava atento ao que se mexia em volta. Foi uma noite calma.

No alvorecer, o cantar da passarada promovia a sinfonia na floresta, mas João, que estava de vigia, esperava impaciente pela demorada chegada da luz.

Às cinco horas, com o dia raiando, ali perto cantou o jacu, com os três homens já de pé. Tomaram a refeição da manhã. Quando a floresta permitiu que andassem, apagaram o fogo e foram em frente. Pela mata, cantavam o capitão-do-mato e todos os pássaros da manhã. Corriam tatus, lagartos e outros bichos que de repente nem se os percebia e só restava o ruído em desabalada correria. A floresta não para, dia e noite é a vida em pulsação, todos tem seu espaços e momentos. A cadeia alimentar não arrefece, tudo a seu tempo. É como uma cidade grande, só que de outros tipos de vida.

Após horas caminhando, o calor abafado os fez parar para saciar a sede e coletar mais água de um pé de embaúba grande. Foi preciso cavar para tirar a raiz com o grosso caroço que abasteceu todos os cantis. Era preciso caminhar, tirar a última fita vermelha e mergulhar daí no desconhecido. Pararam no acampamento do cipoal para tomar água, comer umas bolachas e dar vazões às necessidades triviais. Viram no chão limpo várias pegadas de onça, possivelmente a que lhes fizera a visita. Estaria ela vendo a passagem deles agora? Ficavam a dúvida e os cuidados necessários. A onça é a dona de seu pedaço, deve saber de tudo o que acontece.

— Olhem o tamanho da pata! Se dá um tapão na gente, já arranca um baita bife — disse Zacarias, e Colibri retrucou:

— Vire essa boca pra lá!

— Mas é verdade. É assim que ela sobrevive. Estamos aqui para sobreviver, ela também, cada um ao seu jeito, todos se cuidando e preparando para dar o bote.

— Se ela quer comer a gente, podemos comê-la.

— Claro que é assim, se ela tivesse na cidade, tava fodida, a gente comia ela rapidinho, mas como nós é que estamos no quintal dela a chance maior não é nossa — disse Zacarias.

— Crendiospai! E nós sem uma espingarda, só com essas faquinhas!

— E as bombas.

— Nem me fale em bombas! Só matam de susto quem está dormindo.

— Nem com as facas vamos matá-la. Mas as bombas espantam, o que já é bom.

— E com a chuvarada, se essas bombas molharem, ficamos com o cu na chuva, isso sim — resmungou Colibri.

— As bombas estão bem embaladas, bem atadas em plásticos — tranquilizou Medeiros.

— Só sei que estamos no reino dela. Ela pode estar nos observando ou acompanhando, vamos com cautela. O mato está mais fechado, vamos olhar bem para onde pisamos e para os galhos do alto. E muita atenção atrás, Colibri! Às vezes, a onça segue o cheiro e vem pela pista.

— Puta que pariu, onde fui me meter? — falou Colibri e deu seu risinho estridente.

Após outras horas de caminhadas, passaram pela última árvore com a fita vermelha. Dali para a frente seria o completo desconhecido. Sentaram-se sobre as folhas. Zacarias se deitou de costas e, olhando o alto das árvores, exlamou:

— Como é doce a liberdade!

— E daqui para frente tudo é novidade — disse João, acrescentando — Aqui é nossa boca do sertão.

— Como diziam os antigos, esse é o verdadeiro "mundo velho sem porteira" — falou Colibri e emendou — estou é com o pescoço doendo de tanto olhar para trás.

Após o pequeno descanso e o lanche, retomaram a caminhada. Por baixo, o mato, a tecnologia e a velha bússola; por cima, o sol. O rumo era o leste, em busca de um grande rio: o Negro. Por volta de quatro da tarde, veio um bafo quente, prenunciando uma tempestade. Não dava para continuar. Logo estaria escuro, e era preciso conseguir lenha seca para o fogo, o que exigia uma árduo trabalho com a foice e a machadinha.

Quando começou a ameaçar chuva, João juntou gravetos e colocou no saco plástico, o que era incômodo carregar, mas importante na hora de fazer o fogo.

As redes estavam armadas e o fogo se acendia, já no escuro. A tempestade passara, mas o céu sem estrelas e esparsos relâmpagos indicavam que outra chuva podia estar se armando. Os homens se sentiam longe da cidade e em matas desconhecidas, todas do mesmo jeitão, mas a terra era outra, mais longe, cada passo mais distante do passado. Conseguiriam a travessia ou voltariam como os homens da outra fuga?

— A vantagem de andar bastante e puxado é que facilita para dormir — disse João Medeiros, tomando um chá do pacote que trouxeram.

— Nem me fale! — completou baixo Colibri, já deitado na rede e quase dormindo.

— Pode dormir, João. Às onze horas, chamo o Colibri.

— É, vou descansar. Daqui a uns cinco dias o ritmo estará mais leve.

— Sim, vai ser melhor, mais sossegado.

O fim da conversa trouxe um profundo silêncio no acampamento. Zacarias sentiu um princípio de solidão, aquela solidão que o silêncio da floresta traz como tristeza. Ele remexia as brasas, atiçava o fogo, então garrou a pensar "Eu estava feliz e agora me baixa esta tristeza tão grande, uma coisa estranha, que apenas quem está sozinho nesse vazio pode sentir, sem no entanto poder transmitir. É um sentimento único, que não dá para explicar" e em voz escapou:

— É muito triste o silêncio da floresta.

Medeiros se mexeu na rede e perguntou:

— Falou alguma coisa, Zacarias?

— Não, só pensei em voz alta.

A noite estava calma e mais quente do que o normal. O homem procurava enxergar no escuro da mata algo que pudesse representar perigo, mas só ouvia os grilos, de vez em quando um pássaro noturno, e via as luzes dos vaga-lumes, que pontilhavam às centenas, cores que piscando passavam por entre as árvores transformando aquele mundo perigoso em um momento encantado. Aquilo foi aumentando, e Zacarias se sentiu na Floresta Mágica esqueceu as tristezas. Aquele momento o paralisou, ficou atônito, maravilhado. Era uma nuvem imensa de vagalumes, impensável tanta beleza na escuridão da mata.

Junto ao fogo, colocou chá na caneca. Entre os pequenos goles, ficou a contemplar e a ouvir os barulhinhos da floresta e pensou: "Por que Deus faz tanta beleza nesse mundo e pouca gente pode ver? Gozado, eu, um homem sem lei, sem fé, metido no crime, vejo essas maravilhas da natureza e tanta gente certinha, religiosa, não vê essas coisas que dizem ser criadas por Deus. Às vezes, tudo isso me intriga. Será que há explicação?" Assim pensando, tomou seu chá, e não demorou muito para ouvir um assobio e um barulho que se aproximava. Falou em voz baixa, para si mesmo: "Puta que pariu! Lá vem a explicação."

Em pé, ele procurava entender e enxergar de onde vinha aquele ruído, que parecia estar perto. Lembrou-se das bombas, mas achou melhor acordar João.

— Cara, acorda que está vindo um barulho grande daquele lado — apontou no rumo do escuro.

O animal se aproximava. Os dois homens, com seus faroletes, jogavam os focos tentando achar o ponto. Zacarias com o punhal e Medeiros com a lança viram um grande animal chegar mais perto, vindo devagar.

— É uma anta — explicou João.

— E ela não ataca?

— Não, não é feroz.

— Como é grande! Vamos matar ela com a lança.

— Não, é muita carne. Deve pesar umas dez arrobas ou mais, e não vamos ter condições de carregar. Vai só desperdiçar. Estamos com pressa e temos bastante comida. Mais à frente a gente pode até tentar, mas é difícil, não estamos preparados para um animal desse porte. Essa vamos deixar para a onça, que assim não nos come.

O enorme animal sumiu na escuridão e assobiou já distante.

O madrugar vem lento e silencioso antes de os pássaros cantarem, João, que preparava o chá, ouviu, vindo de longe o canto do jacu acordando a bicharada.

O terceiro dia transcorreu tranquilo, sem percalços. No fim do quarto, chegaram a um córrego e João orientou:

— Vamos acampar, mas do outro lado. A gente se molha para atravessar, já toma banho e amanhã não precisa entrar na água na hora de ir embora.

— Aqui é bom que tem água, mas há muito mais mosquito — lamentou Colibri, tirando os sapatos e relaxando os pés cansados na água limpa e refrescante.

— É — falou Medeiros. — São as compensações da natureza, não dá para tudo ser bom. Aqui tem água, peixe e mais mosquitos é o ritmo da vida.

— João, esse rio é pequeno, mas corre para um maior, que corre para um maior ainda, até chegar ao grandão do qual você fala. Não dá para a gente seguir por eles?

— É difícil seguir pelas várzeas dos rios. O terreno é sempre muito brejoso, e perto dos rios vamos topar com índios. Por isso, temos que ir atravessando, e sempre para o leste. De manhã o sol tem que estar à nossa frente, ao meio-dia tem que estar sobre nossa cabeça e à tarde tem que estar atrás de nós.

— E nos dias sem sol a gente vai só pelo GPS e pela bussola.

— Mas tenho minhas cismas, pois ouvi falar que tem madeira na mata que desorienta a tecnologia.

— Mais essa! Ou é o Caboclinho da Mata que desorienta?

— Uns dizem que é a Mãe da Mata, outros dizem que existe um cipó que nos faz perder o rumo e voltar para o mesmo lugar depois de muito caminhar. É o chamado cipó-jiboia.

— Colibri, tem cipó que se o cara passa debaixo muda de sexo.

— João, agora parei aqui, não dou mais um passo nessa porra desse caminho do leste.

— Calma, Colibri! Se acontecer isso com você, a gente te passa debaixo do arco-íris e você desvira o sexo.

— Ah, vão se foder, tão me zoando. Não vira nem desvira merda nenhuma, fui!

— Agora falando sério — advertiu João. — Quem anda na mata precisa saber onde está, o rumo que quer tomar, como nós, que vamos para o leste. O ruim é quando a pessoa está perdida, sem rumo, sem direção, aí só o acaso pode tira-la da situação, ou não. No nosso caso, só precisamos de paciência, água, comida e sorte para evitar problemas de saúde e acidentes.

— Só isso? Que tipo de acidente pode acontecer? — perguntou Colibri.

— Aranha, cobra, onça, machucar o pé numa raiz, quebrar a perna numa queda, tombar árvore numa tempestade, raio e outras coisas que não dá para saber. Além de jacaré, piranha, sucuri, candiru, lagarta-de-fogo, peixe-elétrico, arraia-ferrão.

— Caraca, meu, é muito cruel!

— É preciso muito cuidado ao se abaixar com a mochila pesada para passar sob galhos tombados, pois pode dar um mal jeito em músculos das costas — explica Medeiros.

— E a comida pode acabar. Já ouvi falar de casos de gente que morreu porque estava numa área de floresta em que não achou nada para comer. Aí, sim, é super cruel.

— Por isso, vamos manter uma reserva de comida mais duradoura. Sempre que der, vamos nos alimentar de palmito, frutas, cozinhar açaí, fazer farinha de buriti, achar frutas da mata e tirar mel dos ninhos de abelhas, daí ter trazido uma roupa de apicultor. Quando der, pegar alguma caça, principalmente tatu e também outras com as armadilhas que vamos fazer, além dos peixes. Temos que ter claro que nosso trabalho é sobreviver. Com muita calma e persistência, vamos vencer. Colibri, você viu se tem peixe nessa água aí? Vou preparar uns anzóis pequenos e a redinha para a gente fritar uns peixinhos miúdos e vamos ver se livramos a janta.

— Peguei três desse mais graudinhos. Não sei que peixe é, mas parece bom.

— Esse é o jaraqui. Vou entrar na água com a redinha e pegar o aperitivo.

João voltou com o caldeirão já com os peixinhos limpos para fritar, pois a limpeza foi só espremer o corpinho para sair a barrigadinha. Jogou um pouco de sal, pôs a frigideira no fogo e logo estavam no ponto para comer, acompanhado por uma cachacinha, que era racionada para durar o máximo possível. O essencial era sentir o sabor e agora com aqueles petiscos, parecia que estavam num barzinho curtindo a vida. O jantar foi peixe com farinha de mandioca.

— Outro risco que corremos quando acampamos próximo a rios é o volume de água, que pode aumentar rapidamente durante uma grande chuva, ou estar num terreno que seja um igarapé e de repente se enche.

— E como saber se estamos num lugar desses que inunda rápido?

— Temos que olhar as marcas no terreno, nas árvores. Mas pode estar escurecendo e termos de acampar em qualquer lugar. Nesse caso, é deixar tudo pendurado e contar com a sorte.

— Crendiospai, a natureza é bonita mas malvada — falou Colibri.

— Não é malvada. É assim que é a vida: cada um no seu quadrado. Saiu dele, corre risco.

João e Colibri já estavam nas redes e a conversa continuou enquanto o sono ia chegando.

— João, você falou um nome dum bicho que nunca ouvi falar, parece que é cariru, que que é isso?

— Não, o nome é candiru, mas agora estou com sono, outra hora explico — falou Medeiros querendo adiar a explicação, mudando de assunto, disse — Olha aí, Zacarias, hoje dá para ver fatias da lua que é noite dela grande, cheia, lá em cima da mata deve estar muito bonito e silencioso.

— Eu gostaria de estar lá em cima — disse Colibri. — Num balão, bem alto, curtindo o silêncio e vendo a floresta iluminada por esse farol de prata — depois se calou, reparou, então, o companheiro perto do fogo e da rede via o rosto vermelho da luz braseada, fechou os olhos e dormiu.

Zacarias, sentado num cepo, olhava o fogo, parecendo anestesiado por ele. De repente, mexeu nos tições, fazendo subir vermelhas faíscas estralantes. Por necessidade, afastou-se uns passos para se aliviar. Olhando para cima, notou a lua e firmando o olhar para frente viu focos de luz prateada entre as árvores imensas criando uma imagem impossível de descrever pela beleza do jogo claro escuro que trás luz e sombra à floresta.

Mais tarde, quando Colibri estava de vigia o bugio gritou forte, no alto de sua casa, lá pelas três, quatro horas da madrugada. O rapaz se arrepiou inteiro e achou que estivessem preparando uma invasão, o que, para seu alívio, não aconteceu.

Passada a noite, levantaram-se bem cedo, ainda com a passarada despertando aquele mundo com seus cantos se espalhando floresta a dentro. Não estava fácil abrir o caminho no cipoal. Medeiros lembrou que aquele era o quinto dia e que naquela tarde notariam a ausência deles. Continuou olhando ora para o chão, ora para o alto, seguindo o clarão do sol. Zacarias vinha atrás, olhando para o chão e para o alto das árvores à frente de Medeiros, para se prevenir contra felinos. Colibri olhava para o chão e para trás.

Atravessavam agora um longo trecho de gravatás, planta baixa e espinhosa que dificulta o caminhar. Encantaram-se com os insetos dourados que viram no meio dos vegetais.

Quando pararam para o lanche do meio-dia estavam cansados. Arrearam as mochilas sob uma grande castanheira e deitaram sobre o colchão de muitas folhas caídas. No chão, várias frutas serviriam de alimento e para colocar muitas castanhas na bagagem.

No calor da mata, com o ar parado, sentiam o cheiro morno de mato verde. Deram um rápido cochilo.

João Medeiros, deitado de costas, acordou e notou um vento agudo remexendo as pontas das árvores, chacoalhando todas as copas. Pelas brechas das folhas, viu nuvens cinzentas no céu. Armaram as redes e recolheram lenha. Não demorou e ventou forte, deu trovão dos grandes e logo veio a tempestade desabando chuva de pingos grossos. A tormenta agitou a floresta. Um vento enraivecido chacoalhava aquele mundo com as árvores se torcendo e retorcendo e galhos quebrando e o barulhão de deixar a bicharada doidinha, sem saber onde era pior. Uma grande tempestade é como um tsunami com árvores jogadas, destruídas, e a caminhada fica mais complicada.

Os homens se protegeram sob os plásticos no balanço das redes com galhos caindo perto ou até pegando de raspão. Era já o fim do mundo, e, a eles, sentindo-se pequenos, só restava rezar. Colibri estava destreinado de orações, ficando no maior sufoco. O vento sopra forte e de repente para, como se fosse desligado, logo volta a agitar as folhas e para novamente, e isso vai se repetindo.

Era um tempo ruim, um vento áspero. A chuva ia parando, mas repegava sempre, sem fim aquilo, e o trovão voltava estremecendo o chão. Depois de horas de tumulto soprava agora um vento constante, teimoso.

— Crendiospai! — falou Colibri. — São tantos raios que se pegar um aqui nesta árvore nós vamos morrer "eletrificados".

Os homens encolhidos em suas redes, e João falou:

— Trovoada tão grande que perturba a mente da gente, o barulho é imenso e os raios podem jogar árvores e se é muito perto mata o cara eletrocutado. Viu Colibri, é assim que se fala.

E Colibri falou de lá:

— Ah, sei lá como é que fala, sei que o cara morre elétrico, no puro choque — e emendou: — Ô Zacarias reza aí pra Santa Bárbara, escutei falar que ela faz parar a tormenta.

— Vê se dorme, Colibri — respondeu Zacarias sério, parece que já estava rezando.

Choveu o resto do dia e a noite toda com o barulhinho num ritmo uniforme, penetrando nos sentidos dos homens nas redes. No dia seguinte, sentiram um ar que não conheciam desde que haviam chegado à Renascença. Estava quase frio. O dia ficou luminoso no alto das árvores, com focos de luz por onde o sol entrava espremido.

— João, que tempo fresco é esse?

— É tempo de inverno no Sul. De vez em quando, se a onda de frio for grande, o vento gelado sobe e alcança a Amazônia. É o chamado fenômeno da friagem.

* * *

Na cidade, Emílio, um dia antes, ao ouvir a trovoada, foi até a janela olhar o tempo e comentou com Felício sobre as grossas nuvens que se aproximavam. Lembrou que o médico queria um pote de mel e pediu que um ajudante fosse falar com Medeiros. O rapaz voltou, já molhado de chuva, dizendo que o homem do mel estava no mato havia vários dias. Emílio vestiu sua capa grande e foi até o portão para saber a data da saída do pessoal do mel. Observou que fazia cinco dias. Perguntou, então, ao guarda:

— Eles sempre demoram assim?

— Têm demorado três, quatro dias.

— Tudo bem. Deixe recado para, assim que chegar, o Medeiros vir falar comigo.

À noitinha, no bar Fornalha com Renato, Emílio lembrou que Medeiros não o procurara e comentou com o amigo:

— O cara do mel não veio falar comigo. Será que ainda não chegou? Já se passaram cinco dias que eles entraram na mata e até agora não voltaram. Será que aconteceu alguma coisa?

— Amanhã cedo, vou verificar o controle das tornozeleiras. Só falta as onças terem comido esses caras.

Mais tarde, Emílio já deitado, pensava nos homens do mel, lá fora a chuva uniforme, contínua, um som bom que dava sono e de repente aquele ruído foi quebrado pelas badaladas do relógio, era o velho dia passando o bastão.

— Maria, está acordada?

— Sim, o que foi?

— Nada importante. Só estou preocupado com os homens que tiram mel. Amanhã fará seis dias desde que saíram e ainda não voltaram. Pior para eles é dormir na mata com essa chuva.

— Verdade, vamos aproveitar a chuva escutando e dormindo, boa noite.

Na manhã seguinte, Emílio foi ao departamento de controle, viu que as tornozeleiras estavam dentro do perímetro, subiu ao apartamento de Medeiros e falou com um dos moradores:

— Bom dia, o João Medeiros falou alguma coisa que iriam demorar mais essa vez?

— Ô "Piriquito" vem cá, você que guardou aquele papel do João, o Emílio t'aqui.

— Bom dia, "Piriquito", o João do Mel deixou papel pra mim?

— Ele disse que se o senhor viesse aqui procurar, era pra entregar isto — passou um envelope a Emílio, que logo o abriu e começou a ler:

Meu amigo Emílio,

Obrigado por tudo o que fez por nós três. Você nos deu oportunidade e produzimos bastante mel, mas tomamos gosto pela mata e vamos ficar nela por uns tempos. Gosto muito de Renascença, porém o sentimento de liberdade foi mais forte. Não perca tempo nos procurando. Quando você ler esta carta, estaremos muito longe. Talvez nunca consigamos atravessar a floresta. Mas, se tiver que acabar assim, terá sido em busca de liberdade e valerá a pena. De tudo que ficou para trás, só sinto ter traído sua confiança. Se eu soubesse que você toparia fazer o que estamos fazendo, teria muita alegria em tê-lo conosco nessa busca pela liberdade, algo que já encontramos nessa beleza que é a maior floresta tropical da Terra. A esta hora, estamos no meio dela, em algum lugar, dentro da liberdade. Se eu chegar ao outro lado, mando-lhe uma mensagem.

Grande abraço,

João Medeiros.

Emílio estava sentado na cadeira junto à mesa. Releu a carta. Ficou parado, pensativo e perguntou.

— Piriquito, por que você não me entregou isso antes?

— Ele me deu um dinheiro para eu guardar esse envelope e não mostrar para ninguém. Disse que era uma coisa importante para o senhor e que era pra seu aniversário, e que o senhor vinha buscar no dia e que estava tudo combinado.

— Aniversário, porra nenhuma! Combinado o cacete! E por que você não leu?

— Num sei lê.

— Até isso!

Emílio estava saindo quando voltou e quis saber:

— Por que você não está fazendo aulas para aprender a ler?

— Não consigo, já tentei.

Emílio saiu pensando no que fazer. "Filho da puta do João do Mel, me enrolou, enrolou todos nós, passou mel na boca de todo mundo o lazarento, excomungado." Convocou então os coordenadores para uma reunião urgente com o diretor e programou uma busca até onde estavam as tornozeleiras. Uma patrulha de dez homens e três cachorros, que entraram na mata seguindo a pista e logo chegaram à beira do rio, onde acharam as tornozeleiras e a mensagem.

Os soldados atravessaram a água e, do outro lado, não encontraram pegadas nem quaisquer pistas. Voltaram pelas pegadas do projeto curupira e chegaram à base das caixas de abelhas. Seguindo os rastros, caminharam pela pista falsa. Depois de muito andarem, perceberam, já de noite, que estavam andando em círculos. Chegaram ao portão da cidade já de madrugada.

Na manhã seguinte, na reunião com o doutor Alberto e todos os responsáveis, o sargento falou:

— Nenhuma pista para que lado eles saíram depois do ponto onde estavam as tornozeleiras. Parece que entraram no rio e podem ter ido pela água.

— Os cachorros não acharam nenhuma pista? — perguntou Alberto.

— Nada. Já faz sete dias, choveu muito, e eles podem ter borrifado algum produto despistante. A dianteira deles é muito grande. Foi tudo muito detalhadamente preparado. Só a floresta pode detê-los. Prepararam uma pista que nos fez andar o tempo todo e retornar à cidade. Voltamos à estaca zero. Na verdade, não sabemos nem que rumo tomaram. Levaram a gente para dentro do rio. Depois andamos à toa em volta da cidade. A gente só não se perdeu porque ouvia o relógio da torre.

— Eles reviveram a lenda do cipó que faz a pessoa andar muito e voltar ao mesmo lugar — conjecturou Emílio.

— Alguém tem uma opinião do que fazer? — perguntou o diretor.

A maioria opinou que não valeria a pena ir atrás, afinal a própria floresta daria cabo deles. Caso chegassem a algum lugar, seriam presos.

— O problema é que se propaga a não perseguição para quem foge.

— A notícia da fuga se espalhou e já sabem que foi uma patrulha atrás dos fugitivos — explicou Raimundão. — A cidade viu o helicóptero voando e não se sabe que a patrulha voltou. O noticiário da caçada continuará por um tempo, depois damos baixa nos três e comunicamos às famílias. Internamente, espalha-se à boca-pequena que as onças comeram os três e pronto, até porque acho que é verdade.

— É isso mesmo — concordou Felício. — E espalhando bastante vira verdade, mesmo que não seja.

O diretor concordou:

— Não vamos gastar vela com defunto ruim. Se nos metermos nessa floresta, é capaz de morrer gente nossa. Eles escolheram o caminho. Acho até que tínhamos que criar o indulto de natal. Quem quisesse usufruir, poderia se candidatar. O cara sairia ali pelo portão, entraria na floresta e tentaria chegar ao outro lado. Queria ver quantos iam querer. Esses caras que foram tiveram coragem. Se chegarem ao outro lado, merecem a liberdade. Não vamos perder mais tempo. A onça comeu! Página virada.

No dia seguinte, saindo para a rua, Emílio foi abordado por Piolho, que perguntou:

— Acharam os caras?

— Não, a onça comeu.

Emílio continuou andando e pensou: "Com a sofisticação que o João fez isso, tenho minhas dúvidas se a onça os comeu. Mais fácil eles comerem a onça." E sorriu de leve.

—— FINAL DA PROMOÇÃO PARA A LIBERDADE ——

Na biblioteca, era intensa a luta com *Ulisses*, o livro.

— Vou parar — falou Laerte. — Difícil demais entender. Vou lendo, lendo e, quando vejo, não sei mais o que estava lendo, perdi a sequência. É muito entojado.

— Também tenho me esforçado — confessou Basílio. — Mas acho que é um livro para ler sem ser pressionado, devagar. Mesmo que eu leia, não dá para concorrer na premiação.

— É, o Professor e mais dois amigos dele estão se empenhando.

— Não acredito que vão dar conta.

— Os três são danados e estão focados, acho que vão varar. Um é professor e dizem que os outros dois são doutores.

— Seria interessante os três varando aqui na leitura e os três fugitivos na travessia pela floresta.

— Também acho que eles não morreram. Se tivesse que torcer por um grupo seria para os da floresta. Uma verdadeira loucura.

— Pra mim, as duas travessias são muito difíceis. Torço para as duas darem certo.

— Estou parando com essa leitura. Quero ver quem vai até o fim. Vou ler um livro mais leve.

— Depois desse meu esforço sem resultado, vou ficar um tempão sem ler um livro.

— Tem até bastante gente empenhada.

— Muito difícil, este livro.

— Você queria o quê? *A Branca de Neve e os sete anões*?

— Não, queria *Ali Babá e os quarenta ladrões* — riu Emanuelson.

Assim estava o clima: alguns com esperanças de alcançar a liberdade, mas a maioria, desistindo.

Quando chegou o prazo para encerrarem as inscrições, apenas sete haviam sido feitas: quatro individuais e três grupos.

No prazo para a entrega dos trabalhos, só cinco das inscrições feitas apresentaram o resultado: duas individuais e os três grupos. Todos ganharam pontos, mas o grupo vencedor, que eram três pessoas, ganhou a liberdade, iria embora, claro que com as restrições conforme seus crimes, para serem enquadrados no chip ou na tornozeleira, lá fora. Os ganhadores foram o Professor Eugênio, o jornalista Hildebrando e o doutor Manoel, um advogado, e fizeram uma grande festa e prestaram uma emocionante homenagem aos concorrentes, que também foram contemplados com boa pontuação e a sensação de que estavam mais bem preparados para participar da promoção do semestre seguinte, cujo livro seria *Grande Sertão: Veredas*, de João Guimarães Rosa.

Chegado o dia de ir embora, foi feita uma festa de despedida no salão de recepções e no 16 de junho, quando seu relógio marcou 19h04 o piloto acelerou pela pista e alçou voou sobre a floresta. No horizonte, a cor púrpura do sol poente sinalizava o fim do dia.

— O CARANGUEJO —

Emílio conversava com Felício sobre Vitor Caranguejo, um homem de sinistra fama, índole ruim, considerado um monstro pelos crimes que cometera. Tinha um currículo terrível, trazia nas costas a morte de muitas pessoas. Falava-se que, em alguns casos, havia comido o coração e outras partes macias de suas vítimas.

— Ele já está aí pra conversar, conforme você marcou.
— Acho que não vai ser fácil.
— Ele é de pouca conversa, anda sempre só por aí, caladão.
— No apê, não fala com ninguém.
— O pessoal tem cisma dele.
— E olhe que naquele prédio só tem gente ruim!
— Com os que conversei, falam até em mudar de apê.
— Mas se ele atacar alguém, não será onde mora.
— Nunca se sabe.
— Ele está chegando. Vou sair, mas estou aqui do lado.

O homem entrou de cabeça baixa, olhando de banda, cumprimentou Emílio com um resmungo e ficou olhando o chão com aqueles olhos sorumbáticos. Olhou rápido para Emílio, e perguntou:

— Chefe, tem como eu mudar daquele prédio? Morar num lugar sozinho?
— Por que essa vontade? Um apartamento tão bom, todo mundo respeitoso!
— Eu sei. O pessoal parece ser legal, mas sinto que eles não se sentem à vontade comigo.
— Deve ser impressão sua. Aqui vivemos no coletivo.
— Não tô gostando desse jeito coletivo daqui, não.
— Prefere lá naqueles presídios lotados, sujos, cheios de doenças?
— Prefiro lugar nenhum.
— Vitor. É esse seu nome, não é?
— Sim, mas pode me chamar de Caranguejo. Prefiro, até.

— Você conhecia os homens assassinados lá da sua vizinhança?
— Não! Que que é? Tá desconfiando de mim?
— Não, só estou conversando com os mais valentes.
— Não sou valente, só me defendo.
— Vitor, fale-me uma coisa: de que você gosta?
— Fora cachaça e matar gente?
— É, fora essas duas coisas.
— Gosto de calor e ficar sozinho.
— Veja bem. Se por acaso você resolver matar alguém, não faça isso, porque, se for descoberto, você vai lá para o fundão, se não o matarem antes. E pode ainda ir para o Polo Sul.
— Não tenho medo de nada. Lá nesse fundão vou ficar sozinho? E nesse outro lugar que você falou, que nem sei onde é, dá pra ficar sozinho?
— Não. Lá no fundão vai morar com outros brabos, gente que traz o inferno na alma. O outro lugar que falei é o Polo Sul, o lugar mais longe da Terra. Olhe aqui — Emílio apontou o Polo Sul num mapa-múndi.

Caranguejo olhou e respondeu:
— Não conheço mapa. Mas se nesse Polo Sul dá pra ficar sozinho, pode me mandar pra lá.
— Lá dá para ficar sozinho, mas é escuro demais e frio como um freezer.
— Lugar frio é pior do que ser preso.
— Bem, você já sabe o caminho pra ficar sozinho. Tem ido ao médico?
— Não gosto de ir, não.
— Também não gosto. Mas, quando tem que ir, vou. Às vezes, gosto de ficar sozinho, mas, quando isso acontece, procuro ler um livro.
— Não gosto de ler.
— Vou arrumar um livro de que você vai gostar. Saia de sua concha. Você ainda tem muita vida pela frente.

Caranguejo saiu da sala olhando de soslaio para o livro, resmungando e falando para si mesmo: "Cacete! Não consegui o que queria e ainda saio com um livro pra lê, é mole?"

Na calçada, lentamente varreu a rua com o olhar e fixou os olhos nas nuvens. Só depois prestou atenção ao título do livro: *O pequeno príncipe*.

Assim que Caranguejo saiu, Felício voltou à sala de Emilio e perguntou:

— E aí, o cara estava calmo?

— Sim, como quase todo assassino covarde e perigoso. Eles pegam suas vítimas sempre de surpresa.

— A expressão dele é a própria ruindade, leio o mal em sua alma. É do tipo de gente que sente prazer no mal, é de instinto assassino. Nutre o ódio sempre. Vontade minha é entrar bem lá no fundo do seu coração e ver o que tem dentro — disse Felício.

— Ele é do tipo que vem ao mundo com o capeta por dentro, entranhado na pele. Maldade enraizada. Esses, quando são de boas famílias, bem-estruturadas, têm as rédeas curtas, educação bem-alinhavada, mas vão fazendo o mal na miúda, nas escondidas. Quando são jovens, judiam dos mais fracos, praticam *bullying*, fazem pequenos roubos, aprontam. Mais tarde, batem na namorada, na esposa, nos filhos, torturam na hora do sexo e até matam. Se tiverem dinheiro, cobrem-se na grana e têm penas leves. Mas os desvalidos de sorte, nascendo na pobre vida, exercitam a maldade desde criança. Desde cedo, cheiram cola, entregam-se à bebida, roubam, matam e dão toda a vazão de seu pendor ruim, que cresce de dentro para fora. É o demo no comando, governando sua vida. Como um pacto de fazer a maldade, o nó não desata.

— Alguns nascem sob o signo da maldade e desde criança já apresentam temperamento instável e briguento. Estes ou morrem cedo ou provocam a tristeza em muita gente até que o aliviam do inferno que vivem internamente, despachando-o para o beleléu de forma dolorosa, devagarinho. Lento, lentinho, dando tempo para ele lembrar todas as maldades que vêm escritas na porta do seu inferno.

— Às vezes, dá até dó de ver uma vida assim sem jeito. Vai saber o que passa de sofrimento em sua cabeçorra?

— Eu o tenho visto sempre só, pelos cantos parecendo um nelore amuado, perdido na quiçassa. Passa as tardes inteiras ruminando seu tédio. Parece que anda coberto por uma sombra má.

Após sair da administração, Caranguejo entrou no bar Fornalha e pediu uma cerveja e um salgado. Sentou-se numa mesa ao fundo, colocou o livro sobre a cadeira do lado e ficou a olhar o movimento, as pessoas que estavam ali, os que entravam e saíam. Comeu e pediu outra cerveja. Tomava a bebida e examinava com o rabo de olho o livro ali do lado. Pegou-o, abriu-o e logo o fechou, recolocando-o na cadeira. Pediu a conta, pagou e saiu. Ainda na porta, o garçom o alcançou e disse:

— Seu livro. Você esqueceu.

Voltou, pegou-o, não agradeceu e se foi.

Em casa, deitou-se na cama, abriu o livro e começou a olhar, folheou vendo as figuras, foi até o fim. Fechou-o e tentou dormir. Não conseguiu. O relógio da torre iniciou as badaladas. Tentou contá-las, mas deixou pra lá. Abriu o livro novamente. Na primeira linha, havia um escrito sobre a floresta virgem e a jiboia, cobra que engole um animal inteiro. Imaginou-se no meio da floresta enfrentando a cobra e engatou a ler O Pequeno Príncipe. Daí a pouco, escutou um barulho de gente chegando e escondeu o livro debaixo do travesseiro. Escutou, então, a voz de outro homem, que estava deitado e ele não vira:

— Não precisa esconder o livro, já vi que você estava lendo. Acho legal. Continue, e, quando acabar, me empreste.

Caranguejo teve vontade de enfiar a cara debaixo do travesseiro, mas ficou ali, olhando fixo para o sujeito no beliche de cima. Nesse instante, entrou no quarto mais uma pessoa, que o cumprimentou, sorrindo. Caranguejo respondeu com uma paz que não conhecia e voltou a ler o livro.

TAMBORES DISTANTES

Na floresta, a caminhada para o leste continuava lenta. Em alguns dias, não andavam nada; por ter amanhecido com chuva que durava o dia todo, noutros avançavam pouco em razão da mata muito fechada; o andar era vagaroso demais. Era preciso paciência e concentração, mas João Medeiros estava preparado e incutia nos outros dois a necessidade de autocontrole para superar as ansiedades.

A chuva era um tormento demorado, pois quando parava, as árvores mantinham a "pingueira". Não eram chuvas grandes demais, as da estação das chuvas que enchem os rios, estas demorariam. Era preciso saber andar naquele tipo de ambiente: quente, úmido e escorregadio, ter ânimo para superar aquela adversidade constante. Era uma travessia dolorosa, mas com prêmio animador.

Amanheceu um céu fechado, escuro, e de vez em quando caía um aguaceiro.

— Cara, essa chuva começou ontem de tardinha e parece que não quer parar. Já são nove horas — espantou-se Zacarias, sentado na beira do fogo baixo, sob a lona, e a chuva batendo no lado de fora. A cobertura protegia as três redes, que estavam próximas. Os outros dois estavam deitados.

— Sempre há suas vantagens. Durante a chuva os insetos se recolhem.

— Prefiro insetos sem chuva.

— Estive pensando — disse Medeiros — hoje, pelos meus cálculos, deve ser domingo, dia de folga, por isso amanheceu assim, que é para a gente descansar. Acho que vamos ficar aqui o dia todo, recuperando as forças, e amanhã continuaremos a andar. Temos sempre que administrar nosso esforço, o estresse, o descanso e a alimentação pois o tempo temos todo ele. Tenho certeza de que não tem ninguém atrás de nós. Já faz tempo que saímos, sem chance de nos pegarem. O problema é a força da natureza, que é poderosa. Nossa arma é o equilíbrio. Nosso trabalho é caminhar nesse ritmo tranquilo, comer e cuidar dos perigos. Adiante, tem um rio grande aguardando a gente, tenho confiança nisso.

— Não podemos baixar a guarda porque é de dia. Algum ataque pode acontecer.

— Mas onça só ataca à noite.

— Nem sempre. Vai que uma não jantou à noite! E onça é só mais um dos perigos. O que não sabemos é que tipo de animal ataca com chuva.

— Crendiospai, cada novidade! — exclamou Colibri.

Lá pelas duas da tarde, a quantidade de pingos foi diminuindo, a chuva amainou e, um tempo depois, só restaram os pingos das folhas das árvores, que o vento leve logo ajudou a secar. Somente Colibri estava acordado, fazendo a vigilância após o almoço e prestando atenção ao cantar do capitão-do-mato. Outros pássaros cantavam e voavam, espalhando sem saber a beleza de suas cores e a harmonia dos cantos. Ou será que sabiam? De um lado, vinham tucanos; de outro, araras e mais depois papagaios, periquitos e jacutingas. Assim, os olhos de Colibri se enchiam daquelas maravilhas. As nuvens pesadas passaram e o sol brilhava por sobre a mata.

De repente, fez-se um silêncio e o ar se encheu com um canto diferente. Era o Uirapuru. Colibri ficou boquiaberto com a beleza dos gorjeios, que mais bonito ficava pelo grande silêncio. Com os ouvidos encantados, os olhos buscavam o pássaro, que parecia perto, mas invisível entre as folhagens. Colibri garrou a pensar:

"O canto desse pássaro entra em mim com uma força que me deixa flutuando, será isso o encontro de minha alma com a do pássaro?"

Os da rede acordaram. Zacarias veio em silêncio para perto do fogo, colocou chá na caneca e ficou também admirando aquele espetáculo. Os três homens nada falavam; apenas ouviram o canto do pássaro, que depois desapareceu. Os outros pássaros voavam e cantavam novamente lá no alto das árvores.

Os três ficaram um tempo em silêncio e, então, comentaram a beleza constante da natureza. Zacarias falou:

— Não entendo e não sei se alguém explica como existe tanta beleza no canto e nas cores dos passarinhos. Tantas penas coloridas, de forma desenhada! Isso me encuca. Fico também olhando as borboletas. Tão sensíveis, tão vulneráveis e tão belas em seus desenhos cheios de cores lindas! Como pode tanta beleza nesse fim de mundo, no meio de uma floresta tão grande, e essas maravilhas não serem apreciadas por quase ninguém. E nós aqui vendo isso e sem poder registrar as imagens. Parece que faz parte do nosso castigo não poder levar com a gente tamanha beleza. E aí me dá um arrepio, pois se é para essas maravilhas ficarem escondidas acho que não sairemos vivos para não contar.

— Sai fora, meu, pare com isso! — falou Colibri, de cócora ajeitando o fogo — Conversinha de artista e no fim com esse papo fúnebre, desafasta! — e bateu três vezes no tição.

— Você já percebeu que os pássaros coloridos — falou Medeiros ainda na rede — estão mais na parte de cima das árvores? Próximas ao chão ficam as aves mais escuras: marrom, cinza, preto. Elas são as de voos curtos, então se camuflam mais facilmente do que se fossem coloridas. Percebe, Colibri, onde está a perfeição da natureza? São fantásticos, os detalhes.

— É verdade! Codorna, nhambu e perdiz são todas marronzinhas e não vivem nas árvores. Estão sempre no chão e dão pequenos voos.

— É de admirar a floresta com tanta beleza e tanto perigo.

— É mesmo. Tem razão aquela conversa sobre o bem e o mal sempre por perto.

— Deus e o Capeta.

No fim do dia, um bando de macacos se aproximou gritando e a agitação nas copas foi assustadora.

— João, às vezes, os macacos gritam e em outras assobiam. São os mesmos?

— Não, os que gritam são os guaribas e os que assobiam são os macacos-prego.

Nesse momento, deu-se o canto do mutum, animando os homens, pois era sinal de sol no dia seguinte.

Após a noite calma, por volta das cinco horas tomavam o desjejum, para logo depois retomarem a caminhada. Passavam por castanheiras, maçarandubas, sucupira, jatobás, tucumãs, pequiaranas, buritis e muitas outras palmeiras. Por muitos dias, andaram sem percalços, até que se acercaram de um rio caudaloso. Ao se aproximarem, viram à certa distância um pássaro voar. Zacarias falou:

— Olhem! Parece que saiu do ninho.

João prestou atenção e disse:

— É uma cigana, pássaro bonito. Vou lá ver se tem ovos.

Constatou que havia três e um estava bem quente, pegou todos e voltando falou.

— Temos mistura para o jantar.

— Oba! — entusiasmou-se Colibri. — Hoje tem ovos na janta, mas antes temos que tomar banho nesse rio.

— Fique ligado em jacaré, sucuri e outros bichos — advertiu Zacarias.

— Sim — respondeu João. — Economizar sabão e aproveitar para lavar a roupa também.

Era meio de tarde, por volta das três horas. O rio era largo e parecia profundo. Antes que acendessem o fogo, ouviram um som que parecia vozes. Afastaram-se rápido da margem, escondendo-se, enquanto os sons aumentavam e já podiam ouvir o barulho de remos mergulhando na água.

Não demorou quase nada, surgiu a ponta de uma comprida canoa com cinco indígenas, que remavam com força subindo o rio, conversavam e riam. Os três ficaram atônitos e por muito tempo em silêncio, esperando para ver se vinha outra canoa. As vozes foram sumindo até não mais serem ouvidas.

— Cara, e agora? — perguntou em voz baixa Colibri.

— Agora temos que saber se eles estavam indo para a aldeia ou vindo dela — redarguiu Medeiros. — Vamos ter que ficar aqui um bom tempo para entender, e não podemos acender fogo. Estamos perto deles e não sabemos se são ferozes, se gostam de intrusos. Vamos ficar na moita e torcer para não virem a pé, desse lado. Enquanto dois tomam banho e lavam roupas, o outro fica de olho no rio. Depois revezamos, mas sem demora.

Após terminarem o que tinham que fazer no rio, João orientou:

— Vamos falar baixo, armar as redes, comer e ficar de antena para perceber se voltam. O importante é olhar o rio, pois se eles descerem sem conversar, com a força da água, não ouviremos, os remos não fazem barulho, não podemos descuidar.

— E se eles não voltarem? — perguntou baixinho Colibri.

— Temos que ter a calma sempre necessária. Vamos recolher lenha, mas só fazer o fogo bem depois de escurecer. Não podemos nos expor atravessando o rio. Agora, só nos resta entender a área. Parece difícil no começo, mas depois de um tempo vamos compreendendo e dominando a situação. Vou ver que tipo de madeira podemos ter para nos ajudar a atravessar o rio quando chegar a hora.

— Como vai ser para atravessar? — perguntou Zacarias.

— Como não podemos fazer barulho com o machado, vamos achar um pau que flutue, fazer uma pequena jangada para nossas coisas atravessarem em segurança. Vou ver se acho também um bom cipó para a amarração. Não tirem os olhos do rio — orientou Medeiros se afastando.

— Zacarias, e se aparecer uma canoa cheia de amazonas bonitas iguais aquelas da estátua?

— É mais provável aparecer umas três canoas de índios com as espadas pro seu lado.

— É esse seu desejo? Prefiro pensar nelas.

Pouco depois, João chegava com várias tiras de casca de árvore e perguntando:

— Alguma novidade? Eles voltaram?

— Nada. Nós dois não tiramos os olhos do rio e também não

falamos alto. O que é essa casca? Tudo para fazer chá e vender para os índios? — riu Zacarias.

— Isso aqui é casca de matá-matá, uma árvore que dá a invira, uma fibra que pode fazer uma corda muito resistente. Aqui perto vi um galho grosso de guariúba, madeira que flutua. O difícil vai ser trazer até a beira do rio. Precisa dar uma desgalhada para facilitar. Amanhã, vamos ter o que fazer. O problema é que a batida do machado nesse terreno plano dá para ouvir longe.

— Se fizermos o barulho à noite, mesmo que os índios escutem, não virão ver. Vão pensar que se trata dos espíritos da floresta.

— Mas podem estar cedinho por aqui, sondando, querendo entender o espírito novo que baixou à noite.

— Vamos pensar nisso amanhã. Agora, vamos apurar os sentidos, porque se os índios tiverem que voltar para casa, vai ser antes de escurecer. E o dia já vai declinando, o sol está caindo lá pra trás, pras bandas de Renascença.

Os três ficaram em silêncio e só se ouvia o canto dos pássaros, que passavam aos bandos rumo a um ninhal não muito distante. No silêncio completo, ouvia-se o borbulhar das águas fazendo pequenos redemoinhos, envolvendo ramagens com folhas de ingazeiras, que se debruçavam sobre o rio, criando ruídos sofridos dentro de um silêncio quase triste no final do dia.

De repente, ouviu-se ao longe um fio de voz. Eram os indígenas cantando, entoando uma bela melodia, em harmonia com as águas mansas e o balanço da canoa com os remos mergulhando compassados. Era bonito ouvir aquelas vozes, que seguiam rio abaixo, com os homens manobrando a comprida canoa por si, a arte da vida ali no entardecer e aquele som ao longe se confundem com o arrulhar dos pássaros que chegam para dormir no ninhal.

O crepúsculo foi se enchendo de cores. Os fugitivos ficaram pasmos com a beleza que penetrava no fundo de seus corações embrutecidos, e o colorido do céu os emudeceu por um longo tempo.

As cores do céu foram se desbotando na tarde envelhecida, então voltaram a conversar.

— Aqui, sim, é a verdadeira vida na natureza — opinou Colibri.

— A questão é o que eles foram fazer rio acima: era pesca, passeio, ou há uma aldeia para lá e outra abaixo? — perguntou-se João em voz alta.

— Temos é que atravessar esse rio e cair fora daqui — pontuou Zacarias. — Se forem índios bravos, tamo fodido. Se forem mansos e tiver brancos na aldeia, tamo fodido também.

— É, a liberdade tem limites — falou Colibri. — Até aqui no meio da natureza, o controle persegue a gente. Passam uns índios aí, sem fuzil, sem farda, sem calça nenhuma, pelados e nós aqui, quietinhos, na moita.

— Acontece que estamos nas terras deles. Se a gente bobear, lá vem flecha. Você viu o arco que levavam e aquele cano comprido do que ia à frente? É a zarabatana, que tem uma flecha pequena, mas mortal, porque pode estar envenenada.

— Crendiospai, onde vim parar! — exclamou Colibri.

— Não vai se arrepender agora, né zé ruela? — quis saber Zacarias.

— Não, só tô pensando alto, na verdade nem fui eu quem falou, foi minha alma.

— É, porque até agora foi fácil, quase tudo estava dentro do planejado e quanto mais dias passam — disse Medeiros — mais complicados e maiores vão ficando os problemas. Temos que manter o equilíbrio que é a chave para a resolução. Tem rio, vamos passar; tem índios, vamos sumir nesse matão de Deus.

— É — falou Zacarias. — Onde tem rio tem mais vida e de todo tipo, peixe, jacaré, sucuri, índio. Que horas podemos acender o fogo?

— Deixa escurecer bem, a lenha já está no jeito, estando mais distante da água, atrás dessas árvores e com a lona grossa desse lado, mesmo que passe alguém no rio dificilmente vai ver. Só temos que falar baixo. Vamos acender o fogo e colocar a roupa perto para ir secando.

— O negócio é torcer pra não vir nenhuma onça — falou Colibri.
— Se soltar uma bomba aqui a onça pode correr, mas vai encher de índios.

Medeiros foi até o rio, colocou na água vários anzóis de espera enquanto os dois ascendiam o fogo. Voltando, ajudou a aumentar as labaredas e, vendo a dança das chamas alterando as cores, falou:

— A cor que vejo nas labaredas é a cor do mel. Se sairmos do outro lado, a cor do mel será a da minha vida.

Disse isso e ficou pensativo, os outros dois, em pé ali ao lado não falaram nada por um tempo. A luz das chamas jogava as sombras dos homens por entre as árvores. Elas flutuavam feito fantasmas entrando pela floresta, parecendo bailar, indo e vindo ao sabor das labaredas e a leve brisa.

— Tá com medo, Colibri? — perguntou João enquanto comiam ovo cozido da bela cigana, palmito que cozinharam com castanha e, como salada, palmito cru, sem sal, que já acabara.

— Tenho tido pouco medo, mas está me dando uma vontadezinha de rezar. Você reza, Zacarias?

— Não. Eu me agarro aos meus fantasmas. Às vezes, passamos horas da noite numa troca de ideias. Mas aqui no mato estou mais tranquilo. Com o cansaço da caminhada, caio na rede e durmo logo. O mais que acontece são meus sonhos agitados. Se acordo no meio da noite, falo com minha mãe, meu pai, meus irmãos, algum amigo, e volto a dormir.

— E você, João, reza pra dormir?

— Rezei muito quando era criança, depois parei. Mas rezar é bom, acalma o espírito. As pessoas têm muitos problemas. A vida é osso duro. Às vezes, ficam sem saída, e a reza e as religiões são necessárias para suportar as dificuldades.

— Como não tem padre nem pastor aqui, temos que conversar com a onça e propor uma trégua: ela não vem e nós não soltamos bomba, porque, se não tiver esse acordo, vai dar merda.

— Calma, Colibri! Não vamos soltar bomba, só nos proteger com o fogo — falou João, voltando para perto do braseiro e ajeitando os tições. Acocorado, tomando chá, continuou: — Religião é uma coisa danada na cabeça das pessoas. Às vezes, fico pensando, tentando entender e encontrar os pontos espalhados por encontros e desencontros. Os muçulmanos dizem serem infiéis todos os que não são seguidores de Maomé. Por outro lado, os cristãos veneram Cristo e não dão a mínima para Maomé. Onde está a verdade? Quem está no verdadeiro caminho da salvação e terá a proteção de Deus? Se um fala que o outro está errado, quem deve estar certo é Buda, sem querer ofender e digo, sem as batalhas que tantos mataram, lá sentadão e meditando, pregando o que é melhor fazer e que, se não quiser fazer, que cada um busque seu caminho.

— Não tenho estudos — falou Colibri. — Não sei de nada, mas fico pensando e chego num ponto. Somos ladrões, assassinos, bandidos e sei lá mais o quê; não estudamos, não trabalhamos, roubamos com violência e tudo. Para a sociedade, estamos errados, mas é assim que é pra nós. E os corruptos? Roubam também, são estudados e não usam a violência física, mas o que roubam da sociedade é muito mais. E tiram de todos, porque roubam o dinheiro público, dos ricos e dos pobres, até de nós. Prejudicam mais os pobres, que ficam sem aquele dinheiro para melhor educação, saúde, transporte público, segurança; e, pior ainda, sem saneamento básico, pois essa merda toda em muitas ruas por aí é um foco de doenças, fedor e imundície. Acho que Deus tinha que ter feito uma regra assim, como uma sina determinada: todo aquele que roubar alguma coisa evapora, desmancha no ar. Pronto! Assim, só existiria quem é honesto. Por que Deus não fez essa regra? Deixa os ladrões na boa, principalmente os da corrupção, que não ficam aí que nem nós, que estamos sempre de olho em quem vamos roubar e de quem vamos correr. Deus está do lado de quem?

— Ih, Colibri, você está querendo demais! — opinou João. — Já quer explorar Deus. Vamos deixar esses arranjos para depois. Nossa parte agora é sair desse paraíso verde.

— Acho que falei merda, mas chamar isso aqui de paraíso, disconcordo. Vou é dormir. Vocês aí que façam amor com as onças. Fui! Ah, e não sou ladrão, só estou defendendo nossa classe de desarranjados.

Assim falando, enrolou-se na rede e falou para si mesmo:
— Não mudo uma vírgula do que disse.

De dentro do silêncio, na calma da noite, começou a chegar sons vindos de longe, dos fundos da floresta, eram tambores distantes que davam a direção da aldeia dos indígenas. Um som continuado e os três ouviam no calor da noite calma o tam-tam parecendo batidas de um filme antigo.

— Estou aqui na rede pensando sobre esse som distante e acho que jamais vai sair de minhas lembranças — afirmou Medeiros. — Não estou conseguindo dormir. É bonito, estou impressionado com esse momento.

Os dois levantaram e fizeram mais chá. Em silêncio, todos se sentaram à beira do fogo, ouvindo os tambores. A noite estava escura demais, sem lua nenhuma, impenetrável, só estrelas por cima da mata e aquele som que parecia vir do fundo dos tempos. No meio da madrugada, fez-se silêncio completo.

O dia amanheceu sereno. O chilrear dos pássaros dava vida à beira do rio e os macacos assobiavam dentro da floresta. Os homens, preparando-se para enfrentar mais um dia, tomaram um chá com castanha e comeram peixe assado, tirado por João de seus anzóis, eram três de bom tamanho o que daria pro café da manhã e almoço. Era preciso aproveitar o rio e pescar o máximo possível nesse dia, pois constava nos planos de João fazer a jangada para sair na manhã do dia seguinte, bem cedo.

Depois de muita labuta, esforço e cansaço, conseguiram arrastar a pequena tora para perto da água. Com as tiras de matá-matá, a invira, João ensinou Zacarias, e os dois fizeram as cordas. Amarraram pequenas varas sobre o tronco, de forma a ampliar a base para acondicionar com segurança as mochilas. Colibri pescava, com um olho na água e outro nos dois lados do rio, para o caso de aparecerem os índios. Mas nenhuma canoa surgiu.

Com a jangada pronta, só faltava, na manhã seguinte, preparar o caminho para chegar à água. Todos os peixes pegos estavam sendo assados para futuras refeições.

Um temporal se aproximava, e a escuridão da noite chegou antes do previsto. Era uma rotina conhecida: trovoada relâmpagos, ventos, raios, galhos quebrando, chuva forte e gotejamento das árvores. Após a chuva, vinham os ruídos da vida na floresta: grilos, cigarras, vaga-lumes, formigas, corujas, urutaus e outros cantos noturnos.

Os três homens haviam jantado, e Zacarias iniciava seu turno quando ouviu um rosnar vindo do rio acima. No susto, ficou de pé e perguntou:

— João, está acordado? Você ouviu?

De novo, o urro da onça estremeceu a floresta.

— Ouvi. É onça, sim, e pela altura do esturro está perto.

— Vou pegar as bombas.

— Está louco? Vai atrair os índios.

— O que vamos fazer então?

— Pegar facas, facões, lanças e rezar.

— Carai, onde vim parar!

— O problema de ficar na beira de rio é que todos os animais vem beber.

— Será que ela já jantou e só vem beber ou vai comer o Zacarias? — falou Colibri dando seu risinho estridente.

— Vá rezar e dormir, seu porra! Se ela vier, solto uma bomba e você vai se foder nas mãos dos índios, que vão te comer.

— Esconde essas bombas aí, meu, e se vira com a onça, fala pra ela que a gente vai embora amanhã e pra ela comer os índios, que não têm casca.

Ouviram outro rosnar da onça, dessa vez mais longe, e a noite transcorreu serena, porém a preocupação não diminuiu. Os índios não tocaram os tambores e o dia amanheceu com o céu limpo.

— Ah, Colibri! Outro dia fiquei de lhe falar sobre o candiru e só me lembrei agora, que chegamos à beira da água e vamos ter que atravessar.

— Candiru? Que porra é essa?

— É um peixe muito pequeno, miudinho mesmo, que entra em qualquer orifício que encontra quando tem alguém na água.

— Qualquer orifício? Crendiospai, você não falou que tinha isso cacete! — esbravejou, alto, Colibri.

— E se ele entrar no tar do orifício, o que acontece? — perguntou Zacarias, também assustado.

— Não sai mais. Ele tem um dispositivo, como um guarda-chuva, que se abre com o calor do orifício.

— E aí meu?

— Aí que só sai com cirurgia.

— Vou voltar, não entro nessa água nem fudendo, quero ir pra Renascença. Quero ficar preso!

— Calma Colibri, é só arrolhar o fiofó que o peixe não entra — falou Zacarias.

— É, mas tem o bilau que o peixinho entra pelo canal — disse João.

— Que que é isso, mano? Muito sinistro, onde fui me meter! É bicho grande, é bicho pequeno, é onça, é cobra, é índio e, agora, é um peixinho desses pra acabar de fuder. Que beleza que é a liberdade! Eu lá, em Renascença, num calor filho da puta, só na cervejinha gelada e na piscina! Agora aqui, lidando com o candiru, barbante no bilau e rolha de madeira no fiofó. Só Jesus na causa! Queria era ver ele aqui.

A passarada alegrava a floresta e os três acabavam de tomar café, quer dizer, chá com farinha e peixe. Prepararam as mochilas e, em seguida, roçaram da jangada até o rio. Quando o sol clareou bem, os três apuraram os sentidos, a fim de se certificarem de que não vinham índios.

— Hoje— falou João — vai ser nosso primeiro teste na água. É outro mundo: pode ter piranha, jacaré, sucuri, peixe-elétrico, arraia-de-ferrão e candiru. Não fiquem nervosos. É só a gente ir de calça, amarrar bem os tornozelos com o cipó e apertar forte a cintura. É só prevenção. Ninguém falou que nesse rio há candiru, mas na dúvida vamos nos prevenir.

Colibri apertou bem a cinta e, ao amarrar a calça no tornozelo, deu um grito:

— Puta que pariu! Tô com um furo aqui na calça porra, e agora? Um filho da égua desseszinho entra nesse buraco e depois quer entrar em outro, e eu como é que fico?

— Deixe ver — falou João — Hummm! vamos amarrar com cipó esse buraco. Antes de chegar a outro rio, costuro com agulha e linha que tenho na mochila.

Enquanto João amarrava a calça de Colibri com cipó, pediu:

— Vejam se não há buraco no bolso da calça. Olhem tudo.

— Caralho! É mais fácil ser astronauta do que enfrentar o candiru — desolou-se Colibri, passando as mãos e os olhos por toda a roupa, enquanto João terminava.

Puxaram a jangada para o rio, afastaram o matupá da beira da água e a tora flutuou. Colocaram os pertences sobre a plataforma e ataram bem para evitar transtornos. Quando começou a nadar, Colibri falou:

— Jesus, o senhor que andou sobre as águas, ajude a gente a atravessar sem afundar!

— Assim não vai dar, cara — decepcionou-se Zacarias. — Quem andou sobre as águas foi Pedro.

— Puta furo meu! Mas Jesus também sabia. Era ele quem dava instruções para os assessores. Ou vai também dizer que não sabia de nada? Não aprendi essas religiões, mas de alguma coisa dá para desconfiar.

O rio era fundo. Apoiaram-se na madeira e começaram a nadar para a travessia, deixando a correnteza fazer sua parte. Marcaram um ponto no outro lado, mas a água era mais forte do que esperavam. Foi preciso nadar com força para não ficarem muito tempo expostos aos perigos do rio e os índios poderiam aparecer.

Permaneceram quietos e se esforçaram nas braçadas, olhando para a margem à frente e a curva do rio lá longe. Zacarias fazia um movimento de boca e Colibri perguntou:

— Você tá rezando, Zaca?

O colega devolveu um olhar feio e silencioso.

— Que nome terá esse rio? — perguntou-se em voz alta João Medeiros. — Nunca vamos saber. São os mistérios da travessia. Tantas coisas passam em nossa vida assim como um rio sem nome! Depois resta só uma lembrança que vai se distanciando.

A luta dos três seguia lenta e naturalmente preocupante. O rio se mostrava mais largo depois de estar nele e a água tendia a puxá-los para o lado contrário de onde queriam:

— João! — berrou Colibri. — Senti um cutucão. Acho que é arraia-de-ferrão.

— Não grite, cacete! Quer chamar os índios?

— Ah, não sei o que é pior! Se vier um peixe-elétrico, eu grito. tenho nojo de choque. Onde vim parar?! E meu avô falava que eu era esperto! Minha mãe mandava eu estudar, não fui. Esperto, eu? Agora aqui, nessa bocada.

— Feche essa boca, Colibri — ralhou Zacarias.

— Fecha a boca! — resmungou baixinho Colibri, falando consigo, murmurando — Eu aqui sendo atacado por terra, água e ar com a tal da cobra voadora, esses peixes monstruosos e a cavalaria a pé dos índios. Quem aguenta isso? — ficou quieto e garrou a pensar: "Ainda nadando e fazendo força com a porra desse pau. Esses dois aí estão quietos, rezando no pé do tronco, pensam que não vejo? É quase o fim da linha quando o homem está entre a solidão e o perigo. O que sobra se não for se apegar com algo invisível que está lá dentro da cabeça? Não esqueci isso que o João falou. Acho que é por isso que estão rezando, é a hora do apuro."

Debatiam-se num grande esforço, olhavam ansiosos para a curva distante, tinham a impressão de que os índios iam aparecer a qualquer momento. Foi uma angústia silenciosa aquela superação de índios, jacarés e outros perigos. Quando estavam quase chegando à margem do outro lado, um barulhão na água assustou os três, e em seguida outro barulho. Colibri, com os olhos arregalados, falou, olhando para trás:

— São jacarés!

Mais um mergulho e então viram os animais, eram lontras, e Medeiros acalmou os dois já querendo subir na jangada, o que não ia adiantar, pois afundariam com tudo.

Os três homens se esforçavam e não tiravam os olhos do cotovelo do rio, mas não aparecia nenhuma canoa. Tensos, foram encostando na margem. Não foi difícil recolher rapidamente tudo o que estava na jangada. Na sequência, soltaram as amarras, desmanchando a pequena embarcação, incorporando as cordas de cipó à bagagem. O tronco desceu lentamente pelas águas escuras. Após torcerem as calças para enxugar um pouco, estavam novamente em marcha para o leste. Colibri exprimiu:

— Cara, a água estava fria, mas o sol gostoso. Estou com saudade do sol, é só mata e sombra dias e dias.

— Sim, precisamos tomar um pouco de sol — concordou João. — Vamos ficar de olho. Quando observarmos um ponto de luz, é bom pararmos. Acho que estamos livres desses índios.

Passava do meio-dia, estavam já se preparando para descansar quando Medeiros chamou a atenção para algo se mexendo à sua frente. Os dois olham e ficam mudos de espanto. Uma sucuri deslizava lentamente, saindo de seu costumeiro lugar ao sol, um ponto onde a luz aquece por longo período. Foi sumindo pelo mato, sem medo dos intrusos. Os homens ficaram paralisados com o tamanho da cobra.

— Cara, me arrepiei inteiro, nunca pensei que fosse tão grande e grossa — disse Zacarias.

Aproximaram-se do local onde ela estava e viram uma roda grande de terra limpa, parecia varrida. Medeiros comentou:

— Lembram-se da história de lugares que a Mãe da Mata deixa

limpinho, varridinho? Aí está uma das criaturas que limpam bem o terreno: a sucuri.

— Então, a sucuri pode ser a Mãe da Mata — advertiu Colibri.

— É, pode ser. Ou pelo menos é uma delas. Mas vamos parar um pouco à frente, sem estragar o ambiente dela.

— É melhor mesmo, vai que chega a mãe — falou rindo Colibri.

— Tá loco, que tamanho que é, então? — falou espantado Zacarias

— Estou de acordo, vamos ficar longe dessa Mãe da Mata, dizem que ela engole até um boi.

— Imagine um de nós! Facim, facim!

— Ela primeiro enrola a vítima — explicou Medeiros. — Aperta bem, até matar. Depois, sem pressa, vai engolindo. O Jesus Preto foi abraçado por uma delas naquela fuga e escapou por um triz, porque todos avançaram sobre a cobra. Se tivessem só em três, não teria se salvado.

— Ai ai ai, nem fale isso, sinto até um frio na barriga — falou desolado Colibri, tirando o boné e coçando a cabeça. — Uma do tamanho daquela ali abraça nós três e engole todos.

Andaram mais um pouco e logo se sentaram sobre as folhas. No almoço, comeram peixe, castanha, palmito e mel. Após algum tempo de descanso, voltaram a caminhar.

— O ATAQUE DAS ABELHAS —

Em Renascença, no lado norte da muralha, tudo parecia normal. O soldado Roberto, no seu posto de observação, olhava para dentro da cidade, vendo os prisioneiros circularem entre os prédios, uns saindo e outros chegando. Um zumbido diferente chamou sua atenção para o lado de fora. Ele firmou o olhar sobre a mata e viu uma mancha escura se deslocando em direção à cidade. Pôs a mão na testa, fixou melhor o olhar e a mancha foi crescendo, transformando-se numa nuvem. Num reflexo, gritou:

— Abelhas!

Aquilo lhe passou como um raio pela cabeça. Ele saiu em disparada, distanciando-se do enxame, que passou por sua guarita e mergulhou entre os prédios próximos, atacando pessoas nas ruas. Foi um deus nos acuda, com gente correndo para todos os lados, uns entrando nos prédios, outros saindo, durante longos minutos. Muitos gritavam em desespero, batendo-se, querendo se livrar da fúria alada. Alguns corriam sem saber por quê, indo no embalo do momento. Outros, achando que fosse uma rebelião, já saíram gritando "Quebra, quebra tudo!" e foram ferroados e aí desabalando sem rumo.

Depois, já distantes, os que corriam foram parando, querendo entender o que acontecia. Os guardas deram o alerta e dois drones sobrevoavam a área, mandando imagens para a central, que imediatamente enviou três blindados, sendo uma viatura dos bombeiros e duas ambulâncias, para o socorro às vítimas.

Os veículos passaram velozmente pela rua lateral, entre as muralhas, evitando a multidão. Chegando ao local do ataque, depararam com o enxame numa árvore e muitas abelhas ainda sobre dois homens caídos na rua. Após as dispersarem com jatos de água, os dois prisioneiros foram imediatamente levados ao hospital. O sistema de som chamava possíveis moradores que tivessem sido atacados para serem socorridos. Aos poucos, foram aparecendo os ferroados mais graves, num total de vinte e sete, que foram levados ao hospital. Muitos receberam poucas picadas e estavam com inchaços apenas nos lábios e nos olhos.

Os bombeiros fizeram um fogo próximo ao local onde estavam as abelhas e logo a fumaça fez o enxame desaparecer.

O povo ficou alvoroçado, o sucedido foi uma grandeza e chacoalhou Renascença. O perigo ainda desconhecido fora incorporado ao vocabulário com a velocidade da luz, o volume de comentários era uma enormidade. Entre brabezas e gargalhadas, os relatos não paravam. Havia correria, tombos, medo de ser picado e de a casa ser roubada, afinal muitas haviam ficado abertas e a vizinhança não era de muita confiança.

Um dos dois prisioneiros que estavam desmaiados no meio da rua e foram levados para o hospital morreu. O outro ficou alguns dias em tratamento. A maioria, no entanto, não sofreu grandes consequências.

Rebeca ficou alguns dias sem aparecer nos bares, tal o inchaço dos olhos e dos lábios. Ela não morava na área atacada; só estava lá passeando com Gigi, que levou apenas duas picadas: uma na testa e outra no pescoço. Naquela tarde, após passar o susto, as duas estavam em casa quando Gi olhou para a amiga e, segurando o riso, falou:

— Miga, você tá uma monstra, nem olhe no espelho.

Rebeca via sua imagem no espelho e chorava.

Nos bares, a conversa era o ataque das abelhas e a sensação de que outros poderiam acontecer.

— Rapááá, mais essa agora, ataque aéreo. Tamos é fudido mesmo — comentava Estopa com Chicó.

— Nem fale meu, é índio, cobra pequena, cobra grande, onça, jacaré, leão, cachorro, soldado, raio, míssil e agora abelha, pode?

— E elas podiam ao menos ficar do lado da gente e pegar os guardas.

— Ah, de onde eu tava — falou o Estopa. — Vi o guarda sair feito uma bala da guarita, na hora não entendi, mas foi coisa de segundos e o enxame chegou do lado de cá. Aí quem virou bala fui eu e pensei "Salve-se quem puder, sebo nas canelas que é hora do pega pra capar!", e disparei pela rua, quando fui parando lá longe já com a língua de fora um palhaço gritou: onde vai com essa gravata vermelha?

— E tinha muita gente correndo?

— Vixe! Todo mundo que tem medo de abelha, pra todos os lados.

— Mas alguém não tem medo? Todos esses valentões aí se borrando por causa de uma coisica de nada, a abelha.

— Claro que todo mundo tem medo. A ferroada dói e tem veneno.

— Rapaz, e o Velton? Jeito mais triste de morrer.

— É que você não viu a cara do Remela. Nem parecia gente.

— Emílio estava falando que, pelo país afora, não é pouca gente que morre assim. De vez em quando tem um ataque, não se sabe onde. Pode ser no rural ou na cidade.

— Você não fica preocupado, com medo?

— Não faz sentido nos preocuparmos com coisas que não podemos controlar — respondeu Chicó. — E olhe, você está reclamando de cachorros e leões, mas, se não existissem esses fossos aí do lado de fora, era só essas onças da mata pulando aqui pra dentro.

— Aí, sim, que o bicho ia pegar mesmo. Nem fale uma coisa dessas!

— Viu que quase toda noite vêm uns urros de dentro do mato, lá perto do nosso prédio?

— Tô ficando com saudade de quando nóis ficava nas grades, fazendo sinal com os dedos pros jornalistas dizendo que estava muito lotado. Eu era feliz e não sabia. Melhor aquilo que da onça fungando no cangote.

— Não fale besteira, não, cara. O calor tá te deixando com o miolo mole.

— Tô aqui pensando nos fugitivos e nos riscos que estão correndo por essas matas. Acho que nem pensaram em ataques de abelhas. Se é que estão vivos.

Enquanto isso, no Bar Noite Alegre lotado, todos comentavam o ataque das abelhas. Numa mesa, estavam Piolho, Jacaré, Raposa, Vasito e Tenório. Raposa falou:

— Jacaré, dê uma corrida lá no fundo, veja como foi a coisa toda e volte aqui pra dá o diagnóstico pra nós.

— Tô fora! — falou alto o Jacaré se levantando e emendou — Meu diagnóstico dou pra ninguém.

— Qualé Jacaré, não é isso que você tá pensando não, se liga meu!

— NUVEM COLORIDA —

Na floresta, a travessia prosseguia. Após passarem o rio dos índios, os três homens andaram por vários dias, já acostumados a uma rotina que foi ficando monótona, visto que até os problemas se repetiam: trovoadas, chuvas, ventos, mosquitos, cobras, macacos gritando, pássaros e cigarras cantando, antas assobiando, tatus e lagartos correndo assustados.

As borboletas e vaga-lumes embelezando aquele mundo. Continuavam encontrando castanhas, palmitos, cipós d'água, e o solo às vezes escorregadio pelas chuvas, coberto de folhas ou raízes expostas. Nas árvores, muitas parasitas, orquídeas, cipós e bromélias. Também moitas perigosas, guardando morada de onças e outros animais que as vezes apavoram os fugitivos. O mel é importante, mas ser atacados por um enxames de abelhas é muito perigoso, por isso a caminhada é lenta e cuidadosa. Seguiram até um descampado grande, sem árvores, só com vegetação de caraguatá, que sempre é difícil de varar. Parte do trajeto foi feito sob sol e parte, sob chuva. Após o complicado trecho, chegaram de novo à borda da mata fechada.

— João, colhemos as frutas do gravatá. Mas elas só podem ser comidas se estiverem cozidas? — perguntou Zacarias.

— Sim. A fruta do caraguatá dá uma amarrada na garganta. Vamos cozinhar que fica melhor. Na hora de comer, lambuzamos no mel.

— Cara, essa vegetação aí, uma hora fala um nome e depois outro, por quê?

— É assim mesmo, pode ser os dois nomes, não sei se você lembra, mas mostrei fotos dessa planta lá na biblioteca. Está chegando o fim do dia — continuou Medeiros; — Vamos acampar aqui nas primeiras árvores. — Amanhã, se não estiver chovendo, poderemos tomar um pouco de sol nesse lugar sem sombra.

Todos concordaram e se prepararam para passar a noite ali, entre o campo de gravatá e a floresta. A comida estava racionada. No dia seguinte, seria preciso achar o que comer e encontrar na mata algo que pudessem estocar.

— Estou achando que saímos de uma bacia e agora vamos seguir por outra.

— O que é isso de bacia? — perguntou Colibri.

— Desse lado, as águas das chuvas e os rios correm para lá onde já passamos. Daqui para a frente, pelo tipo de terreno que estou vendo, as águas vão para esse lado. Lá longe, não sei a quanto tempo de caminhada, existe um rio.

— E isso pode ser bom ou ruim — disse Zacarias.

— Por que fala isso? — indagou Medeiros.

— Porque o rio significa vida, pra nós e para outros.

— Mas estamos procurando um rio que está no leste.

— Se o próximo não for o que procuramos, há um monte de problemas: é índio, é onça, é sucuri, é candiru, é travessia na água e sei lá mais o quê.

— Vire essa boca para lá! — disparou Colibri.

— Acha que não? Quero ver você acender quando um peixe elétrico achar que você é tomada.

— Misericórdia! Não me fale uma desgraceira dessas! Já falei: tenho pavor de levar choque.

— Estamos aqui para enfrentar tudo que for obstáculos e vamos superá-los — falou João Medeiros.

Amarraram as redes entre as primeiras árvores e acenderam o fogo. O manto da noite apagou o mundo. No céu, os homens admiravam a beleza das estrelas, que, pela limpeza da atmosfera, pareciam vivas.

Ali no chão, a luz dos tições era um ponto visível de vida. Dois dormiam na rede e Zacarias tomava conta. Olhava o fogo, a mata, e passava as vistas em derredor para ver se não vinham formigas ou bicho qualquer. De repente, viu algo diferente na rede de João. Olhou bem e jogou a luz do farolete. Era uma cobra grande passando sobre o homem, que dormia ou estava paralisado. Zacarias gelou, e pensou: "É uma sucuri pequena".

A cobra continuava passando. O homem não sabia o que fazer, iluminou o rosto de João e viu que ele estava com os olhos abertos, dominado por um medo calmo, e que a bichona foi descendo da rede e de repente parou, balançou o rabo, que farfalhou os cabelos de João, desceu um pouco mais e deu outra paradinha. Quando a pontinha da cauda com uns pelinhos muito finos passou de leve pelo nariz, João segurou o espirro. A cobra continuou a descer, e a ponta de seu rabo passou pelo pescoço de Medeiros. Em seguida, a serpente foi entrando no mato. Os homens estavam sem fala.

Com Zacarias atônito, João desceu da rede e falou:

— Vou tomar um chá. Viu a cobrinha?

— Estou besta. Que sorte que ela não te picou nem se enrolou no seu pescoço! — falou Zacarias, abrindo a rede de João, que perguntou:

— O que está olhando aí?

— Estou vendo se você não emerdalhou a rede.

— Não, mas devia. Quando acordei e vi aquilo em cima de mim, me assustei, mas logo vi que era caninana, cobra sem veneno, mas passar o rabo no meu nariz foi sacanagem.

— Caraca, meu! Acho que não vou dormir hoje, não. Se ela passar em cima de mim, eu morro ou me cago.

Colibri, que acordara e escutava a conversa, falou:

— Se passar em cima de mim, eu me cago e morro.

Depois foi a vez de Colibri vigiar o acampamento, o que fez com grande preocupação. Ficou perto do fogo, mas com o olhar redobrado. Por volta da meia-noite, olhou admirando para o céu, que estava sereno, varrido de nuvens. Um mundo de estrelas e espiando por cima da vegetação, viu ao longe, no descampado do caraguatá, uma luz entre prateada e azulada. Ficou intrigado, pôs-se nas pontas dos pés, fincou o olhar com força no rumo da luz e falou em voz alta:

— Não acredito! Tem gente lá, serão índios ou os milicos atrás de nós ou uma casa de morador? — continuou falando — Nâo. Morador não, não vimos casa.

— De repente, a luz se apagou e voltou a brilhar, mas parece que tinha se mudado de lugar.

— Ih, cacete, tá vindo pra cá. — falou mais alto.

João, levantando a cabeça, indagou:

— Colibri, está falando com quem? Algum problema?

— Tô vendo uma luz lá na frente.

Medeiros se sentou na rede, olhou, pensou um pouco e falou:

— É fogo-fátuo, fique sossegado! Já, já passa. Amanhã eu explico.

Logo estava dormindo novamente.

Colibri coçou a cabeça e falou baixinho:

— Caraca, meu, aprendendo até de madrugada.

Olhou e a luz já não estava.

No dia seguinte, acordaram com o chamado do capitão-do-mato e de bandos de periquitos em algazarras. Levantaram sem pressa. O que se queria era tomar sol e descansar. Ficaram fascinados com a quantidade de borboletas amarelas se movimentando próximo ao acampamento, por cima do gravatá. Pareciam centenas, e foi chegando mais, eram milhares a cobrir a paisagem com um amarelo forte contrastando com o verde em volta. Os homens ficaram encantados com aquela beleza, que foi se distanciando lentamente, como uma nuvem colorida.

João e Zacarias entraram no mato em busca de comida e pediram que Colibri não se assustasse com a vizinha.

— Mas não durma na rede — recomendou João.

O rapaz estava sem sossego e pensou: "Ficar sem fazer nada, se tivesse trazido um livro..." e ficou a olhar cada detalhe de tudo o que estava por perto. Ao observar a natureza fora da mata alta, foi reparando no trabalho das aranhas e a beleza das teias orvalhadas brilhando ao sol na manhãzinha e garrou a pensar: "São verdadeiras obras de arte, que se um artista fotografar e depois desenhar, bordar, pintar, vai ter um belo trabalho só reproduzindo a beleza das linhas feitas pela natureza destas aranhas as verdadeiras rendeiras".

Os outros dois dentro da mata batalhavam o que comer. A primeira comida que encontraram foi a palmeira-babaçu, da qual recolheram vários cocos, deles tiraram o gongo, um pequeno mandruvá branco, rico em proteínas. A polpa da fruta também é bom alimento.

Ao voltarem, João falou:

— Aqui há sol. Vamos aproveitar hoje e descansar. Amanhã, sairemos cedo. Achamos um pouco de mel, então vamos cozinhar as frutas de gravatá e comer esse gongo com coco e um restinho de farinha.

Colibri não gostou muito e comeu o gongo fazendo uma careta horrível.

— Não gostou, Colibri? — perguntou João. — Como já disse um poeta: "A repugnância não pode existir onde há fome." Fique feliz de ter o sustento.

O gravatá com mel desceu bem. Tomaram água de raiz de embaúba e descansaram o resto da tarde.

João preparou armadilha para ver se pegava uma caça, mas na manhã seguinte viu que não pegara nada. Bem cedo, levantaram acampamento e se foram mata adentro.

— Fiquem atentos para ruído de caças. Precisamos de uma, e o mais fácil é o tatu. Vamos ficar alertas — recomendou, já andando.

Depois de um tempo, observou uma árvore, parou e mostrou nela as marcas das unhas que uma onça deixara.

— Ela arranha o tronco que é pra afiar as garras. Se há onça, é sinal de que há caça por aqui.

Zacarias, com os olhos ligeiros, procurava algum buraco. Por volta das quatro da tarde, avistou, a uns quinze metros, um que parecia ser de tatu. Pararam a uma boa distância e armaram as redes. Conversavam baixo, sempre de olho no buraco.

— Temos aí o buraco. Mas e o tatu, está dentro ou fora? Eis a questão. Não dá para arriscar, temos que esperar.

— Temos que pegar esse nosso vizinho. Vamos ficar de olho na casa dele. Já não aguento mais tomar chá e comer palmito com castanha e mel. Preciso de carne, sustância! — falou Zacarias.

— Você não perde essa sua mania de assaltar casa, né, Zaca?! — brincou Colibri.

— Nem me fale! Nessa nós vamos assaltar e comer o dono bem assadinho.

Estava quase escurecendo quando Colibri viu o tatu saindo.

— Pronto! O tatu saiu. Agora é só ficarmos atentos para ver quando ele entra no buraco.

— Será que damos conta? Já perdemos vários.

— Mas ganhamos aprendizado — respondeu João. — Na vida, quanto mais se perde, mais aprende.

— Falou, filósofo, mas prefiro aprender ganhando — falou Colibri dando seu risinho estridente.

Atentos para a chegada do tatu, ouviam com mais nitidez o chiado da floresta, as vozes dos insetos, os grilos, até a correição de formigas sobre as folhas, quase perto. De repente, lá longe, do fundo da mata, gritos muito altos de bugios.

— Cara, é arrepiante! — exclamou Colibri.

— E o puto do tatu não chega — acrescentou Zacarias.

— Ele já deve estar andando por aí. Vamos ficar de antena. Quando entrar no buraco, vou colocar minha rede de um jeito que ele não vai escapar — falou João, esfregando as mãos.

Foi uma longa espera, quando viram o animal finalmente surgindo em meio às sombras nas imediações do buraco, foi só desconfiar de algo anormal e ele entrou disparado em sua casa. Deve ter ido lá pro quartinho dos fundos e pensando "Quem são esses monstros, nunca vi bicho igual." Mal sabia que seu destino estava selado. Os homens chegaram correndo e começaram a trabalhar, não poderia falhar, ao que Colibri estabeleceu: operação Tatu na Brasa.

Após várias tentativas fracassadas, os homens estavam aperfeiçoando a técnica para caçar tatu e o vizinho desta noite levou a pior, indo para o espeto e saciando a fome dos caminhantes que conversavam durante o jantar. Colibri disse:

— Até que enfim me vinguei! Dessa vez, quando o bicho apontou na porta, a rede estava esperando e cráu, já era — e emendou — Foi Deus que colocou esse tatu na nossa janta.

— Fala besteira não, ô animal, acha que Deus está preocupado com a gente?

— Não é besteira, não, Zaca. Vi alguém falar um dia, não sei onde, que Deus comanda a cadeia alimentar, que um serve para alimentar o outro, e vem o outro e come. É assim sempre, ninguém escapa, isso é que é cadeia, não aquelas nossas.

— Tô fora dessa cadeia que um come o outro, e o outro come o outro — falou rindo o Zacarias.

— Hummm, é mesmo, será que Deus vai estar cuidando dessa situação aqui, nesse cu de mundo? Aqui não tem Deus não, aqui é o bicho geral.

— Queríamos liberdade e temos, só falta encontrar a saída desse labirinto. Acho que Deus está ajudando a gente. Passamos uns apertos, mas todo mundo, em qualquer lugar, passa. Estávamos com fome, apareceram tatu, águas-de-cipó, chuvas e rios. Temos palmitos, castanhas, chá, peixes, raízes. Deus está do nosso lado, pode crer.

— Então, nessa, ele optou por nós e o tatu foi para o beleléu — riu Colibri.

— Tomara que não chegue a vez de ele ficar do lado da onça e nós irmos pro beleléu — retrucou Zacarias. — Mas nem fale isso perto dos radicais ambientais. Eles preferem que a onça coma a gente.

Seguindo os turnos, passaram a noite e voltaram a caminhar. A mata engrossou, ficou escura, com árvores de todos os tamanhos.

— É um arvoredo sem fim na minha vida — falou Colibri — Difícil andar, perigoso. Crendiospai, além de cansar as pernas e o corpo se curvando o dia inteiro com essa mochilona nas costas, ainda tem que ficar observando se tem bichos.

Falando assim deu seu rizinho estridente, nisso tropeçou numa raiz e foi pra frente quase caindo e se equilibrando concluiu:

— Puta merda, tamo é fodidos! — Catou o boné do chão, coçando o braço que encostou num galho onde tinha uma lagarta-de-fogo, e reclamou: — Olhem meu braço, ficando manchado da lagarta! Está ardendo demais. Puta que pariu! Só me faltava essa.

João Medeiros colocou a roupa de apicultor, dizendo:

— Vou em busca do mel nosso de cada dia.

Foi explorar um ninho de abelhas num tronco que viram alguns metros atrás. Abasteceu recipientes de mel do grande enxame que encontrou no oco do pau. Enquanto tirava o mel, os outros armaram o acampamento. Fizeram açúcar e farinha de buriti. Mataram mais tatus. Assim, com boa alimentação, marcharam muitos dias, quando o cenário começou a mudar, com madeiras diferentes, mata mais rala, cobertura vegetal rasteira mais esparsa e terreno mais úmido e amolecendo. Por volta de duas horas, João achou que seria melhor acampar, pois para frente poderia ser pior e explicou:

— Nas proximidades do rio, a terra vai ficando mole, pastosa, lodosa e cheirando forte, cheiro de folhas curtidas. Melhor a gente parar aqui, preparar o acampamento, achar alguma comida. Amanhã, com o dia inteiro pela frente, a gente segue. Se der para continuar nesse rumo, vamos. Mas, se tivermos que mudar, estudamos o que fazer.

Abasteceram-se de frutas que encontraram, cortaram palmitos e açaí, que cozinharam a tarde toda, preparando comida para os dias à frente. Foi feito um chá de laranjinha, árvore de áreas alagadas, o que reforçou em Medeiros a segurança de que estavam chegando em água grande.

Ao pé do fogo, os três homens comiam um mingau de patauá e conversavam, escutando o coaxar da saparia. Sentiam o perfume forte da floresta no calor da noite.

— Para quem gosta de curtir a natureza, esse cantar dos sapos é uma bela música — falou João, balançando a cabeça.

— Esse barulhão não é um sapo, é um saco — falou Colibri.

— Sossegue, cara. Sapo é igual a música ruim: de tanto a gente ouvir, acaba gostando. — disse Zacarias.

— Gostando não, acostumando.

— Sim, muita gente gostaria de estar aqui. Curtindo tudo isso com um belo hotel aqui do lado, no ar-condicionado, sem mosquito.

— Cara, sinto falta de companhia feminina — falou Colibri. — A gente devia era ter trazido uma boneca daquelas de borracha que tem lá na cidade, tem uma loira bem-ajeitada, era só encher ela e punha sentada aí, ajudava a passar o tempo pra quem fica no turno.

— Só faltava — falou Zacarias — Aí o cara se entretê com a moça, vem a onça e crau, come o amoroso, ainda capaz de rasgar a coitada da companheira.

— Só dormindo mesmo — falou Medeiros, deitando na rede e conclui. — Cada ideia! Ô Colibri, é de silicone.

Colibri olhava o fogo fascinado pela dança das chamas, que variavam entre o amarelo o vermelho, e, de vez em quando, um azul-esverdeado bonito. Um encantamento entre a curiosidade e a magia. Depois continuava remexendo as brasas. Quando os homens se afastavam um pouco por necessidade de alívio, ele sempre mandava ter cuidado com a folha de urtiga e dava aquele seu risinho estridente.

No dia seguinte, continuaram cedo a caminhada pela mata encharcada. Depois de umas duas horas, chegaram a uma água meio estancada, de cor de ferrugem. Os homens pararam e seus olhos percorreram os troncos das árvores na lâmina d'água, que era rasa, mas ao que tudo indicava ia aumentando à medida que avançassem.

João parou e apontou, dizendo:

— Olhem ali uma palmeira joari. Ela joga uma grande quantidade de espinhos. Temos que passar longe delas. Se o calçado não for resistente, o cara não consegue andar.

— Mais essa agora! Espinhos? — entediou-se Colibri, demonstrando cansaço diante de tantas dificuldades.

— Estou olhando as folhas para ver se percebo para que lado estão indo — explicou João Medeiros, com o olhar fixo na água e esticando a vista para a frente querendo entender.

Depois de um tempo, falou:

— Está indo para a direita, igual ao rio por que passamos naquele dia. O problema é que agora é uma mata de igapó. Estão vendo? É uma vegetação diferente nas áreas inundadas das várzeas dos rios, que nessa situação não tem barranco, ou seja, lá na frente há um rio. A questão é saber a que distância está, pois, quanto mais longe, mais perigos, pois além de onças, tem sucuri, jacaré e até piranha pode ter. Vamos voltar um pouco para um lugar mais seco e decidir o que fazer, que rumo tomar. Não dá para irmos por essa água sem saber a distância e que tamanho de rio tem lá na frente, e passando o rio, quanto tem de alagado do outro lado.

— Como que vamos sair dessa? — indignou-se Colibri.

— Esperem! — disse João — Ali tem um pé de Camucamu, que é uma fruta de áreas alagadas. Vamos pegar. Vocês vão gostar. Ela alimenta bem e é rica em vitamina C, que estamos precisando.

— Estamos precisando mesmo é de um banho — falou Zacarias.

Voltaram para um ponto mais firme, começaram a juntar lenha e a armar as redes.

— Esta é uma situação nova — falou Medeiros acendendo o fogo — Temos três rumos a tomar: descer acompanhando a água, subir ou ir em frente. Descer está descartado, pois só vai aumentar o igapó. Para subir, não dá para saber quantos dias são de marcha até acabar o igapó, e só resta o rio para atravessar. Então, temos que nos preparar para atravessar.

— Atravessar? Mas como? — indagou Zacarias.

— E o candiru? — perguntou Colibri.

— Temos que pensar. Uma possibilidade é fazer uma canoa com o machado e o fogo, mas não temos equipamentos nem técnica para que fique estável. Se colocarmos um tronco cavoucado meia-boca, é ligeirinho para ele virar, não dá. Estou pensando de fazermos uma jangada estreita e comprida, em que caibam todas as nossas coisas e nós três. Navegaremos devagar e veremos o que há pela frente.

— Cara, mas uma jangada estreita não dá proteção contra jacaré, sucuri.

— Estou só pensando. Vocês têm alguma ideia melhor?

Colibri disse:

— Não tenho ideia nem melhor nem pior, a única ideia que tenho é que tamo é fodido nessa água toda com jacaré, sucuri, onça d'água, peixe elétrico, jiboia, cobra voadora, piranha e esse tar de candiru que penetra no fiofó do cara ou no bilau e pronto lascô. Se eu soubesse que tinha um peixe desses, tinha vindo com uma cueca de ferro pra entrar na água.

— Calma, Colibri, nem sabemos se tem esse peixe aqui.

— E não quero nem saber, não vou é entrar nessa água. Vamos fazer uma jangada e não vamos sair de cima.

— E se cair? — perguntou Zacarias.

— Deus me defenda! Primeira coisa que faço é pôr a mão no fiofó e no bilau, proteger bem.

— Mas aí você não pode nadar e morre afogado.

— Cara, você parece que tá do lado do candiru, vai se foder, meu! Não cuide não do seu sabiró pra ver o que vai te acontecer, aqui não tem remédio pra isso, não. Prefiro morrer que ser morto com um peixe desses dentro de um buraco meu. Misericórdia, onde fui me meter!

— É nessa hora que quem não aprendeu a rezar se agarra com Deus e tudo o que há de santos — disse Zacarias.

— É, na hora do candiru, o tar do Buda não adianta, não dá pra ficar sentadão no pé duma árvore do igapó, é fria. O religioso morre afogado.

— Vamos esquecer os perigos e pensar no que fazer e como fazer — disse João Medeiros. — Temos que encontrar duas árvores de madeira boa para flutuar, cortar do mesmo tamanho, amarrar forte com cipó, navegar pela mata de igapó, chegar ao rio, atravessar e continuar navegando até o outro lado.

— Mas e se esse for o rio grande de que você fala?

— Acho que não. Já andamos muito, mas é pouco. Ainda falta. O rio Negro ainda está longe. Vamos cuidar do fogo, do almoço, depois vou sondar a área para ver a madeira da jangada.

Fizeram o fogo entre as redes, alimentaram-se de castanhas e palmito com mel, acompanhado de um gostoso chá de laranjinha, adoçado com açúcar de buriti, e se fartaram de camucamu. Cada um em sua rede. Não demorou muito, e João saiu com Colibri à procura da madeira da jangada. Andaram um bom tempo, encontrando o que precisavam e várias frutas. No dia seguinte, arrastariam os troncos. Por volta das sete horas, estavam se ajeitando para dormir. João já cochilava em sua rede, e os outros dois conversavam:

— Cara, tem muitas histórias antigas sobre caça ao tesouro e tantas lendas nos livros — falou Zacarias. — E nós estamos no mesmo caminho de uma caça ao tesouro, que é o maior: a liberdade depois da travessia dessa floresta.

— Pior é que esse tesouro estava na nossas mãos e perdemos — disse Colibri.

— Não é que perdemos, foi tirado de nós.

— Mas quisemos entrar por esse caminho e deu errado.

— O que dá errado é que pobre tem mais chance de perder a liberdade, pois não estuda e acaba no xilindró. Tem muito rico ladrão e em dia com a liberdade, dinheiro e vida boa. Por quê? Porque estudou.

— Mas quem estuda tem licença pra roubar?

— Não, mas com estudo o cara se arranja na vida, para o bom caminho. Se entra na vida torta, está mais preparado pra se defender. Nós, pobres, não.

— Vou falar que entendi.

— Assim é que se fala. Já começou a entender, agora pense.

— Vou pensar nada, vou é dormir. E você, saia dessa rede e faça seu turno.

— Não aguenta um papo — resmungou Zacarias, indo para perto do fogo e tomando uma caneca de chá. — Dizem que no aperreio da vida estamos quase sempre na loucura. Aqui, no silêncio da floresta, não temos loucura nenhuma, só o andar atravessando o tempo. Se isso que estamos fazendo é loucura, é uma loucura linda, estou gostando.

— Zaca, você se arrepende dos crimes que cometeu? — perguntou Colibri.

— Não dá espaço para falar em arrependimento, pois a gente é empurrado desde muito novo para os sufocos da vida. É como um redemoinho gigante que nos pega no vento fraco e vai aumentando a velocidade. Quando vemos, estamos no meio do furacão, sem controle de mais nada, com a vida estragada. Como vou me arrepender se fui empurrado pela força da miséria, sem educação adequada, sem o preparo necessário para disputar espaços, num mundo que não criei?

— Eu falo de arrependimento de ter matado alguém.

— Nunca matei ninguém. Só assaltei e punha medos nas vítimas. A merda maior foi num assalto que meus parceiros atiraram e mataram.

— E eles estão onde?

— Lá em Renascença, mas com pena muito mais pesada. Eu me afastei deles.

— Eu às vezes me arrependo de ter matado aquele prefeito. Não por causa dele, mas pela família dele e por mim, que lasquei minha vida. Estou quase dormindo. Cuide de nós. Boa noite!

Zacarias respondeu ao boa noite e ficou a olhar o fogo, como que encantado pelas labaredas e as brasas vermelhas e pensou "quando tudo isso acabar, vou sentir falta desse fogo".

O dia foi amanhecendo na branquidão de um nevoeiro. Aquilo assustou Zacarias e Colibri, que acordaram espantados. Era diferente de tudo. Ficaram um tempo em silêncio, sem vontade de falar, um quase desânimo. Mas não tinha como desanimar, não podia. Os dois ainda na rede conversavam.

— Estou desnorteado e confuso, demorei a entender que estamos na mata. Acordei e não vi nada, ninguém. Fiquei apavorado, achei que estivesse sozinho — confessou Zacarias.

— E eu me ergui na rede. Quando vi tudo branco, deitei de novo e cobri a cabeça, nem pensei nada. Só achei que estivesse sonhando, nas nuvens. Nem reparei no João ali no fogo.

Nesse instante, veio do fundo do mato um pio que pareceu triste.

— É uma coruja — falou Zacarias.

— É o urutau, o pássaro fantasma — corrigiu Medeiros.

— Não se vê nada — disse da rede Colibri. — Sumiram as árvores.

— Não acordei vocês porque não dá para fazer nada, a nuvem fechada e nós no meio. É preciso apertar o fogo, mas nem lenha se acha.

— Pra onça também tá tudo embaçado — disse Colibri. — E se ela esbarrar aqui, vai levar um puta susto.

— Ela? E nós três? Vamos nos espalhar nessa nuvem que nunca mais a gente vai se encontrar.

— Nem fale uma desgraceira dessas! Vou até pôr umas bombas no bolso. Liberdade não é fácil, não. Deu até fome. Tô aqui pensando, Zaca: se um for ao banheiro, capaz de não achar o caminho de volta. Pior ainda é o cara usar uma folha de urtiga — deu seu risinho estridente e disse — Crendiospai, onde vim parar!

Depois de algum tempo, o nevoeiro foi diminuindo, subindo como uma cortina se levantando no palco da floresta, então foram providenciar a jangada. O sol aparecendo tímido, a neblina brilhando e rebrilhando com focos esparsos de luz parecendo salpicar de prata pedaços da mata.

— HOMENS MAUS —

O prédio na esquina, próximo à praça Manaus, estava reservado para um tipo de criminoso que, com o tempo, ocupou as residências de quase todos os andares. Tratava-se dos piores malfeitores do país: assassinos em série, gente com o coração de pedra, homens violentos, psicopatas, matadores frios, esquartejadores, estupradores, canibais, o que há de pior entre os piores.

No calor da tarde, alguns moradores conversavam num dos apartamento sobre o cotidiano que os envolvia.

— Nosso prédio é o mais próximo do barulhão — reclamou Lumbriga, esticando seu pescoço comprido. — Colocaram a gente bem no foco, tudo arranjado.

Sentado no chão, com seu aspecto sombrio, Querosene assentiu:

— Concordo. Estão com o zoião em cima de nós. Colocaram a gente aqui só pra vigiar. É perseguição, muito cabuloso...

— Mas se tivessem colocado nóis lá no fundão, no sabiró da cidade, a gente ia falar que estavam discriminando — retrucou Capivara, um cara sem pescoço, que falava e olhava rápido para os companheiros, com seus olhos ligeiros parecendo pensar.

— De qualquer forma, nós, aqui na frente, temos mais chance de ser pego numa errada e mandado lá pros prédios dos isolados, no fundão — rebateu Lumbriga. — Mas não tô nem aí. Temos que zoar esta cadeia, sacudir legal esta birosca do cacete.

— Tranquilidade, mano, tô com você, é isso mesmo, "movimentá" essa bagaça.

Veludo, olhando pela janela do sétimo andar, viu o pessoal lá embaixo fazendo exercícios, caminhando, andando de bicicleta, muitos indo para o lado onde estavam os ginásios, as piscinas, os bosques, e outros passeando na praça em frente. Depois de muito olhar, deu seu veredito:

— Cara isso aqui, perto de onde a gente estava, é o paraíso. Tem umas festas que animam uns doidão por aí.

— Cara, não acho graça nessas festas, pois não tem mulheres, não tem aquela expectativa que se pode encontrar alguém interessante — falou Capivara.

— De qualquer forma, é melhor do que nada, é beleza perto das prisões lá de fora. Só de se movimentar e ouvir as músicas já ajuda o espírito — emendou Veludo.

— Fala sério! — reclamou Lumbriga. — Desabotoa esse lance. Aqui fico com o coração perturbado, parece que nem sei, meu!

— Perto das outras prisões, é o paraíso. A gente achava ruim quando estava lá apertado, cagando no pé um do outro — lembrou Veludo.

— Qualé meu, o biombo aqui é manero, mas fala merda não cumpadi! Falar em paraíso nesse calor, no meio dessa mata e tão longe, cheio de guardas em volta, câmeras por toda parte, sem visita, sem poder dar um salve pra fora, isso aqui é sinistro sem mulher, e acha isso o paraíso? — Lumbriga fala e vai até a janela e continua — Olha lá, mano, em toda a muralha samango com bicudo na mão pronto pra dar um teco na gente, e olha aí na sua cara a porra duma águia, quase entrando aqui no cafofo, pra ficar de butuca em nóis. Tá loco, falar em paraíso.

— É o paraíso só de Adão — ironizou Fuscão.

— Tá de sacanagem com essa prosa, coisa mais sem graça. Paraíso sem Eva, credo, desconjuro! — disse Capivara. — Para com esse papo lage, meu.

— Fique tranquilo, Capivara. É o que você queria: estamos nas quebradas do inferno, o lado cruel da vida — afirmou Goiaba.

— Olhando as coisas funcionando assim, do jeito que é aqui, vemos que nossa vida é um abismo.

— Mas falam que aqui é possível ter um amanhã no horizonte.

— Qualé mano, amanhã no horizonte é o caralho, não acredito nessa história pra nós, já calejados nesse tipo de vida — falou Capivara. — Somos marcados demais. A sina da gente tá traçada. Como é que vamos fazer umas coisas que nunca fizemos? O fascínio do crime seduz gente que nem nóis, gostamos de roubar, enganar, matar. Pense no Gambá: sempre viveu no trabalho de matador de aluguel, como é que vai ter chance lá fora? Fazer o quê?

Da janela, Veludo alertou:

— O Gambá saiu do bar, está cambaleante e parece que está vindo pra casa.

— Esse cara tá sempre encharcado de álcool, já tá inchando os pés — falou Querosene. — Seu bafo de jiboia se sente de longe.

— Carinha aí já era, mano, só bêbado e na farinha, fedendo a gambá — consentiu Lumbriga, dando uma cuspida janela abaixo.

— É um cara de muita bebedeira. Quando não está encharcado de cachaça e maconha, anda pelas ruas parecendo perdido em pensamentos.

— O enfermeiro veio aqui e falou com ele. Querem levar o cara pra dar um conforto mental, mas ele não aceita.

Daí a pouco chegou Gambá, sem esconder a cara de ébrio e trazendo consigo Caninana, também meio chapado e querendo conversar com Capivara. Gambá não falou nada; voltando do banheiro, caiu na cama.

— Não vai comer nada? — perguntou Veludo.

— Mais tarde. Agora, estou aqui com meus fantasmas preparando um ataque.

— Cara, falar em comer, acho que vou passar um "zoiudo" pro peito — disse Capivara, e acrescentou — Mais essa ainda: a gente tem que fazer a comida. Tá com nada isso.

— Tem gente que vende uma briosa quentinha, é só comprar — lembrou Querosene.

— Será que vende fiado?

— Xiiiii, sei, não, você já está sem cascalho?

— Claro, né, já tô sem o cascalho do mês que vem; se eu contar minha história pro carroceiro, o burro chora, mano. Tô com vontade de sair, urubuzar a área e sentar o bambu nuns caras por aí, tomar um cacau na mão grande.

— Acho que seu mau é fome, come um zoiudo com pão que vai se acalmar e essa vontade passa — disse rindo o Veludo. — Com sua dentição bem falhada.

— Se você bambuzar aí na área, vai acabar no gelo do Polo Sul — advertiu Querosene.

— É, vou fazer isto: Matar a saudade de um zoiudinho que não vejo desde ontem, tomá um goró e dar um tapa num bagulho. Esse cadeião é sinistro, mas, depois que a gente vira bandido, perde a vontade de deixar de ser. A gente se amarrou no crime, tem o prazer de praticar a maldade. Eu mesmo já estou aqui nervoso, com desejo de passar um; vontade doida de um assalto para exercitar. Queria ter ido naquela fuga dos caras que deram o pinote. Aqui sem ação, me sinto enferrujar.

— Capivara — falou Veludo — Se você passar o zinco num aqui, vai é parar no fundão e, se assaltar vai ser arremessado, pro Polo Sul.

— Nem me fale desse polo do cacete, mas não gosto dessa pasmaceira, quero ação — falou Capivara soltando a fumaça da maconha.

— Tu tá abestado? — fala Veludo — Fique ligado que bambuzar uns caras aí leva a gente lá pro fundão! Muito cruel, isto aqui. Mas parece que esse tal de Emílio é um cara legal.

— Legal o cacete, outro que está se aproveitando e vive aí numa boa, só andando pra lá e pra cá. Tô de olho, quero ser o primeiro a meter o prego no seu caixão.

— Mas aqui não se usa caixão.

— Então o primeiro a dar um pontapé na caixinha das cinzas dele.

— Tem gente que está viciado nas drogas, nos assaltos e em matar, gosta disso — falou Querosene tomando uma cachaça. — Tem cara que na hora do crime, que é a hora da caça, chega saliva forte, quase espumando, as veias latejam, tal é sua satisfação pelo que está fazendo. O cara fica ali, mano, flutuando entre correr e dar o tiro, o nariz dilatado de vontade de matar. Os olhos injetados de sangue. A gente acostuma mesmo e gosta de viver daquele jeito. Ah, quantas vezes eu ali na ação com um revolver na mão e meus companheiros fazendo o assalto. O cliente vacila de medo e faz um gesto que meu medo de levar um tiro se transforma em susto e pum atiro. Gosto de ver meus clientes sofrerem.

E ficam ali naquela prosa essas pessoas com coração de gelo, e falam que fazem coisas escabrosas, de horror e violência, contando como proeza aquelas suas ações.

Ameba, um cara franzino mas que passava uma impressão sinistra, falou:

— O vacilão me devia uma merreca; fui no cafofo dele e o malandro começou me zoar, já me esquentei, puxei ele pra rua. Num vacilo meu punhal entrou frio em seu corpo quente, que logo ficou gelado ali no meio da rua, entrei numa birosca em frente, emborquei uma cachaça e passei pelo pilantra. O sol estava pesado, esmagador, sem vento nenhum. O corpo ficou lá no chão, esticado ao lado da poça de sangue seco. As moscas voejavam. A alma dele já chegava no inferno; nisso escutei, lá longe, o barulho da polícia, disparei pelos becos. Cadê que me pegaram!

Eles contavam as histórias enaltecendo sua coragem. Assim que o Ameba falou, o Zureta também narrou uma:

— Num semáforo, nóis tava de moto, eu e um chegado, e vimos um tira no banco do carona de um carro bonito, de cor preta. Nóis tava com muita bronca dos homens e sapecamos fogo, matamos ele e o do volante, que na pressa achamos que era milico também, quer dizer não achamos nada, só matamos e demos no pé rapidinho. Depois vimos na TV que o cara da farda no banco do carona era um boneco, que estava fardado para evitar assalto. O do volante levou a pior: de bobeira, morreu por causa do disfarce.

"A vida da gente é de correria desde pequeno, e a maioria vai morrendo novo, porque a gente tem um futuro que chega cedo."

— Pra nós, futuro bom é igual ao Messias: não chega nunca — falou Querosene.

— Agora estamos numa situação complicada. Daqui não se escapa, e se não participar de nada nem trabalhar não sai antes — desanimou-se Veludo. — Matador de aluguel acho que não sai daqui é nunca.

Nesse instante, Manicão foi entrando, escutou parte da conversa e perguntou, meio irritado:

— Estão falando de mim e do meu trabalho?

— Não estamos falando de você nem de ninguém. Estamos falando de matador de aluguel.

— É de mim mesmo, então.

— Tá bom, é de você e de todos matadores de aluguel, e quer saber,? Não são valentes, são covardes, porque só matam escondidos, nas tocaias ou na traição. Vai embaçar? — falou alto o Capivara.

— Não caralho, só queria saber o assunto, já que tô nele.

— A gente tá falando que é difícil matador de aluguel conseguir arrumar a vida lá fora na honestidade, pois acostumou com o trampo que tem, e também que a maioria deles não vai nem sair daqui — assim explicou Capivara.

— Tenho pensado nisso — falou o matador — E vou lutar pelos meus pontos.

— Caraca, meu, aí senti firmeza — disse Veludo — E você acredita que tem chance?

— Pergunta mais besta! Se não tivesse, não tentava. E vou mudar de vida.

— Que é que você vai fazer para mudar de vida, pode explicar pra nós?

— Vou trabalhar, rezar, ler, praticar esportes e buscar pontos onde der e vou conseguir, na glória do Senhor.

— Vê se pode, meu, o mundo está mudado mesmo, vai agora ficar da banda de Deus? — debochou Querosene e continuou — Essa cidade acaba com a gente mesmo. Que igreja você está indo?

— De meditação e uma evangélica. Também aprovo mais alguma que me agrade.

— Um pouco mais e o cara vira santo — falou o Lumbriga.

— A vontade de vida impulsiona o homem, a esperança sustenta nossos sonhos. A gente tem que pôr significado na vida. E vocês, comecem suas mudanças indo ler alguma coisa na biblioteca.

Assim falando, ele saiu de casa, mas voltou e completou:

— Vou deixá-los livres de mim. Vou embora do cafofo. Minha casa agora é outra.

— Mas não esqueça: no mundo do crime, uns estão presos aos outros pelo sangue que já derramaram juntos — alertou Capivara.

Manicão parou, ouviu e se foi mas retornou e disse na porta — Esqueci de falar, quem vem morar aqui no meu lugar é o Caranguejo — dizendo isso se foi ligeiro.

— Puta que pariu, piorou! — esbravejou Capivara. — Aquele cara é um risco pra todos, pois é canibal.

— Não deviam fazer isso com a gente.

— Que nada, deixe ele vir, se bobear passamos ele loguinho, antes de ter apetite.

— Mas se arriscar a ir pro gelo por causa do Caranga? — questionou Capivara.

— Melhor do que ele comer a gente — respondeu Querosene.

— Chamamos o Manicão de covarde, e ele mandou a gente ler um livro — admirou-se Veludo.

— Se prepare, matador age assim mesmo, acho que o malandro tá armando pra cima de nós.

— Aí, hein! E o cara não quer mais se misturar com a gente, diz que vai se regenerar.

— Só acredito vendo, pois quem está nessa nossa vida está amarrado no jeito de ser — falou Capivara emborcando uma talagada e continuou: — Como era excitante praticar um assalto, uma doideira quando o medo e a excitação torna a pessoa feliz. Como explicar aquilo meu? Sentia o sangue correndo rápido em minha veias, o rosto transtornado, o olhar lampejante. Meu coração não batia, ele vibrava disparadão. O frio correndo da espinha para os bagos. Quando se está na batalha, naqueles momentos sua vida fica por um fio. Nas horas de agito, é preciso acalmar o coração e eu falava pra mim, respire fundo e vai. O pipoco de tiros aconteciam, às vezes, só pra assustar a clientela. Ainda tenho o barulho daqueles tiros dentro de minha cabeça. Não escolhi aquele viver, mas era feliz daquele jeito, agora não sei, preciso achar o equilíbrio. Eu não contava com essa prisão tão longe. Às vezes, penso em fugir, mas vimos já duas turmas se foderem, e uma que ninguém tem notícia.

— Todo mundo acha que eles foram comidos pelas onças — disse Goiaba. — Mas se não se tem notícia nenhuma sobre eles, de repente conseguiram.

— Então, vai saber — falou Lumbriga. — Dizem que o cara armou lentamente, devia saber o que estava fazendo. Se fugiram e não foram pegos do outro lado, ninguém fica sabendo. Se morreram de fome, doenças ou comidos pelas onças, aí que não se sabe mesmo. Só uma coisa me encuca: dizem que o cara era estudado e que, quando não estava no mato, estava na biblioteca. Isso desanima quem não tem estudo, pois se para andar no mato tem que ter estudo, então tamo fudido mesmo, sem chance.

— Sim, sem chance — falou Goiaba. — Por isso somos marginais, ou seja, fora do sistema. Mas, vivendo dentro, nossa missão é barbarizar para sobreviver.

— Mas agora estão barbarizando em cima de nós com essa prisão que engambelam a gente com isso que parece liberdade e ainda com a constante ameaça do Polo Sul — retrucou Veludo.

— Capivara, você tem coragem de fugir por essa mata?

— A gente é valente, destemido, doido até, mas pra atravessar essa floresta tem que ser mais do que isso. Por mim, pode deixar o portão aberto. Não é que não saio, é que não entro nessa mata de jeito nenhum.

— É mesmo — falou Veludo. — Pense no Jesus enrolado, sendo espremido pela sucuri.

— Nem me fale. Olhe, fico arrepiado.

— Pergunte pro Jesus se ele quer ir de novo — falou Querosene, dando risada.

— Hã? Ele tá dum jeito que não pode ver nem minhoca — disse Lumbriga e perguntou: — Veludo, por que você tem a vida que tem? Como entrou na bandidagem?

— Sabe que não sei. A vida me levou, me trouxe. Eu tinha família pobre, mas honesta, aí fui saindo. Acho que foi isso: amargura, revolta.

Acho que gosto da vida cheia de risco, sem medo. A vida de quem é certinho é mais cheia de vacilação, mais chata de viver. Melhor a minha, gosto assim do jeito que era antes de vir pra cá.

— Mas você não tem medo de nada? Nem da polícia nem de morrer?

— Não gosto dessas duas coisas, mas não dá pra escapar de nenhuma, então não esquento. Morrer para mim é só deixar de respirar. Na hora do assalto, o coração da gente bate feito uma zabumba, um treme terra. Por mais assaltos que eu tenha feito, nessa hora é tudo ou nada. A gente vai armado e não sabe a reação da vítima. Está preparado para atacar e é um jogo, não se sabe se vai dar certo ou não. Nesses momentos de muita adrenalina, a gente para de pensar no perigo. Se aparece a polícia, é tiroteio e fuga. É um trabalho rápido que vai dar renda ou merda. Se der merda, nunca se sabe o tamanho, se vai ser correria, morte, cadeia, hospital ou tortura. É a hora da vida ou da morte. O fatal! A cabeça da gente esquenta e parece que o cérebro borbulha no calor daquele momento. É por isso que um gesto qualquer da vítima leva o ladrão a atirar. Atira por medo.

— Tem medo o ladrão novo, o veterano nem liga pra nada — falou Capivara.

— Não sei se na moral é bem assim, na língua é — disse Goiaba.

— E tem o cara frio que mata não na emoção, mas na maior calma, burocraticamente como um trabalho qualquer — falou Veludo.

— Eu gostava de sair para caçar à noite — disse Querosene dando uma tragada no baseado. — E a cortina da morte acompanhava sempre meus assaltos. Era firmeza. Meus olhos ficavam brilhando sob o manto das trevas. Aí eu gostava de agir. Se o otário pensasse em reagir, já matava logo. Morria bem mortinho ali mesmo. Às vezes, me bate um desespero, mas sinto uma força que me leva... Será que o coisa ruim está dentro da gente?

— Você fez um pacto com o Diabo? Acha que tem o corpo fechado?

— Sei não se fiz, pode ser que, em alguma bebedeira, tenha feito, mas aí não sei se valeu. Sei que às vezes o sinto perto e muitas balas não me alcançam para matar, só me rabiscam.

— Qual é, mano? — disse Veludo. — Pode pensar assim não. Você foi levado às igrejas quando era menino e ficou infectado pelo bem. Não existe essa de maligno, não, tem é necessidade e o caminho que sobrou pra nós foi esse. E bala não entrou em você por sorte.

— A gente acaba indo não porque quer, é uma força que arrasta — continuou Veludo. — Minha vida de assaltos, drogas, dinheiro fácil, mulheres, jogo, poder, tudo isso parecia mágico. Era bom demais, quem não iria gostar? Mas tem o outro lado da vida, aquilo não poderia durar e não durou. Foi um fogo de labaredas altas, mas não era lenha forte. De repente, o fogo baixou rápido, a casa caiu. Fui preso, isolado. Foi como entrar num túnel, toda a luz que iluminava e alimentava se apagou. A mágica acabou. O céu se foi e o inferno é real e duradouro. Eu sabia que o túnel podia ser longo, mas não pensei que fosse tão longe. Precisamos pensar alguma coisa.

— Cara, o mundo tá maluco — afirmou Goiaba — Teve uma vez que fiz um trabalho, invadi legal uma casa, eu e um comparsa, o dono dentro. levamos um bocado de coisas, mas num vacilo fui pego. Na Justiça, o cliente veio pro cara a cara, me reconheceu e falou pro delegado: "Não quero acusá-lo de roubo, não" Quando o homem falou aquilo, fiquei aliviado. Mas o sujeito emendou: "Eu o acuso de racismo. Na ação, ele me chamou de branquelo azedo, e isso é racismo". Cara fiquei parado naquela e a lei me fudeu mais que se fosse roubo. Pode? Que mundo é esse? Não pode mais chamar branco de branco, onde vamos parar?

— Háháháhá — deram risada, e Veludo falou:

— Tá tudo virado, o mundo certinho, perdendo a graça, lá fora todo mundo vigiando todo mundo, todos na canga e falando que estão em liberdade.

— E você, Lumbriga, como chegou até aqui? — perguntou Capivara.

— Sempre fui do contra em tudo e desde cedo gostei de ser bandido. Na escola, já roubava a molecada. Mais tarde, no crime, uma terrível calma me mantinha tranquilo na hora do assalto ou na hora de matar. Gostava! Parece que tudo o mais deixava de existir, e eu atirava. Atirava sem receio, sem preocupação que aquela pessoa tivesse parentes, pai, mãe, irmãos, amigos. Parece que se criava um oco, um vazio, uma zona escura e eu atirava mecanicamente. Matava e ia embora. Depois aquele torpor ia passando, e eu me sentia como se tivesse sonhado. e aquelas imagens se desmanchando, mesmo que um sonho, quando a gente vai esquecendo com o passar das horas.

— E você, Cigano, que está sempre quieto, qual é sua especialidade — perguntou Veludo.

— Mato por encomenda. Precisava de dinheiro, comecei e não parei mais. Ganhei fama e, com a fama, mais serviços. Nunca faltou cliente. De toda essa conversa, só não gostei que vocês falaram que matador de aluguel é covarde.

— Nada disso, cara, a gente estava zoando com o Manicão, que agora está na igreja — consertou Capivara.

— Eu não mato à toa — fala Cigano — Faço serviço de padre: mando as pessoas falarem com Deus. Quem queria eutanásia, me chamava. Armava um assalto e eu sabia bem o que tinha que fazer: chegava despachando o sofrente pro céu. Colocava um travesseiro na cara do passageiro e depois o médico atestava que o coração não aguentou as emoções do assalto. Fiz isso muitas vezes. Agora pergunto: se hoje tem a lei da eutanásia, aquilo que adiantei me condena ou me livra? Com lei ou sem ela, fiz muita gente parar de sofrer nesse mundo difícil. Não dizem que o céu é bom? Mando pra lá. Sou como uma agência de turismo. Encomendou viagem para o céu? É só pagar a passagem que despacho.

— Mas a maioria, pelo que você falou, não era essa tal de eutanásia.

— Aí variava, tinha muitos clientes na política, grilagem de terras e traição amorosa também.

— E você, Querosene? Fale alguma coisa de suas paradas.

— Tô sossegado aqui nesse lugar, mas tem sempre uns fantasmas rodeando. Vocês falando e eu me lembrando aqui de quando agarrei uma moça na marra e ela esperneou, mas não escapou. De repente, ela se acalmou e rezava baixinho. Rezava que rezava. Fiquei incomodado com aquilo, depois nervoso, e logo furioso e acabei matando a moça. Fugi da área, meio desorientado com a reza da moça na cabeça. Fui preso e ando atormentado. Quando vou dormir, vejo o fantasma da moça rezando e chorando baixinho. Acabou que aprendi a reza e toda noite faço aquela oração várias vezes, sem querer até; quando vejo tô rezando.

Os companheiros de quarto não falaram nada, mas em várias noites o viram dormindo e chorando.

— Mas, Querosene, você não consegue esquecer aquela moça?

— Não tem como, nas noites que não consigo pegar no sono, aquela reza martela meus miolos.

— Você já foi ao médico? Precisa ir, pare de sofrer. O que está feito, está feito, a vida segue.

— É, já me falaram isso. Acho que vou mesmo nesse tal doutor psiquiatra, antes que eu endoide de vez, comece a matar gente aqui e acabe no Polo Sul.

— Ô Caninana, acorda aí, mano, se manca, vem pra falar comigo, fala nada e dorme na minha cama, já babando no meu travesseiro. Desafasta, meu, cai fora daqui, vai curtir sua cachaça ali com o Gambá.

— O JACARÉ —

Após a neblina se dissipar, os homens estavam trabalhando a guariuba, madeira boa para fazer canoa e que serviria para a jangada. Com a machadinha, perseverança e paciência, revezando-se, os homens cortaram duas árvores. Depois de muito esforço, conduziram os troncos até próximo ao ponto onde deveriam uni-las bem-amarradas, com cipós, formando uma embarcação comprida e estreita, para passar entre as árvores e o emaranhado do alagado, o domínio do igapó amazônico.

Colibri, que voltava da água trazendo peixes para as refeições do almoço e do jantar, se assustou com um porco-espinho que passou tranquilo perto dele e foi pelo mato parece sem perceber a presença do rapaz que pensou: "Desaforado esse tipo, ou sou eu que não estou impondo respeito nem aqui?".

Na manhã seguinte, levantaram acampamento após o nevoeiro se dispersar, quando o sol já ia alto, inundando com boa luz a mata. Todos os pertences estavam amarrados sobre a jangada, que foi duramente arrastada sobre a lama até chegar à água e flutuar. Estavam só de cuecas, em virtude do barro.

Depois, tomaram um banho, colocaram as roupas e se posicionaram sobre os dois paus da jangada. Cada um com uma longa vara, começaram a travessia. Medeiros ia na frente, varejando. Tinha ao alcance das mãos facão e foice para cortar pequenos galhos e cipós, a lança perto do pé, sobre a jangada. Os outros dois impulsionam a embarcação com as varas. Todos devem olhar para a frente, para trás, para cima e para dentro d'água, longe e perto.

No começo, a tensão era grande e eles estavam calados, compenetrados dentro daquele silêncio inundado, uma situação nova, tensa, diferente. João ainda tinha que olhar o sol e a bússola. A água cada vez mais funda. Apesar do esforço físico, avançava-se pouco, em razão da dificuldade e do comprimento da jangada.

O silêncio na mata de igapó era diferente de tudo que já haviam visto além de não ter o ruído dos passos. Um pequeno susto acontece quando um peixe pula ou um pássaro voa próximo.

— Olhem lá uma cobra — berrou Colibri.

— Agora que você viu? Já vi umas três — respondeu Zacarias.

— As pequenas, eu nem olho, mas aquela ali parece uma sucuri.

— Acho que é mesmo. Ainda bem que está indo para o outro lado.

— Aqui tem muitos peixes. Vamos jogar um anzol?

— Não, ainda não — falou na frente Medeiros — Nós temos comida para a travessia, não podemos perder tempo e se pegar peixe não vai dar para comer, precisamos primeiro atravessar o rio, aí a gente pesca.

Passaram horas na lenta travessia, mas a água dava sinais que o rio não estava longe, pois as folhas flutuantes se deslocavam mais que antes.

Os navegantes torciam para que não houvesse índios no rio. Após horas de muito esforço, para frente, para trás, enrosca, solta, pra frente de novo, corta, quebra, e força nas varas, começou a aparecer lá na frente entre as árvores os sinais do rio, pois o clarão crescia, devido a largura das águas refletindo o sol. Chegando mais perto João falou:

— Vamos parar um pouco e escutar para ver se tem algum barulho no rio. Colibri, jogue o anzol na água e veja se pega algum peixe enquanto a gente fica escutando o silêncio.

E assim ficaram, em absoluto silêncio, por uns vinte minutos, o suficiente para o Colibri fisgar quatro bons peixes.

— Parece não ter índios no rio. Vamos tocar e fazer a travessia. O canal não é pequeno, mas não tem correnteza forte.

Varejaram devagar, olhando o rio cuidadosamente e a estreita jangada entrou nas águas mansas do largo rio. Depois de muito esforço, atravessaram metros de vegetação de matupá que cobre a margem. O problema agora era que as varas não funcionavam, pois não alcançavam o fundo. Era preciso fazer o esforço de direção com as cascas de palmeiras que trouxeram para servir de remos, embora não tivessem a mesma eficiência. Eles, porém, foram dominando a técnica de ir direcionando a jangada para a esquerda, acompanhando o movimento da água, com paciência e torcendo para não aparecer uma canoa com índios.

Traçaram um rumo para atingir o outro lado e, mais de uma hora depois, chegaram bem abaixo, entrando sob uma grande árvore com muitas sacolinhas de capim, o que deixou os homens admirados. Pareciam enfeitar os galhos, mas eram ninhos de japins, explicou João.

Zacarias falou que lá no sul o nome desse pássaro é Guache. Mas foi demorado sair do rio pois a vegetação de canarana estava muito espessa, o que deixou os três mais nervosos ainda. João, lá na frente, tentava desesperadamente limpar o caminho, mas ficou tudo muito lento e ele falou:

— Estamos meio encalhados. Se aparecerem índios, a gente entra na água e fica quieto.

Zacarias se espremeu lá na frente deitando sobre uma das pontas e João na outra para ajudar a limpar mais rápido. Depois de um angustiante esforço, entraram debaixo da árvore e finalmente atravessaram o capim, buscando se afastar do rio com as varas. Aceleraram pois ouviram vozes se aproximando. Eram índios descendo em duas canoas. Como os fugitivos estavam muito próximos da margem, Medeiros cortou num golpe de foice um galho com boa quantidade de folhas e passou para Zacarias camuflar a parte traseira da embarcação para evitar serem vistos. Os três se deitaram na jangada, já que era possível vê-los do rio. Havia pelo menos doze em duas canoas grandes. Colibri fechou os olhos e fez o sinal da cruz.

Depois de longos minutos de silêncio, Colibri e Zacarias começaram a falar baixinho:

— Foi por pouco, muito pouco mesmo.

— Tô falando: Deus está do nosso lado — disse Zacarias.

— Por que não segurou esses índios mais um pouco? — indagou, nervoso, Colibri.

— Bem, pelo menos Ele não está do lado dos índios, que seguiram sem curtir uma confusão. Isto é que chamo de boa administração do céu: todo mundo feliz.

— Zaca, cada dia você está mais religioso.

— Temos que ter fé que vamos chegar à liberdade — afirmou Medeiros, que recomendou parar um pouco para descansar e continuou falando — Desde o começo, esse era nosso rumo. Estamos prosseguindo. Isso é fé em nossos propósitos. A gente busca ajuda em algo que não vemos, mas em que cremos que pode nos proporcionar a vitória. Essa fé vai crescer à medida que avança o tempo para chegar ao fim da travessia. E vai ficar mais forte para dois se um de nós morrer e mais forte ainda se um de nós ficar sozinho neste mundo selvagem, aí só restará o sobrevivente e a fé, a crença de que não estará só. É preciso que exista algo em que se apegar, senão o que restará? Um homem perdido na maior floresta do mundo, frente a todos os tipos de perigos, sem rumo e sem ninguém? É preciso ter uma companhia, e Deus é a única que pode estar presente, um ente que brota do mais longínquo e profundo canto escondido da alma de quem se sente só, ninguém mais, só Deus pode estar ali. É o homem a espera de um milagre. Colibri, eu e Zacarias vamos varejando, você vai pescando. Vamos sair desta água com muita comida, só depende de você.

— Caraca, meu — disse Colibri — você falou uma coisa que eu não tinha pensado que é ficar sozinho aqui nessa mata. Eu, às vezes, penso que posso morrer, e acho que não quero, mas não tinha pensado que vocês dois podem morrer e eu ficar só, aí, sim, que lascou mesmo. O que é pior então?

— Nem vamos pensar assim, não dá mais tempo. Agora só temos um jeito: ir em frente. E pra isso temos que comer, então Colibri pegue os peixes que o tatu é por minha conta — falou rindo o Zacarias.

— Palmito, farinha, chá, frutas, mel e outras cossitas é comigo — disse João — e vamos sair dessa, não vai demorar. Tenham fé! Vamos pra frente.

A luz do dia já ia se apagando e nada de a água acabar. Era preciso chegar à terra firme. Só um dos faroletes tinha pilha. Deslocavam-se muito vagarosamente e João só de vez em quando olhava na bússola, buscando seguir mais ou menos em linha reta, no escurão que já chegava rápido.

Já noite, perceberam algo se movimentando perto da jangada, bateram a luz e viram um enorme jacaré que se aproximava lentamente, parecendo flutuar dentro da água. João preparou sua fisga de ferro, mentalizou a cabeça do animal e pensou insistentemente no olho e falou baixo para o companheiro:

— Joga a luz na cabeça dele.

O animal sentiu cheiro de comida e se aproximou mais. Colibri estava paralisado. Zacarias jogou o facho de luz na cabeça do bicho, que se encostou na tora da jangada, meio magnetizado pelo foco. A lança entrou forte num de seus olhos e foi um reboliço, com água para todos os lados. barulhão foi assustador, farolete apagou, o jacaré batia a calda desesperadamente e Medeiros segurava firme a lança com uma das mãos enquanto abraçou um galho e reforçou a outra mão na lança, o bicho urrava alto; Colibri, no estreito da jangada, veio para perto, quase jogando Zacarias na água, e, no escuro, este conseguiu enfiar sua lança abaixo do olho do animal, que continuou se batendo. João fazia enorme esforço para não o deixar escapar. Zacarias também enfiou seu facão na papada do animal, que se debatia, molhando tudo em volta e soltando grandes urros.

João estava perdendo as forças, quase cedendo, quando o bicho esmoreceu e se acalmou. Aquela ação rápida pareceu ter demorado um tempo enorme. A energia forte daquele momento escuro foi se arrefecendo. Os três homens estavam mudos e João sentia câimbras num dos braços. Estavam cansados e prontos para para ficarem alegres com a comida, mas precisavam antes constatar se estava mesmo morto, puxar o jacaré para cima da jangada e amarrá-lo.

Foi o que fizeram tateando na escuridão enfiando a mão na água para puxar o cipó por baixo da jangada amarrando o animal. Na sua vez, Colibri passou o cipó na velocidade do medo. Continuaram a varejar no escuro, uma vez que era preciso chegar à terra antes que outros jacarés ou onças sentissem o cheiro de comida e atacassem. Ao longe, trovões ribombavam anunciando chuva. Sem o farolete, tateando, João acendeu a tocha que preparou para emergências. Com a fraca luz, navegaram devagar.

— Só falta chover e apagar esta tocha, aí, sim, estamos n'água — lamentou João, olhando para cima e sentindo o vento e os raios cortando a noite — Trovões cada vez mais pertos. Fortes!

Os raios continuados ia iluminando o cenário que se tornava fantasmagórico. Um barulho grande na água assustou mais ainda os três que já não sabiam para onde olhar. Não tinham certeza se aqueles raios eram ruins ou bons, pois traziam perigo e luz. Começou a chover e tiveram que parar, João apagou a tocha para não ficar molhada, o difícil foi guardar rápido aquela coisa quente. A chuva caiu sem dó. João ficou de quatro para proteger a tocha quente com o corpo. Os dois ficaram em pé e Colibri comentou:

— Que situação!

Depois de um quarto de hora, o temporal passou, João reacendeu a tocha e voltaram a varejar por mais duas horas, quando finalmente começou a ficar raso. Pouco depois, encostaram em terra firme, tendo que roçar vários metros para o desembarque. Os homens estavam molhados e exaustos.

Sondaram mais ou menos o terreno e puxaram o jacaré para fora da jangada, a uma boa distância da água. Foi um trabalho penoso, o terreno pantanoso dificultava e tudo se sujava na lama. Sob a luz da pequena tocha, juntaram um pouco de lenha e fizeram uma fogueira. Com o fogo, aqueceram-se, secaram as roupas e fizeram um assado de peixes. Estavam famintos. O jacaré ficaria para o dia seguinte.

Com a pouca luz, amarraram as redes e procuraram mais lenha, para manter o fogo e evitar a aproximação de animais atraídos pela carne do jacaré.

Era noite alta quando a lua reinou total, jogando feixes de luz entre as árvores iluminando timidamente o interior da mata. Colibri ajeitando o fogo disse:

— A mata esconde demais a lua bonita, só deixa passar uma luz fantasma, quando olho lá pro fundão quase me arrepio, vejam, é sinistro!

— Os fantasmas estão dentro da cabeça da gente — explicou João.

— Acho bonito esse jogo de tons entre prata e preto que vem com a luz da lua e as sombras silenciosas da noite na floresta.

Devia passar das três da madrugada quando dois foram deitar. Dessa vez, os turnos estavam alterados e cada um ficaria apenas uma hora.

Lá no alto, as folhas se mexiam e um vento leve soprava. De resto, a noite transcorreu tranquila.

O dia veio sem nevoeiro, com muita luz e calor, animando todos a providenciar bastante lenha, arrastar o jacaré para a água e lavá-lo, tirar seu couro na jangada e jogar as entranhas na água. Tomaram banho, lavaram a roupa e fizeram um churrasco, com uma carne que não estava no programa e dava um grande alento, ainda mais que tinham atravessado a mata de igapó e o rio; mais felizes ainda quando lembravam que por pouco não depararam com os índios na água.

— Não falei que Deus estava do nosso lado? — lembrou Zacarias.

— Mas ficou contra o jacaré — devolveu Colibri.

— Problema da cadeia alimentar, não é uma intervenção de Deus.

— Você falou que foi uma intervenção dele pra favorecer a gente.

— Favorecer a nós, mas o jacaré foi chamado para outra missão lá no céu dos jacarés.

— Tá certo, Zaca, você venceu. Vamos comer o jacaré. Já comeu alguma vez?

— Nunca. Lá na minha terra, quem come jacaré vai preso.

— E lá em Renascença não se tem chance de comer jacaré.

Assim, conversando, aliviados de terem escapado do jacaré, dos índios e da água, e ainda com bastante alimentos, se sentiam felizes. Passaram a tarde assando todas as carnes para acondicionar e levar na caminhada, que retomariam na manhã seguinte.

— Estou aqui pensando — iniciou João Medeiros. — Estamos com sorte de só termos visto índios no rio. Eles também andam pelo mato para caçar e estão nas terras deles. De repente, podemos dar de cara com uma turma.

— Verdade! — exclamou Colibri com desalento — E o que vamos fazer?

— O que podemos fazer é torcer para eles não aparecerem — respondeu Zacarias.

— O que é melhor: torcer ou rezar? Pergunta Colibri e diante do silêncio continua, João, você acha que pode vir um castigo desses porque matamos o jacaré? Será que a Mãe da Mata, o Curupira, essa turma aí pode mandar os índios só pra estrepar a gente?

— Sabe Colibri, acho que estamos no haver, lembra aquela anta que não matamos? Então, os protetores da mata veem tudo. A dona anta era bem maior. Boa noite, Colibri, vou escorregando para o sono que a noite passada foi muito curta. Esqueça os índios.

João estava na rede, e Colibri cantava uma canção antiga quando Zacarias, voltando de um alívio, ouviu a voz do companheiro: "Vem a noite, e com a noite todas as lembranças que você deixou. Eu, sozinho no meu mundo, vou chorar saudades do que já não sou. Já não sou aquele que um dia teve tudo e deixou perder..."

Zacarias acocorou junto ao fogo e ficou ouvindo. Depois de ouvir inteira, comentou:

— Cara, ouvi esta canção lá na cidade, então era você que cantava? Caraca meu, eu querendo saber quem era o cantor e agora, você! Sempre gostei, é antiga, mas traz umas verdades. Ainda mais agora, com a gente aqui. Quando fala, então, de noites vazias, frias, e sonhos aos pedaços...

— Também acho bonita, aprendi com um tio meu. Lá em Renascença, até arranhava o violão do Pereba pra acompanhar.

— Vamos cantar juntos, e com violão, quando a gente completar a travessia.

— Vamos muito, vai ser da hora mano, e num belo bar, umas gatas quentes e umas cervas geladas.

— Nem me fale meu, isso me azucrina, não vejo a hora.

A noite foi repousante, sem entreveros. Acordaram com o canto da passarada e a caminhada recomeçou depois do descanso de um dia. A floreta com árvores de grande porte, muitos cipoais, palmeiras e muitas frutíferas, animais e pássaros, era também fechada e repleta de insetos e animais peçonhentos.

— O PRESO E O GUARDA —

Em Renascença o guarda em sua torre olhava para a mata grande e queria respostas às suas perguntas, que remoía enquanto seus olhos percorriam lá dentro e o fora, via o movimento dos homens presos — uns trabalhando, outros caminhando, alguns correndo — quando notou alguém se aproximando da muralha e o encarando. Ao chegar próximo, o homem parou, coçou o cocuruto da cabeça e gritou:

— Boa tarde, seu moço — ao que o guarda respondeu com um sério "boa tarde". O preso continuou: — Tem isqueiro?

— Tenho fogo — respondeu o guarda. E o preso retrucou:

— Tô fora!

O guarda, então, corrigiu:

— Você está dentro, fora estou eu.

— Você me pegou hein, ô mané?! Vamos trocar de lado?

— Não, prefiro trabalhar.

— Mas aqui também trabalho. Estou de folga hoje, só tomando uma — falou mostrando a lata de cerveja. Qualquer hora — continuou o preso — trago uma pra você. Deve ser quente aí em cima, né?

— Agradeço, mas é bom você ir andando, porque as câmeras estão filmando.

— Tô sabendo que estão, sempre — falou e foi andando tomando sua bebida.

O guarda reparou o preso, que se afastava mancando, e uma sensação estranha lhe invadiu a alma. Olhou para cima e viu que as nuvens do céu amazônico marchavam vagarosamente prenunciando um fim de dia melancólico, trazendo as tristezas do cair da tarde na torre solitária onde ficaria ainda muitas horas. O preso parou sua caminhada, voltou, observou o guarda com olhos penetrantes e disse:

— Se seu coração estiver batendo triste no peito, tenha muito cuidado.

O da guarita fixou o olhar no preso, que voltou a se afastar com andar triste. O guarda, então, falou para si mesmo: "Estou mais preso que esses caras", e pôs-se a observar, taciturno, o voo dos pássaros, que no fim da tarde retornam para o ninhal, como tanta gente volta para casa no fim do dia e continua a pensar: "nesse momento, quando não está claro e nem escuro, a cada instante a luz do sol sendo tangida pela solidão me baixa esta tristeza. Preciso aguentar, depois que eu casar arrumo outro emprego".

— A SURUCUCU-PICO-DE-JACA —

Após dias de marcha depois da travessia do igapó, numa manhã de caminhada normal, os três seguiam como sempre em fila. Zacarias deu um grito de dor, apertando os olhos, e um calafrio percorreu seu corpo. Ele olhou paralisado para o chão, e seus olhos arregalados fixavam uma cobra que se mantinha parada, com a cabeça erguida. João voltou correndo e, com a foice, a decepou.

Era uma surucucu-bico-de-jaca.

O homem se contorcia de dor. Abrindo a mochila, Medeiros tirou do estojo de medicamentos o soro antiofídico e aplicou no companheiro a dose necessária. Por ali mesmo, armaram o acampamento. Zacarias ficou na rede, sentindo os efeitos do veneno e a reação provocada pelo medicamento. Era preciso tempo e repouso. A febre tomou conta e ele suava muito, tremia de frio e dores, assim passou o dia todo e a noite quase inteira. Teve náuseas, vomitou, e variou na travessia da noite, tendo pesadelos e falando o tempo todo. Foi uma noite agitada, mas lá pelas quatro da manhã adormeceu mais serenamente.

João e Colibri se revezaram na vigília e nos turnos a cada três horas. O doente tinha uma coloração boa, mas seu rosto suava muito. João ministrou os remédios necessários.

De manhã, quando a passarada acordava o mundo da floresta, Colibri providenciou um chá novo, de folhas de laranjinha que trazia na mochila. Medeiros comeu um pouco de farinha de buriti com o tatu que haviam caçado no dia anterior e, completando com umas castanhas, falou:

— O Zacarias vai ficar um bom tempo no estaleiro. Vamos aproveitar para conseguir comida, ervas, folhas e cascas para chá e cogumelos. E também fazer açúcar de buriti, que está quase acabando. O pior é o sal, que não temos faz tempo.

— Pior mesmo são essas formigas — retificou Colibri. — Estou com a pele que não tem mais espaço nem pra formiga nem pra mosquito. Essa tucandeira é de matar. Levei uma picada e me deu uma baita febre. A barba também me coça.

— Essas formigas ferozes é que os índios põem para os jovens provarem que estão aptos a entrar na idade adulta. Enfiam o braço num tipo de luva chamada saaripé e as deixam picar — explicou Medeiros.

— Eu é que nunca ia entrar numa dessas. Coisa de índio mesmo.

— Coisa de costumes, cada cultura tem seus hábitos. Se você fosse índio, aceitaria numa boa.

— Sei não, coisa de índio mané. Duvido que índio mais moderno, desses com internet e celular, faça isso. Quem gosta de formiga é tamanduá. Desafasta isso, arrenego picadura de formiga selvagem.

— Tem muitos tipos de formigas na Amazônia — fala João. — Venenosas também são a jiquitaia e a mata-boi. A mordida delas arde demais.

— Já levei tantas picadas que ardem, queima, que nem sei qual é a pior.

Zacarias acordou lá pelas dez horas, com dores de cabeça e sem fome. Tomou um chá que Colibri levou até sua rede, comentando:

— Cara, você ficou mal, mas pelo que vi se aproximou de Deus, falou umas paradas de religião, mano. Acho até que você visitou o céu.

— Que que eu falei, não me lembro de nada, só sei que sonhei com a cobra.

— Você falou uma montoeira de bobeiras, vontade de ir pro céu, mas acho que não era o caminho certo, não.

— Por que, que foi que eu falei?

— Você estava chamando Jesus de Genésio.

— Como você sabe que eu queria falar Jesus se estava falando Genésio?

— É que ficava dizendo que Genésio estava na cruz, debaixo de muita chibatada.

— Vá à merda, seu bosta! Não brinque com coisa séria! Quase morri, se é que não vou morrer.

— Não, o doutor ali disse que está fora de perigo. Só precisa de repouso e bom humor.

— Chama ele aqui.

E, assim que João chega, ele fala:

— Doutor, seu enfermeiro tá enchendo meu saco. Demita ele e contrate uma enfermeira. Olha, cara, fora de brincadeira, passei mal. Há quanto tempo estamos aqui?

— O acidente foi ontem de manhã, agora ainda não é hora do almoço. Você teve muita febre, mas superou bem, sua estrutura é forte e a injeção funcionou legal. Acho que a cobra estava com pouco veneno, portanto logo você estará curado e continuaremos.

— Quando vou poder levantar?

— Não se preocupe. Depois que você comer bem, vamos ver como vai estar seu corpo e sua disposição. Só poderemos ir quando der para você andar normal. Por ora, descanse. Não adianta ter pressa, estamos nas mãos da natureza. Pior foi para a cobra, que o picou e foi picada.

— Mas você falou que se a gente demorar demais para chegar ao rio Negro vai começar a temporada das chuvas constantes e que os rios engrossam muito, ficando tudo mais difícil.

— O ritmo de nossa caminhada quem dita não somos nós. Estamos aqui sujeitos às leis da natureza, vamos respeitar. Esse foi nosso trato quando saímos. Se chegar o tempo das grandes chuvas, o que poderá acontecer é a gente fazer uma bela embarcação, descer um rio e ver no que vai dar.

Enquanto Zacarias convalescia, os outros dois andavam pelas vizinhanças do acampamento, coletando o que era possível aproveitar, sendo mel, buriti para tirar açúcar e fazer farinha dos frutos, cascas de árvores para chá, paricá, cujos frutos que vem em vagens sendo torrados e moídos dão um alucinógeno poderoso. Trouxeram também fibras de matá-matá que dá a corda trançada, ainda conseguiram vários ovos de lagarto, que estavam frescos dando um bom almoço. João fez uma armadilha e pegou um teiú, lagarto grande que ajudou nas refeições, achou vários tipos de cogumelos comestíveis, variando o cardápio e alimentando. No período que ficaram aí mataram também dois tatus, ou seja foi um período de terror na área.

Andavam pela mata próxima e cada vez traziam coisas. Quando trouxeram o paricá, preparou-se a panela para torrar as sementes que só João Medeiros sabia o poder. Torrou junto com uma casca cheirosa de árvore para dar sabor ao chá e depois que mornou deu para Colibri tomar. Passados uns quinze minutos, o rapaz estava doidão: queria matar jacaré, comer a cobra, jogou-se no chão dizendo que ia nadar até o fim do mundo, que transaria com a anta e enrabaria a onça, quebraria o Tarzan, correria atrás dos índios para expulsá-los da floresta. Por último, subiu numa árvore e gritou que era um bugio. Nessas estripulias de nadar, correr, subir e descer em árvores, o tempo andou. Quando o efeito passou, ele estava pelado em cima de uma árvore e aí ficou quieto, paradão. Por bom tempo, olhou para um lado e para o outro sem entender o que estava acontecendo e por que estava ali e, então, perguntou:

— Foi por causa da água que subi aqui?

— Não — riu João. — Foi por causa da onça.

— Da onça? Não me lembro. Ela queria me pegar e eu subi?

— Não, ela subiu correndo e você subiu para pegar a bichona. Pegou, comeu e mandou embora.

— Capaz mesmo, como é que desço dessa merda? Não tô vendo jeito. Cadê minha roupa?

— Se está difícil descer, imagine pra subir? E você subiu rapidinho.

Nesse dia, deram muita risada das peripécias de Colibri em sua aventura produzida pelo paricá.

No fim da tarde, estirados nas redes, com o fogo aceso conversavam, e João, enquanto picava o fumo e fazia um cigarro, falou:

— Vocês perceberam que depois que iniciamos o plano de fuga nossas vidas passaram a ter mais sentido?

— A ausência de sentido da vida enlouquece os homens naquelas prisões — respondeu Zacarias pitando um cigarrinho na luz do fogo — Em Renascença é muito melhor, mas procurar escapar por esta floresta faz a gente encontrar o sentido da vida na liberdade.

— Sim, criamos um motivo forte para viver.

— É, a vida na prisão fica sem sentido — falou Colibri do fundo da rede, já quase dormindo — Mas isso que estamos fazendo não é uma fuga, é uma provação, crenciospai — e deu seu risinho estridente.

— Na verdade, o querer liberta — disse João. — Assim falou Zaratustra: "Esta é a verdadeira doutrina da vontade e da liberdade."

— E quem é esse Zara... Zarafusca. Como é mesmo o nome? — perguntou Zacarias.

— Zaratustra, esse é o nome do homem. Li sobre ele na biblioteca. Foi um profeta na antiga Pérsia que pregava de forma simples que a liberdade está no querer das pessoas. Pelo menos naquele tempo.

— Concordo — disse Zacarias — que a liberdade esteja no querer da pessoa quando ela é cem por cento só, mas quando a pessoa faz uma parceria com outra, passa a ser só cinquenta por cento, e aí a liberdade já era.

— Pensando assim, se a outra pessoa for uma companheiragem de matrimônio, cada filho que nascer diminuirá o índice de liberdade.

— Acho que é isso que acontece. Mas há as compensações, que é a felicidade que isso proporciona.

— Nem sempre — discordou Colibri. — Às vezes, os desarranjos são grandes. Nesses casos, não se tem nem liberdade nem felicidade.

— Isso é muito complexo — opinou João. — Eu estava pensando em nossa situação em busca da liberdade, querendo essa travessia da floresta. Para isso, tenho que enfrentar e superar todos os problemas que aparecerem.

— É mesmo. Além de todos os problemas da floresta, há ainda os que surgem em nossas cabeças, como a saudade, nossos fantasmas, medos e solidão.

— Falam tanto das tristezas da solidão da mata, mas aqui nesta floresta não sinto solidão — disse Colibri.

— Deve ser porque temos a motivação de estar fugindo — falou Medeiros.

— Não acho que seja só isso — retrucou Zacarias. — É que, apesar de às vezes dominar o silêncio, na maior parte do tempo temos a companhia dos pássaros cantando, de animais correndo e das copas das árvores dançando ao som do vento.

— E, no silêncio da noite, a gente nem perde o sono para pensar em solidão, pois o cansaço é uma anestesia. Mas sempre tem uma lembrança alegre e a saudade que entristece a gente.

A noite ia alta, descambando para a madrugada. Medeiros estava no turno, sentado próximo ao fogo, e percebeu Colibri agitado na rede. De repente, esse deu um grito e acordou, sentou na rede meio aparvalhado e disse:

— Cara, que susto, sonhei que tinha uma onça sorrindo pra mim, aí abriu a bocona e veio. Ainda bem que acordei. Puta que pariu, a gente não tem sossego nem dormindo. Ela tá sempre perto.

— Você sonhou, e eu que acordei com a cobra no peito?

— Tá louco! Isso não é vida, é provação mesmo. Tem chá?

— Sim, de imburana. Tome com mel, que está gostoso.

— Humm, preciso ficar esperto com esses seus chás!

Zacarias acordou e perguntou:

— Quem gritou aí pra acordar a gente? Foi o Curupira?

— Fique quieto e durma aí, nem queira saber — respondeu Colibri.

No dia seguinte, por volta da hora do almoço, os fugitivos notaram um alvoroço anormal de pássaros num dos lados do acampamento, primeiro estava distante aquela algazarra e depois de um tempo estava mais próximo e aumentou a passarada, que desciam das copas das árvores e se aproximavam do chão. João falou:

— Zacarias, fique aí. Colibri, venha comigo.

Andaram uns vinte passos e descobriram o motivo da festa dos pássaros: era uma correição de formigas que vinham pretejando o chão e a marcha ia passar pelo acampamento; os pássaros acompanham para se alimentarem.

Os homens voltaram rápido para desamarrarem as redes e fazer a mudança para longe dali e se dando por felizes de ter acontecido naquele momento, pois, se fosse à noite nem imaginavam como ia ser.

— É por isso — falou João — que a rede precisa ser amarrada com um laço fácil de soltar, pois numa emergência dessas na escuridão pense no sufoco.

— Rapaaaá, mais essa agora, o perigo de vir uma enormidade daquelas formigas tucandeiras, aí é pior que cobra, Crendiospai, sem salvação! Onde fui me meter! — desabafa Colibri.

— João — pergunta Zacarias — Já sabemos de tantos perigos, agora as formigas. Você acha que ainda existe algum perigo que a gente não sabe?

— Os perigos na travessia da vida só acabam quando a gente morre. O escritor Guimarães Rosa ensinava, em seu *Grande Sertão: Veredas*: "Viver é muito perigoso."

— E viver nessa floresta é mais ainda. Está sempre aparecendo um perigo novo.

Ficaram ali, num longo repouso, e após cinco dias de boa alimentação foi possível retomar a caminhada. Era um dia claro, os homens amanheceram animados e mais atentos ao caminhar.

— O risco é grande para todos, mas, ao caminhar em fila, quem vem em segundo pode levar o bote da cobra que está dormindo e acorda com a passagem de quem vai na frente. Foi isso que aconteceu naquele dia: acordei a cobra, não vi e Zaca foi picado. A gente vai se acostumando e relaxando. Vamos redobrar a guarda e seguir para o fim dessa caminhada. Já andamos muito, e essa mata tem que acabar um dia. Se o rio Negro estava para trás de Renascença, chegaremos ao mar.

— Isso se não tivermos tocando de roda — falou Colibri. — Enfeitiçados pelos cipós que faz a gente se perder, os espíritos da floresta, o caboclinho, ou esse paricá, que deixa a gente com o miolo mole.

— Tocando de roda não estamos, porque passamos por águas diferentes. Confio no sol e na bússola — disse Medeiros. — Além disso, creio que o rio Negro não esteja pra trás, e sim pra a frente.

Com vários dias parados e Zacarias ainda sem a mesma agilidade, a caminhada rendeu pouco e pelas quatro da tarde acampam. Ele tem andado mais lentamente e na rede reclama de dores na panturrilha.

Numa daquelas manhãs, depois de uma madrugada chuvosa, o sol apareceu forte jogando luz entre as árvores e por volta das dez horas se deu uma revoada de tanajuras. Foi um corre corre na dificuldade do local, mas conseguiram pegar muitas. Até Zacarias ajudou. Não foi um prato que agradou muito, mas aquilo bem fritinho e misturado com a farinha de buriti, suculentos cogumelos e temperado com pimenta do reino, foi o banquete da semana.

Lentamente, a rotina foi se estabelecendo novamente, e dias depois chegam a um rio encaixado no leito, uma área sem igapó. Não é muito largo, mas será preciso um tronco para apoio da travessia sendo melhor acampar e pescar. Estão recolhendo lenha e amarrando as redes quando ouvem ruídos. Índios descem o rio. Os três se escondem e, como estão bem junto à água, dá para ver que são duas canoas descendo e de repente uma para enquanto a outra continua rápido com quatro índios. Encosta na margem oposta quase em frente onde estão os fugitivos. Um índio sai da canoa e sobe numa árvore que se debruça sobre o rio. A embarcação segue um pouco rio abaixo e também para, faz uma manobra virando na direção rio acima e encosta na margem. O índio que subiu na árvore se posiciona num galho sobre as águas. A canoa lá de trás desce lentamente e os três fugitivos percebem assustados que um pouco à frente vai nadando uma cobra grande. A canoa que está abaixo sobe um pouco para a esquerda e os movimentos da que está rio acima levam a sucuri a passar debaixo da árvore onde o índio espera no galho. No exato momento, ele pula sobre a cobra e a abraça com força. Ela reage e agita ferozmente o corpo com sua calda levantando grande volume d'água. Para tentar se livrar do incomodo em seu lombo ela mergulha levando o índio junto, mas para não engolir água a sucuri precisa fechar a boca. Então, entra em ação outra habilidade do caçador: enrolar o cipó que estava em sua mão direita na mandíbula da cobrona, apertando rápido e bem; o animal logo volta se batendo à superfície para respirar; e aí as duas canoas já estão em posição para dar as bordoadas na cabeça e puxá-la para a canoa. Em seguida os índios vibraram, cumprimentaram aquele que se atracou com a sucuri e continuaram a navegar, agora cantando uma melodia que parecia acompanhar o descer das águas lentas. Quando as canoas sumiram, os três homens respiraram aliviados. Quase não acreditam no que viram e comentam:

— Quando a gente contar isso, ninguém vai acreditar — admirou-se João. — Eu já havia escutado que os índios faziam isso, mas pensei que não fosse verdade, achava que era mais uma lenda.

— O homem pulou nas costas da sucuri! — espantou-se Colibri. — Um índio desse no rodeio de Barretos ganha de todo mundo.

— E, foi pra debaixo d'água — completou Zacarias. — Eu jamais acreditaria se não tivesse visto. Esquecemos até que eles podiam ter visto a gente.

— Para eles, naquele momento — disse João — a margem de cá nem existia, nossa sorte, pois uns caras desses, aqui no ambiente deles, devem ver até o que está atrás das árvores.

— E agora, podemos fazer fogo? Vendo aquela cobra, perdi até a vontade de pescar.

— Estou pensando é na companheira daquela cobra, se não está vindo por aí — brincou Zacarias.

— Misericórdia! Que será de nós essa noite? — perguntou Colibri, já ajeitando o fogo, agora mais afastado do rio para onde mudaram as redes.

Zacarias ficou deitado, e os outros dois prepararam anzóis pequenos para pegar peixes miúdos, fazendo isca, e logo estavam com os anzóis maiores. Não demorou para tirarem da água um belo matrinxã de mais de três quilos. Foi uma alegria tão grande que até esqueceram a cobra e os índios. Ainda pegaram uns pacus, mas a janta estava garantida. Ali mesmo, limparam os pescados e foram para a beira do fogo, dessa vez não muito alto.

— Índio não anda à noite? — perguntou Zacarias.

— Não sei — respondeu João. — Mas vamos fazer o quê? Faz parte do risco estarmos aqui. Vamos torcer para que não apareça ninguém agora nem de dia, porque amanhã precisamos pegar mais peixes para a caminhada.

— Vocês torcem aí pra não virem índios e torço aqui pra não vir onça — disse Colibri.

— Aproveite e torça para a companheira da sucuri não te comer — zombou Zacarias.

— Nem me lembre disso! E fale baixo perto do João, senão ele se lembra daquela caninana passando em cima dele e vai perder o sono.

— Vou nada.

— Vai dizer que não ficou com um baita medo de sentir aquela coisa passando no seu peito?

— Não foi uma sensação boa, até porque eu estava dormindo e não sabia que era caninana.

— Fosse eu tinha me borrado todo — disse Colibri — Sujado a rede, crendiospai, desconjuro, eco!

— Eu estava me olhando no reflexo da água e vi como estou feio — comentou Zacarias. — Barbudo, magro, acabado.

— Ué, tá estranhando o quê, não tá vendo nós? Do jeito que nós estamos? Se a onça olhar bem, leva um susto e some.

— Me acostumei com a feiura de vocês, vendo toda hora, mas eu não me vejo e quase levei um susto quando me vi no espelho d'água, achei que era outro cara que tinha aparecido aqui, credo!

— Acho que se os índios vê nóis, somem em disparada, arrebentando cipó nos peitos — brincou Colibri.

— Vão achar que são os espíritos feios da floresta. Eu, então, depois daquela cobra tô parecendo um zumbi.

— Temos que chegar logo ao fim dessa porra de caminhada, senão vamos ficar sem pisante. O meu já está no pau da rabiola.

— Por isso guardei aquelas solas grossas de pneu do projeto Curupira. Elas são furadas para passar o cipó da fibra de matá-matá por dentro. Assim, quando pisa, o cipó não pega no chão. Quando vocês acharem que não dá mais, montamos a lona sobre o pé e fazemos os cadarços de cipó. Fica um bom pisante, e as perneiras aguentam muito ainda, vão dar até o fim da caminhada. bem amarrado com as cordas do cipó e vamos juntar mais, amanhã vou ver se tem por aqui.

— Demorô! — falou Colibri — Já tô arrastando os pés. Isso é vida?

— Tá bom chorão: vamos arrumar esses pisantes.

Na manhã seguinte, Zacarias foi até a beira da rede de Colibri e o chamou:

— Acorde! O marido daquela onça que saiu com você está aqui e quer uma explicação.

— Fale pra ele que eu não sabia que ela era casada.

Acordaram de bom humor e o rio não foi difícil atravessar, pois na margem estava um tronco que João tinha visto na tarde anterior e amarrado com cipó para ser utilizado como apoio. Após a passagem para o outro lado, afastaram-se um pouco e se prepararam para pescar pois era preciso estocar um pouco de peixe. Tiveram sorte de pegar uns grandinhos e de os índios não terem aparecido. Logo que acabaram de pescar, retomaram a caminhada e só pararam para almoçar, quando, então, assaram todos os peixes.

    Depois de assarem os pescados, foram adiante, ansiosos para chegar ao fim daquela caminhada, já muito cansativa. Mas os problemas da mata pareciam aumentar, a insistência dos mosquitos, abelhas, formigas, cobras, aranhas, cipós, trovoadas e muitas chuvas, enfim tudo já perturbava mais que no começo. Sempre amolando a foice e facões e redobrando os cuidados.

—— ME PERDI NAS BELEZAS DO TEMPO ——

    Andando para as bandas do fundão, Fonseca e Durval chegaram a um banco sob a sombra de uma grande figueira, numa das laterais do Bosque do Leste. Sentaram-se, Durval no banco e o outro na raiz externa da árvore e a prosa continuou:

— Não estive bem essa madrugada — começou Fonseca. — Estava com febre e o mormaço da noite não me aquecia. Tentei dormir, não consegui. Saí para a rua, fui caminhando e cheguei na muralha dupla. A lua estava linda, mas eu estava mal. O silêncio e a solidão me envolviam, era uma coisa ruim. Às vezes, a nostalgia me pega e me aluga demais; eu sentia um desejo de varar a muralha e caminhar na mata escura. Fui andando, beirando o muro alto, tendo como acompanhante a imagem difusa do homem da guarita, que parecia não tirar os olhos de mim. Continuei a andar, e o homem armado, como uma sombra lá no alto, já era outro. Eu buscava saber onde havia perdido meu ponto, em que momento deixara o caminho e me perdera. Eu e minha família: meus irmãos, minhas irmãs, meus pais. Éramos felizes, todos juntos, na algazarra da meninice. Lembro o lugar bom onde a gente morava, nossos vizinhos, eram boas pessoas.

"Eu me fixei naqueles pensamentos e fui viajando pelo passado. A madrugada ia alta, a lua descambou, e uma chuvinha mansa, vagarosa, me pegou. Eu sentado ali junto à muralha. Nem sei o tamanho do buraco em mim, um vazio em minha vida. Meu pensamento não parava, assim como a chuva, e a noite não dava sinais de se transformar em dia. O que eu queria? Do que eu precisava? Uma igreja? Uma religião? Eu não sabia, mas tinha que ser algo que enchesse aquele vazio imenso que me atormentava. Eram aquelas lembranças dos tempos doces da meninice. Dias alegres até com Papai Noel, aquela mentira boa pra deixar a gente feliz. Meu pai levava boiadas grandes por lugares distantes. Mas, quando ele estava em casa, nos domingos ensolarados, a gente ia tomar banho no riacho próximo. Íamos felizes, caminhando pelas trilhas. Eu, às vezes, mordiscava o talo fino do capim margoso com sua umidade adocicada. Aqueles bons momentos foram passando, e meu pai cada vez arreava menos seu belo cavalo Azulão para as longas jornadas.

Cada vez mais se viam os caminhões carregando o gado. Não tardou muito e o que estava no caminhão era nossa mudança. De peão livre nas estradas empoeiradas e das jantas alegres na beira do fogo das comitivas boiadeiras, meu pai passou a peão boia fria em cima de caminhões para buscar o sustento da família, nas plantações de café, milho, amendoim e algodão. O pai na lavoura e os filhos escapulindo para conhecer a cidade, as novidades, e para a vida entrando, em busca de outras alegrias! Meu pai foi percebendo seu mundo ruindo. O trabalho não era constante e começava a faltar coisas em casa. Num momento de desespero, o pai achou que podia ser melhor numa cidade grande. Fomos e aí azedou de vez. Minhas irmãs se perderam. Nós, homens, desembestamos geral. Sem preparo e sem conforto nos viramos como deu e como foi. Elas na vida e nós os meninos viramos homens bandidos. Meu pai logo morreu e minha mãe ficou na tristeza de ver os filhos na perdição. Todos esparramados, uns presos, outros mortos. Vida dela virou um sofrimento continuado desde que deixamos as terras de nossa infância. Cada um que morre é a dor que aumenta em seu peito, mas é uma angústia a menos no seu viver de esperas assustadas nas madrugadas sem dormir direito. Um sofrimento sem fim e o viver virou castigo. E me pergunto: por quê? Por que tinha que ser assim, quando tudo era tão bom?"

— Muito triste isso que aconteceu com sua família — lamentou Durval. — Mas essa realidade aconteceu com muitas e muitas famílias. É o preço dos tempos que vão mudando o jeito de viver.

— E você, Durval? Ouvi falar que tinha um projeto de vida bem legal.

— Eu tinha, mas foi tudo por água abaixo.

— Pensa em retomar quando sair daqui?

— Não sei. Minha pena é longa demais.

— Mas aqui pode ficar pela metade.

— Tem que trampar muito, seguir muitas regras, mas já estou trabalhando.

— Já que está aqui, o rumo é só sair. Fugir não dá, então é agarrar a chance.

— Tenho pensado em regenerar, mas cavalo velho é cheio de manha.

— E você, como foi parar nas grades?

— O que me trouxe até aqui foi pura falta de sorte — lamentou Durval. — Só pode ser isso. Sempre fui trabalhador, mas não parava em serviço muito tempo. Ou eu pedia a conta, ou a firma me mandava embora, ou a firma quebrava e eu dançava. De azar em azar, aconteceu o pior: acabei cometendo um erro de roubo e, para não ser descoberto, fui dar um aperto num funcionário que sabia e de novo errei, agora na dose do aperto e o cara morreu. Fui descoberto e me lasquei. Agora penso no elo perdido da minha vida. Procuro nos meus dias antigos, onde me perdi. Aquele diazinho da primeira besteira que conduziu até aqui. Procuro compreender aonde deixei minha vida desandar, descarrilar. Quero entender se a culpa foi minha ou se não foi só minha. Sei que pode não ter mais importância saber essas coisas, mas gosto de pensar nisso, pois me faz sentir o eco daqueles tempos tão bons e que estou reencontrando o rumo perdido. Estou tomando gosto pelo trabalho, vendo sentido nas coisas e uma conexão com o passado. Tenho a sensação de que vou encontrar o elo quebrado e que será possível soldá-lo e juntar a corrente. Sei que não ficará um elo lizim, que as cicatrizes existem, mas a corrente está voltando e a vida poderá continuar, pois ainda tenho muito por fazer, de uma forma que sei que vai durar, mas sem os sobressaltos da vida marginal.

— Deus o ouça!

— Amém!

— Você está indo à igreja?

— Sim. Isso me acalma. Você podia ir a um templo e procurar ajuda lá com o psiquiatra.

— Acho que vou a esse templo de meditação.

— É um começo. Acho que vai gostar, e trocar uma ideia com o médico também é interessante.

— É, a vida ainda pode ter jeito — disse Fonseca, levantando-se da raiz.

— Não está doendo sua bunda de ficar aí nessa raiz?

— Não, está tranquilo, são grandes as raízes dessa figueira — falou Fonseca subindo o olhar para a copa da árvore, fazendo uma massagem nas nádegas e os dois caminharam para o centro da cidade, combinando de os dois irem juntos ao Mirante para a meditação.

— A PACA —

Muitos dias depois da travessia do rio, a carne de peixe havia acabado. Os três fugitivos acamparam preocupados, pois andaram um bom trecho sem encontrar nem sequer frutas. Só tinham um pouco de palmito e mel, que mal dava para o jantar. Era preciso parar e se abastecer, seria pior andar sem alimentação. Um risco de alguém passar mal e começar a ter alucinações. João Medeiros pela primeira vez se mostrou preocupado com isso. Era preciso caçar um tatu ou um lagarto, mas não tinham mais o farolete. Nesse dia, o jantar foi reforçado por um moqueado de insetos, com formigas maceradas, gafanhotos, grilos e outros que acharam. João os torrou e temperou com a pimenta-do-reino que trouxera justamente para essa situação. Ao torrado, juntou a farinha de buriti, fazendo uma farofa, que desceu bem com o mel, o palmito e o chá de marapuama.

— E aí, Zaca, saudade das içás? — indagou Colibri.

— Agora iriam bem aquelas tanajuras — respondeu sério o companheiro.

No fim da tarde armaram um mundel para ver se pegavam alguma caça.

No dia seguinte, as esperanças se renovaram. João, bem cedo, preparou o chá que carregou no açúcar de buriti e falou para os companheiros:

— Zacarias fica aqui tomando conta das coisas e nós dois vamos buscar comida. Se demorarmos, é porque estamos trazendo bastante. Se aparecer algum bicho por aqui, mate.

Para a alegria deles, uma paca caíra na armadilha que haviam montado no dia anterior. Como era perto, levaram a caça para o Zacarias tirar o couro e ir preparando. Voltaram em busca de mais comida.

Depois de muito andarem e observarem, encontraram uma castanheira com várias frutas caídas. Pegaram o máximo que conseguiram e comeram uma parte em silêncio. Colibri ouviu um zumbido e viu abelhas voarem em direção a umas árvores floridas. Os dois vasculharam os arredores e acharam o ninho. João colocou a roupa de apicultor e tirou belos favos carregados de mel, que foram colocados no saco plástico. Voltaram para o acampamento, onde todos comeram carne, palmito com castanha, e se saciaram com os favos repletos de mel, gostosos de mastigar.

Tinham agora uma reserva de castanhas, um pouco de carne, mel e farinha, que daria para uns três dias.

Logo depois, retomaram a caminhada.

—— BALTAZAR E PAVAROTTI ——

Baltazar é o tipo do cara esquisito, durante o dia é como um peixe fora d'água, trazendo a dor gravada em seu olhar. Atravessa as noites escuras andando pelas ruas silenciosas de Renascença, perdido em pensamentos. Nas noites claras, arrasta sua sombra com os olhos pensativos a contemplar a lua.

Passava das onze da noite e Emílio, indo para casa, encontra-se com Baltazar. Estava um calor calmo, suave e começaram a conversar.

— Sabe, Emílio, não sinto vontade de trabalhar, vontade de nada.

— Não quer ocupar seu tempo? Isso distrai, rende dinheiro e pontos, encurtando o caminho para a liberdade.

— Só quero dormir durante o dia e andar à noite. Ando por aí, por todas as ruas. A noite é uma demora que me agrada. Em minha solidão, nas noites claras, caminho tendo como companheira minha sombra. Tem noites de lua escura, antes da crescente, mais demoradas, estranhas e assustadoras, gosto mais, são noites silenciosas, com as estrelas brilhando muito. Vejo pessoas longe, vultos, às vezes rápidos, às vezes lentos e tristes. Três horas da madrugada, estas são as horas mortas. É aí que gosto de andar, me sinto só, me sinto bem. Varo as madrugadas assim, arrastando minhas lembranças. Muitas são bonitas, outras nem tanto. São momentos antigos que visitam meus pensamentos. Já perto do amanhecer, vem um silêncio diferente, de expectativas pelo que virá, é raro na vida de muita gente, e aí começa um novo dia. Ouço o pio triste da coruja, um som que vai diminuindo, ficando longe, se despedindo da noite. É um pio que vem do fundo da mata, lá detrás das muralhas.

"A floresta estala com os raios do sol, e outros ruídos vão surgindo enquanto o mundo clareia. São os ruídos da natureza. O amanhecer é lento, cheio de canto dos pássaros, que voam entre as árvores, sentindo a suave brisa da manhã, também sempre passam as araras em revoadas e logo o sol começando a iluminar os prédios. Acho bonito o despertar da cidade. Lentamente, as pessoas vão surgindo e as ruas vão criando vida. É nesse momento que sou empurrado para a cama. Entro em casa, como alguma coisa, deito e durmo. Não sinto o calor abrasador do dia."

— Esse seu jeito é diferente, de paz, mas não ajuda na pontuação.

— Sei disso, mas me sinto bem.

— Você não pensa em voltar mais cedo para casa, dormir no escuro da noite?

— Não. Às vezes, durmo na parte da manhã e à tarde vou à biblioteca. Gosto de ler de vez em quando.

— Que bom! Estão preparando um concurso nessa área. Quem sabe você queira participar com alguma poesia ou escrevendo um conto? Você fala umas coisas bonitas. Aproveite!

— Vai ser quando?

— Não sei ainda, mas procure se informar no departamento cultural. Pode ser que goste. Frequentar a biblioteca dá pontos.

— Vou procurar ir mais.

Despediram-se. Baltazar seguiu para as ruas laterais, mais solitárias, sentou-se num banco em frente ao ginásio de esportes e estava a admirar a noite quando ouviu Pavarotti, o cara que cantava com os peitos. Veio cantando forte no meio da noite e, aproximando-se chegou junto a Baltazar terminando O Sole Mio. Ficou ali parado os dois se olhando e o cantor falou:

— Posso me sentar um pouco?

— Pode, mas eu estava de saída.

— Estava nada. Eu acabei de vê-lo chegar.

— É que venho me esconder no refúgio de minha mente. Gosto

das madrugadas silenciosas, que me levam para outros tempos, outros lugares, outras pessoas. Gosto de ficar sentado num banco, sentindo a doçura da noite, ouvindo o bater das horas no relógio da torre. Sinto o tempo passando quando, olhando as estrelas, o relógio bate de novo. Às vezes, vejo uma estrela cadente e as badaladas marcam novamente o tempo indo e assim passo a noite num silêncio entrecortado pelas badaladas do tempo no soar das horas. Gosto até de ouvir você cantando por aí de madrugada. Quando eu for embora, vou sentir saudade disso.

— Sabe, eu também gosto de ficar só, andar só. Cantando por aí, eu passo o meu tempo enquanto carrego meu fardo, pode não parecer mas a solidão galopa no meu ombro. Eu até deito para dormir, mas me reviro na cama e o sono não vem e se a gente não dorme, onde anda a alma? Melhor, então, levantar e andar na noite em busca da alma que saiu antes. Saio a cantar e fico feliz do meu jeito. A felicidade de uns nem sempre é entendida pelos outros.

— Verdade, tem certas felicidades que só nossos sentidos entendem.
Conversando, conversando, se tornaram amigos.

— O FUNDO DA MATA —

Caminharam vários dias e num meio de tarde perceberam as nuvens baixas, parecendo encostar nas copas das árvores. Muito calor, umidade grudenta, uma coisa pegajosa. Pararam para tomar água, tudo estava quieto, e, de repente, na calmaria do mato, veio o grito alto dos macacos guariba e se aproximaram com aquele ruído assustador passando rápido, como que com pressa. Logo se foram, continuaram o silêncio e as sombras. Na sequência, uma tremenda trovoada que chegou rápida e com muita chuva. Acamparam na correria.

No dia seguinte, andaram o tempo todo com a raizama dificultando o caminhar e não perceberam a floresta se fechar, ficando cada vez mais entranhada, mais ainda por cima, onde se fortaleciam os liames, ramadas e cipós. Também em volta, nas laterais, adensava-se a mata, e já no meio da tarde estava difícil abrir caminho no emaranhado da cipoeira trançada. Diminuía a luz do dia em hora errada. Colibri perguntou:

— Será que é chuva?

Zacarias respondeu:

— Não há de ser, não ouvi trovão.

— É melhor cuidar do acampamento antes que escureça de uma vez. Vai saber! — ponderou João.

— Estou olhando onde e não vejo jeito — falou Zacarias tirando o boné e coçando a cabeça, passando o olhar em volta, quase sem espaço — Então é melhor parar aqui mesmo, limpar um pouco esse embaraço e cuidar de fazer fogo.

— Sei, não — resmungou Colibri. — É o pior lugar em que já ficamos, feio que dói. Parece que vem bicho de todo lado.

— Sim, é desagradável — confessou João. — Mas se a gente continuar pode piorar.

— Não dá para armar rede. Vamos ter que dormir no chão.

— No chão não durmo, vou ficar agachado na beira do fogo — falou Colibri olhando a aranha grande já na terra, descida do cipó.

Levaram um tempo para limpar o terreno, fazer o fogo, comer e descansar. Olhando em volta, João Medeiros falou:

— Estamos num lugar difícil, temos que ter paciência e cuidado. Não sabemos quanto falta para atravessar essa situação, então é sair cedo para trabalhar o caminhar o máximo que der. Quando pararmos, se estiver ruim assim, é comer e acampar. Não estou vendo jeito de buscar comida. Temos que racionar.

— Lugar estranho, parece que estamos presos, sem visão de nada — falou Zacarias — Difícil ver até cipó d'água, nem bicho no chão e poucos barulhos nas árvores. Estou preocupado com aranhas.

— A floresta está de um jeito sombrio e misterioso — falou Colibri — Muito diverso isso aqui.

— Falam dos mistérios da Amazônia, e acho que estamos num deles — concordou João, pensativo.

— Pior se ainda tiver entrando em um deles — lembrou Colibri.

— Nem fale isso! — rebateu Zacarias — Como vai ser se piorar?

— Vamos descansar — falou João. — Amanhã a gente continua e vê no que dá.

A floresta estava quieta, no mais severo silêncio.

A noite foi maldormida. Os dois deitaram sobre as camas de folhas. Colibri se ajeitou, acocorado, próximo ao fogo e ficou a ouvir o estalar miúdo da pequena labareda e vez em quando ouvia ruídos muito distantes. Tentou não dormir, mas o cansaço foi mais forte.

João acordou achando que já era tempo, mas percebia o demorar do clarear. Deu um giro de olhar para o alto do emaranhado de cipós e copas e viu pequenas frestas de luz. Sentiu o ambiente abafado, muito quente. Chamou os outros, comeram um pouco de castanha com mel e chá quente. Após amolar bem o facão, continuou a limpar o que achava ser o rumo.

Depois de umas duas horas de pouco render com os três se revezando na picada, Medeiros estranhou a luz fraca do dia. Ficou a matutar sobre a vegetação que mais se adensava, em volta e acima, nada falou mas passou o tempo a remoer aquela inquietação. Seguiam um rumo traçado, mas o sol já não servia, só quando um pouco mais de luz bateu no cocuruto das árvores e se achou que podia ser o meio do dia, deu fome. Em silêncio, comeram um pouco e seguiram por mais umas duas horas calculadas e resolveram fazer o acampamento. Estava quase escuro de novo. O dia estava muito curto, algo estava errado com aquela parte da floresta. Eram cipós trançados demais, um silêncio sobrenatural. João matutava olhando o fogo e lembrou de uma conversa antiga: "Nestes confins da Amazônia, certos lugares nem bicho tem, só a solidão do silêncio".

Viveram mais dois dias nesse ritmo, de céu quieto, sem trovão nenhum e sem vento nenhum. Dias que eram quase noites. Na beira do fogo, Colibri falou:

— Acho que apagaram o sol. Estamos sem saber o rumo, não vemos nada. Não confio nesse seu aparelho que indica o caminho, pois com essa cipoeira ele pode estar desorientado igual que nóis.

— Calma, Colibri — clamou João Medeiros. — Um dos maiores perigos para os perdidos numa mata é o desespero. Sabíamos os riscos que correríamos. Precisamos estar sempre tranquilos para superar as adversidades. A travessia dessa floresta é nossa maior provação, questão de vida ou morte. Vamos atravessar esse trecho difícil e chegar ao outro lado. E depois do outro lado da floresta. É preciso não deixar bater o desespero, porque as dificuldades fazem parte da travessia. Por todo nosso planeta, muitos homens que se meteram em floresta enlouqueceram quando se viram perdidos. Vamos manter o equilíbrio.

— Nossa vantagem é que nem bicho nem índio se metem aqui.

— Até o calor aqui é maior. Nos dias passados, de madrugada sempre soprava um vento fresco. Aqui não, é sempre quente. E parece que à noite esquenta mais. Isso aqui é um lugar esquecido, não tem bicho nem pássaro, só todo tipo de aranha, a aranha caranguejeira, a macaca a aranha de espera, e morcegos, crendiospai, onde vim parar!

O cansaço, aquele silêncio longo, a escuridão de noite e de dia, e os alimentos acabando, é de incomodar os espíritos, mas não tinha saída, era preciso continuar tentando. A sorte era João conhecer cipós com água. Mesmo ali ele, quando via um mais distante saia da rota e ia buscar apesar do tempo perdido, voltando em seguida.

— E se estivermos tocando de roda? — perguntou Zacarias.

— É mesmo — reforçou Colibri. — Lembra aquela história de que tem cipós que desorientam os passantes.

— São lendas — respondeu João.

— Aqui dentro da mata — Zacarias disse, deitado sobre as folhas — A gente passa a acreditar nas lendas. Estou toda hora achando que vou ver o Curupira ou a mãe da mata.

Colibri se ajeitou sobre suas folhas e falou baixo, para não acordar Medeiros, que já pegara no sono:

— Zacarias, você está com medo?
— Medo do quê?
— Do Curupira, da Mãe da Mata.
— Sabe, cara, não é medo, é uma sensação de que alguma coisa ruim vai acontecer, vai aparecer. Nem sei explicar o que estou sentindo. É uma expectativa negativa.
— A gente cria essas coisas na cabeça, os fantasmas de que o João falou, acho que é essa situação de prisão que estamos vivendo. Olha véio, nós estamos presos aqui no meio dessa cipoeira medonha, tudo fechado, sem saber pra onde estamos indo, a caminhada rendendo pouco, comida acabando, e você está percebendo que cada dia está mais escuro, e a floresta fechando mais também na parte de cima? Cara, saímos de uma prisão e entramos em outra. Isto aqui é uma arapuca! Como é difícil a vida, a gente tem licença de respirar, mas é um sufoco de todo lado. Se o cara está naqueles presídios, é um risco constante de morrer estocado, passado num zinco; aqui nessa largueza de floresta, estamos de novo presos e com risco de fome, sede, cobra, aranha, onça, jacaré, sucuri e sei mais lá o quê. Vai tomar no cu!
— Mais índio — falou Zacarias.
— O quê? Índio aqui nesse escurão, nãnaninanão. O cara é índio, mas não é burro. Aqui onde nós nos metemos nunca veio ninguém, não está nem nos cadastros de Deus. Não é um lugar esquecido por Deus, é um lugar não sabido por Ele. Nem sei se estamos vivos ou se morremos e estamos no caminho dos quintos dos infernos.
— Caralho! Será?
— Acho que lá no inferno deve ter mais luz que aqui.
— Isso é o que chamo de noite negra, a verdadeira noite misteriosa da Amazônia.
— Nosso amor à vida vai nos tirar desse apuro. Bem que minha mãe falava: "Menino, estuda, estuda". Não estudei, olha só onde vim me meter — lamentou-se Colibri.
— Há trechos da mata de onde não se vê um tantinho do céu. Mas, desse jeito aqui, não vi igual ainda.

João Medeiros se mexeu sobre suas folhas e disse:

— Vocês podiam dormir que amanhã temos que levantar cedo para trabalhar.

Os dois se olharam sob a luz do fogo e Colibri falou:

— Levantar cedo pra trabalhar! Olha só que situação! Tão bom que estava lá em Renascença!

— Já que vocês não querem dormir, podiam amolar as ferramentas — propôs João.

— O cara deve estar delirando — supôs Colibri.

— Estou me lembrando do Chupim, aquele vagabundo que diz nunca ter trabalhado e que não vai trabalhar nunca. Queria ver ele aqui nessa bocada. Se não trabalhasse, a gente o amarraria num pau e deixaria aí. Quando se soltasse, teria que se virar sozinho.

— Ou a gente trabalha ou está fodido aqui onde o avô do Judas nem nunca chegou.

— Vamos dormir que amanhã de dia será outra noite.

— Nem brinque! É melhor rezar. Ó vou rezar é pra Mãe da Mata tirar nóis daqui, porque santos por aqui, esqueçe meu!

Ficaram em silêncio e Colibri percebeu Zacarias murmurar alguma coisa continuamente e falou:

— Cara, pare de rezar, de falar em Deus no meio dessa mata. Ele não cuida dessa parte e não vai nos tirar daqui.

— Não blasfeme, Colibri! Se você não tem fé, deixe os outros terem.

— Ah, deu fé agora? Tudo bem. Se Deus ajudar vocês, vou junto.

— Mas se alguém tiver que ser infiltrado pelo candiru, vai ser você.

— Epa! Aí é apelação, candiru não vale.

— Então, reze.

— E se o candiru entrar em você? Será que sai com a reza?

— Estou rezando pra ele não vir pro meu lado. Você que se segure aí com seu Diabo — esbravejou Zacarias, já quase dormindo.

Colibri estava sem sono. Com os olhos abertos, olhava para o alto e não via nada, além de uma escuridão impenetrável. Pensou nos dias de sua infância e sentiu um aperto no coração. Ressonou um pouco e acordou assustado. Deve ter sonhado. Na floresta, tudo era silêncio, nada se mexia. Na noite alta o tamanho do silencio era um abismo. Pensando no nada, adormeceu.

João Medeiros se levantou, remexeu o fogo quase apagado e colocou mais lenha. Deitou-se novamente em sua rede estirada no chão e ficou a olhar para o teto da mata. Viu Zacarias num sono agitado, falando dormindo e acordando assustado. Colibri também acordou. Medeiros disse:

— Estou olhando para o alto das árvores e vi o apuizeiro, uma planta que cresce sobre as outras, vai formando ramagens e solta raízes de cima para baixo, formando um teto. Por isso está essa escuridão. São monstruosas trepadeiras e parasitas.

— Mas como ela cresce lá em cima? — perguntou Zacarias.

— São sementes que os pássaros trazem. Tomara que isso passe logo. Zacarias, você parecia agitado. Foi sonho?

Zacarias conta o sonho que teve:

— Sonhei que acordei assustado, com uma bomba no meio da neblina, desnorteado e confuso. Demorou para eu entender que estava na mata. Aquilo me encheu de pavor. Achei que estivesse sozinho, então ouvi a segunda bomba e vi o Colibri espantado, os macacos gritando. Medeiros se sentou na rede, calmos. De repente, os macacos silenciaram. Colibri, com os olhos arregalados, estava mudo. O silêncio ficou tão grande que eu ouvia as batidas do meu coração. Aí acordei de verdade. Que susto! Acho que estou ficando pirado.

— Quero nem sonhar desse jeito, credo — falou Colibri e emendou: — Vocês perceberam cantos de passarinho? Acho que ouvi. Ou será que sonhei?

— Sim, também ouvi alguns. Passaram voando alto.

Após a conversa, os três concordaram em seguir viagem. Comeram alguma coisa, empunharam os facões e entraram em ação. A luz do dia era muito fraca, quase nenhuma. Olhando para cima se vê a dimensão da cipoeira que vão se entrelaçando, são o cipó d'água, cipó d'álho, cipó caboclo, cipó unha de gato, cipó escada de jabuti; é o enrosco entre eles, fazendo fechar um longo céu. Tem ainda o cipó ituá-açu, guardador de água e que ajuda os fugitivos, carentes do líquido.

Copagens entrelaçadas de monstruosas ramagens. Os cipós trançados, os mata-paus com os quais as árvores sentem os abraços apertados e incômodos dos vivos que lutam pelo sol. A cipoeira e os liames todos que vão envolvendo a floresta, muitas vezes não deixam cair a árvore velha e morta, ficando lá de pé se decompondo através dos anos, perde suas folhas, seivas, e as partes moles, restando o cerne e como um esqueleto está lá de pé, feito um fantasma.

Seguem os homens rompendo devagar nessa caminhada pela escuridão da mata, andando agachados em muitos pontos, com suas mochilas enroscando aqui e ali. Uma monotonia triste e enfadonha, Horas depois, exaustos e sem noção do tempo, resolveram acampar. Comeram pouca coisa e se prepararam para o descanso. Quando se deitam já a escuridão da verdadeira noite tinha chegado. Estão em silêncio sem vontade de conversar. Apenas comentam que durante o dia por várias vezes ouviram o canto de pássaros passando pelo céu, o que já podia ser um sinal que a situação estava mudando. Zacarias toma chá na beira do fogo olhando o nada na escuridão e de repente um assobio forte cortou o ar, parecia não ser muito longe. Depois outro mais perto. Quem estava dormindo acorda. Os três homens ficaram atentos, todos de pé e ouviram um pisar no chão. E de repente aquilo parou. Um silêncio pesado envolveu tudo. João deu um baita grito e perto dali desatou uma correria, se precipitou o barulhão de galhos quebrando e o tropel assustou. Os homens com facões e lanças nas mãos, olhos arregalados na luz do fogo. O barulho foi pra longe e João falou:

— É anta, só pode ser. Esse assobio foi um chamado para a vida. Dá mais valor à pequena luz quem está no escuro completo. Esse assovio foi a música mais bonita que ouvi. A anta está indo ou vindo da água. Estamos saindo da escuridão.

— Puta susto! — exclamou Colibri. — Achei que aquela porra de barulho viesse para cima de nós. Senti até o cheiro da onça.

— Ficou com medo? — perguntou Zacarias.

— Medo, eu? Nóis! Não vi, então, a cara de vocês, zoião assustado e sem ter para onde correr.

— Vamos pensar no lado bom das coisas — falou João — Aí na frente deve ter um caminho de anta. Amanhã vamos encontrar, que está bem pertinho, pois ela sentiu nossa presença e se assustou. Pelo trilho dela vai ser mais fácil caminhar.

— Sentiu nossa presença, uma ova, se assustou com o berro horroroso que você deu e deve ter se borrado toda por esse mato afora, acho que não parou ainda.

— Mas e se esse caminho da anta levar nós pra trás?

— Para onde apontar nosso instrumento, vamos seguir. A anta deve ter ido tomar água num lugar que não está longe. Amanhã veremos.

— FIM DA ESCURIDÃO —

No meio da escuridão, após o susto com o barulho da anta, os três dormiram mais motivados. Assim que se levantou, João se animou em achar a trilha do animal, o que não demorou a acontecer. Estava bem limpo o caminho, o que facilitaria para andar. Fez a leitura da bússola, cujo ponteiro indicava o rumo a seguir. Os homens se entusiasmaram com a novidade e por não precisarem mais de tanto esforço como antes, apenas cortar os cipós e galhos para não se abaixarem muito ao andar. Depois de umas duas horas calculadas, João arriscou:

— Estou percebendo um clarão lá na frente, pode ser um rio largo. Acho que é o fim da escuridão.

Animados, caminharam rápido, sentindo uma umidade forte no ar. Tropeçaram em musgos, liquens, fungos, e viram verdadeiros campos de cogumelos. E as plantas todas nos baixos da floresta numa grande necessidade de subir e ver o sol.

— É mesmo — concordou Zacarias. — Mas é um clarão arredondando, que está sem floresta.

Pela trilha da anta, saíram numa área de muita luz, sem mata, com uma grande lagoa e sol. Os homens, admirados e em silêncio, foram se aproximando da beira da água, buscando um lugar para descansar e observar. Não gostariam de admitir, mas estavam emocionados pelo inferno que viveram naquele escuro e agora esse paraíso de luz e vida. Era uma lagoa grande com muita vida dentro, nas margens e no alto das árvores.

— Ficaram pra trás os dias de trevas na floresta — disse Medeiros com certa alegria, e acrescentou — Vamos analisar um pouco e olhar as margens, saber dos bebedouros em volta, pois aqui vem a anta, nossa amiga, mas vêm capivara, macaco e todo tipo de bicho, apreciados pela onça, que vem também. Vamos tomar banho e lavar as roupas, mas no maior cuidado com onça, jacaré e sucuri. Preparar os anzóis, iscas e uns peixes pequenos para, à noite, lançarmos o anzol grande e pegar um jacaré, que deve ter os cabeludos de enorme debaixo desse mururé, que cobre parte da lagoa.

João observou que em volta da água havia moitas de capim membeca, que dá um chá cheiroso e gostoso. Numa parte da lagoa pássaros andavam sobre enormes folhas da Vitória Régia, muitas delas floridas.

Quando se preparavam para armar as redes, João advertiu:

— Melhor não. Vejam quanta merda de passarinho! E olhem o desgaste desta árvore lá no alto, é um ninhal, a noite os pássaros vêm dormir aqui em quantidades.

— Já entendi — falou Colibri. — Se a gente ficar aqui, a noite vai chover merda em cima de nós.

— Só faltava essa — reclamou Zacarias. — Vamos rapidinho achar outro lugar.

Instalaram-se sob uma sapopema e amarraram suas redes em árvores com boa visão da lagoa. Após a magra refeição com o que ainda tinham, deitaram nas redes e passaram a observar o movimento dos pássaros e de pequenos animais que desciam para a água, onde de vez em quando pulavam peixes. Patos desciam e subiam, marrecos nadavam aos pares, as jaçanãs corriam sobre as plantas aquáticas, borboletas coloridas enfeitavam as bordas d'água. Os bichos e uma multidão de pássaros vindos para o bebedouro, coisa linda de ver, tudo no devagar, sem as pressas.

Observando aquela movimentação, João falou:

— Tudo isso é grandioso demais! É essa agitação alegre, as grandes e belas árvores, aquela mata escura e silenciosa, as grandes distâncias, a quantidade de águas, tantas vidas! A Amazônia é um mundo!

— Muito bonito isso aqui — encantou-se Zacarias. — Com tanta fartura, não demora a chegar onça pra beber e comer. E sucuri, também. Só espero que a gente não esteja no caminho delas.

— E índio — acrescentou Colibri.

— E nós — falou João. — Fazer o quê?

— Isso aqui parece o restaurante da bicharada. Só espero que a gente não esteja no cardápio.

— A revoada dos pássaros enche os olhos da gente — falou satisfeito Colibri, enquanto passava um bando de araras, dando a volta e baixando no outro lado.

As borboletas voavam entre as redes onde os homens descansavam.

— Que diferença desses dias atrás! — aliviou-se João, pensativo.

— Para esquecer. Achei que a gente fosse morrer de fome e sede. Vamos ficar aqui uns três dias para descansar e comer, comer muito. Vamos fazer churrasco de jacaré e armar um mundel pra ter carne vermelha. Estamos precisando.

Após um tempo, Colibri, com o facão, cavou um pouco e logo tirou umas minhocas, animado em pegar alguns peixes. Com a foice, limpou um espaço na beira da lagoa, jogou o anzol na água e ficou a observar a quantidade de pássaros bonitos que chegavam: eram marrecos, garças, patos selvagens, araras vermelhas, mais distantes as azuis e amarelas, tucanos, araçaris, mutuns, jacamins, anambés, surucuás, papiras, saíras, beija-flores, jacuaçus, bico-encarnados, papagaios, galos-rocha, capitães-do-mato e tantos outros que desciam, bebiam e voavam. De vez em quando o jacaré bocava um.

Colibri estava encantado com toda aquela beleza que maior parecia depois do sufoco que tinham passado. Quando pensou na obrigação de pescar, olhou o anzol, que estava limpo, os peixes roubaram sua isca. Iscou de novo e pegou. Primeiro uns miudinhos para iscas dos maiores e não demorou muito trouxe para Zacarias preparar o assado e falou:

— Como não podemos beber, vamos comer para comemorar a volta do sol e torcer para, na caminhada depois da lagoa, não ter outra mata como essa que atravessamos.

— Colibri, você rezou para a Mãe da Mata livrar a gente?

— Sabe, Zaca, tem perguntas que não se deve responder.

— Deixe a gente sair daqui. Lá fora você me conta.

— Agora nosso negócio é peixe. No assado, cuidado com o espinho. No cru, cuidado com o candiru.

Caiu a tarde e muitos pássaros começaram a chegar para o ninhal próximo. O barulho era grande e crescia o trinado das aves e seus arrulhos, gorjeios, regorjeios, os pios e assobios. Eram garças chegando de todos os lados, bonito de se ver as revoadas se aproximando, deixando a árvore branca. Só já escuro quando todas tinham chegado é que o barulho foi diminuindo. Os sons dos pássaros reduzindo para o sono da noite e o coaxar dos sapos aumentando em volta da lagoa.

Os três homens se fartaram de peixes. Estavam cansados e felizes. Proseavam à beira do fogo, lamentando não ter uma cachacinha, admirando o acampamento diferente e comentando os difíceis dias passados na escuridão. De repente, um grito rouco rasgou a noite. Emudeceram. Ouviram novamente o som horripilante, e Zacarias arriscou:

— É jacaré. Do jeito que fazia lá em Renascença.

— Misericórdia! — exclamou Colibri — Prefiro aqueles lá, que estão atrás do muro, agora esses nossos vizinhos vão me fazer dormir na árvore.

— Já joguei o anzol com uma traíra que você pegou — comunicou João. — Se ele engolir a isca, aí é que você vai ver o barulhão. De espantar até onça. Prepare-se.

Os três na beira do fogo, curtindo o alívio de terem saído daquele lugar terrível e com a comida acabando. Agora, à beira de um belo lago transbordando de vida e no princípio da noite escura, admiravam o manto de estrelas se refletindo no espelho d'água. Colibri pergunta:

— João, que passarinho é esse que dá um canto rouco e longo?

— É o sapo-boi.

— Tô forte eu! — completa Colibri desenxabido e vai dormir.

A chance de pegarem um jacaré era grande, já que durante a tarde haviam visto vários cruzando a lagoa. O céu estava limpo, com poucas nuvens. Quando Colibri rendeu João, a lua cheia subia lenta, vindo por trás da mata, e não demorou estava refletida na água com o rapaz olhando extasiado para duas luas enquanto o sapo boi soltava sua voz acompanhado pelo coral de outros sons mais curtos.

Muitos bichos chegam à noite para saciar a sede na lagoa. Vinha quati, tamanduá, porco espinho, paca, cotia, tatu, e tantos outros. O jacaré sempre jantava algum desses quando se descuidavam. Lá pela meia noite, o vigia estava mexendo nas brasas, dando alento ao fogo quando se assustou com o tremendo urro da fera no lago. Urrou e se bateu valentemente, estava fisgado. Colibri, acocorado que estava, levantou de súbito, foi prum lado, pro outro, sem saber o que fazer, enquanto o jacaré se debatia na linha grossa. Pensou em soltar uma bomba, mas raciocinou três vezes e chegou a conclusão que não devia, pois não era onça. Então acordou Medeiros.

— João, acho que o jacaré tá pego, ou tá nervoso com nós aqui.

— Deixe ele se cansar, vamos dormir, amanhã ajudamos ele.

— Sei a ajudinha que ele vai ter.

Depois de Colibri, veio para a vigia o Zacarias que ficou a escutar o tropel da fera no anzol. Na alta madrugada, ouviu longe a gritaria dos bugios que não demorou chegaram perto.

Nas barras do clarear, o chilrear dos pássaros encantava João Medeiros, que vigiava e esperava o momento certo para puxar o jacaré. A passarada em algazarra saía para mais um dia na luta pela sobrevivência. O capitão-do-mato entoava seu cantar. Os patos nadavam mais longe das espanadas do bicho na linha. Outros jacarés vinham nadar próximo ao fisgado, mas não dava pra saber quais ideias trocavam.

Os três humanos estavam de pé e começaram a puxar lentamente o animal, que era grande e ia dar trabalho. Veio um pouco calmamente, mas de repente, empinou para fora d'água e bateu de prancha, levantando água e espantando a passarada retardatária, que limparam o ninhal. A jacarezada também se mandou para o outro lado da lagoa. Espantaram todos os pato e bichos que chegavam perto da água. Puta confusão nessa manhã tão linda. O jacaré urrou grosso e feio, não se entregaria facilmente. Mas a linha que afrouxara um pouco voltou a ser esticada, e o bicho veio para mais perto.

Colibri, com os olhos arregalados, não tinha certeza de nada. João deu instruções. Zacarias, com a lança de fisga, tinha que acertar a fera por baixo, no papo, perto da cabeça e Colibri em seguida com a outra lança para segurar melhor. João, com as mãos forradas, tenteava a linha e puxava lentamente.

— Está chegando a hora, Zacarias. Quando ele puser a cabeça no barranco, você golpeia. Colibri, não vacile! Não podemos passar fome. A carne desse jacaré é nossa vida, é a lei da selva.

Já com a cabeça encostando no capim do barranco, o jacaré arreganhou os dentes e Colibri se arrepiou inteiro.

— A natureza é implacável — continuou Medeiros. — Quase matou a gente no escurão, é assim que é.

Assim falando, João viu a lança de Zacarias entrar no papo do bicho, que se enfureceu de vez e quando se torceu a lança de Colibri entrou fundo do outro lado. O animal bambeou e urrou alto. Foi medonho aquele momento de barulho d'água e urro com o bicho se batendo. João Medeiros pulou enfiando o facão por baixo do queixo e em seguida passou o cipó que tinha na mão esquerda amarrando a fera, que passaram rapidamente a tirar da água. Era grande, enorme, muita carne, um alívio ver aquilo depois da emoção do momento.

Tiraram o couro e assaram toda a carne e, enquanto fazem isso vão se alimentando, repondo o que gastaram nos dias escuros e de má alimentação. Após o trabalho estão os três nas redes e conversam.

— Cara — fala Colibri — agitado o bairro aqui, zoeira direto. De dia, esse movimento da bicharada para abastecer de água, à noite, é outra turma que vem e também essa macacada gritando feito uns loucos lá no fundão do mato.

— Acho que ficaram bravos porque estamos no bebedouro deles.

— Fodam-se! — falou Colibri. — Hoje nós estamos nesse hotel, eles que vão tomar água pra lá, cacete. Precisa acordar os hóspedes que estão cansados?

— João, aqui tem muita comida por causa da lagoa e na mata também muito cogumelos, você reparou?

— Sim, nem falamos nada porque estávamos de olho no clarão da lagoa, mas depois vou lá buscar para variar nosso cardápio nesta estadia.

Pegam vários peixes e muitas frutas nas proximidades da lagoa. Numa manhã veem com alegria a quantidade de borboletas amarelas sobrevoando a água. Ficam por ali seis dias, descansando, curtindo as belezas e se alimentando bem. Pegaram uma paca num mundel e em outro maior pegam uma capivara. Preparam muita comida para refeições futuras, assaram bem as carnes e, com muito peso nas mochilas, seguiram em busca do grande rio ao leste, o Negro.

Saíram numa manhãzinha fresca e a caminhada rendeu bastante pois a floresta estava menos travada. Depois de uma parada para o almoço e um pouco de descanso, continuam no dia claro. Entram num caminho de anta e seguem com certa facilidade. João sentiu um cheiro forte e alertou:

— É onça por se achegando. Vamos andar mais perto um do outro.

Assim foi feito, com todos olhando atentamente em todas as direções, nada acontece, continuam atentos e de repente, a pintada saltou, saindo de trás da moita escancarando a garganta com um som medonho atacando João que estava na frente. Mas Zacarias, que vinha de lança em riste e perto, num átimo, viu o vulto antes de ela chegar em João e, no estalar de um segundo, deu um salto para a frente, enfiando a lança nas costelas da "animalona" que soltou tremendo urro, pulando de banda e se embrenhando no mato. Chegou a rasgar a camisa de João e feriu seu ombro direito

Os olhos de Colibri saltavam das órbitas, tinha uma expressão aterradora e fez o sinal da cruz três vezes. Todos estavam pálidos e olhavam em volta, com receio de a onça voltar. Sentaram-se, tomaram água e, aos poucos, voltaram a falar.

— Zacarias, eu lhe devo essa — agradeceu João Medeiros, colocando a mão no ombro do companheiro.

Já tinha arriado a mochila, tirava agora a camisa rasgada e manchada para ver o ombro ferido de onde escorria sangue. Tirou da mochila a caixa para curativos e, com a ajuda de Zacarias, o Colibri fez o que era necessário para estancar a sangria e o curativo.

— Agora é só torcer para não infeccionar, fazendo a limpeza constantemente — afirmou João, tomando um comprimido de antibiótico dizendo — Vou ter que ficar uns dias sem beber.

— Em solidariedade, eu e Zacarias também vamos ficar — e deu seu risinho estridente, mas nervoso.

— Escapamos de mais uma, e dessa vez foi por pouco — falou Zacarias.

— Meu, foi muito rápido — disse Colibri — O Zaca foi maneiro, veloz na lança. Fiquei besta de ver aquilo e olhando pra ver se não tinha outra.

— Em questão de segundos ela teria me matado, é que a lança chegou junto. Senti o mau hálito dela misturado com o calor que saía de sua boca, o verdadeiro bafo de onça.

— Mas se você não tivesse sentido o cheiro antes e eu não tivesse de sobreaviso, não teria dado tempo. Percebi o vulto dela no ar, mas no reflexo o João saiu um pouco do rumo dela, senão a boca iria na cabeça.

— Cara, e que barulho o urro da bichona, e grande, a monstra! — disse Colibri.

— E, agora, vamos ou o quê? — perguntou Zacarias.

— Isso me cansou, tive o medo da morte no meu cangote. Vamos acampar por aqui mesmo. Logo chega o fim do dia.

— Também acho bom ficarmos aqui, até porque temos que ir todos ao banheiro.

— Colibri, você não perde o bom humor, né?

— Estamos tão atordoados que é preciso redobrar a atenção lá no banheiro com a urtiga — gargalhou.

Após comerem, enquanto tomavam chá à beira do fogo, João falou:

— O povo antigo do sertão falava que, pro cara se encher de coragem mesmo, a receita era matar uma onça à facada e comer o coração da bicha, aí o sujeito fica valente demais. E você, Zacarias, esteve perto disso, se ela não tivesse corrido!

— Não foi de faca, foi com a lança.

— Mas foi pra cima dela, já é um princípio de coragem.

— Se ela tivesse pulado em mim, que estava atrás, eu tava era comido.

— Acho que a onça ia passar mal — falou rindo Zacarias.

Na manhã seguinte, voltaram a caminhar, e por muitos dias seguiram a rotina, sempre intercalando trovoadas e chuvas que estavam aumentando, dificultando ainda mais o andar pela floresta encharcada. O ferimento de João não inflamou e, com os cuidados diários, estava cicatrizando rápido. Se alimentaram bem, procurando comer bastante carne que levavam ao fogo novamente.

— Gosto muito da carne de paca — falou Colibri durante um jantar. — A da capivara também desce, mas é um pouco forte.

Zacarias concordou:

— Tudo que é alimento pra nós é bom, mas estou louco pra comer uma costelinha de porco.

Dias depois, durante um almoço, João Medeiros falou:

— Estou achando que o terreno está indo para um rio. Vamos tocar para ver se chegamos a ele hoje ainda.

Quando já se aproximava o fim do dia, chegaram a uma área de igapó.

— Mano — falou Colibri coçando a cabeça — De novo enfrentar essa de jangadeiro, acho que temos alguma experiência, mas não é fácil, se equilibrar em pé naqueles paus ou ficar varejando de joelho, misericórdia.

— Pior é quando tem que sentar. É muito cansativo.

— Podemos labrar três paus que sirvam de banco, talvez fique mais confortável.

— Cara, ideia responsa, aprovada por unanimidade — falou Colibri.

— Vai ser outra dificuldade para atravessar — disse João — Mas pelo menos poderemos pescar. Ali atrás, vimos uma carapaça de tatu que deve ter sido almoço de alguma onça. Aqui pode haver também jacaré, que é perigoso, mas é bom. Agora é hora de armar as redes e fazer fogo. Amanhã, primeiro tiramos palmito para garantir comida na travessia, procuramos uma guariuba para fazer de novo a jangada comprida e tentamos pegar algum peixe. Se houver algum ninho de abelha, reforçamos o mel nosso de cada dia. Vou caprichar nos cogumelos. Capaz de haver também camucamu, ingá e outras frutas do alagado.

Ficaram três dias ali preparando a travessia, que nunca se sabia quanto tempo duraria. Fizeram mais açúcar de buriti, cozinharam açaí e teceram mais cordas com fibras de matá-matá.

— João, será que chegamos ao rio grande? — perguntou Zacarias.

— Não dá para saber. Só depois que chegarmos ao canal é que vamos ter certeza. Agora, já estou ficando animado. Isso tem que ter um fim e já está na hora.

Tomaram a refeição da manhã: peixe, cogumelos, palmito, castanha e mais umas pequenas frutas, além de suco de açaí e uma dose de mel. Estavam bem alimentados para uma longa travessia, se necessário.

Lá estavam novamente, no começo da manhã, em dois troncos feitos de jangada, deslizando por entre árvores, liames de cipós e outros galhos da mata inundada. Dessa vez estavam mais confortáveis, navegando sentados nos cepos preparados. Foram quase três horas vagarosas, desviando-se de galhos caídos, cortando ramagens, abaixando-se até ficar quase deitado e, em certos momentos, esperando jacarés se afastarem, provocando expectativa, medo e ansiedade. Pior, sem saber se chegariam ao outro lado durante o dia ou se passariam a noite sobre os troncos em meio àquelas feras.

— João, isso aqui está infestado de jacarés — bradou Zacarias. — Olhe ali nadando, que bicho é aquele?

— Parece uma onça d'água. Fique com a lança no jeito. Atenção aí atrás.

Colibri olhou cheio de espanto, com olhos arregalados, vendo o grande animal que nadava suavemente a não mais do que vinte metros deles. Num momento de medo e descuido, bateu a cabeça num galho grosso e caiu na água, provocando barulho enorme, o que assustou a onça que se foi rápido batendo na água com mais força, apavorada. O rapaz também apavorado se debateu ainda mais, achando que a onça estava vindo em sua direção, afundou e veio à tona.

— Calma! — pediu João Medeiros, que parara a jangada. — Segure no pau. Cadê sua lança?

— Caralho, me tira daqui! Cadê a onça? Tem jacaré por perto, me ajuda logo, porra! Senti uma coisa aqui na minha perna.

— Cara, aqui deve ter é o candiru — falou Zacarias rindo.

— Vai se foder você e o candiru, me ajuda logo porra, senão afundo esta merda e vou embora.

— Calma, cumpadi, jangada não vira, já vamos livrar você, sossega, que a onça achou que você pulou na água pra pegá-la, aí se mandou com medo de Colibri.

Apoiando-se nos galhos de uma árvore, Zacarias puxou o náufrago para cima da embarcação.

Colibri ficou um tempo quieto, sentado, e finalmente falou:

— Cara, que susto do cacete! Essa merda aqui cheia de jacaré e ainda caio bem na hora que passa uma onça! No sufoco, nem pensei em candiru.

— Pronto, podemos tocar? Está muito grande este igapó, não quero dormir nesse navio com essa vizinhança — falou Medeiros. — E escurecendo não se vê mais a bússola, aí vamos ter que parar.

— Nem fale isso — disse Zacarias — Vamos em frente, está cedo ainda. Mas, Colibri, não está sentindo nada diferente, será que o candiru não te invadiu?

— Misericórdia! Nem me fale uma coisa dessas. Pior que tô com um galo na testa. Ih, puta merda, meu boné! Espere, volta um pouquinho, ó ele ali na água. Deram ré e o boné foi resgatado com a lança.

Já passava das duas da tarde quando pressentiram a aproximação do rio.

— O rio está ali na frente — alertou João. — Vamos com cautela para sentir se há algum movimento de índios.

Assim foram se aproximando da água grande que se abria à frente, cheia de luz do sol das quinze horas.

— O rio é grande, um dos vagarosos rios da Amazônia, mas infelizmente não é o nosso.

— Como você sabe? E se a terra lá na frente for uma ilha do rio Negro? — perguntou Zacarias.

— Depois que chegarmos ao outro lado e caminharmos, se for ilha, saberemos. Mas não creio.

— Quanto tempo você acha que levaremos para atravessar o canal do rio?

— Agora estamos com umas cascas de palmeiras melhores que as do outro rio e com mais experiência, mas a água é mais larga. Com certeza vamos levar mais de uma hora. A largura engana. Pode dar umas duas horas ou mais.

— É muito tempo exposto.

— Só se esperar a noite.

— Deus me livre, tá louco? — falou Colibri — Atravessar esse riozão à noite, se eu caio dessa merda tô n'água.

— Claro que tá — concordou Zacarias.

João Medeiros olhou a posição do sol e falou:

— Pelo tempo que demoramos no igapó até aqui, vai escurecer e estaremos nessa mata de água do outro lado. É melhor a gente atravessar. Chegando lá, ainda haverá luz do dia. Começaremos a atravessar o igapó, procuraremos umas árvores apropriadas, armaremos as redes e penduraremos as coisas. Assim, quando escurecer, estaremos deitados e protegidos.

— Olha onde eu vim parar, crendiospai! — exclamou Colibri

Entraram no canal do rio ajoelhados e, com força, trabalharam nos remos improvisados.

— Vou rezar para não haver índio — comentou Medeiros. — Você, Zacarias, reze para não haver jacaré e sucuri. E você, Colibri, reze para não cair.

— Puta que pariu! Nem me lembre daquilo!

— Fique tranquilo. Daqui a uns vinte anos vamos rir disso tudo. Agora, no remo, força, senão vem flecha.

— Agora, sim, você me animou — ironizou Colibri, remando rápido.

A água puxava a jangada rio abaixo. Era preciso equilíbrio e esforço para ir cruzando o mais rápido possível e entrar na mata, o que aconteceu duas horas depois, com os homens exaustos.

— Não foi fácil, mas conseguimos. E sem ninguém ver a gente, quer dizer acho! — exclamou Medeiros. — Agora vamos, sem demora, nos afastar um pouco do rio e armar as redes. Não podemos deixar escurecer.

Navegaram cerca de meia hora e começaram a se preparar para passar a noite. A primeira rede foi amarrada e as outras duas ficaram um pouco mais distantes, conforme a possibilidade. Ainda em cima do tronco, fizeram uma refeição rápida: peixe assado, palmito, açaí, mel e camu-camu. Tomaram água dos cantis abastecidos no rio. Quando acabaram de comer, a luz do dia já era bem fraca. Amarraram muito bem a jangada em duas árvores e com cipós ligando às duas redes. Não poderiam perder aqueles troncos, pois sem a jangada, naquela situação seria o fim.

— Hoje, pela primeira vez, não precisa ninguém ficar de turno, nem tem fogo pra cuidar, está todo mundo deitado. É só dormir — disse Zacarias.

— Eu acho que pela primeira vez ninguém vai é dormir — falou Colibri e perguntou — João, e se o Curupira vir levar nossa jangada?

— Melhor você rezar para ele não vir, ou então você dorme na jangada.

— Prefiro ir embora a nado a dormir naqueles paus ali. Agora estou em dúvida, porque eu ia rezar pra não chover.

— Melhor mesmo. Deixe que do Curupira eu cuido — disse Zacarias.

— A mochila tem que ficar pendurada na árvore à altura das mãos. Se vier chuva, tem que colocar na rede debaixo do plástico.

Antes de o tempo atravessar a meia noite chegou a trovoada acompanhada de uma multidão de raios, relâmpagos, ventos fortes e muita chuva. Era o céu desabando. Os três, deitados de costas, com o desconforto das mochilas nos pés, lutavam para não se molharem e em certos momentos o rosto ficava grudado no plástico transparente e a chuva jorrando na cara era vista pela luz forte dos relâmpagos.

No meio do barulhão, Colibri falou:

— Rapaz, isso é chuva? Parece mais uma cachoeira aqui na minha cara.

E Zacarias respondeu:

— Isto é um dilúvio! O verdadeiro. Água por cima e por baixo. Eu me sinto um Noé.

— Me sinto um mané! — falou Colibri

— São Pedro abriu as comportas do céu — falou João Medeiros. E, não dando para conversar, ficou se lembrando de quando era criança e gostava de encostar o rosto no vidro na janela vendo a chuva ali batendo perto de sua cara. Em seguida, pensou na travessia e nas tantas chuvas que passaram e como nas noites de muita água era sofrida a demora para a chegada do sol.

Depois da fúria, tudo passou e a noite ficou calma e fresca.

Colibri na rede fechando os olhos e se envolvendo na escuridão sentia uma certa angústia, achava que Zacarias tinha escapado da cobra, João da onça e o próximo a ser testado seria ele, pôs isso na cabeça.

O cansaço venceu e todos dormiram.

— VOO PARA A LIBERDADE —

Na cidade, muitas conversas rolavam sobre o primeiro voo para a liberdade. Todos que tinham trabalho e iriam embora foram substituídos com tempo suficiente para o treinamento dos novatos, sempre procurando colocar aqueles que devem ficar mais tempo, principalmente se a ocupação é em estabelecimento comercial. Essa parte, Rafael, o encarregado de empregos tem atuado com esmero e correspondido adequadamente, assim como toda a equipe. O que se vislumbra para o futuro, e que causa preocupação à direção externa é a substituição dos treze da Equipe de Comando que também tem forte pontuação, embora todos com penas longas.

Dentro de duas semanas, sairá o avião que está sendo chamado de voo da liberdade, vinte e seis meses após a primeira chegada em Renascença. Está sendo preparada uma festa de despedida.

Sob a sombra da Samauma, na praça Ovo de Colombo, Emílio conversava com Gregório, Sérgio e Nestor, que estão prestes a ir embora por terem cumprido suas penas, encurtadas pela pontuação no trabalho, na igreja, na biblioteca e nas ginásticas matinais.

— Aqui cheguei — disse Gregório. — Até gostei, mas meu tempo está vencendo. Vou para fora e quero dar continuidade ao trabalho que faço aqui. Vou ter saudade destes tempos de tantas histórias e bons momentos que passei com vocês. Espero encontrar muitos lá fora, com uma vida mais equilibrada. Vamos lembrar desses tempos de verdadeiro aprendizado.

— Também já pensei nisso — falou Nestor. — Meu tempo venceu e vou ter que sair. Estou trabalhando na fábrica e meu emprego lá fora está garantido, espero me adaptar. A família vai gostar.

— As prisões do passado matavam os sonhos da gente — afirmou Gregório. — Aqui não é assim. Aqui, a gente passa a ter sonhos novamente, faz planos, projetos. Tem esperança.

— Estou ficando angustiado porque o tempo de ficar aqui está acabando — confessou Sérgio. — Gosto desta cidade. Aqui sinto liberdade, que é uma coisa que a gente procura. Sinto a liberdade dentro de mim, é uma vida do jeito que gosto.

— Está achando ruim sair? Terá uma vida lá fora: arrumar trabalho, reconstruir-se, formar família.

— Falar assim parece fácil, mas é mais fácil trabalhar aqui do que lá fora. Sei que é preciso encarar. — falou Sérgio. — É a realidade da vida: nunca ceder diante da adversidade, ir para cima e superar os obstáculos. Mas, de verdade, preferiria ficar aqui.

— Lá fora é muito mais interessante — disse Emílio —, os passeios, as praias, as mulheres e tantas outras coisas. Reconstruir a vida, criar objetivos, fazer planos.

— Lá fora me assusta depois de tanto tempo longe do mundo — falou pensativo Sérgio.

— Vou procurar saber sobre o plano de fazer associações dos ex--moradores de Renascença. Se houver apoio, vou me segurar nisso — afirmou Gregório.

— É um plano bonito — falou Emílio. — Tem tudo para dar certo e ser muito importante pra nós, quando sairmos daqui. O Professor Eugênio está na capital, articulando esse trabalho com muito apoio governamental junto ao empresariado. Parece que o Zé Bundinha vai doar uma baita grana para o projeto. O Professor está esperando chegar este voo para desenvolver ações que ocupem ex-moradores da travessia de Renascença para a vida lá fora.

Dias depois, após uma reunião de despedida no salão grande da administração, subia o primeiro avião com uma grande quantidade de homens que cumpriram pena em Renascença tendo seu tempo reduzido pelos trabalhos e participações que tiveram, e todos engajados em projetos lá fora e muitos com as articulações para contatos com o Professor.

* * *

Naquela noite, Emílio chegou em casa e comentou com Maria:
— Ouviu o avião saindo hoje?
— Sim. Como foi a festa de despedida?
— Foi ótima. Muitos amigos foram se despedir e ver como seria essa experiência de que todos querem participar. Aliás, quase todos. Alguns preferem ficar.
— Você é um deles, pelo que andam falando.
— Gosto daqui e acabei me dando bem, ainda mais com você por perto. Não me falta nada. Isso se chama felicidade. Quando eu estiver liberado, daqui a uns anos, a gente vai poder viajar juntos.

— Se isso acontecer, vai ser lindo. Você acha que os homens do sistema vão concordar?

— Vamos só mentalizar isso e deixar o tempo passar, depois veremos.

—— A SUCURI ——

Os três fugitivos estavam em seus leitos na mata de igapó, tendo a experiência de dormir nas redes amarradas em árvores sobre as águas.

Depois de dormirem o primeiro sono passou o perrengue da chuva e daí em diante foi um sono intermitente, os homens estavam em desconforto. Se mexiam nas redes, era difícil dormir naquela situação com tantos tipos de medos, o principal era da sucuri, mas de outras cobras também. Os ruídos da mata dessa vez eram diferentes. Além dos cantos de pássaros noturnos tinham os ruídos na água. Barulhinhos pequenos, possivelmente seriam peixinhos pulando, mas e os ruídos grandes? Seriam peixes grandes, seria o boto, lontras, capivaras, seria jacaré, onça d'água, sucuri?

— Durma com um barulho desses — falou Colibri, se mexendo na rede.

— Vê se dorme, ô Saci — resmungou Zacarias.

Estava escuro, acordados os três homens em suas redes se reviravam e torciam para amanhecer logo. Nunca uma noite foi tão longa e cruel. Para piorar, não havia café nem chá para a manhã seguinte, e era preciso continuar naquela embarcação improvisada.

Ficaram quietos e parece terem dormido. No meio da madrugada, Colibri deu um grito pavoroso, acordou assustado e se sentou na rede. Os outros também acordaram, espantados com aquele grito. Zacarias estava mais perto de Colibri e vendo o vulto, alertou:

— Não vá descer da rede que você cai na água.

— Puta que pariu! Quase desci!

— E que grito foi esse? — perguntou João.

— Tive um pesadelo. Era o Curupira montado num queixada na frente da porcada em disparada pro meu lado. Crendiospai, só rezando mesmo!

Dormiram de novo e em sonos entrecortados, sonhos feios e cheios de medos concluíram a travessia da noite.

— Cara, está clareando, mas eu não estou vendo nossa jangada. Roubaram — falou Colibri.

— Lógico que você não vai ver olhando para o outro lado. Ela está do lado de cá.

— Caralho! Parece que estou bêbado. Ainda bem que o curupira, a mãe da mata, a mãe d'água, o boto, ninguém roubou nossa jangadinha querida.

— Nem fale, se a jangada tivesse sumido, nós tava era fodido duma vez. Menos você, Colibri, que já tem prática nestas águas.

— Ih, cacete! Lá vem você revivendo meu passado.

— Aquilo ainda é presente, pois hoje você tem chance de novo mergulho de sua querida jangadinha.

— O importante é que conseguimos, bem ou mal, atravessar a noite. Imagine se a gente tivesse que armar as redes no escuro! Sem chance, meu, era capaz de algum amarrar mal a rede e de noite cair na água, pense num susto. E se não desse pra amarrar de dia, tinha que dormir na jangada correndo o risco de ataque dessa bicharada. Quem ia dormir? E sem luz! Crendiospai, credo! Vamos embora daqui, quero terra, fogo, sol. Puta que pariu, onde vim parar!

— Zacarias, quem colocou aquele pau preto em cima da jangada?

— Não, Colibri, misericórdia! Medeiros, tem uma sucuri em cima da jangada.

— Puta que pariu! As lanças estão na jangada e não dá para cutucar. Ela está dormindo.

— Solte uma bomba.

— De que jeito, Colibri? Só se você segurar a bomba na mão, porque na água não explode.

— Eu, hein?! Que serviço! É muito folgada, só falta ela soltar o barro em cima da jangada. Vou acordar ela com um grito.

— Se você gritar, pode atrair jacaré. Vamos quebrar uns pedaços de galhos pequenos e jogar até ela acordar.

— Colibri — falou João. — Se jogue em cima dela igual fez aquele índio no rio aquele dia.

— Não sou vaqueiro e nem cobrero, tô longe!

Após jogarem uns pedaços de pau, a cobra acordou e foi para a água.

— Precisamos voltar e nos aproximar do rio para ver se pegamos um peixe grande, que será nossa reserva. Iscas, já temos.

Descendo da rede para a jangada, João lavou o rosto na água, que parecia limpa, depois desamarrou a rede. Os outros repetiram a operação e, com as varas, começaram a se locomover. A refeição matinal foi apenas uma dose de mel e algumas castanhas.

Assim se aproximaram do leito, onde a água já era bem funda e em menos de uma hora pegaram dois peixes cada um deles com mais de cinco quilos e vários outros menores. Voltaram a navegar para o leste.

— Zaca — falou Colibri —, estive pensando se aquela sucuri tivesse subido na rede de um de nós, já imaginou o sufoco?

— Nem me fale uma coisa dessa, pense na cena, ela na sua rede e João e eu tendo que te defender, mas que jeito com água por baixo.

— Vamos parar de pensar nisso — disse Colibri — A travessia continua, vai saber o que teremos pela frente. Será que a gente consegue?

Atravessaram toda a manhã, navegando lentamente pelo igapó, até finalmente encontrarem terra. Afastaram-se um pouco, prepararam o fogo, fizeram um chá e comeram uma reforçada refeição. Depois, assaram os peixes, embalaram e retomaram o cotidiano da caminhada buscando o rumo do sol nascente. O dia estava calmo. Através das árvores, viam-se nuvens brancas, muito altas. Depois de duas horas de caminhada, armaram as redes.

À noite, no acampamento, João Medeiros falou:

— Está chegando o tempo de aumentarem as chuvas e o nível dos rios. Logo as coisas vão ficar mais difíceis, e não sabemos quanto ainda falta.

Os outros nada falaram, até porque não tinham nada a dizer. Apenas ouviram um trovão ao longe e logo depois já estavam dormindo, sendo acordados pelo barulho da tempestade.

No dia seguinte, saindo do acampamento, a caminhada foi um pouco dificultada pelo solo molhado.

Alguns dias depois, acamparam junto a um córrego de águas limpas. João Medeiros olhava o matinho que cobria umas partes da água e percebeu que era agrião ou algo parecido. Tirou uma folhinha e mastigou devagar. Tinha gosto de agrião. Então era. Comeram salada. Estava sem tempero, um tanto amargo, mas desceu.

Colibri acendeu o fogo.

— Chegar a um riozinho sempre alegra o coração da gente — falou Medeiros.

Até uns lambaris tiveram ali para as refeições.

— Adoro lambari com agrião — falou Colibri, jogando um olhar maroto nos companheiros.

— O FLORIANO —

Na cidade, a novidade era Floriano pendurado numa árvore e uma carta ao lado, na qual se lia:

Deixo aqui meu relato para que não incriminem ninguém. Como é chegado o tempo de eu ir embora, pus-me a pensar: "Estou passando dos sessenta anos e não tenho ninguém lá fora que ficará contente com minha volta. Nesta idade não terei facilidade para viver." Aqui, finalmente, encontrei um espaço que me fez um pouco feliz. Encontrei solidariedade, compreensão, reconhecimen-

to. Até amor vi nos olhos e no comportamento de muitos. A gente tem que ter inteligência para viver e mais ainda para morrer. Se me vou daqui, lá fora vou morrer de inanição, abandono, tristeza, solidão e doenças. Quero ficar aqui, não posso. Tenho que sair, não quero. É minha vida em minhas mãos. Não, não vou, não! Morro aqui, onde consegui um pouco de paz. Morro sereno e não vou sofrer lá fora as tristezas da velhice, o abandono dos que não me querem ou, no máximo, o sofrimento e o aborrecimento de alguns que poderiam me amparar nos tempos finais. Vou agora, vou em paz. Agradeço a todos que, de alguma forma, contribuíram para minha vida. Adeus para todos que ficam, mas só por alguns tempos. Estarei esperando vocês! Um eterno abraço!

P.S.: Como serei cremado e não há para onde nem por que levar minhas cinzas, prefiro que elas fiquem aqui, onde achei conforto. Gostaria que fossem jogadas, em dia de vento, do alto do mirante.

No bar Castanheira, companheiros conversavam sobre a atitude de Floriano e do orgulho por ele querer que as cinzas ficassem em Renascença. Ao que Nonato retrucou:

— Que porra é essa de jogar a cinza em cima de nós? Não pode, não.

Galego rebateu:

— O cara era legal, quis ficar aqui, e o desejo do finado tem que ser respeitado.

O debate cresceu, e foi marcado para sexta-feira, no fim do dia um encontro na Tribuna Livre para debater o tema. Vários se inscreveram, a favor e contra.

No dia e na hora marcados, a praça Manaus estava repleta quando começaram os discursos acalorados, a maioria contra a ideia de as cinzas serem jogadas sobre a cidade. Gigi discursava a favor de jogar o Floriano pelos ares e estava soprando um bom vento do leste, refrescando o começo da noite quando o som de comunicação da cidade anunciou: "Atenção, senhores moradores, em virtude de uma falha de comunicação, as cinzas do finado Floriano já estão no ar, jogadas do mirante. Com o vento, estão se dirigindo para a praça Manaus. Recomendamos a todos que saiam das ruas em que nosso amigo vai se esparramar."

Aquilo foi uma grandeza de obediência com o povo correndo e a cinza já caindo. Era gente nas marquises e os bares entupidos de homens se batendo distribuindo palavrões para todos os lados.

Nonato estava furioso. Entrou correndo no Castanheira, empurrando, procurando um espaço e falando da falta de democracia e que as coisas tinham que mudar e chegou arfando perto de Piolho que lhe pediu licença para tirar um pozinho cinza de seu cabelo e lhe falou:

— Deixe eu tirar o Floriano de sua cabeça — e ele como bom político falou. — Só tomando uma.

—— A GOTEIRA ——

O homem caminhou lento, buscando as sombras, e deslizou para a escuridão, era um vulto sumindo na negrura calma da noite. Andava numa das ruas laterais na alta madrugada. Um silêncio pesado envolvia aqueles prédios em que estavam homens tidos como malfeitores, amantes da violência e do viver à noite. Andava na solidão, entre bandidos dormindo e estranhos vultos que se deslocavam ligeiros. Três horas. A hora do lobo, a hora mais silenciosa. Os últimos haviam ido se deitar e os primeiros ainda não haviam se levantado. Quem mais estaria rondando por Renascença?

Um vento bom e limpo soprando leve, vindo das copas das árvores lá fora. O homem caminhou lento rumo ao mirante, tomou o elevador e chegou ao topo. Não havia ninguém. Lá do alto, contemplou a escuridão da floresta, a cidade com as ruas iluminadas, os prédios com as janelas no escuro, ainda que uma ou outra tivesse luz.

Estava ali no alto, a ruminar seus pensamentos, olhando a muralha, os guardas nas torres e o escuro mais distante, quando viu o vulto de um homem que, indo por uma rua, desapareceu, rumando para o fundão. Em seguida viu outro, que caminhava em direção à praça Ovo de Colombo, atravessou o jardim, a rua e entrou no prédio do mirante. Não demorou, o elevador desceu. Tudo o mais era silêncio. Sem demora, voltou a se movimentar, e, ao abrir a porta, lá em cima, um homem alto, forte, de pele escura e sério o cumprimentou:

— Boa noite, Rui.

— Bom dia, Marcos. Vamos chegar a um acordo. Acho que... Não, não tenho certeza nem se é bom dia ou boa noite.

— Não importa. O legal é que podemos estar aqui em cima olhando confortavelmente a cidade, o mato, tudo em paz. Faz tempo que está aqui?

— Faz algum, sim. Curtindo o silêncio. Eu não conseguia dormir e acho muito bonito ver as luzes da cidade aqui do alto, na madrugada silenciosa. Vi sua chegada, atravessando a praça, mas não o reconheci.

— Às vezes, não consigo dormir. Meu quarto é próximo ao banheiro e o chuveiro fica a gotejar. Quando algum barulho me desperta, sou transportado para longe por pensamentos que me tiram o sono de uma vez. Tento dormir, viro de um lado para outro, inquieto, e aquela "pingueira" não para. É um gotejar infindo, que parece bater forte dentro de minha cabeça. Uma gota inclemente martelando vai levando meus pensamentos que correm pelos trigais de minha infância, ondulações tão suaves e lindas do trigo verde e depois se dourando para logo ter a colheita, e eu aqui nestas tão grandes distâncias, sem ter como voltar no tempo e sem dormir. Respiro muito fundo e penso nas antigas histórias de fantasmas e, então, entendo. Eles, os fantasmas, existem e estão me envolvendo. São meus fantasmas as lembranças, agora dolorosas, das maldades que fiz. Meus fantasmas estão no meu travesseiro. E o chuveiro gotejando, martelando meu cérebro. Levanto-me e vou andar pelas ruas, queimando um baseado.

Andando, vejo outros carregando seus fantasmas, eles existem.

— Queria eu aliviar os fantasmas que habitam minhas noites! Mas não é fácil — confessou Rui. — Também vivo noites de abismos. Acho que, se trabalhar, o corpo ficará mais cansado e será melhor para dormir.

— Também já pensei nisso, mas não sei. Ganha-se tão pouco!

— O mais importante são os pontos. Uma turma já foi embora.

— Foi bom ter visto o pessoal que saiu naquele primeiro voo. Logo vence o tempo de outros.

— Daqui em diante vai estar sempre vencendo o tempo e muitos vão sair, porque a contagem de pontos acelera. Dos que saíram, quem quis já foi encaminhado para trabalho.

— Meu tempo é longo. Acho que vou correr atrás de pontos.

— E aqueles que fugiram no ano passado?! Nem sinal mais.

— É, não voltaram. Nem vivos nem mortos.

— Tem alguma opinião?

— Não. Só sei que depois das três tentativas de fuga não houve mais nenhuma.

— Mas aquela última, a dos três, não se sabe se foi tentativa ou se conseguiram.

— É, dá para considerar como fuga. Não estão aqui, e mesmo que tenham morrido foi depois da saída da prisão.

— Tenho um palpite de que conseguiram. O cara planejou longamente, então deve ter feito isso para sair de Renascença e da floresta.

— Não sei se ele combinou com as onças.

— Se eles conseguiram, é porque dá para fugir.

— Mas fica a dúvida. Se morreram, é porque não dá. Dá ou não dá? Eis a questão.

— O BARCO —

Sete dias depois, quando caminhavam após o almoço, Zacarias perguntou:

— João, que palmeira é essa aí toda folhuda? Desse tipo não vimos ainda, é diferente.

— Se não estou errado, é a piaçava, a que vai para a indústria de vassouras. Que ruído é esse? Parece barulho de avião.

Os três ficaram paralisados e o ruído foi se distanciando para o rumo que seguiam. No acampamento desta noite a conversa era sobre o avião que passou. No dia seguinte andaram mais quietos, tentando ouvir de novo o barulho. No meio da tarde, João indagou:

— Parem! Parece que ouvi um barulho de motor. Será o avião ou é da mata?

Não era da floresta. Pararam e puseram os sentidos em alerta, mas não ouviram nada além de pássaros.

— Parece que ouvi um barulho diferente. Vocês ouviram?

— Parece que sim — responderam, com ar de espanto.

— Vamos ficar quietos, sentir o vento. Estou ouvindo. Acho que é um avião — falou Zacarias.

— Não, acho não. Parece que ele acelera e diminui, diferente do ruído de ontem. Parece barulho de barco, e está vindo lá da frente, para onde estamos indo. Vamos — animou-se Medeiros.

Continuaram andando, o barulho ficou longe e sumiu.

— Deve haver um rio lá na frente — voltou a falar João Medeiros. — Estou estranhando não haver igapó.

Caminharam o resto da tarde, e de vez em quando o barulho era ouvido. À noite, acamparam.

Após o jantar, tomaram chá à beira do fogo, ansiosos.

— Estamos chegando — pressentiu João Medeiros.

— E se for um barco de índios? — perguntou Colibri.

— Não, os índios têm canoas silenciosas. Esse barulho que ouvimos é de barco de pesca, de brancos com grana. Li na biblioteca sobre pesca esportiva no rio Negro ou nos rios que desaguam nele.

— Já estava na hora de chegar, né? — falou Zacarias.

— Sabíamos que ia chegar este momento, mas é sempre diferente esta situação, pois muda a caminhada para outro patamar, por isso a ansiedade. Vai ser custoso dormir.

Foram dois para as redes e Zacarias ficou no primeiro turno.

Na manhã seguinte, estavam esperançosos de mais sinais, pois esse poderia ser o rio grande, tão esperado. Continuaram a caminhada, e depois de duas horas o barulho se fez ouvir, agora bem próximo. Era preciso chegar mais perto. Estava claro que havia um rio à frente. Logo foi possível ver um grande barco branco, bonito, parado, e homens pescando. Dava para ouvir os sons de vozes. Devia haver uns quatro homens. O barco parecia ser lindo diante da necessidade de ver aquilo.

Os três fugitivos não poderiam ir adiante, era preciso analisar para saber o que fazer. Arrearam as mochilas, mas não puderam fazer fogo. Depois de um tempo, o motor do barco acelerou e avançou rio acima.

No alto de uma árvore, um lindo pássaro cantou. João olhou, reconheceu e disse, feliz:

— É o rouxinol do rio Negro! Estamos mesmo chegando! Na biblioteca, quando pesquisei sobre os pássaros da Amazônia, me chamou a atenção esse rouxinol, que estava na minha rota. Tenho certeza: estamos chegando! Esse deve ser um rio que desagua no Negro, para onde vêm pescadores que curtem pesca esportiva. Eles vêm de avião e alugam barcos bons e potentes. Se não tiver uma cidade rio acima, esse barco vai voltar. Deve haver uma cidade por perto. À noite, vamos prestar atenção, porque será possível ver algum clarão de iluminação. Vamos armar nosso acampamento e acender fogo, porque esses pescadores querem distância de quem esteja por aqui. Se virem a fumaça, não virão verificar. Só não precisamos nos expor.

— E, veja, o rio não é grande — mencionou Zacarias.

— Mas também não é pequeno — rebateu Colibri.

— E o que vamos fazer? Uma jangada para descer o rio ou atravessar?

— Primeiro, você vai pescar para garantir nosso almoço. Depois, ver se o barco volta. Em seguida, ver se há clarão de luzes à noite. Enquanto você pesca e toma conta do rio, vamos cuidar de juntar uns paus, amarrar, e deixar pronta nossa jangadinha para atravessar cedinho, antes de clarear, para não sermos visto pelos pescadores.

— Podemos pedir uma carona — sugeriu Colibri.

— Como você pensa fazer isso? — perguntou Zacarias.

— Ficamos pelados e falamos que somos índios.

— Então, vai só você e pelado na beira do rio, grita pedindo carona.

— Vou mesmo.

— Se o cara do barco falar para pular na água e ir até lá, você vai?

— Falo não, pula você.

— Aí ele fala: "tem muito candiru".

— Aí eu falo pra ele: "candiru no sabiró dos outros é supositório" e pronto não quero mais carona.

Umas quatro horas depois, ouviram o motor do barco, que agora passava sem parar, descendo o rio. Os três ficaram calados, olhando o barco rio abaixo. Como era bonito ver aquilo!

— A cidade não é pra cima — deduziu Zacarias.

— Sim, é o que também acho — concordou João Medeiros.

Passaram a tarde com outra expectativa, felizes e apreensivos. Após prepararem a jangada, tomaram um banho, passando a cuidar da aparência. Com a tesoura e os objetos que vieram para esse momento, apararam os cabelos, cortaram a barba bem rente, pois passar o aparelho de barbear na pele sensível não seria agradável. Um ajudou o outro e suas fisionomias mudaram.

Após o jantar, quando a noite caiu, eles se afastaram um pouco do fogo e começaram a perceber um clarão diferente num lado do céu.

— Como eu disse, há uma cidade lá. Não sei a quanto tempo de caminhada, mas é aquele rumo que tomaremos amanhã. Temos que atravessar o rio, aproximarmo-nos da cidade e ficar a uma distância segura, onde armaremos o acampamento. Vou até lá fazer o reconhecimento da área, ver que cidade é, comprar roupas, comidas e volto. Depois veremos o que fazer para organizar os próximos passos.

No dia seguinte, quando as estrelas eram já poucas e o clarão da alvorada se prenunciava, três figuras esperavam um pouco mais de luz para atravessar o rio. Não demorou, e sobre a jangada iam se batendo, com as cascas de coqueiros, para a outra margem.

O objetivo era chegar à cidade depois de atravessar a floresta. O clima agora não era mais de entusiasmo, e sim de forte expectativa, até de desconforto. Em silêncio, caminhavam, afastando-se do rio. Andavam um pouco e paravam para ouvir, mas nada escutavam vindo da cidade. Voltaram a caminhar e, cerca de três horas depois, começaram a ouvir ruídos urbanos. Haviam atravessado a floresta. Pararam, sentaram-se um pouco, tomaram água e descansaram, tentando perceber a que distância estava a cidade. Estavam mudos de tensão. Era preciso ir com cautela, pois poderiam encontrar alguém.

Na mata, já havia sinais de trilhas. Junto a um regato, armaram o acampamento. A ansiedade lhes tirou a fome, mas ainda assim comeram um pouco de peixe, mel e chá de imburana. Na mesma tarde, Medeiros se preparou para ir ao povoado, ou cidade, não sabia o que era. A calça e a camisa que reservara para esse momento saíram do plástico que estava na mochila.

— Vamos nos lembrar do que já foi falado — repetiu João. — Na cidade, não vamos nos envolver com mulheres de jeito nenhum. Teremos tempo para namorar depois, sem confusão nenhuma. Agora, qualquer envolvimento pode pôr a perder tudo o que fizemos. A outra parte diz respeito ao dinheiro que trouxemos. Cada um coloca trezentos na caixinha. Vou comprar tudo para três: comida e roupas.

— Mas e a cerveja que você vai tomar lá?

— Para cada cerveja que eu tomar, compro uma para cada um de vocês.

— A diferença é que você vai tomar gelada, cacete! — reclamou Colibri.

— Tudo a seu tempo. Vai chegar a hora de vocês.

— Tá certo, cara, o que temos que fazer é torcer para tudo dar certo pra você lá. Será que é uma daquelas três cidades de que falou? — quis saber Zacarias.

— Eu acho que é uma das três.

— Vamos fazer uma aposta — propôs Colibri. — Cada um joga vintão e escolhe uma: quem acertar, ganha. Quem escolhe primeiro? Vamos por idade. O mais novo escolhe primeiro, pela inexperiência. Concorda, João?

— Você tem um ponto de razão.

— Então, está fechado — concordou Zacarias. — Depois dele, sou eu.

— Acho que é São Gabriel da Cachoeira. Acho simpático, isso de cachoeira — arriscou Colibri.

— Acho que é Santa Izabel. Tenho me apegado a essa santa desde que você falou o nome da cidade — confessou Zacarias, olhando para Medeiros.

— Bem, só me restou Barcelos. Vou torcer para mim. Se eu ganhar, compro um isopor com gelo para trazer as loirinhas bem fresquinhas.

— Assim somos obrigados a torcer para você ganhar.

— Então, vá e volte logo, estou seco — riu Colibri. — Se vir uma garota bem bonita, fale que mandei um beijo e que estou com saudade, mas já chegando.

— E se for Moura? — perguntou João, parando e olhando para trás. — Bem, deixem para lá. Só não esqueçam: se aparecer alguém e tiver que falar nome, falem os que já decidimos. Eu sou Rubens, você é Jamil e o Colibri é Cláudio.

João Medeiros seguiu por uma trilha, agora já um caminho pisado, certamente por gente que anda caçando por ali. Depois de uns quarenta minutos chegou às primeiras casas e começou a andar pela rua. Viu gente, pessoas simpáticas, que o cumprimentavam. Ele respondia e seguia em frente.

Aumentava o volume de casas e passou um carro. O motorista olhou para ele. Era um táxi. Medeiros olhou a placa: Barcelos. Sorriu, feliz. O motorista parou e perguntou se ele iria entrar. Negou com a cabeça e seguiu andando.

De repente, avistou o largo rio e sentiu uma emoção forte, passando por sua cabeça todo um filme rápido da difícil travessia e de tudo o que sofreram e superaram. Andou pela rua que margeava o majestoso rio. Logo viu um barzinho e parou. O calor era enorme, pediu uma cerveja.

— Qual marca?

— A mais gelada que o senhor tiver.

O dono do bar trouxe duas e João escolheu.

— Que maravilha! Bem geladinha mesmo.

— Aqui é do jeito que o freguês quer. Se quiser quente, temos também.

— Tem vindo muito pescador este ano?

— Ah, aqui em Barcelos todos os anos vêm bastante.

— Ganhei mesmo!

— O quê? — perguntou o dono do bar.

— Não, nada. Foi uma coisa que lembrei, bobagem minha. Uma dívida.

— Nem me fale em dívida.

O palpite de João Medeiros estava certo: haviam chegado a Barcelos, às margens do rio Negro. O passo seguinte era conseguir descer o rio até Manaus e cair no mundo. Mas que mundo? Quanto mais se expusessem, mais risco corriam de serem presos de novo. Teria que viver uma vida pacata, reclusa. Mas como sobreviver? De repente, o melhor seria ficar na travessia da floresta, sem nunca chegar.

Tomando a cerveja e olhando o rio, seu rio tão esperado, pensou "como era doce o meu mel" e teve saudade de quando começou a tirar mel na floresta em volta de Renascença. Pediu mais uma lata de cerveja, pagou e foi tomar sob uma árvore à beira do Rio Negro: ficou contemplando a imensidão daquelas águas mansas, os barcos grandes e pequenas canoas que desciam e subiam, navegando.

Voltou a andar pela rua no enorme calor, sob o sol que não tinha quando estava protegido pelas sombras frescas das árvores da mata. "Que liberdade a travessia!", pensou. "Já estou com saudades da floresta, também num sol desses". Assim matutando e olhando cada casa, as ruas que cruzava e as pessoas — a pé, de bicicleta ou de moto —, chegou ao centro, onde circulavam muitos carros. Analisou tudo na rua principal. Continuou a marcha e passou por vários templos religiosos, usina termelétrica, hotéis, lojas. Foi até o final da rua, chegando ao porto, onde se informou sobre os horários de partidas de barcos.

As pessoas, sempre simpáticas, o cumprimentavam como a um conhecido. Estava se sentindo em casa pelo jeito acolhedor daquela gente. Se sentiu bem. Buscou informações sobre lojas e comprou três calças, três camisas, três tênis, três pares de meias e seis cuecas. Chegou a um grande supermercado na rua paralela à principal, onde comprou comidas, gelo e um isopor, que encheu de cervejas.

Tomou um táxi e voltou pela rua que chegara, orientando o motorista até próximo ao ponto de onde saíra do mato, umas cinco casas antes. Pagou e fez de conta que ia entrar numa das casas. Assim que o táxi sumiu, virando na primeira esquina, ele andou para a frente, com uma sacola na mão esquerda e o isopor pendurado no ombro direito. Nesse instante, um garoto veio correndo e gritando:

— Moço, moço, tem sorvete?

João parou, olhou para o menino, pensou um pouco e respondeu:
— Não, acabou.

Foi andando sem olhar para trás e bateu nele uma vontade de voltar para a floresta. Entrou na trilha que o levou carregando aquele peso até o acampamento, onde foi recebido com alegria, principalmente por causa da cerveja.

— Calma, gente! Antes da cerva, vamos quebrar o gelo — e João abriu uma garrafa de cachaça.

A alegria foi nas alturas. Coisas tão simples, mas conforme a ocasião o valor é outro. Estavam felizes demais da conta, felizes como pintos no lixo.

Depois da segunda lata, com João contando como era a cidade, passaram a experimentar as roupas e os tênis. Tudo nos conformes, sem exigências. Na cidade, cada um compraria o que melhor achasse, sem exageros, porque a fuga não acabara. Passaram a examinar a comida.

— Olha, hoje eu trouxe só umas coisas para quebrar o galho. Amanhã, vocês vão para conhecer a cidade e trazem carne, carvão e não sei mais o que que vocês querem. Tem aí lata de feijoada, farinha de mandioca, limão, ervilha, salada em conservas, leite condensado, café e açúcar e pronto, não aguentava trazer mais. Amanhã vocês melhoram isso. E tem mais: já arrumei um emprego. Quando me estabilizar, vou ser sorveteiro — disse, abanando a cabeça e contando sobre o menino.

As redes estavam armadas e o fogo, aceso. Prepararam o jantar, agora acompanhado de cerveja e de uma batidinha de limão com boa cachaça. Jantaram e dormiram, sem turnos. Medeiros acordou por volta das quatro horas, atiçou o fogo e voltou para a rede. Quando o dia já estava claro, Colibri, o último dos três a acordar, aspirou fundo o cheiro de café.

— O que é isso? Parece que estou num hotel.

— Fique sossegado! Vou lhe servir café na rede. Não é de coador, mas está gostoso.

— Muito bom. Pode contar com a gorjeta.

Estavam felizes, simplesmente felizes por terem conseguido fazer uma travessia quase impossível.

— Sabe, João, para o sucesso da vida, as pessoas têm que estar no lugar certo — filosofou Zacarias. — Você é o responsável pelo sucesso de nossa travessia, você é o cara que estava no lugar certo para planejar tudo o que aconteceu fazendo dar certo. É pena que você não esteja no lugar certo para ajudar nossa gente a melhorar de vida.

— Nesse quesito, estou no lugar errado — lamentou João. — As circunstância me levaram por um caminho que não tive como voltar. Deu no que deu. Assim é a vida. Não só comigo, mas com muita gente. Por isso acontece de, por detalhes, pessoas com formidáveis capacidades estarem às voltas com a Justiça e se perderem nos meandros da burocracia infernal, sem retorno, e outros se beneficiarem dessa mesma burocracia e dela usufruírem de forma covarde, mesmo sendo despreparados e por ligações espúrias aproveitam-se dos recursos públicos em detrimento dos que mais proporcionalmente pagam e menos usufruem. O sistema é dos mais fortes, não dos mais honestos e competentes. Eu pergunto: Deus está de que lado? Se está do lado dos fracos, dos pobres e dos oprimidos, por que, então, os outros é que saem em vantagens? Para mim essa equação não fecha. Sempre há gente enganando gente.

— Não entendo quase nada, mas pobre que gosta de ser enganado tem que se foder. Quer dizer, não é que tenha que se foder, é que vai se foder.

— Que isso, Colibri?! O que você está falando? — perguntou Zacarias.

— Só tô dizendo que pobre que vai na conversa de político safado e de pastor safado vai se dar mal.

— Calma, Colibri! Nem todo político e pastor é safado.

— Claro que não, tô falando dos que são. Não é por causa dos honestos que vamos deixar de falar dos desonestos. O povo que saiba distinguir. Sei que tem melhorado, antes era pior.

— Pobre só tem um caminho para se dar bem, que é a educação. Só a boa escola leva a pessoa a se dar bem. Só a boa leitura, o entendimento das coisas, leva o cidadão ao caminho que ele quer. Veja nossa travessia: quem tinha mais conhecimento? João Medeiros. O homem fez tudo nos conformes e saímos aqui onde ele falou. Se não fosse ele e seu preparo, nós tínhamos virado comida de onça, jacaré, piranha, ou morrido de fome.

— Dizem que os que comandam o país — falou João — não dão boa educação para o povo, assim perpetuando a ignorância para manter o controle. Discordo! É pior que isso. Para mim, é má gestão mesmo, gente que tem o comando e é despreparada para a realidade. Embora tenha melhorado muito e torço para que continue nessa linha que se estabeleceu após a guerra.

— Concordo com o Colibri — disse Zacarias. — Mas um povo pobre é difícil de entender o caminho. As necessidades e o sofrimento do dia a dia turvam a visão.

— É, e ter um monte de filhos sem condições de educar turva a visão de um monte de gente no futuro.

— Vamos cozinhar estes ovos que quero comer uns três. Tomar um leite quente com café, pão, manteiga. Comer queijo, presunto. Meu Deus, que saudade!

— Estou louco para comer saladas e batatas, e você? — perguntou Zacarias.

— Estou louco para comer de tudo! — respondeu Colibri. — Arroz, feijão, sanduíche de mortadela, salame... vixe!

— Quer peixe?

— Nem me fale! Peixe, vou dar uma folguinha de uns dez anos.

Depois de se fartarem, Zacarias e Colibri estavam bem vestidos e prontos para ir à cidade. Um olhou para o outro e sorriram. Medeiros ficaria tomando conta do acampamento e começaria a leitura de um livro que comprara, o que ajudaria a passar o tempo. Quando estavam se afastando, João gritou:

— Jamil, cuide do Cláudio!

Zacarias respondeu:

— Tá bom, Rubens.

Os dois seguiram as orientações de Medeiros sobre como era a cidade e levaram uma lista do que comprar. Pararam em uns três bares para tomar cerveja, ficaram a observar o movimento dos barcos no rio e admiraram os que estavam ancorados. Almoçaram num restaurante. Tomaram açaí e suco de cupuaçu no Mercado Municipal. Enquanto estavam no balcão, passaram uns índios, que traziam artesanatos para uma loja. Colibri falou, baixo:

— Zaca, vendo estes índios, gelei, Parecem os da floresta, aqueles que montaram na cobra.

— Cê é burro cara, aqui está cheio, é a terra deles. Esqueceu aqueles que vimos nas redes no barracão, perto da Prefeitura?

Mesmo assim, Colibri não tirou os olhos dos nativos e achou bonita a moça índia que trabalhava na loja.

Antes de voltarem, foram às compras. Entre outras coisas, pegaram cerveja, cachaça, carne, ovos, papel higiênico, sabonetes e outras coisinhas das simples alegrias do cotidiano.

Chegaram bem alegres ao acampamento e colocaram o gelo no isopor, acondicionando as cervejas. No fim da tarde, fizeram uma boa quantidade de carne assada, tomaram cachaça e cerveja. Era uma festa.

No outro dia, Medeiros foi com Colibri até a cidade. Viram uns hotéis bons, mas preferiram um bem humilde, onde poderiam ficar uns dias por um valor bem acessível e, assim, comer em restaurantes, do jeito que estavam precisando e merecendo. Uns dias mais e tomariam o barco expresso para Manaus, onde chegariam depois de doze horas rio abaixo.

— Zacarias, amanhã à tarde, podemos ir para o hotelzinho barato que encontramos. Ficaremos lá até sexta-feira e zarpamos de barco para Manaus. Assim, comemos melhor, descansamos mais e curtimos um chuveiro gostoso — explicou Medeiros. — Fiz as contas, e o gasto é pequeno para o dinheiro que temos. Na floresta não gastamos nada, mas temos que economizar pra chegar num lugar que de para ter algum trabalho, ganho e segurança e isso só pode ser em cidade grande. Tudo bem pra você?

— Sim. Se vamos dormir em camas e comer melhor, ótimo.

No dia seguinte, fizeram a última refeição na floresta: um bom churrasco, com pão francês, e regado a cachaça e cerveja gelada. À tarde, chegaram ao hotel e se deitaram nas camas. Tomaram longos banhos de chuveiro, com sabonete cheiroso e água quente, apesar do calor. Puseram chinelos e ficaram por ali, feito turistas. À noite, foram jantar num bom restaurante. Em camas, depois de meses, foram despertados por uma tremenda trovoada por volta das quatro da manhã. Após o vento, trovões e chuva forte, continuou uma chuvinha fina e esticada.

— Escapamos dessa — falou Colibri.

— Zacarias, foi você que falou que ia sentir falta da floresta? — perguntou João.

— Acho que só em algumas coisas. Adoro chuva lá fora.

Colibri, ouvindo o barulho repousante da chuva, dormiu e sonhou com os ruídos da selva.

Pela manhã, enquanto os dois dormiam, João Medeiros deu um giro pela cidade e entrou numa farmácia, onde comprou algumas coisas. Na loja ao lado, numa placa com uma moldura bonita, viu escrito: "Não é preciso que teus sonhos atrapalhem os meus". Leu e andou pensando na frase.

De volta ao hotel, encontrou os dois ainda deitados.

— Vão perder o café.

— Eu me espichei na dormência — respondeu Colibri. — Sabe como é, cama boa, meu corpo não queria levantar, o ruído da chuva me convidou a ficar. Bom demais! Gostei desta cidade. A gente podia ficar uns dias aqui descansando bem, comendo bem.

— Também acho. Só há dois problemas: um é que só se gasta dinheiro e o outro é que ficamos expostos e de repente vem as autoridades e querem saber o que estamos fazendo aqui.

— Isso é — concordou Zacarias. — Não podemos ficar aqui marcando bobeira.

Após o café da manhã, os três estavam no quarto quando João falou:

— Nosso plano de fuga continua. Devemos prosseguir fazendo as coisas de modo que um não prejudique os outros, porque, se um cair, arrasta os demais. No próximo passo quero de vocês a seguinte compreensão: nós passamos todos esses meses na floresta, comendo de tudo que estava à mão e tomando águas limpas, mas também impuras, portanto devemos estar cheios de vermes. E a fuga ainda não acabou. Se um de nós cair doente, vai dar ruim, então vamos nos desvermifugar. Já comprei o vermífugo polivalente. Vamos tomar juntos, enquanto estamos aqui descansando neste hotel. Alguém tem alguma coisa contra?

Diante do silêncio, deu o copo, que já estava com água, e os comprimidos para cada um. Os três engoliram.

— Melhor do que aquele paricá que você me deu e fui parar em cima da árvore.

— Mas o efeito agora é outro, vai saber! — disse Zacarias.

— Nada de ruim — disse João. — Vida normal. Mas, quanto menos a gente se expuser, melhor. Por isso, comprei umas revistas e uns livros que achei por bom preço. Sempre que a gente sair, vamos ter em mãos algum livro e estas pastas de elástico com as revistas dentro. Assim, a gente passa uma imagem mais séria e atrai menos os olhos da polícia.

Os três passearam pela cidade, visitaram algumas igrejas e comeram um tacacá num restaurante numa noite agradável. Numa mesa ao lado, um artista local tocava no violão músicas que falavam das belezas da região e declamava poesias; um poeta, o Virgílio. Os três fugitivos curtiram fins de tarde às margens do largo e manso rio com as praias do outro lado, na ilha em frente à cidade. Certa tarde, enquanto dois tomavam cerveja e conversavam olhando o rio, Colibri chegou falando:

— Vi uma caixa de vidro ali, cheia de peixinhos coloridos. São muito bonitinhos.

— Aquilo é um aquário, uma amostra do produto aqui da região, um dos maiores esquemas de captar peixes ornamentais do mundo. Há uma placa explicando. Leia para você entender melhor.

— Fiquei olhando, tem uns bem pequenininhos. Acho que pode até ser o candiru. Arrepie quando olhei para eles e me lembrei dos nossos apuros.

— Acho que não, o candiru é menor.

— O importante é que os peixinhos são bonitos e vamos pensar que escapamos do candiru. Eco!

— Você viu muitas mulheres bonitas?

— Só porque está proibido, parece que chove mulher. E como a gente está a perigo, dá a impressão de que são todas lindas. Cruzei com uma. Eu estava numa calçada e ela, no outro lado da rua, mas quando olhou para mim abriu um sorriso que foi como um meteoro. Flutuei! A alegria me inundou o coração.

— A figura feminina provoca uma emoção forte e agradável, mas nosso foco é outro. Imagine a gente se engraçando com uma moça cuja família é de militares! Rapidinho estamos presos.

— Misericórdia! — falou Colibri, batendo três vezes na madeira do banco.

No dia seguinte, Medeiros e Colibri estavam acordados antes de o sol raiar. Zacarias dormia profundamente.

— Colibri, está acordado?

— Sim. Ainda está escuro. Que horas são?

— Deve ser umas cinco. Vamos até a beira do rio? Já estou sem sono.

Caminharam ainda sob as luzes da cidade, sentaram-se numa mureta da praça às margens das águas vagarosas do rio Negro, que desciam tranquilas para um dia chegar ao mar com o nome de Amazonas. Ficaram admirando o clarear lento e então a natureza caprichou nas tintas, era uma vermelho infinito, no céu e nas águas do rio. Parece que o mundo todo ficou embelezado, só a sombra escura da floresta se projetando sobre as águas do outro lado, por onde o sol se preparava pra chegar. E aquela cor vibrante foi se desmanchando em amarelo escuro desbotando e se misturando no alaranjado com o azul do céu. Os dois homens estavam mudos, eles tinham consciência do silêncio, e assim ficaram olhando as águas negras e lentas seguindo seu rumo sem perceber que fazem parte da beleza do mundo.

— Colibri, a beleza da vida está em saber apreciar o simples — falou João.

Em seguida, entrou em cena o sol por sobre a mata, lá longe, e Colibri lembrou o companheiro:

— O sol está vindo no rumo certo. É mestre, aprendi a entender o rumo do sol, o nosso rumo, acho que depois de uns seis meses, todos os dias falando isso. Nunca vou esquecer, melhor que o sol nascer quadrado, coisa mais sem graça.

— Nem me fale!

— João, lembra do dia que o Zacarias falou que a gente tinha que ter um norte na vida? E você falou "todo mundo tem que ter um norte, mas nós temos que ter um leste." Gostei daquilo.

— Para você ver que a vida vai ditando o rumo que a gente tem que seguir. É preciso saber fazer a leitura.

Mais tarde, andando pela avenida paralela ao rio, rumo ao porto, os três entraram numa rua à esquerda, olhando as casas e seus espaços, quando depararam com uma enorme castanheira nos fundos de um quintal, ao lado de muitas árvores frutíferas. Pararam a contemplar a bela árvore e perguntaram a um menino que saía pelo portão se o dono estava. Ele disse:

— Seu Moreira foi lá para as bandas do rio.

Seguiram andando e comentando a importância que as castanheiras haviam tido na alimentação deles naqueles dias difíceis de travessia.

A sexta-feira chegou, era o dia da partida. A ansiedade ia aumentando à medida que as horas passavam. Iriam pedir documentos para entrar no barco? Se pedissem, teriam que inventar ter perdido na pescaria.

Compraram passagem no expresso que sairia às cinco da tarde. Estavam um tanto ansiosos no porto enquanto aguardavam a chegada do barco que saíra de São Gabriel da Cachoeira, passara por Santa Isabel e daí a pouco aportaria em Barcelos. Embarcaram e na hora do aperto ninguém pediu documentos. Suas mochilas, as quais haviam lavado, colocaram no bagageiro de mão, acima de suas cabeças, e se acomodaram nas três poltronas vermelhas, tendo à frente a tela de TV, distribuídas a cada espaço, num total de três aparelhos para cada lado do amplo corredor. O barco zarpou rio abaixo, e Zacarias falou:

— Pronto! Agora é só chegar a Manaus.

Medeiros não comentou.

O ambiente interno era agradável, espaçoso e com ar-condicionado. Pela janela, eles viam o largo rio e suas margens, às vezes, distante, às vezes próximas. O motor produzia um ruído alto para quem estivesse na popa e o barco descia rápido, num balanço leve. Não demorou e o sol foi caindo lá longe, para o oeste, para as bandas de Renascença, jogando o manto de ouro sobre a mata, "aquela mata", pensou João "foi de lá que viemos". Era o dia terminando com a luz dourada do fim da tarde. Eles sentiram uma certa nostalgia por ver a natureza lá fora e eles aqui dentro, parece que presos, tinham se apartado dela. Queriam tanto chegar ao fim da travessia e agora este vazio. Os três olhavam calados, e não demorou muito os passageiros foram avisados de que o jantar estava servido. Levantaram-se e foram até a popa, onde entraram na fila. Cada um pegou seu prato. Tinham à disposição arroz, feijão, carne cozida, legumes, batata cozida e mandioca frita. Pegaram uma cerveja cada e voltaram para comer em suas poltronas. Comeram em silêncio, devolveram os pratos e retornaram aos seus lugares. Lá fora a escuridão; dentro, a televisão. De repente a imagem ficou ruim, chuviscada, até não se ver mais nada.

Na popa, um tripulante aprumou de novo a antena com o satélite e a imagem voltou. Os três estavam contentes por verem televisão externa depois de tanto tempo. Em seguida, a programação anunciou o telejornal. Uma das reportagens os deixou em choque: "Hoje, se completam seis meses desde que fugiram da Prisão Nacional de Renascença três perigosos criminosos pela Floresta Amazônica. Eles não foram encontrados. As autoridades acham que morreram na floresta, porque dificilmente alguém conseguiria escapar numa região tão inóspita." Ao fim da notícia, aparecia a foto dos três e seus nomes.

Aquelas foram palavras de fogo em seus ouvidos e com as fotos os três gelaram, paralisados olhavam para a poltrona da frente, para os pés, para as mãos, nem sabem para onde olhar, só sabem que muitos do barco viram seus rostos e que estão numa ratoeira, pois não podem sair e o barco não tem escala é direto para o porto em Manaus.

— Vamos ficar na nossa — clamou João. — Se viram, viram. Se denunciarem, estamos fodidos. Se não viram, não vamos mais sair da poltrona para não aparecer. Vamos dormir e pronto. Seja o que for, neste momento não temos o controle disso. Boa noite!

Após o término do noticiário, a TV foi desligada para o descanso de todos, e o barco, com o ar-condicionado forte, ficou no escuro. As pessoas se envolveram nas mantas distribuídas pela tripulação. Logo depois, passaram dois homens no corredor dizendo que iam descer numa parada rápida em Moura, uma comunidade que se aproximava.

João Medeiros sentiu um sopro, a ideia lhe passou como um raio pela cabeça.

— Vocês ouviram? O barco vai parar. Peguem as mochilas.

Ele puxou a sua do alto do bagageiro e foi para a frente. Os outros dois fizeram o mesmo, rápidos e sem alarde. Os três acompanharam os movimentos dos homens que desceram e, sem falar com ninguém, desembarcaram em Moura, um povoado e se embrenharam na escuridão limpa da noite brilhante de estrelas.

— João, e agora? — perguntou Colibri.

— É, e agora? — reforçou em voz baixa Zacarias.

E João Medeiros respondeu, afastando-se pela rua deserta rumo ao escuro:

— Na vida, a gente segue por estranhos caminhos em busca da liberdade.

De longe, viram com tristeza o belo barco iluminado descendo o rio Negro, como se as luzes dançassem no balanço das águas.

— Sacanagem! — esbravejou Colibri. — Perdemos o dinheiro e ainda ouvi que sou criminoso perigoso, como se eu andasse por aí matando tudo que é prefeito.

Os três ganharam a noite e desapareceram na escuridão da floresta.

O barco seguiu sem que nenhuma autoridade aparecesse para fazer uma abordagem, algo comum na região em razão da fronteira com a Colômbia e a Venezuela. Quando amanheceu, a embarcação estava chegando ao Porto São Raimundo, em Manaus.

Assim que atracou, o alto-falante pediu que todos permanecessem em seus lugares. Dois policias entraram, com fotos nas mãos, observando atentamente todos os passageiros. Saíram do barco e comentaram entre si:

— Informação falsa — disse um deles.

— Não falei? — retrucou o outro. — Ninguém consegue fazer aquela travessia. Os caras morreram mesmo, viraram fantasmas e de vez em quando vão aparecer para alguém — e se benzeu fazendo o sinal da cruz.

Alguém que estava perto falou:

— O ser humano gosta é de mistérios.

— O FESTIVAL DA NATUREZA —

Em Renascença, foi criado o festival para os homens se atentarem sobre a natureza, pois estando no meio da vasta floresta, com o ar tão puro se tem o ambiente apropriado para muitas reflexões a respeito de temas por demais importantes. Durante a semana, a maioria das músicas no sistema de som e na TV era de canto dos pássaros, ao passo que outras enalteciam as belezas da fauna e da flora. Vários filmes foram programados, sempre abordando elementos da natureza.

Num dos filmes, aparecia um jovem índio guerreiro, que cantava apaixonado pela bela índia, de longos cabelos negros, mas que não ficou com ela porque um feitiço o transformara no uirapuru, que é pequeno mas tem um canto tão lindo que, segundo a lenda, quando se põe a gorjear todos os pássaros por perto emudecem.

No último dia, no domingo à tarde, no anfiteatro lotado, o telão apresentou uma palestra e, para encerrar, um filme sobre a vida harmoniosa dos habitantes da floresta. Nas últimas cenas, um fantástico coral de jovens indígenas. O auditório ficou silencioso. Aquelas vozes, com uma afinação impressionante e uma sonoridade encantadora, pareciam vir do meio da floresta. A imagem dos componentes, com seus rostos sérios, se alternava com cenas de mata, animais, rios, lindos pássaros coloridos, borboletas e o ruído da chuva caindo nas copas das árvores e chegando ao solo forrado de folhas. A emoção dominou o público, que explodiu em aplausos.

O festival promoveu concursos de poesias, contos, peças de teatro, danças, palestras, debates e incentivo às igrejas para que desenvolvessem orações sobre a natureza e o amor, o bem querer e a fraternidade, valores a serem cultivados para ter uma vida de paz. Promoveu ainda diversas homenagens à vida, à água, ao fogo, ao vento, às nuvens e à Terra. Vários prêmios foram entregues para os vencedores de diversas modalidades.

—— O TEMPLO DA NATUREZA ——

Num sábado à tarde, era grande a agitação na praça Ovo de Colombo. O bar Serenata estava lotado. Sob o mogno, um camelô fazia seu espetáculo. O realejo de Amarildo tocava músicas, e seu papagaio tirava a sorte em papéis coloridos. Um homem gordo, com cara de lua, vendia beijus, um produto muito leve e sensível que estão bem acondicionados no tambor cuja tampa tem uma marcação de um a cinco, o cliente paga preço único e gira a roleta da numeração, se a paleta parar no um, leva um beiju, no dois, leva dois, mas se tiver maior sorte e parar no cinco leva cinco beijus. Um rapaz fazia malabares. Havia também um churrasquinho de gato e um pipoqueiro. O povo se aglomerava, já com o sol declinando.

O camelô conclamava:

— Vamos lá, gente! Vamos chegando para ganhar muitos prêmios. Não paga nada, é só participar com sua inteligência. Preciso aqui alguém para representar os cristãos. Quem se habilita? Venha participar e ganhe um espetinho.

— Eu vou. Dê-me logo o espeto — disse um magrelo com a cara cheia de espinhas.

— Calma, amigo. Os prêmios são só no fim. Muito bem, aqui está o representante do cristianismo. Agora, venha um representando os muçulmanos.

O povo se aglomerando sob a grande árvore da praça. Havia uma alegria no ar com toda aquela prosa envolvente do artista. Alguém quis saber:

— Também vou nesse espeto. Podem ser dois?

— Vamos ver, no frigir dos ovos, quem leva o quê. Se não quiser o espeto, pode ser uma girada no beiju. Agora, vamos chamar um representante do budismo.

Um cara baixo e gordo deu uns passos à frente e concordou em ser o budista.

— E, agora, meus amigos, chamo um representante do povo da Grécia Antiga.

Logo um se manifestou como candidato a um churrasquinho.

— Muito bem, aqui temos os quatro representantes que já ganharam um churrasco. Vamos ver o que mais vão ganhar. O céu é o limite. Vamos lá, pergunto ao cristão:

— Acredita em Jesus? *Sim.*
— Acredita em sua pregação? *Sim.*
— Acredita em Deus? *Sim.*
— Acredita em Maomé e na sua pregação? *De jeito nenhum!*
— Prestem atenção vocês todos nestas perguntas e respostas.
— Agora você, muçulmano: acredita em Maomé e no Alcorão? *Sim.*
— Acredita em Alá? *Sim, o grande e único.*
— Acredita em Jesus e em suas palavras? *De forma nenhuma!*
— Acredita em Deus? *Acredito em Alá.*
— Você sabe que Maomé veio depois de Jesus. Acha que ele acreditava no filho de Maria? *Isso não posso dizer.*
— Agora, aqui, o senhor budista. Acredita em Deus? *Acredito numa força superior.*
— Acredita em Jesus? *Não.*
— Acredita em Maomé? *Não, só em Buda.*
— Agora aqui o representante dos gregos antigos. Acredita num ser superior? *Sim.*
— Em qual? Na Grécia antiga havia muitos deuses? *Acredito em todos.*
— Acredita em Jesus? *Não.*
— Em Buda? *Também não.*
— E em Maomé? *Menos ainda.*
— Então acredita em vários deuses? *Sim.*
— Mas Deus é um só. *Acredito em todos.*
— Mas Deus é um só. *Sabe que agora me enrolei? Não sei mais em quem acreditar.*

"Então, é isso! Cada povo, em cada época, sempre acreditou em alguma divindade. Nos tempos atuais, há gente que não acredita em nenhum deus, em nenhum profeta. Aqui nesta cidade, temos um caminho que é do amor à natureza, amor ao que é perfeito, pois a natureza é perfeita. Convido todos vocês a conhecer nosso templo, no qual se reflete sobre a natureza, cada detalhe e importância da luz do sol, da água, do oxigênio, da terra, das plantas, dos animais, e o papel de cada um na cadeia da vida. Falamos da interação de todos esses elementos, que são a fonte da vida em nosso planeta. Meu nome é Messias, e espero vocês lá no Templo da Natureza."

—— A TEMPESTADE ——

Dias depois da escapada do barco, andando pela beira da mata de igapó, os três homens se depararam com uma canoa indígena amarrada com cipó. Dentro, havia quatro remos. Olharam em volta e não viram ninguém. Rapidamente, desamarram-na e embarcam. Começaram a remar por entre as árvores próximas à margem e seguiram em direção ao rio. Depois de aproximadamente duas horas, alcançaram o leito.

— Colibri, deite-se no fundo, para parecer que estamos só em dois — pediu João Medeiros. — Depois revezamos e vamos ver onde isso vai dar. Primeiro vamos nos afastar bem das proximidades dos donos dessa canoa. Em seguida, dar um jeito de navegar somente à noite.

Remaram pelas volumosas águas do rio Negro, procurando atravessar o largo caudal para saírem da margem onde a canoa poderia ser reconhecida. Não demorou e avistaram uma ilha, navegaram mais um pouco à sua esquerda, depois outra e na vastidão do rio muitas ilhas vão ficando para trás e eles se distanciam da margem direita como era a intenção quando pegaram a canoa. Viram várias embarcações, umas grandes e outras menores, descendo e subindo o rio. Em determinado momento, Zacarias viu à sua frente um animal na água.

— É uma sucuri — falou Medeiros.

— Vire para a esquerda — falou Colibri.

— Não, vai pela direita — disse Zacarias.

— Eu preferiria parar a canoa — falou Medeiros. — Mas não dá. A água leva sempre a gente para a frente.

— Mas tem que tomar uma decisão.

— Essa é daquelas horas que não dá para fazer uma reunião e ficar debatendo. Quem está pilotando tem que decidir, então vamos para cima da cobra, e ela que se afaste, senão vai levar uma remada.

— E se ela pular dentro da canoa? — assustou-se Colibri.

— A gente pula na água e vai para longe — respondeu João.

— E quem não sabe nadar? — perguntou Zacarias.

— Aprende na hora ou morre. A vida é simples assim — responde Colibri e emenda — Não sei o que é pior: se é morrer ou enfrentar o candiru — e solta sua risadinha estridente.

No exato momento em que chegaram à sucuri, ela mergulhou e a preocupação passou.

Quase no fim do dia os navegantes, avistaram um lugar firme numa ilha e encostaram a canoa. Puxaram-na para fora da água e ali acamparam comendo peixe assado de novo, e Colibri lamentou:

— Naquele acampamento antes da cidade, falei que ia ficar uns dez anos sem comer peixe, mas pelo jeito vamos ficar é uns dez anos comendo. Já estou até criando escama. Crendiospai, onde vim parar! Bem que minha mãe falava: "estuda, menino, estuda!". Mas não, o cabeçudinho aqui achava que sabia tudo, taí no que deu, agora vamos em frente, só no peixe.

No clarear do dia, seguem viagem e uma chuva doce e mansa desce no meio da tarde com o sol brilhando em meio a água que cai feito fios de prata. Bonito olhar aquilo.

João Medeiros, olhando a paisagem, fala a seus companheiros:

— Pelo que li na biblioteca, estas são as ilhas Anavilhanas.

Depois de alguns dias navegando rio abaixo com o sol já descambando, notaram que estavam bordejando novamente a margem direita do rio, mas centenas de quilômetros à frente de onde haviam pegado a canoa.

Estão mais tranquilos e pensando em como passar aquela noite. Com a tarde caindo, afastaram-se do leito e entraram num remanso, onde logo avistaram uma casa flutuante. Rumaram para lá. Na varanda, um homem, um rapaz, um menino e um cachorro observavam os canoeiros que chegavam. Na rede, duas pequenas meninas brincavam. Francisco ralhou com Balé, que não parava de latir. Era um cachorro pequeno, preto e branco, bonito até.

— Boa noite — disse Medeiros, seguido pelos parceiros.

— Boa noite — responderam os moradores.

— Pescando? — perguntou o dono da casa.

Nesse momento, apareceu na janela a esposa de Francisco.

— Dando um giro. Se der peixe melhor. Pegamos alguns — apontou João Medeiros para o fundo da canoa. — O amigo tem uma água fresca aí pra gente?

— Sim. Podem se achegar.

Era uma casa baixa, de madeira, coberta por telhas de flandres. O calor era enorme em seu interior, mas na varanda de entrada corria leve a fresca da tarde. A casa flutuante estava amarrada por duas cordas grossas, uma delas numa árvore da frente. Na parte de trás, a corda se prendia numa árvore do fundo.

— Vocês tomem assento — falou Francisco, apontando duas cadeiras brancas de plástico e um banquinho de madeira.

Medeiros saiu da canoa para a varanda, com um bonito matrinxã de uns quatro quilos. Colibri com outro pouco menor e já falou:

— Se tiver algum peixe aqui por perto, dê autorização que pego.

Deram risada todos, e João disse:

— Pega nada! Esses aí pularam na canoa — riram.

Tomaram água e seguiram conversando. O dono da casa ofereceu uma cachacinha, que todos aceitaram. Vendo uma lâmpada acesa na sala, Zacarias perguntou:

— Pega bem a televisão aqui?

— Nada. Aqui está ruim pra isso. Temos aí o aparelho, mas faz muito tempo que não liga.

— Os senhores pelo jeito estão passeando. São de onde?

— De longe, lá do Sul.

— E estão indo para onde nessa canoinha?

— Estamos indo por aí, onde tiver um peixe pra pescar. Gostamos de coisas simples. Compramos esta canoa lá do outro lado. O importante não é o barco, e sim onde está o peixe. Por aqui há lugar bom?

— Depende da época do ano e da lua.

— Aqui com meu amigo não tem lua, não. Ele pega sempre.

— Então, está sempre no lugar certo.

— Diga-me uma coisa: há como a gente pernoitar por aqui? — indagou Medeiros. — Estamos cansados. Se a gente puder se esticar aqui nesta varanda gostosa, eu lhe passo um dinheiro para pagar uma farinha. Sua esposa concordando, faz aqueles peixes e comemos. O que o senhor acha?

— Farinha? Ô mulhé, tem farinha aí que dê pra gente comer esses peixes?

— Melhor os meninos ir lá no Januário comprar um pouco — respondeu Madalena.

— Tem uma venda aqui perto? — perguntou Zacarias.

— Sim, tem, é um flutuante e os meninos vão de barco, é rapidinho.

— E tem cerveja? —

Após a resposta afirmativa, Medeiros deu dinheiro para uma dúzia de cerveja, farinha e uma garrafa de cachaça.

— Compre uns doces para as crianças também — emendou.

O rapaz e o menino saíram rápidos com o barco a motor e logo estavam de volta.

A prosa correu solta, com o dono da casa contando histórias da floresta e que seu bisavô foi soldado da borracha para as bandas do alto Juruá, perto do Acre.

— Tomam cachaça, cerveja, comem peixe com farinha e arroz.

Em seguida, todos se ajeitaram para passar a noite. Os três visitantes e o rapaz se deitaram na varanda.

Tudo ficou quieto, mas de dentro do silêncio um ruído está acontecendo, parece alguém batendo numa porta. E se repetem aquelas batidas, mais e mais, aí Colibri pergunta para o rapaz, deitado ali perto.

— Que barulho é esse?

— É o banzeiro.

— Hein? Que que é isso?

— É o balanço do rio e a marolinha da água batendo nos grossos troncos flutuantes onde a casa está assentada.

A casa ondulava levemente no silêncio repousante das calmas águas, quase inteiramente cercada pela floresta. A escuridão era completa; só a luz das estrelas indicava alguma claridade distante para quem não havia dormido ainda, como Colibri ali na rede. De repente, ele viu uma estrela se mexendo e foi embora. Não demorou muito outra, no mesmo sentido, então chama Zacarias e fala baixinho o que estava vendo. O amigo esperou um pouco e concluiu:

— São aviões. Aqui é uma rota. Amanhã discutimos isso.

Colibri ficou ali, a esperar aviões, com os olhos arregalados, observando o clarão das estrelas. Na água, as sombras da mata de igapó dançam conforme o balanço lento das marolas, o que provoca uma sensação fantasmagórica. É o balanço das sombras, os sons dos grilos na mata próxima, o barulho ligeiro de pequenos peixes pulando e vez em quando um barulho maior que é o boto cor de rosa tirando o corpo fora d'água. O banzeiro embala a casa e lá no alto mais um avião passa piscando a luz. Colibri adormece.

No meio da noite, houve uma correria pela casa. O menino Adriano veio ligeiro, acordando todo mundo, e chamando o irmão:

— Zé, levanta que tá vindo um temporal brabo.

O irmão se levantou rápido. O vento era forte, e mais ainda os trovões e os raios iluminando tudo que parece ter acendido a luz do mundo. E o garoto determina:

— Vamos todo mundo ajudar a colocar o barco pra dentro, senão vai encher d'água. Zé, vai logo ligando o motor.

E com todos os homens ajudando o barco praticamente pula para debaixo do coberto. Aí é hora de acudir o que estava solto na varanda: colchão, mesa, cadeiras, roupas e tudo que podia voar com o vento forte e se enrolam as redes para prender no teto, pois a chuva já cai grossa e as despejadas. João reforçou a amarração da canoa. É um colosso de agito com trovões, raios, água, vento forte e o balanço da casa com a corda esticando, ora dum lado, ora do outro. Foi um tropel de uns quinze minutos e aquela força foi passando, o vento diminuindo, trovões ficando longe e os raios virando relâmpagos. Não demorou e na calmaria restava o banzeiro, agora mais forte e continuado. O rio havia se movimentado.

Tudo ficando normal e não demorou estavam todos dormindo, ou quase todos, Zacarias, que ficou a observar a dança das sombras das árvores no movimento das águas que ondulavam já lentamente pelo sopro que restou da tempestade. Espalhadas nas redes e nos colchões na pequena varanda, as pessoas ressonavam tranquilas. O perigo da tempestade havia passado. O cachorro Balé também dormia. A noite voltara ao normal e o banzeiro embalava o sono de todos.

Ao raiar do dia, o espetáculo se dá grandioso, parecendo que todas as tintas vermelhas do mundo haviam sido jogadas no céu. E aquilo refletiu nas águas, e o Negro rolando alguns minutos como um caudal de brasas, parece mais uma corrente de lavas. Um espetáculo grandioso da natureza, impossível explicar todos os detalhes daqueles momentos que logo se transformam em comuns.

— Bom dia, seu Francisco. Foi uma severa noite de tempestade. Eu me assustei — falou Zacarias, ajoelhado na varanda, lavando o rosto nas águas do rio.

— Sim, nosso lugar é assim. Estamos acostumados.

"A noite se acabara, como seria o próximo dia?" se perguntava Medeiros, arrumando as coisas na canoa amarrada e olhando o rio, pensa "vamos atravessar mais um dia". Como reforço para a jornada, comeram o peixe que sobrara do jantar e tomaram café com tapioca, feita por dona Madalena. João agradeceu a hospitalidade e deixou um dinheiro com Francisco, que se recusou a pegar.

— Pegue, sim, seu Francisco. É pouco, mas é de coração. Vocês foram muito bons em facilitar nossa noite. Compre alguma coisa para a turma comer e pode ser que de repente a gente volte e aí comemos de novo.

Entraram na canoa, acenaram com as mãos e começaram a remar. A família, na varanda, as mãos também acenando, e Madalena comentou:

— Parecem ser uns homens bons— e com a mão parada no ar completa — mas quem vê cara não vê coração. Vai sabê da vida de cada um!

A canoa desceu lentamente pelas águas do rio Negro, que mais parecia um mar, de grande, levadas pela força da natureza, buscando as águas do Solimões para, juntos, formarem o fabuloso Amazonas. Na canoa, três homens remavam para enfrentar suas tempestades, mas sempre prontos a superá-las na luta pela travessia da vida.

— MEL DA LIBERDADE —

Com a passagem do tempo, outra rotina se instalou em Renascença: a de homens indo para a liberdade, o que passou a ocorrer com certa frequência depois do primeiro voo. Com o bom e respeitoso trato, os homens se acomodaram numa rotina de trabalho, casa, esportes, exercícios físicos, leituras, cursos, artes, shows, orações e diversas outras ocupações, sempre visando à pontuação e muitos se preparando para uma atividade produtiva quando em liberdade. Emílio e sua equipe estavam felizes por poder participar do funcionamento equilibrado de Renascença, a cidade-prisão que valorizava o cidadão e o futuro possível. Toda a direção da cidade estava feliz porque Renascença veio para ser uma luz, brilhando na imensidão da floresta.

Passado pouco tempo da saída do primeiro voo para a liberdade, muitas vidas estavam organizadas do lado de fora. Os ex-presos, com tornozeleiras até cumprirem o fim da pena original, em sua maioria foram se encaixando no mercado, conforme os cursos que fizeram e o que praticaram durante o período na cidade. Os que se instalaram em cidade maiores, sob orientação institucional, organizaram-se em entidades sociais, nas quais passaram a receber os recém-saídos e se tornaram um ponto de encontro e convivência entre seus familiares.

São as Associação dos Vencedores de Renascença, em que os ex-presidiários encontraram apoio, dicas para empregos, solidariedade, festas de confraternização e de recepção para os novatos, orientações para cursos, encaminhamentos, enfim, os caminhos que sinalizam o final da travessia para a liberdade. Uma dessas associações é dirigida pelo Professor Eugênio Guimarães que tem cooperado muito com todos que o procuram e conseguido uma importante ajuda do milionário Florisvaldo Agripino Ferro, o ex-presidiário Zé Bundinha.

Tendo se passado três anos e meio desde a chegada do primeiro voo à Renascença, a cidade vive um dia comum com o avião trazendo um grupo de prisioneiros pela manhã e, à tarde, Emilio, depois de se despedir dos novos libertos, está na janela acompanhando a saída do ônibus pelo portão. Estava ali perdido em pensamentos quando um funcionário o chamou pela segunda vez e lhe entregou um envelope que chegara pelo correio. Ele o abriu e, dentro, havia uma carta e uma foto que lhe provocou um susto. Reconheceu os rostos de João Medeiros, Colibri e Zacarias. Depois de alguns segundos, perplexo pôs-se a lê-la:

Caro Emílio,

Espero que estejam bem, você e todos aí em Renascença. Nós aqui estamos bem: Colibri, Zacarias e eu. Fizemos a travessia da floresta e nos encaixamos na vida aqui fora, trabalhando honestamente. Deixamos a vida do crime, na qual entramos por circunstâncias que agora não vêm ao caso. Aprendemos muito na convivência em Renascença e amadurecemos ao longo da fantástica travessia que fizemos. Agradeço muito o apoio que recebi de vocês. Isso jamais sairá de minha memória. Guardo um carinho especial por você. Não peço desculpas; peço apenas que releve o fato de eu haver traído sua confiança. Você é um cara com quem eu gostaria de ter contado nessa aventura, mas não podia lhe fazer a proposta. Pelos rumores que me chegam, fico contente em saber que Maria está aí, próxima de você, o que me leva a pensar que sua travessia já está feita, pois sinto que você é feliz.

Enquanto lhe escrevo, ouço uma música que diz: "Eu planejei cada caminho, eu fiz do meu jeito".

Emílio, a vida não é fácil, sabemos, e na travessia se tem sempre o ferrão das abelhas e a doçura do mel.

Abraços nossos a todos. É DOCE O MEL DA LIBERDADE.

Emílio olhou novamente a foto e viu os três num bar. Sobre a mesa, travessas com comidas e bebidas. No cantinho direito inferior, um vidro de mel cujo rótulo é o desenho de três abelhas e no qual se lê: Mel da Liberdade. Zacarias está ao lado de Colibri, que toca um violão. Os dois parecem cantar.

Assim que leu a carta, Emílio caminhou calmamente pelas ruas até o Mirante e, lá no alto, viu o avião subir, levando o grupo de homens que faziam a travessia para a liberdade. Ficou a contemplar o céu acima da floresta até o avião sumir e olhou para a cidade. Nas ruas, as pessoas iam e vinham em todas as direções. Pensou, então: "Para onde olha a alma de cada um? O que sonha cada uma delas?". Pensando essas coisas, leu novamente a carta de João Medeiros e, sem perceber, falou em voz alta:

— É doce o mel da liberdade.

Meus agradecimentos a você, leitor, que fez a travessia deste livro. Desejo que sua vida seja por águas calmas, até concluí-la num porto tranquilo, na eternidade que nos envolve.

Um abraço de nosso tempo,
Orlando Milan

GRÁFICA PAYM
Tel. [11] 4392-3344
paym@graficapaym.com.br